ro
ro
ro

Hamburg, 1765.

(Detailausschnitt auf den Seiten 122/123)

Petra Oelker, geboren 1947, arbeitete als freie Journalistin und Autorin von Sach- und Kinderbüchern, bevor sie mit dem Schreiben von Kriminalromanen begann. «Tod am Zollhaus» (rororo 22116) war der Auftakt der erfolgreichen Reihe, in deren Mittelpunkt die Komödiantin Rosina und das historische Hamburg stehen:

Der Sommer des Kometen (rororo 22256),
Lorettas letzter Vorhang (rororo 22444),
Die zerbrochene Uhr (rororo 22667),
Die ungehorsame Tochter (rororo 22668),
Die englische Episode (rororo 23289),
Der Tote im Eiskeller (rororo 23869) und
Mit dem Teufel im Bunde (rororo 24200).

Daneben schreibt sie in der Gegenwart angesiedelte Kriminalromane, darunter «Der Klosterwald» (rororo 23431), «Die kleine Madonna» (rororo 23611) sowie «Tod auf dem Jakobsweg» (rororo 24685).

Petra Oelker

Die Schwestern vom Roten Haus

Ein historischer Kriminalroman

Rowohlt Taschenbuch Verlag

4. Auflage April 2013

Originalausgabe
Veröffentlicht im Rowohlt Taschenbuch Verlag,
Reinbek bei Hamburg, Juli 2009

Historische Karte Seite 2/3
Staatsarchiv der Freien und Hansestadt Hamburg
Hamburg-Karte Seite 122/123 Peter Palm, Berlin
Abbildungen Seite 50/210 Staatsarchiv der Freien
und Hansestadt Hamburg
Umschlaggestaltung any.way, Cathrin Günther
(Abb.: Henry Louis Christian Mecklenburg,
Das Blockhaus «Neptunus» am Binnenhafen
[Hamburg], um 1850)
Satz Caslon PostScript, InDesign,
bei Pinkuin Satz und Datentechnik, Berlin
Druck und Bindung CPI – Clausen & Bosse, Leck
Printed in Germany
ISBN 978 3 499 24611 1

Das für dieses Buch verwendete FSC®-zertifizierte Papier
Holmen Book Cream liefert Holmen, Schweden.

*'s ist leider Krieg – und ich begehre
nicht schuld daran zu sein!*

Matthias Claudius

Prolog

Liebe Schwester,

ich habe lange gezögert, diese Zeilen zu schreiben, denn sie können meine Zukunft zerstören. Um das zu erlauben, habe ich zu hart gerungen; ich möchte wie jeder Mensch ein gutes Leben haben, nie hungern oder frieren, nie mehr den Nacken beugen. Ich möchte, dass man mir mit Respekt begegnet.

Es ist unendlich lange her, seit wir uns zuletzt trafen, manchmal glaube ich, jene Zeit zu vergessen.

Nun sehe ich Dich lächeln. Ungeduldig über meine törichten, nur die Zeit verschwendenden Gedanken, zugleich nachsichtig, wie Du es auch mit mir warst. Wenn ich mich aber in meinen schlichten, für mein Empfinden immer noch ungemein schönen Kleidern sehe, meine helle Haut, das sorgfältig frisierte Haar, die Hände ohne Schwielen und Schrunden, bin ich manchmal noch verblüfft. Das ist gut, diese Fremdheit vor mir selbst bewahrt mich vor Hochmut. Denn natürlich kann ich nie wirklich vergessen, wer ich war, wer ich bin. Und wem ich Dank schulde. Ebenso wenig, wem ich alles andere als Dank schulde. Das allerdings würde ich gerne vergessen. *Du* hingegen wirst dich stets bemühen, *nicht* zu vergessen, wer Dir Leid zugefügt hat.

Völlig ändern wir Menschen uns sicher nie. Gleichwohl würdest Du mich heute kaum mehr erkennen, sollten wir uns unversehens begegnen – und das könnte bald geschehen. Vor allem die Zeit, aber auch meine Stellung im Leben haben meine äußere Gestalt und Erscheinung verändert, meine Manieren, meine Sprache, sogar mein Denken. Ich musste nur wenig dazu tun, und da es mir leichtfiel, glaube ich, dass alles richtig war und auch der Weg in die Zukunft der richtige ist. Es geht um keine große oder gar gemeine Lüge, es geht nur um eine Kleinigkeit, genau genommen nur um ein *corriger la fortune*. Warum sollte es verwerflich sein, dem Glück ein wenig nachzuhelfen, wenn es doch niemandem schadet?

Ich habe gewiss nicht alles alleine geschafft, letztlich das wenigste, ich hatte großzügige Hilfe, ohne die ich noch die Gleiche wäre wie vor Jahren. Obwohl es oft mühsam und demütigend war, erkannte ich die Chance und war willfährig. Vielleicht erschien ich darin schwach, tatsächlich war ich endlich stark. Du warst immer schon stark, kanntest Dein Ziel und wusstest den Weg, es zu erreichen. Und dass alles im Leben ein Handel ist und seinen Preis hat. Du warst bereit, ihn zu bezahlen, und ebenso bereit, von anderen ihren Preis zu fordern. Ich habe Dich dafür bewundert, wie für manches andere.

Alles änderte sich, und schon nachdem es mich in diese Weltgegend verschlagen hatte, fühlte ich mich beinahe frei. Ich musste weiter mit gesenktem Blick meine Knickse machen, trotzdem ist das Leben hier so anders. Du solltest allein den Garten sehen. Seine wilde Üppigkeit ist nur mit viel Mühe im Zaum zu halten und bietet viele Verstecke. Womöglich lag es auch an der immer neuen Kraft dieses Gartens, als ich begann, meine Ziele höherzustecken.

Noch einmal ist mir ein unerwartetes Glück zugefallen, ich war zu schwach, es auszuschlagen. Ich stellte mir vor, wie ich eines Tages in unserer Kutsche durch die vertrauten Straßen fahre, wie ich mit freundlichem Nicken hier und dort grüße und gegrüßt werde, stellte mir vor … mit so Törichtem will ich Dich verschonen. Ich stellte mir auch anderes vor, das will ich Dir sagen. In die eitlen Bilder drängte sich eine gefürchtete Wirklichkeit, nämlich dass mich *niemand* freundlich grüßen wird, dass man mich anspucken wird, davonjagen.

Ach, Liebe, ich muss darauf vertrauen, dass mich niemand erkennt. Nur Du wirst mich erkennen, wenn Du mir nahe genug kommst, um in meine Augen zu sehen. Deshalb bitte ich Dich: ERKENNE MICH NICHT. Es ist die einzige Bitte seit so vielen Jahren und für alle zukünftigen.

Mein Herz wird bluten, wenn wir uns begegnen und nicht erkennen, nicht umarmen dürfen …

Kapitel 1

Fastnacht, 23. Februar 1773

Dieser Winter war unberechenbar. Nachdem er noch zu Beginn des Advents eine solche Milde vortäuschte, dass an sonnigen Plätzen Veilchen blühten, ließ er zur Weihnachtszeit plötzlich Teiche und Bäche zufrieren, dann Bille und Alster, endlich verschwand sogar die Elbe unter einer Eisdecke. Bald lieferten sich Schlittschuhläufer und Pferdeschlitten Wettrennen, und die Spaziergänger wärmten sich an den eilig errichteten Buden mit Punsch, warmem Bier oder fetten Suppen. Ganz Hamburg war auf dem Eis unterwegs, ob in Geschäften oder zum Vergnügen. Die Elbe fror in vielen, sogar in den meisten Wintern zu, so dick und sicher wie in diesem war das Eis jedoch selten. Es trug auch große Schlitten und Wagen bis nach Harburg an der Süderelbe, wer dort Geschäfte hatte, beeilte sich, hinüberzukommen.

Wenn das Eis erst zu brechen begann, gab es für viele Tage, womöglich für Wochen kein Hinüberkommen, bis es völlig geschmolzen war und die Ewer wieder Segel setzen und ihren Weg durch die Windungen der verzweigten Flussarme suchen konnten. Bei schlechtem Wind oder mit einem unfähigen Schiffer dauerte die Reise viele Stunden. So war in diesen Winterwochen immer viel Betrieb auf der Elbe, in einigen, nämlich den mondhellen Nächten bis weit in die nachtschlafende Zeit. Von den südlichen Wällen oder Bastionen wirkten die sich rasch vorwärtsbewegenden und endlich im fernen Dunkel verlierenden Laternen, ohne die sich kein Schlitten auf das nächtliche Eis wagte, wie Irrlichter.

Im Februar, zur eigentlich kältesten Zeit des Jahres, wehte

plötzlich ein trügerischer frühlingswarmer Wind aus Südwest und ließ das Eis brüchig werden. Wem sein Leben lieb war, blieb nun wieder an den sicheren Ufern. Nur die Milchbauern von den Strominseln kamen weiter mit ihren Lastschlitten nach Hamburg und riskierten alle Tage ihr Leben, um ihre schnell verderbliche Ware zu verkaufen. Dort, wo der Fluss sich unter dem Eis am stärksten bewegte, sei es schon mürbe, so berichteten sie; wer zu sehen verstehe, erkenne die Schollen, die bald aufbrechen würden.

Wenn sie unter sich waren, sprachen sie auch darüber, dass es nun bald geschehen werde. Dass einer unters Eis müsse. Mindestens einer. Wie in jedem Jahr. Es gab alte Geschichten von Neunmalklugen, die einen Hund oder eine Katze, einmal sogar ein zu früh geborenes halbtotes Kalb ins eisige Wasser gestoßen hatten. Gerade die hatte es getroffen. Der Winterfluss ließ sich nicht um den fälligen Tribut betrügen. Das wusste jeder, es hatte auch lange keiner mehr versucht. So blieb stets nur die Hoffnung, der Fluss sei noch satt vom letzten Jahr und werde sich milde zeigen. Denn er war nicht gierig. Das war er noch nie gewesen, auch das wusste jeder.

Unters Eis? Müsse? Ein junger Mann, der manchmal bei ihnen saß, wenn sie sich mit einem Krug heißen Bieres wärmten, bevor sie den langen Rückweg antraten, und diesmal unbemerkt herangetreten war, lachte spöttisch.

«Das ist doch Unsinn», rief er, «der Fluss ist ein Fluss, kein Gott oder Teufel.» Wer gut achtgebe und schnell sei, wer die Geräusche, die das Eis bei Tauwetter mache, zu deuten verstehe, seine Färbungen auch, gerate nicht unters Eis und saufe ab wie eine Ratte. «Es sei denn», fügte er dann doch hinzu, «er hat Pech. Verdammt viel Pech.»

Das Letzte klang, als spucke er es aus. Jedes Wort einzeln.

Die andern starrten schweigend in ihre Bierkrüge. Was sollte man dazu auch sagen? Der Junge wusste es eben nicht besser, er war keiner von den Inseln. Überhaupt nicht von hier. Nur ein Flößer, der im Herbst mit dem Holz aus dem Osten die Elbe heruntergekommen und für den Winter in der Vorstadt St. Georg hängen geblieben war. Sie wussten nicht genau, warum. Da war wohl irgendwas mit seinem Bein, das rechte zog er nach, nur leicht, aber ein Flößer brauchte zwei gesunde und starke Beine. Sonst gehörte er zu den Ersten, die der Fluss, egal welcher, sich holte. Wahrscheinlich war er zwischen die Stämme geraten, sie hatten nicht darüber nachgedacht, auch nicht gefragt. Jeder konnte sich zu ihnen setzen, sogar eine Kanne Bier spendieren, wenn aber so einer anfing, Reden zu führen oder seltsame Fragen zu stellen, dann mochten sie ihn nicht. Ob er nach dem Eis fragte, wie lange es noch halte oder ob es in jedem Winter so sei, oder wissen wollte, ob sich schon mal Fremde auf den Inseln angesiedelt hätten, er überlege das selbst – so einer bekam auch keine Antworten.

Der Flößer war ein Schwätzer. Mochte sein, der kannte sich mit fließendem, sogar reißendem Wasser aus – die Arbeit mit dem Holz war gefährlich –, von den besonderen Tücken der Wasserläufe zwischen den Elbinseln wusste er trotzdem nichts. Schon gar nichts bei Eisgang. Niemand hatte es ausgesprochen, alle hatten es gedacht: Wer so redet, während das Eis knackte, ächzte und flüsterte und erste Spalten und Pfützen bildete, beleidigte den Fluss. Womöglich erübrigte sich nun die Frage, wen sich die Elbe als Nächsten holte. Der Gedanke war nicht schlecht – besser ein Fremder blieb unterm Eis als ein Bruder oder Nachbar.

Ja, die Sache mit dem Eis war in diesem Jahr vertrackt. Mal deckte es den Fluss sicher und hart wie Granit, mal war es brüchig, das Wetter schlug alle Tage Kapriolen, und die Alten sagten, es sei fast wie früher, als sie jung und die Winter milder gewesen waren. Was nichts zu bedeuten hatte, von jeher gaukelt das Alter den Menschen vor, früher sei alles besser gewesen, selbst denen, die in ihrer Jugend nichts als Krieg und Pestilenz erlebt hatten.

In der Woche vor Fastnacht war das Eis überall dünn und brüchig, hatte hier und da, wo der Wind nicht so kalt darüberfegte, Löcher von schwarzem Wasser, in dem die Enten nach Würmern gründelten. Kaufleute und Reeder, Schiffer und Seeleute standen am Hafen zusammen, beobachteten, wie sich die eisige Umklammerung ihrer Schiffe löste, und nickten voller Zuversicht. Wenn es so weiterging, würde die Elbe schon bald wieder schiffbar sein. Doch es war erst Februar – am Tag des letzten Maskenballs zeigte der Winter noch einmal, was er vermochte.

Im Theatersaal am Gänsemarkt fanden zwischen Neujahr und Fastnacht fünf Maskenbälle statt, es waren die größten in der Stadt. Als sich das Theater in dieser Nacht nach dem letzten Ball endlich geleert hatte und selbst die auf der oberen Galerie weinselig schnarchenden Gäste geweckt und aus dem Haus gescheucht waren, öffnete sich das Portal endlich auch für die etwa zwei Dutzend Frauen und Männer, die in dieser Nacht bei der Bedienung der Gäste eine einträgliche Arbeit gehabt hatten.

Der Atem vor ihren Mündern gerann umgehend zu eisigen weißen Wölkchen, Schultertücher wurden schützend über die Köpfe gezogen, Mützen in die Stirn gedrückt, als die Gruppe sich in Grüppchen auflöste, die sich, jede von einem der wenigen Männer mit einer Laterne begleitet, in die verschiedenen Richtungen der Stadt auf den Heimweg machten. Die meisten verschwanden in Richtung Neustadt, eine kleine Gruppe in Richtung Dammtor, eine weitere eilte an Malthus' Garten vorbei über den Jungfernstieg, wo ein schneidender Nordwind fast den Atem nahm, und teilte sich hinter der Brücke an seinem Ende für das letzte Stück des Weges. Niemand nahm sich Zeit, einen Blick auf die großen Räder der Wasserkunst zu werfen. Am Tag zuvor hatte Hoffnung bestanden, dass sie sich bald wieder drehten und Wasser in die Röhren pumpten. Das in dieser Nacht mit erschreckender Geschwindigkeit wieder gefrierende Eis sorgte dafür, dass sie auch während der nächsten Wochen stillstehen würden.

Es war fast Mitternacht, der während der letzten Stunden gefrorene Schneematsch knirschte unter den Holzpantinen, sonst war es still. Die ganze Stadt schien zu schlafen, selbst was sich gewöhnlich um diese Stunde noch herumtrieb, Trunkenbold, Spitzbube oder heimatloser Hund, hatte sich mit der plötzlichen Rückkehr der bitteren Kälte hinter schützenden Mauern verkrochen. Nur einige der letzten Gäste des Maskenballs waren noch unterwegs. Bei der Einmündung der Großen Bleichen waren zwei Paare kichernd und schwatzend vorbeigehuscht, kurz vor der Wasserkunst eine einzelne Person, alle in dicken Mänteln und noch mit Masken, die ihre Gesichter verbargen; aus einer der Gassen klang trunkenes Johlen, das abrupt verstummte, als die Schnarren der Nachtwächter antworteten. Eine Kutsche rollte mit schwankenden Laternen und geschlossenen Vorhängen vorüber, auf dem Bock der unter einer Pferdedecke zusammengekauerte Kutscher, auf den Rücktritten zwei frierende Lakaien. Manchmal klang es nach schleichenden Schritten, irgendwo auch nach Wispern, das war nur der Wind, der über den Alstersee herangefegte und kleine Wolken von Schnee vor sich hertrieb, staubfein wie gefrorener Nebel.

Eine der Frauen, die nun mit ihrem Begleiter am Werk- und Zuchthaus vorbei zu den Raboisen gingen, blieb plötzlich stehen und blickte zum Himmel hinauf. Die Nacht war schwarz, der Mond verbarg sich hinter einer Wolkendecke, doch die Reste von Schnee gaben ein wenig Licht, mehr als der nur glimmende Schein der Laternen an den Brücken und einigen Hausecken.

Tatsächlich, dort flogen Wildgänse über die Stadt, majestätische dunkle Schatten, lautlos wie Gespenster. Warum flogen sie mitten in dieser eiskalten Nacht? Wohin?

Sie spürte ein Lächeln in ihren von der Kälte steifen Wangen. Die Wildgänse waren frei, sie hielt nichts auf. Nicht die Festungsmauern mit den seit Sonnenuntergang geschlossenen Stadttoren, auch keine Pflicht. Sie breiteten einfach ihre Schwingen aus und flogen auf und davon. Als sie ein Kind gewesen war, ein pummeliges ängstliches Mädchen in kratzenden blauen Kleidern, und auf dem von hohen, festen Mauern umschlossenen Hof in den Himmel hinaufträumte, hatte sie sich vorgestellt, es ihnen gleichzutun. Manchmal tat sie es auch jetzt noch. Dann fühlte sie sich wie einer dieser Vögel, kraftvoll und schwerelos immer höher aufsteigend, tief unten die Welt nur als ein fernes Bild. Das waren glückliche Momente. Berauschende kleine Fluchten aus den unsichtbaren Mauern, die nun ihr Leben bestimmten und sie festhielten.

Stets flog sie dann über sommerliches Land und hoch genug, um die Menschen nicht mehr zu erkennen. Niemand konnte ihr etwas anhaben, nichts befehlen, nichts fordern, sie nicht beleidigen. Sie auch keiner Schuld bezichtigen oder – schlimmer noch – wortlos an eine Schuld erinnern.

Auch nicht lieben, dachte sie im Weitergehen, aber …

«Pass auf!» Eine feste Hand griff durch ihr wollenes Schultertuch ihren Arm, gerade rechtzeitig, als sie auf einem spiegelglatt gefrorenen Eisflecken mitten im Weg ausrutschte.

Der Mann mit der Laterne sah sie prüfend an. «Müde?», fragte er leise.

«Was denkst du denn?», antwortete sie knapp und entzog ihm ihren Arm. «Ich habe den ganzen Tag für Madam Pauli gearbeitet und dann die halbe Nacht Gläser gespült und Krüge geschleppt. Was wird man da? Wach?»

«Dumme Frage», gestand er mit einem schiefen Lächeln

zu und ging weiter, die Hand wieder leicht an ihrem Arm. «Steht nicht rum», rief er den beiden anderen Frauen leise zu, die in ihre Schultertücher gehüllt stehen geblieben waren, «oder wollt ihr festfrieren? Verdammt», murmelte er in die grobe Wolldecke, die er um Hals und Schultern gehängt hatte, «ich hab gedacht, mit solcher Hundekälte sei es für dieses Jahr vorbei.»

«Du hättest das nicht tun müssen, Wanda», fuhr er nach wenigen Schritten fort.

Sie antwortete nicht. Sie würde doch nur wieder ruppig sein, das hatte er nicht verdient. Und was gab es darauf zu sagen? Dass sie glücklich war, wenn sie ein paar Schillinge dazuverdienen konnte? Das verstand sich von selbst. Dass solche Gelegenheiten selten waren wie Schnee im Mai? Auch das wusste er so gut wie sie. Im Übrigen ging ihn nichts an, was sie tat oder nicht tat. Auch wenn er es sich vielleicht anders wünschte.

In diesen Ballnächten am Tresen zu arbeiten war aus gutem Grund sehr begehrt, selbst bei Frauen aus den besseren Häusern, die sich sonst niemals als Schankmagd verdingt hätten. Im Karneval herrschte auch in dieser, für ihre strikte protestantische Moral bekannte Stadt ein wenig mehr Großzügigkeit, vor allem aber gab es nirgends so gute Trinkgelder wie bei den Maskenbällen im Theater. Die Bälle im *Baumhaus* am Hafen mochten vornehmer sein, aber wen interessierte das im Karneval? Die im großen Theatersaal beim Gänsemarkt waren ganz gewiss die turbulentesten.

Natürlich hätte sie nicht aushelfen müssen, nachdem der Wirt festgestellt hatte, dass er für die beiden letzten, stets am besten besuchten Maskenbälle dieses Winters zu wenig Schankmägde hatte. Sie war dankbar gewesen, als Madam Pauli ihr erlaubte, einzuspringen. Auch überrascht, denn sosehr sie es sich erhofft hatte – sie brauchte dieses zusätzliche

Salär ja viel dringender, als Madam sich vorstellen konnte –, so wenig hatte sie mit der Erlaubnis gerechnet. Bisher waren solche kleinen Dienste außerhalb des Pauli'schen Hauses strikt verboten gewesen, erst recht, wenn sie sich so öffentlich gestalteten wie bei diesem Anlass hinter dem Schanktisch auf einem Maskenball.

Allerdings hatte Madam Pauli Wanda verboten, mit den Bier- und Weinkrügen in der Menge herumzulaufen und im Saal und auf den Galerien zu bedienen, das sei für ein Mitglied des Hauses Pauli nun wirklich unschicklich. Wanda hatte brav geknickst und den Ärger hinuntergeschluckt. Just darauf hatte sie gehofft, dort gab es die allerbesten Trinkgelder, und gegen unerwünschte Berührungen von Männerhänden wusste sie sich zu wehren, seit sie Röcke trug.

Obwohl es eigentlich nicht mehr nötig war, hatte sie gehorcht, alles andere wäre gegen ihre Natur gewesen. Vielleicht auch nur gegen ihre Erziehung. Es hatte sich trotzdem gelohnt, vor allem an diesem, dem letzten Ballabend. Sie tastete nach den Münzen in ihren Rocktaschen und sah sich noch einmal nach den Wildgänsen um. Die schwarzen Schatten waren verschwunden, doch der Gedanke an die Freiheit der großen Vögel, an ihre langen Reisen nach dem Norden, machte ihr Herz leicht. Sie würde nicht nach Norden reisen, sondern nach Süden. Es musste schön dort sein, ganz sicher auch wärmer.

Genau bedacht, würde sie überallhin reisen, wenn sie nur die Möglichkeit dazu bekäme. Sie hatte ihr ganzes Leben in dieser Stadt verbracht, weiter als die anderthalb Meilen an die Bille und einmal über die Elbe nach Finkenwerder war sie nie gekommen. Wanda musste dankbar sein, dass sie in einem guten Haus leben durfte, das immerhin hatte sie geschafft. Sie wurde alle Tage satt, bekam reine Kleidung, und niemand schlug sie mehr. Sie hatte gedacht, diese Unruhe, diese Sehnsucht nach der Welt dort draußen und nach einem besseren, vor allem aufregenderen Leben werde mit den Jahren vergehen. Sie war nur größer geworden.

Vielleicht würde sie ihren Entschluss eines Tages bereuen und büßen müssen, das war ihr egal. Die über das Eis und die Wälle davonziehenden Vögel mitten in der Nacht und bei dieser Kälte – das konnte nur ein gutes Omen sein. Plötzlich war ihr Kopf wieder voller Melodien, wie zuvor, als sie hinter dem Schanktisch im Theatersaal gestanden und Wein und Bier, Punsch und Branntwein ausgeschenkt, dem Orchester gelauscht und den Tanzenden zugesehen hatte. Nie zuvor hatte Wanda so wunderbare Musik gehört wie in dieser Nacht, nie zuvor eine so große vergnügte Menge in so bunten Kleidern und Masken gesehen – auch das war ein gutes Omen.

Oder nicht? Schwarze Schatten bedeuteten selten Glück. Dann würde sie eben ein Glück daraus machen.

Als kurz vor dem Ende der schmalen, Raboisen genannten Straße der Heimweg zu den Wohnungen der beiden anderen Frauen und des Mannes mit der Laterne abzweigte, blieb Wanda wieder stehen.

«Die letzten Schritte gehe ich allein», sagte sie bestimmt. Der Mann mit der Laterne wollte widersprechen, doch sie schnitt ihm mit einer raschen Handbewegung das Wort ab. Es sei zu kalt, um sich mit unnötigem Streit aufzuhalten. Er solle die anderen heimbringen. «Es sind doch nur noch ein paar Schritte», sagte sie, «Magda hustet schon den ganzen Abend, besser, ihr beeilt euch, sonst holt sie sich den Tod.»

Sie berührte flüchtig seinen Arm, nickte den beiden anderen Frauen zu und eilte davon, die Raboisen hinunter zum Holzplatz an der Binnenalster, in dessen Nähe das Haus der Paulis stand. Der Mann sah ihr nach, sah, wie sie beim Holzplatz kurz zögerte, um dann umso entschlossener weiterzueilen. Rasch hatte die Dunkelheit sie verschluckt.

Für diesen kurzen Moment ihres Zögerns hatte er geglaubt, sie werde doch bitten, sie durch die düstere Nacht bis zur Seitentür der Paulis zu begleiten. Natürlich hatte sie das nicht getan, Wanda war eine störrische Person.

Tatsächlich war sie nicht stehen geblieben, weil die Dunkelheit sie schreckte. Der Platz am Wasser lag nicht so düster wie die enge Straße, aus der sie gekommen war. Etwas anderes hatte sie verharren lassen. Etwas, das niemand außer ihr bemerkt haben konnte. Jemand hatte ihren Namen gerufen. Die Stimme hatte nicht so vertraut geklungen wie gewöhnlich, auch hatte sie nicht gedacht, er werde so bald zurück sein. Doch wer sonst sollte da flüsternd nach ihr rufen? Um diese Stunde an diesem Ort?

Ihr blieb nicht mehr viel Zeit. Nicht einmal genug, um zu erkennen, dass die vergnüglichen Melodien ebenso wenig Glück verheißend gewesen waren wie die schwarzen Schatten am Nachthimmel. Niemand sah, was hinter den Holzstapeln und am Ufer geschah. Nur eine junge Witwe, die ihr verweintes Gesicht an einem Spaltbreit geöffneten Fenster kühlte, glaubte ein seltsames Geräusch zu hören. Ihr Kummer war zu groß, das Geräusch ihr zu fremd, als dass sie nach seiner Ursache gesucht hätte. Es klang beinahe, als splittere Glas, dennoch – irgendwie – ganz anders. Dumpfer. Da war noch ein – Glucksen? Ja, so etwas wie ein Glucksen gewesen.

Als sie das Fenster schloss, plötzlich zitternd von der Kälte – vielleicht auch von der Einsamkeit –, glaubte sie noch einen sich rasch und verstohlen bewegenden Schatten beim Holzplatz zu sehen, die Eisblumen, die an ihrem Fenster emporkrochen, versperrten ihr die klare Sicht. Und was kümmerten sie nächtliche Schatten? Ihr Mann war tot, sie hatte andere Sorgen.

Kapitel 2

Montag, 22. März

Die Sonne stieg gerade über das Kupferdach von St. Katharinen, als die junge Madam Vinstedt die Fensterflügel ihrer Schlafkammer aufstieß und tief einatmete. Obwohl es immer noch winterkalt war und ein frischer Wind wehte, strahlte die Märzsonne durch den Morgendunst wie bei einer Generalprobe für den Sommer. Es versprach ein wunderbarer Tag zu werden.

Zum weiteren Beweis für das Ende der grauen Zeit begann in einem der Büsche unten im Hof eine Kohlmeise ihr Morgenlied zu schmettern, als wolle sie die baldige Rückkehr der Schwalben aus dem Süden verkünden.

«Das Leben ist schön», murmelte Madam Vinstedt. Es klang nicht enthusiastisch. Sie hatte unruhig und deshalb viel zu lange geschlafen, bis sie endlich aus einem äußerst unerfreulichen Traum erwacht war, dessen Bilder ein Gefühl der Melancholie zurückgelassen hatten.

Tatsächlich fühlte sie sich weniger melancholisch als zornig. Im Traum hatte sie Magnus gesehen. Mit gebeugtem Kopf, den tief in die Stirn gedrückten Dreispitz und den Mantel schwer von Schnee, kämpfte er sich im Schneesturm über einen Gebirgspass. Er solle warten, hatte sie gerufen, doch er achtete nicht auf sie. Er stapfte einfach weiter, immer weiter, das Pferd am Zügel mit sich führend. Er musste sie hören, der Sturm war gewaltvoll, doch weder jaulte noch toste er, sondern war stumm, was nur in Träumen vorkommt, diesen unvernünftigen Phantastereien. Als sie Magnus nacheilen wollte, hielt der Schnee sie fest, ihre Füße, ihre Beine, ihr ganzer

Körper sanken tiefer und tiefer ein. Wieder rief sie nach ihm, wieder vergeblich. Magnus beachtete sie nicht. Dann war er plötzlich verschwunden, aufgelöst in einer aus dem dichten Schneetreiben erwachsenden Schwärze. Auch ihre letzten Rufe, Schreie nun, blieben stumm in diesem Traum, als mache sich irgendjemand, ein Teufel vielleicht, einen großen bösen Spaß und stehle die Töne. Was sie auch rief oder tat – sie blieb unhörbar. Der Schnee begann sie zuzudecken, bald würde auch sie unsichtbar sein. Das Gefühl der Verlorenheit war furchtbar.

Da endlich war sie aufgewacht, tief eingewühlt in ihr Plumeau, schweißnass und fröstelnd.

Sie blinzelte noch einmal in die Sonne und steckte mit zwei Kämmen energisch ihre dicken blonden Locken zurück, beugte sich über die Waschschüssel und tauchte ihr Gesicht in das kalte Wasser.

Ein Abgrund, dachte sie, als sie in ihre Kleider schlüpfte. Die Schwärze in diesem Traum musste einen Abgrund bergen. Oder eine Schlucht? Jedenfalls eine Gefahr. Sie sollte also nicht zornig sein, sondern voller Angst und Sorge. Falls Traumbilder allerdings tatsächlich Bedeutung hatten, woran sie zumindest am hellen Tag nicht glauben mochte, waren diese weniger für Magnus bedrohlich gewesen als für sie selbst. Er hatte im Voranschreiten nicht gezögert, sich nicht einmal nach ihr umgedreht und war über den Pass sicher und rasch vorangekommen. Er hatte absolut zufrieden gewirkt, *sie* selbst war es gewesen, die in Düsternis und Schneesturm allein zurückgeblieben war.

«Blöder betrügerischer Traum», murmelte sie. Magnus würde sie nie im Stich lassen. Niemals.

Sie schüttelte die Kissen, aus seinem stieg noch ein allerletzter Hauch von Lavendel auf. Vielleicht bildete sie sich das auch nur ein. Obwohl der Winter eine harte Zeit für eine so lange Reise war, die zudem über ein großes Gebirge führte und keine gründliche Vorbereitung erlaubt hatte, hatte er die Stadt gleich nach Fastnacht verlassen. Inzwischen hatte er sicher nicht nur den langen rasanten Ritt bis zu den Bergen, sondern auch den Pass bewältigt, er war ein schneller Reiter. Er hatte nun Kälte und Gefahr hinter sich gelassen, ritt auf von blühenden Wiesen gesäumten italienischen Straßen und freute sich seiner Freiheit und seines Lebens. Und seines Abenteuers.

Genau darin lag die Ursache ihres Grimms: Sie beneidete ihren Ehemann glühend. Nichts, absolut gar nichts, hätte sie lieber getan, als ihn auf dieser langen Reise zu begleiten. Weil sie es hasste, viele Wochen von ihm getrennt zu sein, und wegen des Ziels. Venedig, dieser Sehnsuchtsort aller Reisenden, diese auf Inseln erbaute Stadt mit ihren Palästen und geheimen Gärten, den labyrinthischen Gassen und Kanälen, den Läden und Lagern voller exquisiter Waren, auch Seiden und den weit über Europa hinaus gerühmten Wunderwerken aus den Glasbläsereien von der vorgelagerten Insel Murano. Nicht zu vergessen die Lagune, überhaupt das Adriatische Meer. Es hieß zwar, in der Zahl der Brücken könne Hamburg mit Venedig konkurrieren, doch an Pracht und Palästen, an schönen Künsten und Eleganz musste es unterliegen.

Was waren allein die hiesigen Schuten und Ruderboote, selbst die kleinen wendigen Ewer und die Lustschüten für Vergnügungsfahrten auf der Alster gegen die eleganten schwarzen Gondeln auf den venezianischen Kanälen? In manchen, so hieß es, nämlich in den vornehmeren, sitze man im Schutz einer kleinen Kabine, deren Fenster durch rote Vorhänge verschlossen werden konnten. Venedig, so hieß es auch, sei voller Vergnügungen und Geheimnisse, auch voller Sünde. Überall treffe man sich Abend für Abend in großer oder kleiner Runde zum Kartenspiel, zum Trunk, zum Tanz. Und in den Theatern. Ach, die Theater. Die beste, die ernsthafteste Bühnenkunst fand zweifellos auf den Londoner Bühnen statt, Rosina war dort gewesen und voller Bewunderung. Doch nach allem, was man hörte, waren Eleganz und Witz immer noch in Venedigs Theatern zu Hause, das Kokette, auch Maliziöse. Die Opern dort, das Ballett, die Komödie …

Sie sank aufseufzend auf die Bettkante. Wie sie das Theater vermisste! Wie schrecklich sie es vermisste. Es war das erste Mal seit dem Abschied von ihrem Leben als Komödiantin, dass sie diese Sehnsucht so heftig spürte wie einen Schmerz, bohrend und süß zugleich. Süß? Weil es doch einen Weg zurück gab? So wie die Sehnsucht nach einem fernen Liebsten süß sein konnte, wenn man wusste, er werde treu und bald zurück sein?

Sie hatte sich von der Bühne, von Drama, Komödie, Singspiel, Ballett und damit auch von der Becker'schen Komödiantengesellschaft verabschiedet, um eine ehrbare Ehefrau zu werden, aus Liebe zu Magnus und aus Sehnsucht nach einem ruhigen bürgerlichen Leben. Dafür hatte sie alles verlassen, was ihr mehr als ein Jahrzehnt Heimat und Familie bedeutet hatte. Besonders Helena und Jean, Muto, der nun ein fabelhafter Akrobat war und für sie stets wie ein kleiner Bruder bleiben würde, Rudolf, Gesine, ach, und Titus, der liebe bärige Spaßmacher mit der melancholischen Seele. Seit Monaten hatte sie keine Nachricht von ihnen, keine Zeile, nicht einmal von anderen Reisenden, die ihnen unterwegs begegnet waren, ausgerichtete Grüße. In ihrer Truhe warteten drei lange Briefe, sie wusste nicht, wohin sie zu senden waren.

Rosina vermisste sie alle sehr, und oft auch das Leben, das sie mit ihnen geführt hatte. Trotzdem – das große Risiko, die Komödianten und damit ihr Leben auf der Bühne und dem Theaterkarren zu verlassen, hatte sich gelohnt. Die Entscheidung war richtig gewesen. Ganz sicher war sie das. Sie war glücklich mit Magnus, und sie mochte ihre Rolle als Ehefrau und bescheidene Bürgerin. Ihre Rolle? Es gab tatsächlich Momente, in denen sie meinte, sich selbst bei einem Spiel zuzusehen und zuzuhören. Sie wurden seltener. Dafür spürte sie nun wieder diese Unruhe, diese Wanderlust. Was nicht erstaunlich war, schließlich lebte sie seit fast einem Jahr mit einem Ehemann, der nun seinerseits mehr auf Reisen als zu Hause war, so schien es ihr jedenfalls.

Vielleicht lag es nur an dem nahenden Frühling, der machte die Menschen wie die Tiere unruhig und trieb sie, ihre schützenden «Höhlen» zu verlassen. Die meisten nur bis in die Gärten und Felder vor den Wällen, andere aber weit übers Land – zu denen hätte sie nun gerne wieder gehört.

Sie hatte mit Magnus in einem bürgerlichen Leben Liebe und Geborgenheit gefunden, Glück. Es kam einem Wunder gleich, das wusste sie sehr wohl, kaum einer Fahrenden gelang das. Und doch. Wenn die Flüsse auch noch von Eis bedeckt waren, roch ihre Nase den Frühling, erwachte wieder der Zugvogel in ihr. Denn mindestens so sehr wie Tanz, Spiel und Gesang auf der Bühne, wie all der Flitter, die Kostüme und der Spaß mit der Schminke fehlte ihr das Unterwegssein. Als habe sie sich genug ausgeruht und die Strapazen des fahrenden Lebens vergessen, selbst die Demütigungen.

Also beneidete sie ihren Ehemann vor allem um das Unterwegssein, wegen der frischen Luft und des freien Blicks in die Weite der Landschaften, der Unwägbarkeiten des Wetters und der Wege, der Ereignisse, der Begegnungen. Um der Freiheit willen, die nirgends größer war als unterwegs auf den Straßen. Eine Zeit ohne einengende Mauern, ohne Korsett und bürgerliche Konvention. Gar als Mann verkleidet, wie es für diese besonders eilige Reise am besten gewesen wäre und wie sie es früher schon getan hatte, spürte sie eine Leichtigkeit, die keineswegs nur in der größeren Bequemlichkeit der Kleidung lag.

Warum eigentlich nicht? Wie einige ihrer alten Theaterkostüme und das Kästchen mit den Schminkutensilien lagen auch Kniehosen und Männerjoppe in der Truhe. Es musste ja nicht gleich über die Alpen und bis Venedig sein, nach Lüneburg vielleicht, dort, so hatte sie gehört, gastierte eine Komödiantengesellschaft, womöglich waren es die Becker'schen, oder ...

«Findet Ihr es nicht ziemlich aufdringlich, um diese Stunde vorzusprechen?» Die kräftige weibliche Stimme von der Diele unterbrach ihre einer konkreten Planung gefährlich nahe kommenden Gedanken. Pauline gab sich keine Mühe, ihre Empörung zu verbergen. «So früh empfängt Madam nicht. Nein», fiel sie einer leiseren, männlichen Stimme ins für Rosina unverständliche Wort, «auch keine Amtspersonen. Das wäre unschicklich. Wisst Ihr das etwa nicht? Wieso seid Ihr überhaupt schon wieder hier? Glaubt Ihr, in den paar Tagen ändert sich was? Eure Zeit möchte ich haben! Im Übrigen habe ich noch nie gehört, dass die Koststellen öfter als einmal im Jahr geprüft werden. Wenn überhaupt. Manche sehen Euch jahrelang nicht, oft gerade solche, wo es wirklich nottäte, nach dem Rechten zu sehen. Am besten, Ihr geht gleich wieder. Madam Vinstedt ist ...»

«... schon zur Stelle. Danke, Pauline.»

Als Rosina begriffen hatte, wer zu einem so unpassenden Besuch erschienen war, war sie mit nur mühsam unterdrücktem Zorn in die Diele getreten. Nun hatte sie Mühe, ihr Amüsement zu verbergen. Pauline, dienstbarer Geist für alle Angelegenheiten im Haushalt der Vinstedts, stand mit vor der Brust verschränkten Armen, den Hals vorgereckt wie eine kampfbereite Gans, in der Mitte des bescheidenen Entrees und starrte grimmig die zwei Besucher an. Der Jüngere musterte unbehaglich die unter den aufgekrempelten Ärmeln sichtbaren kräftigen Arme Paulines. Das feine Tuch seiner Kleidung und die dezente, gleichwohl kostbare Nadel in seiner Halsbinde und der Ring an der rechten Hand verrieten einen Bürger, der von Dienstboten keinerlei ruppige Abweisung, sondern devote Höflichkeit gewöhnt war.

Der Ältere konterte Paulines Blick mit gleicher Giftigkeit. Als Schreiber des Waisenhauses war er grobes Volk gewöhnt. Doch Rosina kannte die Sprache des Körpers und der Mienen zu gut, um sich täuschen zu lassen. Zachers hochgezogene Schultern, die auf die vorderste Nasenspitze gerutschte Brille, die den Knauf seines Gehstockes fest umklammernde rechte Faust verrieten: Wie sein Begleiter wäre dem alten Zacher nichts lieber, als auf dem Absatz kehrtzumachen. Was er sich jedoch, wie Rosina wusste, keinesfalls erlauben würde. Er gehörte zu den Männern, denen Pflichterfüllung über alles ging. Dass er die gern mit der Pflege moralinsaurer Vorurteile verwechselte, hätte er wie alle Tugendwächter entschieden bestritten.

Paulines Empörung war gerecht, Rosina ertappte sich trotzdem bei einem Gefühl, das Mitleid sehr nahe kam.

«Danke, Pauline», wiederholte sie in trügerischer Sanftmut. «Die Herren werden einen gewichtigen Grund für ihren frühen, unangemeldeten Besuch haben. Umso mehr, als wir erst kürzlich die Ehre der Gegenwart Monsieur Zachers hatten.»

Der schnaubte, ob mit Genugtuung, aus Empörung oder gar aus Verlegenheit, war nicht zu deuten, und sein Begleiter errötete. Rosina kannte ihn nicht, er war offensichtlich zu zart besaitet für diesen Auftrag. Er würde noch viel lernen müssen.

Sie führte die Besucher in ihren Salon und beobachtete aus den Augenwinkeln, wie der Waisenhausschreiber en passant seine Hand über die Rosenholzkommode gleiten ließ und missmutig die staubfrei gebliebenen Finger gegeneinanderrieb, bevor er sich auf die vorderste Kante seines Stuhls setzte.

«Ja, Madam», begann er, während sich sein kurzsichtiger Blick noch prüfend durch das Zimmer tastete, «zu meinem tiefsten Bedauern müssen Monsieur Hegolt und ich, ja, wir beide, schon wieder bei Euch vorsprechen. Tatsächlich, ja, bedauerlicherweise. Es ist kostbare Zeit, die anderen Tätigkeiten vorbehalten sein sollte. Gleichwohl ...»

«Wie recht Ihr habt, auch meine Zeit ist kostbar.» Rosinas süßes Lächeln erinnerte an einen Ozelot kurz vor dem Sprung auf seine Beute. «Womit kann ich Euch und dem Waisenhaus heute dienen? Sicher wollt Ihr nicht schon wieder prüfen, ob Tobias wohlauf ist und gut behandelt wird. Das habt Ihr erst in der vorletzten Woche getan und nichts zu beanstanden gefunden.»

«Nichts zu beanstanden, nun, das ist wahr. Es ist unsere Pflicht, für die unserer Obhut anvertrauten Kinder gute Sorge zu tragen, Madam; da Ihr und auch Euer Gatte neu in der Stadt seid, keine geborenen Hamburger sozusagen, ist es angebracht, doppelt zu sorgen. Nicht dass wir Euch misstrauten, aber – andere Länder, andere Sitten, wie man so treffend sagt. Ja, und im Übrigen», hier schlich sich ein winziges saures Lächeln in Zachers bleiche Züge, «diese Kinder brauchen eine feste Hand, strenge Zucht, und wie man hört», er hüstelte und schob seine Brille ein Stück den Nasenrücken hinauf, «wie man hört, ist Euch Euer Gatte abhandengekommen. Wenn wir noch einmal sehen können, wie der Junge untergebracht ist ...»

«Monsieur Zacher!» Rosina hatte sich abrupt erhoben und strich heftig ihre Röcke glatt. Sie hatte nichts anderes erwartet, und bei früheren Begegnungen war es ihr stets gelungen, Ungeduld und Heftigkeit im Zaum zu halten. Sie wusste genau, dass eine Frau, die auf der Bühne gestanden und von Ort zu Ort gezogen war, diesen Makel niemals verlieren würde, egal, wie vornehm ihre Geburt und ihre Erziehung einst gewesen waren, wie sie nun lebte, wer nun ihre Freunde waren. Wie bei anderen ähnlichen Gelegenheiten war sie bei den Begegnungen mit dem Waisenhausschreiber und den Provisoren einfach in eine Rolle geschlüpft, die für sie anstrengend war, aber ihren Zweck erfüllte. Tatsächlich war das ja nichts Besonderes. Alle Menschen spielten in verschiedenen Phasen oder Situationen ihres Lebens immer wieder Rollen. Es musste an dem bösen Traum liegen, dass es ihr an diesem Morgen nicht gelang.

«Tobias lebt seit fast fünf Monaten bei uns», erklärte sie mit entschiedener, nur mühsam beherrschter Stimme. «Monsieur Vinstedt – hier muss ich Euch korrigieren – ist mir nicht ‹abhandengekommen›, er ist auf Reisen. Seit Tobias bei uns lebt, habt Ihr viermal – oder waren es fünf? – nach dem Rechten gesehen, wie Ihr es zu bezeichnen pflegt. In der Schänke mit dem absolut unzutreffenden Namen *Zum Himmel* habt Ihr Euch nicht ein einziges Mal nach dem Wohlergehen des Waisenkindes erkundigt, das dort in Kost gegeben wurde. Das Mädchen arbeitet sich Tag für Tag und bis in die Nacht ihren schmalen Rücken krumm und genießt die feine Gesellschaft von groben Trunkenbolden, unter denen der Wirt selbst zu den Ärgsten gehört. Tobias geht es gut bei uns, er erfüllt seine Pflichten in unserem Haushalt, er besucht brav die Schule und die Gottesdienste, er stiehlt oder prügelt nicht und wirft keine Scheiben ein. Er hat auch niemals den Hühnerstall einer armen Witwe geöffnet, das Federvieh auf die Straße getrieben und so die alte Frau um ihre Einkünfte gebracht. Das war der Sohn eines Mitglieds der Admiralität, wie Ihr gewiss erinnert. Tobias hat nicht einmal Läuse, und davon, dessen seid versichert, hat er ganze Heerscharen mitgebracht, als er aus dem

Waisenhaus zu uns kam. Was also, Monsieur, gibt es schon wieder zu prüfen oder gar zu beanstanden? Wenn Ihr uns so tief misstraut, müsst Ihr vergessen haben, wer für mich und meinen Mann gebürgt hat.»

«Monsieur Herrmanns und Madam Kjellerup», murmelte Zacher automatisch, völlig irritiert von der unerwarteten und höchst ungebührlichen Brandrede.

«Ach, du meine Güte», entfuhr es Zachers Begleiter. Er zupfte den Schreiber am Ärmel und erhob sich. Zacher rührte sich nicht, er saß wie versteinert auf seiner Stuhlkante und starrte diese zweifelhafte Madam Vinstedt an, als könne sein Blick sie durchbohren. Bis heute hatte sie sich beflissen und bescheiden gezeigt, wie es sich gehörte. Nun bewies sich, was er stets vermutet, was er gespürt hatte: alles Theater! Böse Komödie! Sie war ein respektloses, selbstgefälliges Weib, ein verlogener Charakter. Leider fielen dumme, noch halbwegs junge Herren in Seidenröcken und mit parfümierten Locken wie Hegolt auf solche Hetären-Weiber herein.

Der hatte die Dame des Hauses, von der er nur gehört hatte, dass sie eine zweifelhafte Vergangenheit habe, zuerst interessiert, dann irritiert betrachtet. Sie war nicht mehr jung, wohl bald dreißig, doch noch von schlanker, biegsamer Gestalt, das schmale Gesicht unter dem honigblond gelockten Haar trotz der langen Narbe auf der linken Seite reizend. Die vom mühsam verhaltenen Zorn blitzenden tiefblauen Augen, die eloquente Sprache, dazu die Bücher und der wertvolle Globus, das Spinett und die Notenabschriften auf dem Tisch, auf der oberen hatte er den Schriftzug von Monsieur Bach erkannt, dem weit über die Region hinaus gerühmten Kompositeur und städtischen Musikdirektor – was für eine ungewöhnliche Person! Es war höchste Zeit, einzuschreiten.

«Ich muss um Vergebung bitten, Madam.» Er verbeugte sich, wie es sich vor einer Dame gehörte, die wirklich eine war. «Es ist meine Schuld. Ich habe mich nicht einmal vorgestellt. Unverzeihlich. Hegolt», erklärte er mit einer eleganten Verbeugung, «mein Name ist Ansgar Hegolt, ich gehöre erst seit kurzer Zeit zu den Provisoren des Waisenhauses. Ihr habt vielleicht von dem Heimgang Monsieur Meinings gehört. Völlig überraschend, ja, Gottes Wege sind wundersam. Meining war ein über die Maßen verdienstvoller Mensch, es ist eine Ehre, seinen Platz einzunehmen. Um meine Pflichten kennenzulernen, wollte ich möglichst bald eine Koststelle besuchen. Unser guter Zacher», er blickte streng auf den immer noch auf einem Stuhl hockenden alten Schreiber, schob seine Hand unter dessen Arm und zwang ihn auf die Füße, «hat sich für Euch entschieden, weil Ihr nur wenige Schritte vom Waisenhaus entfernt wohnt und weil», an dieser Stelle warf er Zacher einen noch strengeren Blick zu, «und weil Eure Behandlung unserer armen Waisen als vorbildlich gelten muss.» Er ignorierte das kräftige Schnauben an seiner Seite. «Ihn plagt nur eine Sorge», fuhr er ungerührt fort, «nämlich dass Ihr den Jungen verwöhnen könntet. Alle diese Kinder müssen auf ein selbständiges arbeitsreiches Leben vorbereitet werden, damit sie später sich und ihre Kinder ernähren können. Sie sollen lesen und schreiben lernen, rechnen besonders die Jungen, dafür sollen sich die Mädchen in Handarbeiten üben, auch in Gottesfurcht, das versteht sich von selbst. Und natürlich auch im Gewerbe des Hauses helfen, besonders die Jungen, um davon zu lernen.» Eigentlich wollte er noch hinzufügen, dass er in diesem Haus kein Gewerbe erkennen könne und sich frage, was der Junge hier außerhalb seiner Schulstunden tue. Er entschied rasch, diese Frage sei besser zu verschieben, womit er völlig recht hatte.

«Ich halte es mehr mit Gottes*liebe*», versetzte Rosina Vinstedt, inzwischen eher misstrauisch als ungehalten. «Von Furcht verstehen diese Kinder schon genug.» Dieser seltsame

Monsieur Hegolt schwindelte offensichtlich, doch womöglich in bester Absicht. Das reichte, um sie halbwegs zu versöhnen. «Wenn es Euch beruhigt», wandte sie sich wieder an den Waisenhausschreiber, «kommt, sooft Ihr mögt. Wir haben nichts zu verbergen, und Tobias ist ein braves Kind.»

Das Letzte war nicht wirklich geschwindelt, es legte die Tatsachen nur großzügig aus. Für einen Jungen seines Alters und wenn man bedachte, welch harte Schule die gut zehn Jahre seines Lebens schon bedeutet hatten, war Tobias wirklich halbwegs brav. Er musste mit einer zähen Natur gesegnet sein. Das Schwindeln würde sie ihm schon noch abgewöhnen. Leider tat er es so überzeugend und mit solchem Charme, dass es ihr stets schwerfiel, eine Lüge als solche zu erkennen und die nötige Strenge walten zu lassen. Genau genommen, so fand sie, waren viele seiner Lügen gar keine, sondern Ausdruck einer ungewöhnlich bunt blühenden Phantasie. Leider waren sowohl Magnus als auch Pauline in dieser Hinsicht anderer Meinung. Immerhin hatte er noch nie gestohlen und auch keinerlei Neigung dazu gezeigt.

«Ja», wiederholte sie nachdrücklich, «ein braves Kind. Manchmal recht temperamentvoll, auch seine Phantasie muss hier und da gezügelt werden. So sind Jungen seines Alters nun einmal. Dem werdet Ihr mit Eurer viel größeren Erfahrung sicher zustimmen, Monsieur Zacher.»

«Unbedingt», beeilte sich Monsieur Hegolt zu versichern, als Zacher mit entschlossen vorgeschobenem Kinn beharrlich schwieg. «Unbedingt. Und nun haben wir Euch lange genug aufgehalten, ich hoffe, Ihr seht uns unseren Überfall nach, wir …»

«Rein mit dir», tönte plötzlich eine Männerstimme aus der Diele. «Nein! Nicht loslassen! Du tropfst ja noch wie ein Eiszapfen in der Sonne. Drück das Tuch weiter fest gegen die Nase. Da seid Ihr ja, Rosina, schaut mal, was oder besser:

wen ich auf der Straße aufgelesen habe. Ich dachte mir, ich liefere ihn selbst bei Euch ab, damit er sicher ankommt. In die Schule sollte er wohl erst, nachdem das Blut abgewaschen ist. Oder was denkt Ihr? Ein reines Hemd wäre auch nicht schlecht. Hat er noch eins?»

Beim Klang der vertrauten Stimme war Rosina mit einem Satz in der Diele gewesen. Claes Herrmanns stand mit breitem Grinsen vor ihr, elegant wie immer, heute im maronenbraunen, schwarz gesäumten Rock, der Dreispitz klemmte unter dem linken Arm, die rechte Hand mit dem Familienring am Mittelfinger lang auf Tobias' Schulter, der wiederum überhaupt nicht grinste. In der linken hielt Herrmanns mit spitzen Fingern den neuen Hut des Jungen, der leider nur noch einem schlammigen Klumpen glich. Auch der Rest von Tobias' Kleidung zeugte von gründlichem Wälzen in Schneematsch und Pferdeäpfeln. Immerhin trug er noch beide Schuhe, auch stank er nicht nach fauligem Fisch wie beim letzten Mal. Dafür verschwand sein linkes Auge gerade in einer rasch anwachsenden Schwellung. An seinen Händen klebte Blut – sie hoffte, dass es aus seiner eigenen Nase stammte.

All das erkannte sie in zwei Sekunden, sie erschienen ihr wie eine volle Stunde. Ausgerechnet jetzt, mit dem neuen Provisor und dem alles andere als wohlgesinnten Waisenhausschreiber im Salon, wurde Tobias am Schlafittchen nach Hause gebracht, blutig, schmutzig, unverkennbar nach einer veritablen Schlägerei. Da stand er vor ihr, dieser dünne Knirps mit den O-Beinen, und blickte sie aus dem Auge, das noch gut sehen konnte, mit der ihm eigenen Mischung aus Trotz und Furcht an, die er unvermittelt zeigen konnte. Gegen seine blutende Nase hielt er ein Tuch aus allerfeinstem, spitzengesäumtem Leinen gedrückt. Hoffentlich wusste Pauline ein Wundermittel, die Blutflecken wieder auszuwaschen; das Tuch zu ersetzen würde ein dickes Loch in ihr Budget reißen.

«Keine Sorge, Rosina», fuhr Claes Herrmanns munter fort, ihn schien die Angelegenheit ungemein zu amüsieren, «der Junge ist nur ein bisschen verbeult. Die Nase ist nicht gebrochen, sie hat nur geblutet. Die Vorderzähne sind auch noch komplett, das ist das Wichtigste. Um das Auge herum wird das Gesicht hübsch grün und blau werden, aber er wird bald wieder freie Sicht haben. Hegolt?», irritiert hoben sich seine Brauen, und sein Blick veränderte sich schlagartig. «Was tut Ihr hier? Dazu um diese Stunde?»

Rosina schloss die Augen und faltete die Hände vor der Brust. Wie töricht zu hoffen, den beiden Männern im Salon könnte diese Szene durch ein Wunder entgehen. Es gab keine Wunder. Am wenigsten, wenn man besonders dringend eines brauchte.

«Die Herren», sagte sie und schickte einen beschwörenden Blick zu Claes Herrmanns, «die Herren sind wieder hier, um zu prüfen, ob mit Tobias und uns alles seine Ordnung hat.»

«Seine Ordnung, in der Tat», knurrte Zacher. Er hatte sich an dem Provisor, der in der Tür zum Salon stehen geblieben war, vorbei in die Diele gedrängt. Ein Blick auf den Jungen ließ seine Augen triumphierend aufblitzen.

«Guten Morgen, Zacher. Jetzt verstehe ich, Hegolt. Ich hatte es fast vergessen, Ihr seid ja nun Provisor im Waisenhaus. Der arme Meining, plötzlich einfach tot, und das zwei Tage nach Fastnacht. Er hat die Maskeraden immer so geliebt und schien mir bis dahin völlig gesund. Wegen des Jungen seid Ihr hier? Tobias gibt keinen Anlass zu Bedenken, absolut keinen. Immer noch ziemlich dünn, aber ich kann bezeugen, dass er isst wie ein Scheunendrescher und auch reichlich bekommt. In diesem Haus außer körperlicher Nahrung auch geistige, was man nicht von allen Koststellen sagen kann. Ein junger Mensch braucht beides, wenn er nicht ganz dumm ist. Und dumm», Herrmanns sah wohlwollend auf den Rotschopf an seiner Seite hinunter wie auf ein interessantes Studienobjekt, «nein, dumm ist Tobias gewiss nicht. Ich würde ihn sogar als wissbegierig bezeichnen.»

Auch Hegolt betrachtete den Jungen mit wohlwollend prüfendem Blick, und Zacher fragte mit schmalen Lippen: «Und warum, Monsieur Herrmanns, ist der Junge dann nicht in der Schule, wo er um diese Stunde hingehört, um seinen großen Wissensdurst zu stillen? Warum sieht er so aus? Wie ein – Gossenkind?»

Rosina holte tief Luft, doch Herrmanns legte ihr beschwichtigend die Hand auf den Arm. «Er sieht aus, lieber Zacher, wie Jungen ab und zu aussehen, wenn sie keine Duckmäuser sind. Sicher seid auch Ihr zu Eurer Zeit ab und zu mit einer blutigen Nase nach Hause gekommen. Ihr hättet die anderen beiden sehen sollen. Tobias hat sich nämlich gleich gegen zwei Jungen verteidigt. Wie ein Löwe. Wer weiß, wie es seinen Kontrahenten noch ergangen wäre, hätte ich nicht eingegriffen.»

Rosina schickte ein Stoßgebet zum Himmel, Claes Herrmanns möge endlich aufhören. Sie wusste, der Gatte ihrer besten Freundin meinte es gut, wie gewöhnlich, leider spürte er nicht, dass die ausführliche Schilderung einer Schlägerei in diesem Moment das Letzte war, was Rosina und auch Tobias half.

Claes Herrmanns war ein selbstbewusster Mann. Er gehörte zu den wohlhabendsten Kaufleuten der Stadt und, wenn er auch vermieden hatte, sich in ein Rathausamt wählen zu lassen, weil er lieber im Hintergrund und in der Commerzdeputation die Fäden zog, auch zu den angesehensten. Er hatte es selten nötig, taktisch oder gar diplomatisch zu sein, eben eine Rolle zu spielen, und er liebte es auch nicht. Er war – meistens – höflich, alles darüber hinaus fand er zu mühsam. Erst recht, wenn er einem noch wenig einflussreichen Kaufmann und einem alten Schreiber gegenüberstand.

«Der Junge hat sich geprügelt», fuhr er launig fort. «Na und? Natürlich sollte er das nicht, aber wenn es um die Ehre geht, muss ein Mann schon mal zuschlagen.» Er knuffte den Jungen aufmunternd gegen die Schulter. «Darum ging es doch, Tobias? Um die Ehre. Die anderen beiden», fuhr er an Zacher und Hegolt gewandt fort, «haben nämlich behauptet, er habe sie bestohlen. Das konnte er doch nicht auf sich sitzen lassen. Hmm.» Wieder hoben sich seine Brauen, und plötzlich wurde sein Blick starr. «Es sei denn ...»

Vier Augenpaare richteten sich auf Tobias. Ein fünftes, das von Pauline, schloss sich, während sie hinter der Küchentür lauschend den Atem anhielt. Der magere, für sein Alter ohnedies zu kleine Knirps zog den Kopf zwischen die Schultern und schien noch kleiner zu werden.

Es war totenstill, selbst die Kohlmeise war verstummt und davongeflogen. Rosina wäre sehr gerne ohnmächtig geworden, leider gelang ihr das nur sehr selten. Für eine anständige Frau war sie einfach zu gesund.

Als Rosina Vinstedt aus der Haustür auf die Gasse trat, atmete sie zum zweiten Mal an diesem Morgen tief ein, sogar besonders tief. Es hatte noch nicht zehn geschlagen, und was der Morgen bisher an Aufregungen geboten hatte, reichte für den ganzen Tag. Wahrscheinlich lag es am Alter, wenn sie sich so rasch aus der Ruhe bringen ließ – ihr dreißigster Geburtstag nahte unaufhaltsam. Früher, darin war sie ganz sicher, war das anders gewesen. Früher, drängte sich ein unerwünschter Gedanke in ihr Bewusstsein, war sie auch nicht darauf bedacht gewesen, was Nachbarn, überhaupt ihre Mitbürger von ihr dachten.

Obwohl im Hafen noch die vom Eis erzwungene Winterruhe herrschte, waren die Straßen wie gewöhnlich um diese Vormittagsstunde voller Menschen, Wagen und Fuhrwerke. Tatsächlich noch voller als sonst, denn es war seit langem der erste Tag, an dem die Strahlen der Sonne Wärme spendeten, somit einer dieser Vorfrühlingstage, die auch die standhaftesten Stubenhocker ins Freie lockten.

Zwischen die vier oder gar sechs Etagen hoch aufragenden Häuser der Mattentwiete, in der Rosina seit ihrer Heirat mit Magnus wohnte, hatte sich noch kein Sonnenstrahl verirrt. Sie war gerade breit genug für eine der komfortableren Kutschen und oft vom Gedränge verstopft, besonders wenn sich mal wieder zwei Fuhrleute nicht einigen konnten, wer zuerst passieren dürfe. Genau genommen waren die meisten Straßen der uralten Stadt nur solche Gassen, viele sogar kaum mehr als schulterbreite Gänge. In manchen kragten die oberen Stockwerke so weit vor, dass die Straßen wie Tunnel anmuteten und ihre Bewohner sich von Haus zu Haus die Hände reichen konnten. Jedenfalls fast.

Ganz so schmal war die Mattentwiete nicht, was die ängstlicheren unter den Bewohnern beruhigend fanden, denn wozu nützte es, des Nachts einen Balken vor die Tür zu legen oder gar ein teures Schloss einbauen zu lassen, wenn ein Dieb von einem schlechter gesicherten Haus herüber einsteigen konnte? Oder – schlimmer noch – ein Mordlüstling, wie es neulich Madam Hopperbeck aus der vierten Etage mit erstaunlich blitzenden Augen gesagt hatte. Neinneinnein, hatte die Nachbarin geflüstert, ihre Blicke eilig nach links und rechts die Twiete hinunterschickend, hier sei es sicher, das gehe nur in den stinkenden Gängevierteln. Dort tue es aber auch niemand, der halbwegs bei Verstand sei, denn was gebe es da schon zu holen? Ratten, Läuse und eine Tüte schlechte Luft, die die Auszehrung mitbringe.

Wenn deren Untaten ohnedies nicht zu fürchten waren, fand Rosina die ganze Aufregung um womöglich einsteigende Diebe und anderes Gesindel überflüssig, sie hatte dennoch mit interessiertem Gesicht vage Zustimmung genickt. Madam Hopperbeck, eine Nervensäge mit einem unermüdlich Nichtigkeiten plappernden Mundwerk, hatte ihre neuen Nachbarn noch nie mit Herablassung behandelt, insbesondere diese neue Nachbarin mit der seltsamen Vergangenheit. Rosina wollte, dass es so blieb.

Sie drängte sich an einem mit Fässern beladenen Fuhrwerk und zwei Frauen mit schweren Reisigbündeln auf den Rücken vorbei, dann gab sie alle Versuche zur Eile auf und ließ sich mit dem Menschenstrom über die Holzbrücke zum Hopfenmarkt treiben. Auf dem weiten Platz um St. Nikolai war endlich wieder genug Raum, dass sie ihr Tempo selbst bestimmen konnte, und sie eilte, so flink es die gute Sitte erlaubte, durch die breiteren Straßen weiter. Sie fühlte sich befreit, die Eile der Füße, des ganzen Körpers, die Frische der Luft – alles löste die Anspannung der letzten Stunde.

Sie hatte nicht gehen wollen, erst als Pauline knurrte, der Junge schlafe doch nun und in der Küche störe sie bloß, hatte sie ihr blassblaues Hauskleid aus dünner englischer Wolle abgelegt und das doppelt gesteppte Burgunderfarbene angezogen, ihren Beutel mit den Schlittschuhen genommen und sich auf den Weg gemacht. Anstelle des geliebten Muffs aus weißem Kaninchenfell hatte sie Handschuhe eingesteckt. Sie wollte eislaufen, eistanzen genau genommen, die Arme weit ausbreiten und übers Eis fliegen, vielleicht zum letzten Mal in diesem Jahr; der Frühling war nicht mehr aufzuhalten und das Eis sicher schon jetzt nicht mehr so dick wie noch vor einer Woche.

Wie hatte sie nur wie diese drei honorigen Bürger glauben können, Tobi habe gestohlen? Sie verstand, wenn Menschen aus Not zu Dieben wurden. Wenn sie auch nicht wusste, was echte Hoffnungslosigkeit bedeutete, so hatte sie Hunger kennengelernt. Sie wusste auch sehr genau, dass die Bürger arme Menschen wie auch die Fahrenden, die Nichtsesshaften, ständig der Unmoral und Dieberei verdächtigten, wenn es sich gerade so ergab, auch ohne jeden Beweis des Mordes. Weil sie Fremde oder tatsächlich bettelarm waren. Sie wäre sich gerne in aufrechter Empörung ergangen, doch das wäre bigott gewesen. Natürlich war jemand, der nichts hatte, oft nicht einmal genug, um auch nur annähernd satt zu werden, schneller in Versuchung zu stehlen. Und mancher, der keine Hoffnung hatte, sein Elend je überwinden zu können, verlegte sich leicht aufs Stehlen. Darauf mochte herabsehen, wer jeden Tag satt wurde, eine warme Stube und reine, sogar im Winter wärmende Kleider hatte.

Tobi hatte bei allem Unglück, das er in seinem kurzen Leben schon erfahren hatte, doch Glück gehabt, nämlich immer ein Dach über dem Kopf, Kleidung, sogar Schuhe, und an jedem Tag zu essen. Das war mehr, als viele seiner Altersgenossen in der Stadt hatten. Er hatte nie gestohlen, warum sollte er es jetzt getan haben? Warum sollte man ihm und seiner Ehrlichkeit misstrauen?

Sein einziger Makel war womöglich seine Herkunft, von der Rosina wenig wusste. Die ersten drei Jahre seines Lebens hatte er bei einer Tante in einer abseits gelegenen, äußerst ärmlichen Kate außerhalb der Stadt bei der Sternschanze verbracht. Ihr Mann fuhr zur See, seine Reisen gingen weit, also musste sie sich mehr oder weniger alleine durchschlagen. Wie ihr das gelungen war, auf welche Weise, wusste Rosina nicht. Sie war eine sonderbare Person gewesen, ohne Familie, eigenbrötlerisch und schroff, in das Kind jedoch ganz vernarrt.

Über seine Eltern war nichts bekannt. Als diese Tante plötzlich starb, an irgendeinem Fieber, wie es oft vorkam, war niemand da, der sich seiner annehmen wollte oder konnte. In ihrer Truhe hatte sich ein Notgroschen gefunden, dazu ein gefalteter Bogen, auf dem in ungelenker Schrift stand, das Geld sei für Tobias Rapp, ihr Schwesterkind, er sei ehelich geboren und im August anno 1762 getauft. Leider fehlte ein Taufschein, auch waren weder Ort noch Kirche oder die Namen der Eltern vermerkt. Auch der Vatername des Kindes war auf dem in Feuchtigkeit gelegenen Papier nur schwer leserlich gewesen. Der Argwohn, es handelte sich bei diesem Rotschopf mit dem Schielauge womöglich um ein irgendwo aufgelesenes Findelkind und die Angaben auf dem Papier seien alle erfunden, war groß gewesen. Man hatte sich auf Rapp geeinigt und ihn zur Sicherheit seines Seelenheils noch einmal getauft. Der bescheidene Geldbetrag war für Tobias' Unterhalt dem Waisenhaus übergeben worden, wie es der für jedermann einsichtige Usus war.

Der Seemann und einzige bekannte Verwandte tauchte nicht mehr auf. Im Hafen hatte jemand dem Wasserschout erzählt, er habe in Bristol auf einem Schiff angeheuert, das vor der afrikanischen Goldküste mit Mann und Maus untergegangen sei. Manche sagten: als Gottesstrafe, denn der Kahn hatte menschliche Fracht an Bord gehabt, schwarze Sklaven für die Plantagen auf den Westindischen Inseln. Was wiederum andere, die nichts gegen den Sklavenhandel hatten, als Unsinn abtaten und behaupteten, der Kerl habe sich gleich wieder aus dem Staub gemacht, als er im Hamburger Hafen ankam und hörte, seine Frau sei tot und das Balg von deren verschollenen Verwandten brauche Brot und Herberge.

So war Tobi im Waisenhaus gelandet und geblieben, womit er noch einmal Glück gehabt hatte. Er hätte auch ausgesetzt in der Gosse sterben oder an widerwärtige Männer verkauft werden können. Er hatte – vielleicht – auch Glück gehabt, dass er trotz seines geringen Alters gleich im Waisenhaus am Rödingsmarkt Aufnahme gefunden hatte und nicht für die nächsten Jahre in eine Koststelle gegeben wurde, wie es bei Kindern bis zu ihrem mindestens vierten Lebensjahr das Gewöhnliche war. Es schien, als habe ein unbekannter Gönner seine Hand über ihn gehalten.

Im Waisenhaus war die Chance größer, die frühen Kinderjahre zu überleben. So wurde jedenfalls gesagt. Rosina wusste nicht, ob es stimmte. Auch im Waisenhaus starben Kinder, nicht ganz so viele wie in den Armenvierteln, böse Zungen behaupteten, auch nicht so viele wie in den reichen Häusern, wo teuer bezahlte Ärzte so manches Kind zu Tode kurierten.

So oder so – als Tobi den Kopf zwischen die Schultern zog und seine Augen sich erschreckt weiteten, hatte sie sofort gedacht, er habe die Prügel bezogen, weil er tatsächlich etwas gestohlen hatte. Das fühlte sich nun an wie Verrat. Es hatte ein bisschen gedauert, bis alle, die da in der Diele streng auf seinen gebeugten rostroten Schopf hinabsahen, seine Geschichte verstanden. Zum ersten Mal hatte sie ein Zittern in seiner sonst so munteren Stimme gehört und begriffen, dass sie kein Schuldgefühl in seinem Gesicht erkannt hatte, sondern Angst.

Er hatte tatsächlich etwas «stibitzt», so hatte er es ausgedrückt, nämlich einen kleinen hölzernen Seehund, den die beiden Größeren wiederum kurz zuvor einem Mädchen weggenommen hatten. Marret besuchte wie Tobi die Katharinenschule, und ihre Nähe ließ sein kleines Herz schneller schlagen. Gestohlen war auch in diesem Fall ein zu großes Wort, denn einer der Jungen war der ältere Bruder des Mädchens. Aber als sie weinte, hatte Tobi das hölzerne Spielzeug zurückgeholt und der Besitzerin zurückgegeben, und dann, ja, und dann hatte der Bruder es bemerkt, und die Prügelei war losgegangen. Bis Claes Herrmanns gekommen war und ihn aus diesem Knäuel von Armen und Beinen und dünnen

Jungenkörpern herausgezogen hatte. Was Tobi sicher nicht bedauerte. Selbst wenn es nur um irgendeine Ehre gegangen wäre, war die Aussicht, halbwegs siegreich aus einer Prügelei hervorzugehen, gleich null, wenn die Kontrahenten in der Überzahl und mindestens einen Kopf größer waren.

Der Junge war verliebt, ein gefährlicher Zustand, da er leicht zu falschen Entscheidungen verführte, dachte Rosina, als sie am St.-Johannis-Kloster vorbeieilte und dem betörenden Duft frischer Zimtkringel aus dem Korb einer Straßenverkäuferin widerstand. Dass es einen weiteren Grund gab, warum er sich mit seinen dünnen Fäusten auf die beiden größeren Jungen gestürzt hatte, hatte er erst erzählt, als die Herren Zacher, Hegolt und Herrmanns gegangen waren, als er in eine Decke gewickelt auf seinem Lieblingsplatz neben dem Küchenfeuer hockte und seine verschrammten Hände – vielleicht auch seine wunde Seele – an einem Becher dampfender Honigmilch wärmte. Die beiden Jungen hatten ihn verspottet und ihm Schmähungen zugerufen, mit denen Waisen verhöhnt und verächtlich gemacht wurden, auch noch, als sie schon aufeinander einprügelten. Das hatte Claes Herrmanns gehört und deshalb nicht ganz falsch angenommen, der Kampf sei um die Ehre gegangen. Tobi war über die Maßen wütend gewesen, zugleich hatte er sich geschämt, wie es Unterlegene und Opfer fälschlicherweise oft tun.

Wenn sie zurückkam und er sich im Schlaf von Schrecken und Schmach erholt hatte, wollte sie versuchen, mit ihm darüber zu sprechen. Und auf dem Rückweg würde sie doch einen Zimtkringel kaufen. Tobi brauchte eine Belohnung für seinen Mut, wenn es auch nicht sehr schlau gewesen war, sich in diese ungleiche Schulhofschlacht zu stürzen.

Wie hatte er gesagt? «Als ich Marret den Seehund zurückgegeben habe, da hat er's doch noch gemerkt.»

Sie blieb stehen, sofort begann ein Zitronenverkäufer, ihr

seine Ware anzupreisen, und ein alter Mann mit einer Kiepe voller Teller und Schalen, allesamt bestes, glasiertes Steinzeug aus dem Holsteinischen, versuchte ihn in der Lobpreisung seiner Ware zu übertrumpfen. Rosina beachtete weder den einen noch den anderen, sah wie taub für ihr Werben einfach durch sie hindurch, bis sie sich mürrisch nach anderer Kundschaft umsahen.

Er hat es doch noch bemerkt! Sie sah die Szene vor sich, als stehe sie bei einer Theateraufführung in den Kulissen, nah genug am Geschehen, um Schminke und Schweiß zu riechen. Was sie sah, gefiel ihr überhaupt nicht: Tobi zog dem Jungen die kleine Holzfigur so geschickt aus der Jackentasche, dass der es nicht spürte. Das wiederum hieß, Tobi war – ein geübter Taschendieb, er ... Halt! Das hieß es *nicht*. Es hieß nur, dass er es *konnte*. Und dass er es einmal getan hatte, einmal, um, nun ja, um Gerechtigkeit walten zu lassen.

Sie hatte die Reesendammbrücke nahe der Wasserkunst erreicht, vor ihr lagen der breite Jungfernstieg, zugleich Fahrstraße und Promenade, entlang der zum See gestauten eisbedeckten Alster im hellen Vormittagslicht. Nach dem Weg durch enge, noch nicht von der Sonne erreichte Straßen fühlte sie sich geblendet und zugleich aus ihrer Bühnenvision befreit. Sie stand inmitten des morgendlich-städtischen Trubels, hörte das Geschrei der Straßenverkäufer und Fuhrleute, das Rattern der Wagen und Kutschen, sah Menschen in Seide und Menschen in Lumpen, auch Kinder mit nackten frostroten Füßen in alten Holzpantinen, Hausfrauen, Köchinnen und Mägde mit großen Körben von ihren Einkäufen heimeilen, eine zweispännige schwarze Kutsche mit dem Wappen des *English Court* und wusste, irgendwo in diesem Gewusel gingen auch Taschendiebe ihrer Arbeit nach. Es gab keine Stadt ohne Taschendiebe. Sie war weit genug herumgekommen, um das zu wissen. Zumindest in großen Städten gab es ganze, strikt organisierte Banden, auch extra dazu ausgebildete Kinder, deren flinke dünne Finger leichter in fremde Taschen glitten und unbemerkt eine Münze oder ein teures Spitzentuch herauszogen, die rascher in der Menge untertauchen konnten, auch leichter zu beherrschen und zu dressieren waren.

Rosina hatte von dem Gerücht gehört, nach dem Hamburger Waisenhauskinder von zwei älteren Zöglingen eine solche Ausbildung erfahren hatten, bis das ruchlose Unternehmen aufflog und die «Lehrer» dieser Fertigkeiten ins Werk- und Zuchthaus umziehen mussten. Sie hatte es als dummen Klatsch abgetan. Die Geschichte – wenn sie doch stimmte – war einige Jahre alt, und da die Kinder, sofern sie nicht in Koststellen lebten, das Waisenhaus nur äußerst selten und fast niemals alleine verlassen durften, hatten sie sowieso keine Gelegenheit gehabt, ihre unredliche Kunst an braven Bürgern der Stadt auszuprobieren. Wenn aber Tobi sich so gut darauf verstand, konnte er es nur im Waisenhaus gelernt haben. Vielleicht gab dort irgendjemand das vor Jahren Geübte weiter, sei es nur zur Abwechselung von all dem Lernen, Beten und Arbeiten, das die Tage der Kinder ausfüllte.

Von Tobi würde sie darüber nichts erfahren. Wenn sie ihn nach seinem Leben im Waisenhaus fragte oder ob er die Gesellschaft der vielen Kinder vermisste, hörte sie stets nur ein rasches Nein, bevor er eifrig von etwas anderem zu sprechen begann oder ihm just in diesem Moment einfiel, dass noch eine seiner Pflichten zu erledigen war.

«Seid Ihr heute besonders mutig oder nur leichtsinnig, Madam?»

Ein um die Taille leicht zur Fülle neigender Herr von etwa fünfzig Jahren stand vor Rosina und blickte mit gehobenen Brauen auf den Schlittschuh, den sie gerade aus dem Beutel gezogen hatte. Sein Haar war nach der Mode im Nacken zusammengefasst, über den Ohren in akkurate Doppelrollen gesteckt und sorgfältig gepudert, der Dreispitz klemmte unter dem Arm, sein Umhang aus fester schwarzer Wolle war über einer Schulter zurückgeschlagen und gab einen leuchtend blauen Rock über einer silbergrauen, mit schwarzen Blüten bestickten Weste frei, seine makellos weiße Halsbinde war dezent spitzengesäumt.

Rosina staunte. Der verehrteste Dichter der Stadt, womöglich der deutschsprachigen Länder, Dänemark ausnahmsweise eingeschlossen, war bekannt für seinen freien, um nicht zu sagen nachlässigen Umgang mit bürgerlicher oder gar adeliger Etikette, so herausgeputzt, zumal am Vormittag, hatte sie ihn noch nie gesehen.

«Guten Morgen, Monsieur Klopstock, verzeiht, ich habe Euch nicht gleich bemerkt.»

«Ja, mein Kind, Ihr wart in Gedanken, ich konnte es Euch ansehen. Ich hoffe, dass Eure Gedanken bei Eurem Gatten waren», sagte er mit diesem Lächeln, das die Hamburger Damen reihenweise seufzend dahinschmelzen ließ, obwohl niemand behaupten konnte, der berühmte Dichter sei ein Adonis, von jugendlich ganz zu schweigen. «Habt Ihr Nachricht von ihm?», fuhr er fort. «Er ist nach Frankreich unterwegs, wie ich gehört habe. Es war doch Frankreich?»

«Italien», korrigierte Rosina knapp. Sie mochte den Dichter, tatsächlich schätzte sie ihn erheblich mehr als seine berühmten, außerordentlich umfangreichen Werke, aber sie verabscheute es, wenn er sie «mein Kind» nannte, als sei sie keine erwachsene, dazu weit gereiste Frau, sondern ein dummes kleines Ding. «Zu Pferd über die Alpen. Er ist …»

«Ah, Italien!» Klopstock schloss für einen Moment genießerisch die Augen. «*Bella Italia*. Rom! Livorno! Neapel! Mailand! Und die Gärten und Wasserfälle von Tivoli. Irgendwann werde ich auch dorthin reisen. Irgendwann.»

«Ja», sagte Rosina, «Magnus reist nach Italien, allerdings

nur bis Venedig. Und nein: Ich habe noch keine Nachricht von ihm. Sicher ist er schon jenseits der Berge, dort, wo die Sonne wirklich wärmt.»

«Beneidenswert», murmelte Klopstock in plötzlicher Versonnenheit, «wirklich beneidenswert.»

«Das finde ich auch. Warum denkt Ihr, es erfordere Mut, heute aufs Eis zu gehen?»

«Wegen der Sonne natürlich. Sie mag in unseren Breiten nur selten genug wärmen, heute reicht es immerhin aus, das Eis brüchig zu machen. Es wird endlich Frühling. Ich kann es schon riechen.»

Klopstock beschirmte die Augen mit der Hand gegen die Sonne und blinzelte über die Binnenalster. «Wie Ihr seht», sagte er und ließ seine Hand einen weiten Bogen ziehen, «sind nur noch wenige Eisläufer und kein einziger Lastschlitten auf dem See. Wo die Sonne die Straße erreicht», missbilligend blickte er auf seine durchnässten Schuhe hinunter, «laufen wir schon seit Tagen im Matsch. Sehr unangenehm. Madam Winthem hatte wieder einmal recht, ich hätte eine Sänfte nehmen sollen.»

Das hätte die ganze Stadt verblüfft. Friedrich Gottlieb Klopstock war nicht nur der schwärmerisch verehrte große Dichter des *Messias*, eines über fast ein Vierteljahrhundert entstandenen, erst vor wenigen Monaten mit den letzten Gesängen abgeschlossenen Epos. In Hamburg wie in Kopenhagen, seinem vorherigen Wohnort, war er auch jenen bekannt, die selbst ihren eigenen Namen weder schreiben noch lesen konnten. Allerdings weniger um der Poesie willen als wegen seiner exzentrischen Leidenschaft für körperliche Ertüchtigungen.

Dass er lange Spaziergänge unternahm, mochte ja noch angehen, aber im Sommer schwamm er auch alle Tage in der Alster, und seine Künste als Schlittschuhläufer waren immer wieder Stadtgespräch. Zum Zeitvertreib erteilte er Eislaufunterricht, auch Rosina, die diese Kunst schon lange beherrschte, doch zu wenig geübt hatte, war in diesen Genuss gekommen. So hatte sie dem begierig lauschenden Damenkränzchen im Salon der Familie Herrmanns aus erster Hand berichten können, dass es stimme: Monsieur Klopstock deklamiere beim Eislauf mit Vorliebe seine dieses Vergnügen beschreibende und preisende Oden.

Er tue das jedoch aus sehr gutem Grund, hatte sie das Kichern der Damen unterbrochen, er habe sie in einem Versmaß geschrieben, welches zu den weit ausholenden fließenden Schritten des Laufes auf dem Eis passe. So wie Musik beim Tanz helfe, den Rhythmus und die Bewegungen einzuhalten, hülfen diese Oden beim richtigen Lauf. Obwohl sie zum Bedauern der Damen keine aus dem Gedächtnis deklamieren konnte, stieg die Zahl insbesondere der weiblichen Bewerbungen um Unterricht bei dem verehrten Poeten schlagartig.

«Seid achtsam», mahnte Klopstock nun. «Habe ich Euch erzählt, wie ich vor Jahren eingebrochen und beinahe ertrunken bin? Nur weil ich in Gesellschaft eines Freundes war, eines Pfarrers zumal, der immer auf göttliche Hilfe hoffen darf, wurde ich gerettet. Aber ich sehe», noch einmal schenkte er ihr eines seiner speziellen Lächeln und wandte sich schon zum Gehen, «Ihr seid eigensinnig wie immer. Also geht aufs Eis, meine Liebe, aber entfernt Euch nicht zu sehr von den anderen Menschen. Und», er drehte sich noch einmal zu ihr um, «wenn Ihr dieses verräterische Knacken hört, bleibt nicht stehen, bremst nicht einmal den Lauf, sondern beeilt Euch. Fliegt aufs nächste Ufer zu, so rasch Ihr könnt. Ach», seufzte er, «wie gerne würde ich Euch begleiten. Es wird für diesen Winter die letzte Gelegenheit sein, aber …» Er hob bedauernd Schultern und Hände und murmelte im Fortgehen etwas, das Rosina vermuten ließ, der Dichter werde von dem

Frühe Wintersportaktivitäten in Hamburg («Die Eislust»), um 1800

Abgesandten eines Markgrafen erwartet. Rosina sah ihm nach, wie er davonstapfte, bemüht, die dicksten Matsch- und Kothaufen zu meiden.

Über die Alster sausten drei Jungen, trieben mit gebogenen Ästen oder umgedrehten Gehstöcken einen runden Stein vor sich her und kämpften darum, wer als Nächster mit dem Schlag an der Reihe war. Sie flogen nur so übers Eis, duckten sich unter der hölzernen Brücke bei der Mühle und dem Lombardhaus und verschwanden hinaus auf den äußeren Alstersee.

Der Anblick der Jungen war überzeugender als Klopstocks Mahnung. Wenn es die letzte Gelegenheit war, bevor das Eis zu brüchig wurde – dann erst recht. Sie war nicht die Einzige, etwa ein Dutzend Menschen zogen noch ihre Bahnen, darunter auch zwei Frauen mit wehenden Röcken, oder kürzten den langen Weg um die Alster ab, indem sie den See auf dem Eis überquerten.

So band Rosina ihre Röcke hoch, anderthalb Handbreit, mehr würde nur wieder zum Stadtgespräch werden. Wie im Januar, als sie in Männerkleidern aufs Eis gegangen und so dumm – manche hatten gesagt: schamlos – gewesen war zu glauben, niemand werde sie in ihrer Verkleidung erkennen. Die Camouflage hatte sich trotzdem gelohnt. Ohne Mieder und die hinderlichen Röcke übers Eis zu sausen und zu tanzen hatte das berauschende Gefühl erst perfekt gemacht. Danach hatte sie vergeblich auf eine klare Vollmondnacht gehofft, hell genug für das nächtliche Schlittschuhvergnügen, dunkel genug, sie nicht zu erkennen, selbst wenn das geheimnisvolle Mondlicht stets viele aufs Eis lockte.

«Los, Madam», murmelte sie, «aufs Eis!» Nicht alle Winter ließen Flüsse und Seen für Wochen zufrieren, dieser hatte reichlich Gelegenheit zum Eislauf geboten. Bei aller Freude über den beginnenden Frühling würde sie es vermissen.

Sie schnallte die Schlittschuhe an ihren Männerschuhen gleichenden Stiefeletten fest, und dann, endlich, fühlte sie es, dieses Glück des Dahingleitens, schneller und leichter, noch schneller, alle Gedanken lösten sich auf. Körper, Geist und Seele – leicht wie im Flug. Quer über den See ging es, vorbei an Malthus' Garten und weiter bis zur Einmündung des Kalkhofkanals, hier stand schon Wasser auf dem Eis, rasch weiter, zurück in die Mitte, wo es fest war, wie im Tanz mit ausgebreiteten Armen, so sauste sie voran, gleich einem Segelschiff vor dem Wind. Das war das pure Glück. Nur flüchtig haftete ihr Blick an der ganz in graue Wolle gekleideten Frau mit weit in die Stirn gezogener Kapuze und dem Mädchen, das sie in einem Stuhlschlitten vor sich her zurück zum Ufer schob.

«*Plus vite*», rief das Kind. «Bitte, Mademoiselle. Schneller.»

Rosina kannte das Mädchen, wenn sie auch nicht sicher wusste, zu welcher Familie es gehörte. Ihre Beine waren verkrüppelt, sie hatte niemals springen und rennen können wie andere Kinder, auch auf keinen Baum klettern, auf keinem Mäuerchen balancieren. Für sie musste die rasche Fahrt über das Eis erst recht ein großes Glück bedeuten.

Rosina sah noch dem Kind und der viel zu langsamen Gouvernante nach, die schon das Ufer erreichten, da hörte sie es.

Es knackte.

Nicht zart und flüsternd, wie große Eisflächen immer wieder knistern, sondern peitschend und knarrend, aufbegehrend. Drohend. Das Geräusch drängte sich durch den an ihren Ohren rauschenden Wind, alarmierte ihren Körper noch vor ihrem Verstand, und schon hielten ihre Füße auf das nächstliegende Ufer zu, das Holzlager beim Drillhaus. Sie flog über reißendes Eis, glaubte ein Schwanken unter ihren Füßen zu fühlen, hörte Rufe, ihren Namen?, und sah das Kantholz zu spät, sah zu spät das Wasser. Sie fiel und rutschte. Die Röcke, dachte sie sinnlos, wie praktisch sind die wattierten Röcke im Fall, rutschte weiter übers wässerige Eis, und just als die nassen Kleider sie kurz vor dem rettenden Ufer bremsten, zogen sie kräftige Hände die letzten Zoll auf die Uferböschung. Und in Sicherheit.

Benommen und atemlos keuchend, hockte sie am Ufer und sah auf ihre verschrammten Handballen. «Wie Tobi», murmelte sie, «wie Tobi nach seiner Prügelei.» Immer dachte man in solchen Situationen an Nebensächliches.

«Alles in Ordnung, Mademoiselle? Geht's Euch gut?» Die Männerstimme erreichte nur verzögert ihr Bewusstsein.

«Madam», murmelte sie wie ein Automat.

«Na, fabelhaft», die Stimme lachte mit freundlichem Spott,

«wenn Euch die richtige Anrede Sorgen macht, kann's nicht wirklich schlecht stehen.»

Rosina blickte starr über den See, niemand war mehr auf dem Eis, auch nicht das Kind mit seiner Gouvernante, dann in ein junges Gesicht unter einem Wust von dunklem, im Nacken gebundenem Haar. Endlich begriff sie, was geschehen war, und fühlte tief das Erschrecken.

«Ihr habt mich vom Eis gezogen», konstatierte sie mit nun doch zitternder Stimme. «Ohne Eure Hilfe …»

«Stimmt, wir beide.» Er deutete auf einen Mann, der damit beschäftigt war, Rosinas tropfnasses Umhangtuch auszuwringen. Er mochte um ein gutes Jahrzehnt älter als der andere sein, nämlich Mitte seiner dreißiger Jahre, vielleicht erschien es auch nur so wegen des wettergegerbten Gesichtes und der ernsten Augen.

«Das Tuch haben wir auch aus dem Wasser gefischt, es wird Euch heute nicht mehr wärmen», fuhr der Jüngere fort, schlüpfte aus seiner großen Joppe und legte sie Rosina um die Schultern. «Ihr geht besser rasch heim, sonst holt Euch der Tod doch noch. Habt Ihr es weit? Soll ich eine Sänfte holen? Wir können Euch leider nicht bringen», erklärte er mit einem galanten bedauernden Lächeln, «unser Wagen ist voll Holz, das müssen wir erst abladen. Bis dahin seid Ihr erfroren.»

Als Rosina ihn nur stumm anblickte, tatsächlich durch ihn hindurchblickte, wandte er sich hilfesuchend an den Älteren, der einer fürsorglichen Hausfrau gleich das gewrungene Tuch gründlich ausschüttelte. «Pieter, hilf mir mal, ich glaube, es geht ihr doch nicht so gut. Halt, wo wollt Ihr hin? Madam? Seid Ihr verrückt?»

Jemand lachte meckernd, erst jetzt bemerkte Rosina, dass sich Schaulustige um sie gesammelt hatten, alle hielten so neugierig wie respektvoll Abstand. Ertrinkende und ins Eis Eingebrochene brachten Unglück, das wusste jeder. Aber wenn diese beiden Holzarbeiter so dumm gewesen waren, der übermütigen Weibsperson beizustehen, konnte noch alles Mögliche geschehen, was das Gleichmaß des Alltäglichen aufs angenehmste unterbrach.

Mit einem Satz war der junge Mann mit dem dunklen Haar bei dieser seltsamen Frau, die er und der andere Holzarbeiter vom Borgesch vom Eis gezogen hatten, wobei sie vielleicht nicht ihr Leben, doch zumindest nasse Füße und Hosen riskiert hatten. Er hatte davon gehört, dass vor dem Feuer gerettete Tiere in ihr Verderben zurückliefen, doch nie, dass eine bis dahin halbwegs vernünftig erscheinende Frau sich ins brechende Eis stürzte, vor dem sie gerade bewahrt worden war.

Sie kniete an der Kante, der Steg war einige Schritte entfernt, aber das Ufer war hier für anlandende flache Boote mit hölzernen Vorsetzen gestärkt, deren größter Teil unter das Eis reichten, und starrte gefährlich weit vorgebeugt auf das Eis. Ja, da war immer noch Eis, wahrscheinlich wäre sie auch ohne die Hilfe der beiden Männer ans Ufer gelangt, aber es hatte Risse, die unter ihrem Gewicht brechen würden, und war von einer steigenden Schicht Wasser bedeckt, die das Gefrorene darunter gläsern durchscheinend machte.

«Keine Sorge.» Rosina rappelte sich auf, ihr rechtes Knie schmerzte, es fühlte sich steif und geschwollen an. «Ich will mich nicht in die Alster stürzen, ganz gewiss nicht. Ich bin ungemein dankbar für Eure Hilfe, es ist nur ...» Plötzlich fröstelnd duckte sie sich tief in die fremd riechende raue Jacke. «Da ist etwas. Ich habe etwas gesehen. Ganz sicher.» Sie verstummte und starrte mit zusammengekniffenen Augen auf das wässerige Eis.

«Klar.» Der ältere der beiden Männer war herangetreten, legte sicherheitshalber leicht seine Hand, ein die harte Arbeit mit dem Holz bezeugende Pranke, auf ihre Schulter. «Da ist immer was im Wasser. Ist ja mitten in der Stadt, die Leute hier sind dumm, die achten das Wasser nicht. Die schmeißen alles rein, was sie nicht mehr brauchen.»

Rosina schüttelte leicht den Kopf. Dann sah sie sich um, entdeckte an einem der Holzstöße eine Leiter und sagte entschieden: «Ich brauche noch einmal Hilfe.»

Zuerst hatte sie gedacht, der Schreck des krachenden Eises habe ihr eine Vision dessen vorgespiegelt, was nun geschehen würde, was ihr bevorstand. Als sie wieder Luft bekommen und ihr Blick sich geklärt, ihr Herz zu seinem vertrauten Rhythmus zurückgefunden hatte, hatte sie begriffen, dass es keine Vision gewesen war.

Sie hatte ein Gesicht gesehen. Direkt unter dem Eis.

Kapitel 3

Alberte achtete selten darauf, wie laut oder leise eine Tür hinter ihr ins Schloss fiel. Wozu auch? Madam Hegolt war in diesen Dingen nicht heikel. Nur wenn der Hausherr in der Nähe war, hieß es behutsam sein, er konnte nach einem arbeitsreichen Tag im Kontor leicht mürrisch werden. Aber er ließ sich sowieso von niemandem als dem Hausdiener und den beiden Mädchen mit den gestärkten weißen Schürzen aufwarten. Alberte war das nur recht, sie hatte in Küche, Vorratskeller und Wäschekammer, ihrem ureigensten Reich, genug zu tun, und seine Wertschätzung ihrer Arbeit erkannte sie an den großzügigen Geschenken zu Weihnachten und zu Johanni.

In einem vornehmen Haus hatte die Köchin in den Räumen der Herrschaft eben wenig zu tun. Es sei denn, einer der Gäste verlangte ausdrücklich, ihr ein besonderes Lob für ihre Kunst auszusprechen und selbst ein Trinkgeld zuzustecken. Tatsächlich war sie mehr Wirtschafterin als nur Köchin, dazu wäre der Haushalt dann doch nicht groß genug, wie in den meisten selbst der halbwegs wohlhabenden Häuser. Zu den wöchentlichen Besprechungen der Küchen- und anderen Haushaltsbelange kam Madam Hegolt manchmal zu ihr in das Souterrain hinunter, meistens stieg Alberte zu dem kleinen Damensalon hinauf. Madam trank dann eine Tasse Schokolade und versäumte nie, Alberte aufzutragen, für sich selbst eine zweite mitzubringen. Sie glaubte nicht, dass Monsieur Hegolt davon wusste.

Es wäre ungerecht, zu behaupten, er sei ein kleinlicher oder gar tyrannischer Hausherr, er war nur der Ansicht, ein gut geführtes Haus brauche strikte Regeln – Schokolade am

Vormittag zählte er zu den Allüren leichtfertiger adeliger Damen, somit zu den für seine Gattin unpassenden Gewohnheiten. Besonders an gewöhnlichen Wochentagen, erst recht gemeinsam mit der Köchin, worin er sich mit den meisten der hanseatischen Herren einig wissen konnte.

Monsieur Hegolt handelte mit verschiedenen Waren, wie es für alle mittleren und großen Kontore zutraf, am wichtigsten war ihm dabei der Handel mit Holz, das er über seine vielfältigen Kontakte zu günstigen Bedingungen auch aus Übersee bezog. Die Hegolts hatten sich längere Zeit im Ausland aufgehalten, nicht in gesitteten Königreichen wie England oder Dänemark, sondern auf einer Insel in tropischen Gefilden. Deren Name hatte Alberte vergessen, sie war erst mit dem Einzug der Hegolts in das Haus beim Neuweg nahe dem Drillhaus in ihre Dienste getreten. Man sollte meinen, in solch exotische Weltgegenden gereiste Menschen nahmen die Sitten etwas leichter, das Gegenteil schien der Fall zu sein. Vielleicht stimmte, was man von dort hörte, nämlich dass das schwüle Klima, auch die unglaublichen Stürme und Regengüsse, zudem die des Nachts oft zu hörenden unheimlichen Gesänge der Sklaven die Menschen verwirrten und zu Trunk und Sünde verführten, sobald sie sich die geringste Schwäche erlaubten. Also wurden die guten hanseatischen Sitten besonders streng beachtet, egal ob man dort unter Palmen oder hier unter Eichen und Buchen oder in der Rosenlaube saß.

Als umso größeren Beweis seiner Liebe und Fürsorge erkannten es deshalb alle Mitglieder des Hauses an, dass Monsieur Hegolt seiner zum allgemeinen Kummer erkrankten Gattin nun an nahezu jedem Tag selbst eine Tasse Schokolade brachte, auch an Zucker nicht sparte, und zwar von der besten, weißesten Sorte. Dann saß er an ihrem Bett und freute sich an ihrem Genuss. Alle im Haus hätten gerne gewusst, was dabei zwischen den beiden besprochen wurde, denn sosehr man sich bemühte, so fest man das Ohr gegen die Tür drückte, war da nichts zu hören. Das jüngere der Stubenmädchen, eine besonders kecke Person, die es noch weit bringen würde, hatte in der vergangenen Woche einfach die Tür geöffnet, sich errötend entschuldigt und sie gleich wieder geschlossen. Sie hatte genug gesehen und gehört.

Madam lehne gegen einen Berg von Kissen in ihrem Bett und nippe an der Schokolade, hatte Mareike dem in der Küche wartenden Gesinde zugeflüstert, Monsieur lese ihr dazu mit sanfter, kaum wahrnehmbarer Stimme vor. Wohl aus der Bibel, genau habe sie das so schnell nicht erkennen können.

Dieser schöne Beweis von Einigkeit und Liebe einer wahrhaft christlichen Ehe hatte alle innig seufzen lassen, sogar Henning, den Diener, der Seufzen für unmännlich hielt. Darin folgte er wie übrigens in nahezu allem den Ansichten seines Herrn. Für weitere Fragen an das vorwitzige Mädchen war keine Zeit geblieben, weil in dem Moment die Stimmen der Kinder auf der Treppe zu hören waren, was hieß, dass auch Mlle. Meyberg herabstieg. Sie war als einziger der dienstbaren Geister des Hauses nicht in den unerhörten Akt der Neugier eingeweiht gewesen, was gute Gründe hatte.

Heute schloss Alberte die Tür zu Madam Hegolts Kammer so behutsam wie möglich. Seit einigen Tagen, genau genommen während der letzten anderthalb Wochen, dachte sie immer daran. Im ganzen Haus herrschte eine bedrückte Stille. Selbst Felice, Georgine und Emanuel, bis dahin nach Kinderart laut und fröhlich, waren kaum mehr zu hören. Inzwischen glaubten sie genauso wenig wie die Erwachsenen, ihre Mutter sei «nur ein wenig unpässlich».

Madam Hegolt kränkelte schon seit Wochen. Niemand wusste genau, wann es begonnen hatte, und zuerst war auch niemand ernstlich besorgt gewesen. Sie hatte stets eine starke Natur bewiesen, die Geburten gut überstanden, auch die

Kinder hatten überlebt. Felices schwache Beine – das war tatsächlich ein Schicksalsschlag. Eine göttliche Prüfung womöglich? Jede Familie hat eine Last zu tragen, und zum Glück hatte es nicht Emanuel getroffen, den bisher einzigen Sohn und Erben. Dem allerdings hatte nicht Ina, sondern die erste Madam Hegolt das Leben geschenkt. Sie hatte die Strapazen der schrecklich schweren Geburt nicht überstanden und war nach einem viermonatigen quälenden Siechtum gestorben.

Im Übrigen war Winter gewesen, mit der kalten Jahreszeit würde auch das Unwohlsein der Hausherrin vergehen. Doch dann wurden die Tage länger, der Himmel höher und Ina Hegolt leidender. Mal quälte sie Übelkeit, mal waren es Kopf- und Gliederschmerzen, an diesem Tag mehr, an jenem weniger. Obwohl es immer wieder Tage gab, an denen sie sich recht wohl fühlte, konnte sie das Bett schließlich kaum noch verlassen. Ärzte kamen, auch der Ratsapotheker, der als der Beste seiner Zunft in der Stadt galt, keiner von ihnen machte Madam Ina gesund.

Die Schlafkammer war nur auf den ersten Blick bescheiden eingerichtet. Hinter der Tür gegenüber dem Bett verbarg sich ein schmales, gut gefülltes Kleiderzimmer, deshalb fehlte der Schrank. Die Kommode mit den vier Schubladen war bis auf die elegant geschnitzten Füße schnörkellos, aber von besonders schönem Wurzelholz, die darüber hängenden Gemälde aus der Mode und deshalb nicht wirklich kostbar, aber von einem der besten alten holländischen Meister in allerfeinster Manier gearbeitet. Dass gleich darunter drei Aquarelle von kindlich unbeholfener Hand hingen, zeugte von Liebe und Heiterkeit. Die halb geschlossenen Vorhänge vor den beiden Fenstern waren vom gleichen goldschimmernden maronenfarbenen Stoff wie die des Bettes.

Die Luft im Zimmer war stickig. Es roch wohl nach Lavendel, Melisse, Pomeranzen, nach Kampfer auch, doch alles wurde von dem Geruch nach Krankheit überlagert. Alberte hätte gerne das Fenster aufgemacht. Die Ärzte hatten es verboten, die Märzluft sei «zu beweglich», sie werde der Kranken nur schaden. Sie hingegen fand, in einem Zimmer voller solch unguter Dämpfe mussten selbst bis dahin völlig Gesunde krank werden. Doch wer war und was wusste sie, den Anweisungen der studierten Doktores zuwiderzuhandeln.

Ina Hegolt lehnte mit geschlossenen Augen gegen ihre Kissen, in der Hand noch ein aufgeschlagenes Buch. Sie war von durchscheinender Blässe, unter ihren Augen schimmerten bläuliche Schatten. Sie war nie eine blendende Schönheit gewesen, ihr Gesicht war angenehm und spiegelte diese Art von Sanftmut, Freundlichkeit und Bescheidenheit, die ein Frauengesicht in den Augen der Männer anziehend macht. Jedenfalls heiratswillige Männer, wer Rausch und Abenteuer suchte, übersah es. Albertes Kummer wurde zum Jammer, Madam Hegolt war immer eine so fröhliche Person gewesen, nie schwächlich oder leidend, nie bequem oder zimperlich. Und nun?

Sie schlug die Augen auf, ein Lächeln belebte ihr Gesicht. «Alberte», sagte sie und bemühte sich, laut und munter zu sprechen, «Alberte, wie schön, dass du da bist. Ich will sündigen, und du musst mir helfen.» Sie richtete sich auf und blickte hinter den dunklen Bettvorhängen hinaus ins Licht. «Öffne die Fenster, Alberte, ich bitte dich. Egal, was die klugen Herren Doktores sagen. Draußen scheint die Sonne, und ich ersticke, wenn ich weiter wie ein alter fauler Apfel in dieser dumpfen Luft herumliegen muss. Nein, nicht nur einen Spalt. Ganz weit, Alberte, ganz weit auf.»

«Genau, Madam, genau. Das dachte ich längst. Diese wunderbare Frühlingsluft, frisch und klar und doch schon mild.»

Alberte schlug auch die Bettvorhänge so weit zurück als möglich, sie legte ihrer Herrin ein weiches Wolltuch um die

Schultern, schüttelte ihre Kissen auf, zog das Laken glatt und richtete alles in zwei Minuten, was an einem Krankenbett zu verrichten ist.

«Ich wollte nur nach Euch sehen, Madam. Wir sollen Euch ja in Ruhe lassen, das mag wohl richtig sein, sicher ist es das. Aber ich dachte, Ihr habt vielleicht einen besonderen Wunsch? Eine Zitronencreme zum Beispiel, die esst Ihr doch so gerne. Oder eine gebratene Wachtel? Es gibt auch wieder Fasan. Oder ein Stück Ochsenzunge? Ganz zart, mit Portwein gesotten. Was immer Ihr wollt, ich kann die Zutaten auftreiben und es zubereiten. Ständig diese Krankenkost – das kann nicht gesund und förderlich sein. Wenigstens ein geschlagenes Ei mit Zucker und Portwein.»

«Du bist ein Schatz, Alberte, ich danke dir. Das klingt sehr verlockend, aber ich habe gar keinen Appetit, und mein Magen zieht leider diese langweilige Krankenkost vor. Sicher in der nächsten Woche, schon heute fühle ich mich wieder viel besser. Wirklich.» Als müsse sie sich selbst Lügen strafen, sank sie ermattet zurück, doch sie lächelte, und ihre Augen waren heute klar und ruhig.

«Ach, Madam, wenn ich doch nur etwas tun könnte.» Albertes Augen füllten sich mit Tränen.

«Schsch, meine Gute», tröstete Ina Hegolt. «Schschsch. Man darf nie die Zuversicht verlieren, das habe ich früh gelernt. Und du kannst etwas tun, achte darauf, dass meine Kinder froh sind und gut essen. Ich sehne mich so danach, sie zu sehen, aber das würde ihnen nur schaden. Ich weiß es ja. Geht es ihnen wirklich gut? *Du* würdest mich nicht belügen.»

«Ja, Madam, es geht ihnen gut. Sie vermissen Euch schrecklich und sind besorgt. Nicht zu sehr», fügte sie rasch hinzu, «macht Euch keine Sorgen um die drei, Monsieur und wir alle, ja, alle kümmern wir uns gut um sie. Nehmt Ihr nur Eure ganze Kraft zum Gesundwerden.»

«Versprochen», es klang matt, doch die Kranke seufzte in Erleichterung und Zufriedenheit. «Lass die Fenster noch ein wenig geöffnet, Alberte, die Luft ist so süß. Sie belebt mich wie ein Bad. Hörst du das vorwitzige Zwitschern? Ob das Sperlinge sind? Es ist wirklich Frühling geworden. Hoffnungszeit, Alberte. Ist das nicht wunderbar?»

Sie schloss die Augen, immer noch lächelnd, und flüsterte, als könne jemand lauschen: «Einerlei, was sie sagen, komm mich wieder besuchen, wann immer du meinen Aufpassern ein Schnippchen schlagen kannst.»

Es musste an all den Pülverchen und Pastillen liegen, dass Madam Hegolt eine so aufmüpfige Rede führte – vielleicht am Laudanum? Alberte hatte nie auch nur ein Tröpfchen davon eingenommen, es war Teufelszeug, aber man hörte dies und das darüber.

«Verlasst Euch darauf.» Alberte beugte sich plötzlich froh über die Kranke und strich ihr zart über die Hand. «Morgen. Ich finde schon einen …»

«Um Gottes willen! Ist Madam noch nicht krank genug?» Mlle. Meyberg fegte ins Zimmer und schloss ruck, zuck beide Fenster, als gelte es, Beelzebub und Klabautermann zugleich auszusperren. Sie brachte die Kälte von draußen mit herein, auch einen schwachen Duft nach Rosenwasser, was sich für eine Gouvernante eigentlich nicht ziemte.

Alberte hatte das Öffnen der Kammertür überhört, doch sie fuhr weder erschreckt auf, noch trat sie vom Bett zurück. Sie war kein Aschenmädchen oder eine Putzmagd, sie war Köchin, und zwar eine gute, von anderen Häusern umworbene, und hielt doch den Hegolts, genauer gesagt Madam Hegolt, die Treue. Die andere war noch kein halbes Jahr im Haus, nur eine Kinderfrau und Gouvernante von Wer-weiß-woher, um die sich niemand in der Stadt scherte. Was sie leider nicht bescheidener machte.

«Verzeiht, Madam», sagte Mlle. Meyberg im strengen Ton, «ich hatte Anweisung gegeben – ich meine Monsieur hatte mir aufgetragen, Anweisung zu geben, Euch keinesfalls, wirklich keinesfalls zu stören. Wenn Alberte …»

Ina hob abwehrend die Hand, es war eine müde, doch die immer noch gültige Geste der Herrin des Hauses. «Mamsell Alberte hat mich nicht gestört, und sie hat die Fenster geöffnet, weil *ich* es wollte. Ich lebe nämlich noch, Mademoiselle», sagte sie mit plötzlicher Schärfe, «und der Gesang der Vögel heitert mich auf.»

Dann war ihre Kraft für diese Stunde verbraucht, sie sank tiefer in ihre Kissen und nickte Alberte zum Abschied vertraulich zu.

Alberte war mit ihrem Leben als Köchin in einem halbwegs wohlhabenden Haus stets hochzufrieden gewesen. Sie liebte ihre Arbeit mit der Vielfalt der Möglichkeiten, die das Budget hier erlaubte, sie hatte es immer warm, immer genug zu essen, stets reine Kleidung und in diesem Haus sogar den Luxus einer Kammer für sich allein. In der wohlausgestatteten Küche im Souterrain regierte sie wie über ein eigenes Reich. Nun wünschte sie sich zum ersten Mal eine bedeutendere Stellung, nur um diese blasierte Person in ihre Schranken zu weisen. Aber so war es nicht, sie hatte zu gehen. Sie drehte sich noch einmal zu Madam Hegolt um und formte mit den Lippen: «Morgen, ich komme morgen wieder.» Im Hinausgehen bemerkte sie mit großer Befriedigung, dass diese dumme Gouvernante mit hochrotem Kopf und fest ineinandergepressten Händen zurückblieb.

Sie ließ die Tür mit einem lauten Rumms ins Schloss fallen. Madam Hegolt würde es nicht als Störung, sondern als Botschaft verstehen: Sie war mit diesem Zerberus nicht allein.

So ging es nun schon seit etlichen Tagen. Mlle. Meyberg war nur Felices Gouvernante und zugleich Kinderfrau der um anderthalb Jahre jüngeren Georgine, doch in den letzten Wochen hatte sie immer mehr Aufgaben übernommen, schließlich auch die völlige Betreuung der Kranken. Monsieur Hegolt hatte allen im Haus verkündet, seine Frau bedürfe absoluter Schonung, Mademoiselle sei in der Pflege kranker Menschen erfahren, ihre Anordnungen hätten nun dieselbe Gültigkeit wie seine.

Man sah ihm die tiefe Sorge um seine Frau an. Er wachte Nacht für Nacht an ihrem Bett, manchmal hörte Alberte bis in ihre Kammer unter dem Dach, wie er noch rastlos auf und ab ging, wenn längst die ganze Stadt im Schlummer lag. Er musste sich sehr allein fühlen. Weder er noch seine Frau hatten Verwandte, zumindest hatten Alberte und auch die anderen Dienstboten nie von welchen gehört. Es kam auch niemand angereist, obwohl die Kranke doch so dringend Trost und Beistand einer Schwester, Tante oder Base brauchte. Seltsam fand Alberte, dass auch keine der Damen in der Stadt sich in dieser schweren Zeit als Freundin erwies. Jedenfalls nicht mehr. Zu Anfang war die eine oder andere zu Besuch gekommen, dann immer weniger und in immer größeren Abständen, bis keine mehr kam. Alberte hätte gerne gewusst, warum. Es konnte nur an der Krankheit liegen, an der Nähe zu Tod und Verwesung, an die jede schwere Krankheit gemahnte.

Nun saß also Tag für Tag die Erzieherin der Töchter am Bett der Kranken. Sie war in den Zwanzigern, ihre Hoffnung auf eine respektable, behaglich versorgende Ehe war gewiss drängend. Mit der noch zarten weißen Haut unter dem dunklen Haar und den tiefblauen Augen, der schlanken, die zur Rundlichkeit neigende Alberte fand allerdings *zu* schlanke Figur, recht ansehnlich. Sie war halbwegs gebildet, sprach Französisch, wie es sich für ihre Profession gehörte, auch ein wenig Englisch, sie lehrte die Mädchen den Umgang mit Pinsel und Farbe und spielte auch auf dem neuen Klavichord, leider wenig seelenvoll, denn ihr Anschlag war zu kräftig und wenig variabel. Vielleicht lag es auch an ihrer Seele.

Dass sie an diesem Morgen mit Felice eine Ausfahrt unternommen hatte, war in der letzten Zeit eine Ausnahme. Madam hatte alle Kräfte gesammelt, um dieser Anordnung so viel Nachdruck zu verleihen, dass die Gouvernante folgen musste. Manchmal, insbesondere während der letzten Tage, schien es Alberte, als wache diese Meyberg-Person (die sie von Anfang an nicht hatte leiden können) mit ihrem Raubvogelblick weniger über Madams Wohlergehen als darüber, dass niemand der Hausherrin nahe kam. Nicht einmal die Kinder. Zweifellos handelte sie nach Monsieur Hegolts Anweisung und dem Rat der Ärzte, um die Kranke zu schonen und jegliches Ungemach von ihr fernzuhalten. Leider vergaßen sie alle dabei die Wünsche der Seele.

Die umgehend aufgetauchten Schaulustigen am Ufer beim Holzplatz neben dem Drillhaus verfolgten neugierig, warum diese Dame im ziemlich ramponierten Gewand mit den beiden Männern stritt und sie so von ihrer Arbeit abhielt. Der Knecht aus dem nahen Marstall wartete nicht lange ab. Er striegelte regelmäßig die Pferde der Reitendiener, der Ehrengarde des Rates, und wusste, auch feinen Herrschaften war nicht zu trauen. So rannte er die wenigen Schritte zur Bastion Vinzenz, und bald darauf drängten sich zwei Dragoner und ein halbes Dutzend Infanteristen zwischen den Gaffern hindurch.

Es ist unbekannt, mit welcher Räuberpistole der Pferdeknecht die Soldaten so flink in Bewegung gesetzt und wer dabei zugehört hatte. Jedenfalls machte schon direkt nach der Börsenzeit, wenn die Kaffeehäuser in der inneren Stadt am vollsten sind, die Nachricht die Runde, diese Madam, die eigentlich eine Tanzmamsell war, Sängerin und wer weiß was noch, habe sich auf dem Holzdamm mit zwei Männern gerauft, bis Soldaten eingegriffen hatten. Eine wahrhaft üble Nachrede, die allerdings bald von der sogleich folgenden eigentlichen Nachricht des Tages überflügelt wurde: In der tauenden Alster war eine Leiche entdeckt worden. Ausgerechnet von ebendieser Madam Vinstedt, wo es doch so gut wie unmöglich war, jemanden dort zu entdecken, wenn man nicht schon zuvor gewusst hatte …

Um diese Zeit hatten auch die Wilhelmsburger Milchleute zum letzten Mal ihren Weg zurück über das Eis bewältigt. Trotz des ständigen Knackens und Schmelzens hatten sie vollzählig und unversehrt ihre Inselhöfe erreicht. Sie waren dafür bekannt, die sicheren Ufer samt ihren Lastschlitten noch zu erreichen, wenn die Eisdecke sich schon in Schollen auflöste. Besonders heute wussten sie ihr Glück zu schätzen, denn der Fluss hatte in diesem Winter immer noch keinen unters Eis geholt. Jedenfalls hatte man davon nichts gehört. Was wiederum Anlass zu Unruhe gab, denn es ließ andere Gefahren befürchten, zum Beispiel eine große Frühjahrsflut. Selbst wenn sie glimpflich ablief, bedeutete sie ersoffenes Vieh und zuerst überflutete, dann für mindestens den halben Sommer sauere Wiesen. Eine Rinderseuche hätte kaum größeren Schaden angerichtet.

Ein Verunglückter unter dem Eis wäre ihnen lieber gewesen. Nicht gerade einer ihrer Söhne oder Nachbarn, ein Fremder oder einer dieser herablassenden Stadtmenschen allerdings, ein Bruder Leichtfuß ohne Achtung vor den Kräften der Natur – warum nicht? Hätte sie die Nachricht von den Ereignissen beim Holzplatz am Alsterufer noch erreicht, hätten sie aufgeatmet – alles war im Lot, das Frühjahr mit seinen Stürmen mochte kommen.

Die Männer, die sich darum mühten, die Leiche aus dem

brüchigen Eis zu bergen, hatten mit solcher Spökenkiekerei nichts im Sinn. Am Ufer drängten sich immer mehr Neugierige, auch Verkäufer von Zuckerkringeln, Windrädern, kandierten Mandeln und Bildern von sparsam bekleideten Damen fanden sich ein, was heute aber niemand interessierte. Mit einer echten Wasserleiche konnten diese Angebote nicht konkurrieren. Inzwischen waren genug Stadtsoldaten eingetroffen, um die Menge zurückzuhalten. Die Stimmung war gut, besonders bei den Soldaten, deren Dienst seit Tagen von Langeweile und nutzlosem Exerzieren bestimmt gewesen war.

Es ging auf Mittag, die Sonne hatte mächtig an Kraft gewonnen, wie es manchmal im März geschieht, doch das brüchig erscheinende Eis gab sich alle Mühe, den Äxten und Eishaken, mit denen die Männer versuchten, zu dem vorzudringen, was darin verborgen war, zu widerstehen.

Womöglich hätten sie aufgegeben, wäre nicht just in diesem Moment der Weddemeister vorbeigekommen, der Mann, der in dieser Stadt für alles zuständig war, was eindeutig oder auch nur möglicherweise nach einem Verbrechen aussah. Da er in Begleitung Dr. Pullmanns war, des Wundarztes des Stadtmilitärs, wurde ihm mehr Respekt entgegengebracht als einem Zivilisten sonst, insbesondere wenn es sich um einen dicklichen, zudem kurzbeinigen Mann mittleren Alters in einem schlechtsitzenden schwarzen Rock handelte, einen Mann, der auf den ersten Blick weder Autorität noch Scharfsinn ausstrahlte, sondern im Gegenteil eine gewisse, ja, man muss es so sagen, eine gewisse Harmlosigkeit. Ein fatal falscher Eindruck, wie jeder bald erkannte, der mit Weddemeister Adam Wagner zu tun bekam. So verdrückten sich auch bei seinem Erscheinen einige der Schaulustigen hastig in das hinter dem Holzplatz liegende Labyrinth düsterer Gassen, was aber niemandem auffiel, nicht einmal dem Weddemeister, der so etwas sonst stets bemerkte.

Rosina Vinstedt hockte auf einem Holzstapel nahe dem Ufer, um ihre Schultern lag nun eine Pferdedecke, deren Geruch darauf hindeutete, dass der Stall, aus dem sie entliehen war, dringend ausgemistet werden musste. Als Wagner leicht ihre Schulter berührte, fuhr sie herum und rief: «Nein, verdammt, ich werde nicht gehen, bevor ... Ach, Ihr seid es, Wagner. Verzeiht, ich dachte, es ist wieder dieser uneinsichtige Mensch in seinem roten Rock mit den blauen Aufschlägen. Er denkt, ich falle in Ohnmacht oder bekomme Krämpfe, wenn sie endlich herausziehen, was ich dort entdeckt habe. Noch», fügte sie leiser hinzu und schluckte, «noch ist ja nicht klar, ob ich richtig gesehen habe. Ich wünschte, ich hätte mich geirrt. Das wünschte ich wirklich. Ich bin sehr froh, dass Ihr hier seid. Wer hat Euch gerufen?»

«Nun ja.» Wagner holte ein großes blaues Tuch aus der Rocktasche und wischte sich ausgiebig über die schwitzende Stirn. «Genau genommen hat mich niemand gerufen, ich kam zufällig vorbei und sah den Auflauf, die vielen Menschen und, ja, hier bin ich.»

«Und ich bin froh, Euch hier zu sehen, Wagner, wirklich sehr froh. Diese Holzarbeiter wollten zuerst nicht glauben, dass da etwas im Wasser ist, was nicht hineingehört, besonders der Ältere, der Blonde. Er wollte, dass wir einfach nach Hause gehen, weil es zweifellos nur ein Stück Wagenplane sei oder etwas in der Art. Der Jüngere war immerhin neugierig», sie krauste spöttisch die Nase, «dann war ich damit nicht allein.»

«Ihr wart wieder Schlittschuh laufen, oder?», fragte Wagner mit plötzlicher Strenge, wippte einmal kurz auf seine Fußspitzen und zeigte auf die Schlittschuhe, die neben Rosina auf den Hölzern lagen. «Das solltet Ihr nicht tun, schon gar nicht allein. Ihr seht, was dabei herauskommt. Man hat mir gerade erzählt, dass Ihr nur deshalb nicht auch unter dem Eis liegt, weil die Männer vom Borgesch Euch von den Schollen gezogen haben. Wenn Magnus hier wäre – nun ja.»

«Ach was, Magnus. Der ist weit. Eure Sorge ist nett, alter Freund, aber überflüssig. Von Schollen kann noch keine Rede sein, seht doch, wie die Soldaten sich abrackern, um – na ja, um den Fund zu bergen. Ist das Dr. Pullmann dort bei den Soldaten?»

Wagner nickte. Er hielt es für überflüssig, zu erklären, dass die Uniformierten einzig deshalb so langsam vorankamen, weil der Arzt verlangt hatte, die Leiche möglichst vollständig und von Eishaken und Äxten unversehrt zu bergen.

Seit der Militärwundarzt mit dem ziemlich unmilitärischen Verhalten und der Weddemeister vor etwa zwei Jahren einige unerfreuliche, rein dienstliche Begegnungen gehabt hatten, hatten sie sich ganz gegen ihre Absicht angefreundet. Hin und wieder saßen sie nun gemeinsam auf der Bank hinter Pullmanns Haus neben der Mühle beim Lombard, dem einstigen Müllerhaus, blickten über die Alster auf die Türme und Dächer der Stadt, sprachen wenig und tranken dazu das eine oder andere Glas miteinander.

«Ja», wieder fuhr das blaue Tuch über Wagners Stirn, «der Doktor hat mich ein Stück begleitet. Wir hatten etwas zu besprechen. Etwas Amtliches. In seinem Haus beim Lombard.»

Seine stete Sorge, er könne der Faulheit oder gar der Vernachlässigung seines Amtes verdächtigt werden, wenn er einmal eine halbe Stunde lang einfach einen schönen Tag genoss, hatte Rosina schon immer amüsiert. Sie schluckte eine spöttische Bemerkung hinunter – der gute Wagner war bisweilen gar zu empfindsam – und kletterte von ihrem Holzstapel, schüttelte die Decke ab und zog ihn am Ärmel mit zu den Männern am Ufer.

Diesmal hielt sie niemand auf. Alle starrten auf das Geschehen, sogar das Schwatzen und Gelächter der Schaulustigen war zu gespanntem vereinzeltem Geflüster herabgesunken. Die Soldaten hatten unter genauen Anweisungen des Wundarztes eine Eissäge eingesetzt, drei von ihnen standen mit kaum vor Wasser und Kälte schützenden, weit über die Oberschenkel reichenden Ölzeugstiefeln im Wasser. Nun hievten sie unter Ächzen und kurz gebellten, unverständlichen Kommandos – vielleicht waren es auch Flüche – ein seltsames Gebilde aus der Alster, nämlich einen tropfenden und bröckelnden länglichen Eisbrocken, aus dem ein Arm herabhing und etwas, das nach einer Stoffbahn aussah, nach einem Stück von einem nur noch blass blaurot gestreiften Rock.

Ein wohlig schauderndes Raunen ging durch die gaffende Menge, und als sich auch ein weißes Bein samt dem nackten Fuß aus dem gestreiften Stoff schob und wie der Arm herabhing, schrie eine Frau in der ersten Reihe der Menge auf, riss sich von einer anderen, die sie versuchte festzuhalten, los, drängte sich zwischen den Soldaten hindurch und stürzte nach vorne bis ans Ufer. Sie starrte auf das schmelzende Eis, auf die Gestalt, die noch halb darin steckte, schwankte einen Schritt zurück, drehte sich endlich um und hastete stolpernd davon.

Rosina richtete sich auf und sah ihr so verblüfft wie neugierig nach. «Wer war das?», fragte sie Wagner. «Kennt Ihr die Frau?»

Der zuckte nur die Achseln. In diesem Moment interessierte ihn einzig die Tote, die nun am Ufer lag. So schnell Rosina auch über das berstende Eis gerutscht war, sie hatte sich nicht geirrt. Was sie darin gesehen hatte, war eine weibliche Leiche.

Wagner blickte missmutig darauf hinab. Er verabscheute Wasserleichen. Sie boten einen äußerst unerfreulichen Anblick, da alles, was im Wasser herumschwamm und kroch, sich an ihnen gütlich getan oder sogar ganz in ihnen eingerichtet hatte, weil sie aufgedunsen waren wie überfüllte Schweinsblasen, weil – kurz und gut, weil sie über die Maßen unerfreuliche Funde waren. Er mochte überhaupt keine Leichen, wer mochte die schon, abgesehen von den Bestattern und Totengräbern, die durch sie ihr Brot verdienten? Solange sie jedoch frisch waren, erst einen oder zwei Tage tot, fand er sie erträglich. Schließlich gehörte es zu seinem Amt, sich mit ihnen zu befassen. Zum Glück kam das nicht so oft vor, wie man in einer solch großen Stadt mit ihren bald hunderttausend Bewohnern annehmen könnte. Natürlich starben an jedem Tag Menschen aus den unterschiedlichsten Ursachen, so war der Lauf der Welt. Jedoch musste sich der Weddemeister nur mit einer geringen Zahl befassen. An schlechten Tagen argwöhnte er allerdings, so mancher vermeintlich natürliche Tod habe heimlich und unerkannt ganz andere, in hohem Grade verwerfliche Ursachen.

Diese Tote war schon lange aus dem Leben geschieden, nämlich bevor sich die Eisdecke geschlossen hatte, und wahrscheinlich freiwillig – womöglich aus unerwiderter Liebe, womöglich wegen einer unerwünschten Leibesfrucht –, doch der harte Frost der letzten Wochen hatte sie im Eis wunderbar frisch gehalten. Plötzlich war Wagner froh. Obwohl die Leiche nicht mehr ganz und gar komplett war, hatte sein empfindsamer Magen keinen echten Grund, gegen ihren Anblick zu rebellieren. Seine gute Stimmung trübte sich ein wenig, als er neben Rosina in die Hocke ging, die wiederum in der sich um die Leiche vergrößernden Pfütze neben Dr. Pullmann hockte.

«Ihr könnt nur Rosina sein», sagte der Wundarzt gerade, ohne den Blick von der Toten zu lassen, die er behutsam von Eisbrocken befreite, «pardon, natürlich Madam Vinstedt. Ich habe von Euch gehört und wüsste keine andere Frau, die sich am hellen Tag vor den Augen der halben Stadt neben eine unbekannte Tote kniet, dazu im teueren wattierten Gewand und in diesen Matsch. Kompliment, Madam, das ist nach meinem Geschmack, ich hoffe, auch Euer Gatte weiß das zu schätzen. Was haltet Ihr von dem hier?» Er zeigte auf einige unterschiedlich dunkle Flecken am Hals der Toten.

Rosina war entzückt. Nicht von den vage erkennbaren Würgemalen, sondern weil da einer war, der sie ernsthaft um ihre Meinung fragte, dazu in einer Angelegenheit von der Art, die in vielen Häusern vor Damen, überhaupt vor Frauen, nicht einmal erwähnt wurde. Seit sie sich vor fast einem Jahrzehnt aus reiner Notwehr auf die Suche nach einem Mörder gemacht hatte, weil sonst Jean, ihr unschuldiger Theaterprinzipal, am Galgen geendet wäre, hatte sie sich immer wieder in Weddemeister Wagners Arbeit gemischt – nicht in jedem Fall hatte er darum gebeten. Ihre Suche, zumeist die reinste Schnüffelei, für die sie auch in ihre Bühnenkostüme und fremde Rollen geschlüpft war, hatte zumeist im Verborgenen stattgefunden. Es gab ihr eine geradezu lächerliche Befriedigung, dass es in diesem Moment anders war.

«Da hat jemand auf eine sehr ungute Weise Hand angelegt.»

Pullmann schob die Unterlippe vor und legte mit skeptischem Blick den Kopf zur Seite. «An so etwas habe ich auch gedacht. Was denkst du, Weddemeister?»

Der dachte mit einem Anflug von Unmut, dass diese Leiche nun doch zu seiner Angelegenheit wurde, zugleich ertappte er sich bei etwas, das sich verdammt nach Eifersucht anfühlte. Rosina war im Laufe der Jahre zu einer wirklichen Freundin geworden, längst auch für Karla, seine noch sehr junge Frau. Pullmann wurde gerade zu einem Freund, was erstaunlich war, denn als schüchterner Mensch tat Wagner sich mit Freundschaften schwer. Anstatt sich zu freuen, wenn diese beiden, die außer Karla in seinem Leben bedeutend waren, traulich nebeneinander im Matsch hockten, störte es ihn.

«Würgemale», beeilte er sich zu sagen, als er schon zu lange geschwiegen hatte. «Schwach, aber eindeutig.»

Pullmanns Fingerspitzen fuhren, ohne die Haut zu berühren, über den Hals. «Das denke ich auch.» Er erhob sich und verschränkte fröstelnd die Arme vor der Brust. «Eis hin oder her, sie war zu lange in dieser Wässerigkeit, als dass man auf den ersten Blick Eindeutiges feststellen könnte, was allerdings auch sonst nur selten gelingt. Eindeutig scheint mir trotzdem: Sie hat sich nicht freiwillig von unserer schönen Erde verabschiedet. Du wirst herausfinden müssen, wer sie ist, Wagner, und wer dafür gesorgt hat, dass sie nun nichts mehr ist als diese – Hülle. Und nun, schöne Undine, gehörst du dem Stadtphysikus», murmelte er. «Sie muss ins Eimbeck'sche Haus geschafft werden», fuhr er laut fort. «Sie trägt eindeutig keine Uniform.»

Wagner nickte. Der Militärarzt war nur für die Soldaten zuständig, das wusste er so gut wie Pullmann selbst. Die Ärzte in der Stadt bis hinunter zu den Barbieren achteten eifersüchtig darauf, dass er sich nicht in ihre Geschäfte und Pfründe mischte. Und die Toten, die keines natürlichen Todes gestorben waren, wurden im Sezierraum des *Eimbeck'schen Hauses* vom Stadtphysikus begutachtet, mehr oder weniger.

Pullmanns letzte Bemerkung hatte Rosina stutzen lassen. Natürlich trug eine Frau keine Uniform, oder – vielleicht doch? So etwas Ähnliches? Eine Haustracht zum Beispiel.

«Wollt Ihr nicht die Leute fragen, wer diese Frau war, die gerade so aufgeschrien hat und davongerannt ist?», raunte sie Wagner zu. «Sie scheint doch die Tote zu kennen.»

«Glaubt Ihr? Das Gesicht ist nicht wirklich gut zu erkennen, von dort drüben, wo die Leute stehen, ganz bestimmt nicht. Ich denke, sie war nur betrunken.»

Rosina widersprach entschieden. «Sie war leichenblass und voller Schrecken. Irgend*etwas* hat sie erkannt. Es zumindest angenommen. Wir sollten die Leute schnell fragen. Wenn die Tote erst weggebracht wird, verschwindet auch das Publikum. Dann ist es zu spät.»

Leider hatte einer der beiden Dragoneroffiziere zugehört und schritt umgehend zur Tat, wie es sich für einen Dragoner gehört, aber nicht immer angebracht ist, sogar wenn es gilt, eine ansehnliche Frau zu beeindrucken.

«Ganz Eurer Meinung, Madam», sagte er forsch und straffte die Schultern. «Ganz Eurer Meinung! Wenn Ihr erlaubt!»

Bevor Rosina es verhindern konnte, hatte er sich schon vor der in Auflösung begriffenen Menge aufgebaut und rief mit befehlsgewohnter Stentorstimme, alles möge herhören! Wer die Person kenne, die gerade heulend zur Leiche vor- und dann davongelaufen sei, solle vortreten und ihren Namen bekannt geben. Was einzig dazu führte, dass auch der Rest der Menge sich blitzschnell auflöste. In einer halben Minute war kein Mensch mehr zu sehen. Schon den Männern von der Wedde gingen alle gerne aus dem Weg, wenn die Soldaten auftauchten, war es angebracht, gar nichts zu wissen, noch besser, gar nicht da zu sein.

Wenn aber sie, Rosina, gefragt hätte, eine harmlose Frau, wenn sie dazu ein recht tragisches, leidendes Gesicht gemacht hätte – dazu war es nun zu spät und die Gelegenheit, schnell und einfach etwas zu erfahren, verpasst. Selbst die streunenden Hunde, die den Holzplatz als ihr Revier sonst niemals kampflos aufgaben, waren geflüchtet.

Nur die beiden Holzarbeiter harrten aus. Sie hockten einige Schritte entfernt auf ihrem immer noch nicht abgeladenen Wagen. Einer der beiden war totenbleich geworden, als die Soldaten den seltsamen Eisblock aus der Alster hoben, und als das Bein aus der tropfenden Stoffbahn rutschte, hatte er sich hinter dem Wagen erbrochen. Alle hatten nach vorne gestarrt, so hatte außer Rosina, die sich gerade suchend nach ihren

Rettern umsah, kaum jemand bemerkt, wie zart besaitet der Mann war, der bis dahin eher grob und stoisch gewirkt hatte.

Eine Frau, eine noch junge Witwe, hatte es von ihrem Fenster im dritten Stock eines der umstehenden Häuser gesehen. Sie würde es rasch wieder vergessen, wie die ungewöhnlichen Geräusche in einer eiskalten Nacht vor vier, vielleicht sogar sechs Wochen, und deshalb auch niemandem erzählen. Es war ja von keinem Belang.

Das Waisenhaus stand auf der Landspitze, die zwischen den Einmündungen von Alster- und Rödingsmarktfleet in den Binnenhafen ragte, manche sagten, so gleiche es einer Wasserburg aus Backstein. Wer sich in den nach Süden gelegenen Räumen aufhielt, konnte sich fühlen wie auf einem der großen Schiffe, die weit über die Ozeane in fremde Welten fuhren und die aus diesem Fenster zu sehen waren. Wohl Tausende der Kinder, die in all den Jahren hier gelebt hatten, hatten sich so aus der Enge und den strikten Regeln des Hauses hinausgeträumt in die Welt, in die Freiheit und das Abenteuer. Gut möglich, dass just dieser Standort Schuld daran trug, wenn immer wieder Kinder entliefen, obwohl man sie kaum mal allein aus dem Haus ließ und doch nur das Beste für sie tat. Für ihren Körper, ihren Geist und ihre unsterbliche Seele.

Das behauptete jedenfalls beharrlich einer der Ratsherren, der auch sonst dazu neigte, die unter diesem Dach lebenden Kinder für undankbares Gesindel zu halten. Andere empfanden diesen Standort für ein Waisenhaus als reine Verschwendung. Das koste nur und bringe nichts ein als ab und zu eine stille Fürbitte für die Stadtväter, wovon die auch nur nach ihrem Tode profitierten. Der Hafen sei durch den beständig zunehmenden Fernhandel längst zu eng, an ein solches Haus, das auch überall sonst stehen könne, sei dieser Platz verschwendet. Punktum. Über einen Neubau wurde seit etlichen Jahren debattiert, allerdings vor allem wegen der Enge und der drohenden Baufälligkeit. Einige Baumeister, unter ihnen auch George Sonnin, einer der Architekten der Hauptkirche St. Michaelis, hatte Entwürfe vorgelegt, ein Grundstück am Gänsemarkt war schon vorgesehen, aber gut Ding will Weile haben, besonders wenn es teuer wird.

Zum Glück gab es auch wohlhabende Bürger, die die Unterstützung der bedürftigen Kinder als eine vornehme Aufgabe betrachteten – leider zu wenige. Die Kasse des Hauses war bei allem sparsamen Wirtschaften stets so gut wie leer, immerhin hatten die Kinder noch nie hungern oder barfuß gehen müssen. Somit hatten sie mehr als viele ihrer Altersgenossen in der Stadt.

Das Haus war vor einem Jahrhundert gebaut worden, nachdem sein Vorgänger begonnen hatte, einzustürzen. Es konnte also kaum zu den wirklich betagten gezählt werden, dennoch war ein neues nicht nur nötig, weil es viel zu klein für die große Zahl der Kinder war, die hier Aufnahme brauchten, auch seine Stabilität war bedenklich. Manche sagten, besorgniserregend. Der alte Schreiber Zacher kannte sich gut in den Annalen des Hauses aus und wusste, dass dieses Gebäude erst errichtet worden war, nachdem in dem älteren Waisenhaus die Decke des Unterrichtsraumes eingestürzt war und einen Knaben erschlagen hatte.

Als es in diesen alten Balken wieder einmal besonders heftig ächzte und knarrte, hatte sich der Schreiber bei der Hoffnung ertappt, es möge lieber wieder einen der beiden Unterrichtsräume treffen als sein kleines Zimmer. Er hatte sich für den Gedanken geschämt, aber nicht zu sehr. Manche Menschen wurden mit dem Alter milde, von Raimund Zacher konnte das niemand behaupten.

Er stapfte die Treppe zum Schreibzimmer hinauf, es gehörte zu den nach Süden liegenden und bot den schönsten Blick auf den Hafen. Zacher führte nun schon vier Jahrzehnte die Bücher des Hauses, immer am gleichen Kontortisch, der nie an einen anderen Platz als diesen gerückt worden war. Nach all der Zeit nahm er kaum mehr wahr, wie die Welt hinter diesem Fenster aussah, aber ab und zu, besonders an milden Sommertagen, öffnete er doch die Fensterflügel, ließ den Blick schweifen und atmete tief die nach Hafen riechende Luft. Als pflichtbewusster Mensch erlaubte er sich solche Gefühle selten. Jedenfalls war heute kein solcher Tag.

Zacher fühlte sich gedemütigt. Wie hatte er so dumm sein können, den neuen Provisor zu Madam Vinstedt zu führen. «Du wolltest angeben, alter Narr», murmelte er, «du hast dich aufgeblasen wie ein Sumpffrosch. Und dabei völlig vergessen, was für Beziehungen diese Tanzmamsell hat.»

Bei den Vinstedts sah es nur äußerlich aus, als habe alles seine Ordnung. Es ging auch um die Seele der Kinder, um ihre Erziehung zu fleißigem Arbeiten und Gottesfurcht, Respekt vor jeglicher Obrigkeit. Es gab Häuser, da wusste man gleich, dass sie kein idealer Ort für die Erziehung der Kinder waren, aber was sollte man tun? An die achthundert wurden in diesem Jahr auf den Waisenhauslisten geführt, mit dreihundert war es schon bis an die Grenze des Erträglichen besetzt. Wenigstens lernten die Kinder auch in solchen, nun ja, in fragwürdigen Koststellen, tüchtig zu arbeiten. Sie würden sich später, wenn sie auf sich gestellt waren, selbst zu ernähren wissen. Was hingegen Tobias Rapp bei den Vinstedts arbeitete, was er dort lernen konnte, war ihm schleierhaft.

So oder so – er würde diese kecke Madam im Auge behalten. Natürlich war es Aufgabe der Provisoren, die Koststellen zu kontrollieren, aber die taten nie genug. Monsieur Hegolt, der neue Provisor, schien ein vernünftiger Mann zu sein, auch von der nötigen Ernsthaftigkeit und Strenge, aber als Monsieur Herrmanns, der Großkaufmann vom Neuen Wandrahm, plötzlich in der Diele stand und sich wie ein vertrauter Freund dieses bescheidenen Hauses gebärdete, da war der Provisor … Bevor er entscheiden konnte, was der Revisor dort geworden war – schwach, allzu nachsichtig, vertrauensselig, gar liebedienerisch? –, blieb er abrupt auf dem Treppenabsatz stehen. Als er das Zimmer heute Morgen verlassen hatte, hatte er die Tür fest ins Schloss gezogen und abgeschlossen, das tat er immer. Nun war die Tür zu seiner Schreibstube, dem Hort der Akten, nicht verschlossen, sondern nur angelehnt. Ein dünner Lichtstrahl fiel durch den Türspalt in das schummerige Treppenhaus.

Ein leises Geräusch ließ plötzlichen Zorn in ihm aufwallen. Ohne einen Gedanken an eine mögliche Bedrohung – manche der älteren Kinder erschienen ihm recht als Schläger – riss er die Tür auf, stürzte in die Schreibstube und prallte gegen einen Mann, der den Raum genauso eilig verlassen wie er hineinwollte.

«Was tut Ihr hier?», schnauzte Zacher, vor Schreck atemlos, schob die verrutschte Brille an ihren Platz zurück und blinzelte den Eindringling angestrengt an. Es nützte wenig. Er sah ins Gegenlicht, und die Gläser auf seiner Nase waren gut für seine Schreibarbeit, für das weitere Sehen brauchte er andere, die leider vor einem halben Jahr zerbrochen waren. Sein bescheidener Lohn hatte noch nicht erlaubt, neue anzuschaffen. Der Mann war größer als er selbst und hatte lockiges dunkles Haar, im Nacken gefasst, wie es sich gehörte, doch nachlässig frisiert. Das konnte nur Sylvester Steding sein, dazu passte auch der schwarze Samtrock. Niemand im Haus als der neue Präzeptor der Jungen trug an einem ganz normalen Tag einen solchen Rock.

«Steding? Wie seid Ihr hereingekommen?»

«Durch die Tür. Wie sonst?» Der Ton klang unbotmäßig und das Gesicht, Zacher konnte es nun erkennen, war unberührt. «Sie war nicht verschlossen», erklärte der Lehrer. «Ich habe gedacht, Ihr habet mein Klopfen nur überhört, und die Klinke heruntergedrückt.»

«Papperlapapp. Ich schließe immer ab!»

«Gewiss tut Ihr das, nur heute nicht. Sicher wart Ihr in wichtiger Angelegenheit in großer Eile. Als ich Euch nicht antraf, habe ich mir erlaubt, ein paar Minuten zu warten. Ich dachte, Ihr wäret gewiss gleich zurück. Weil ja nicht abgeschlossen war. Gerade wollte ich gehen, ich muss wieder in den Unterricht. Monsieur Zacher? Ist Euch nicht gut? Ihr solltet Euch besser setzen. Sicher liegt es nur an der steilen Treppe.»

Zacher starrte den jungen Lehrer immer noch an. Er war ganz sicher gewesen, dass er abgeschlossen hatte, schon weil es der Vorschrift entsprach. Und weil er es immer tat. Aber dieser Mensch, den er bisher nicht als besonders stark empfunden hatte, sprach so ruhig und selbstgewiss – es *musste* stimmen. Also war es ihm wieder passiert. Er hatte etwas vergessen. Etwas von großer Wichtigkeit.

Als er Stedings Hand auf seinem Arm fühlte, riss er sich zusammen und schüttelte sie ab.

«Es geht mir ausgezeichnet», sagte er und hoffte, der andere höre das leichte Zittern seiner Stimme nicht. «Ganz ausgezeichnet. Warum sollte es mir nicht gut gehen? Ich war nur eine Minute fort. Nun ja, einige wenige Minuten. Weil ich aufgehalten wurde.»

Er drängte sich an Sylvester Steding vorbei, setzte sich auf seinen Stuhl hinter dem Kontortisch und fühlte sich gleich besser. Nun war sein Gesicht im Gegenlicht, das des anderen wurde von der einfallenden Sonne beleuchtet, und hinter diesem Tisch war sein Platz, sein Amt, sein Reich. Die schräge

Fläche aus dem vom Alter fast schwarzen Holz fühlte sich unter seinen Händen vertraut an, und sie glich einer schützenden Mauer. Jeder eingesickerte Tintenfleck, jeder Kratzer gehörte zu seiner eigenen Geschichte.

«Und?», rief er entschieden, als Steding sich zum Gehen wandte und nach der Klinke griff. «Und? Was wolltet Ihr von mir? Wenn Ihr sogar gewartet habt, obwohl Ihr die Klasse zur Unterrichtszeit nicht verlassen solltet – keinesfalls! –, muss es wichtig sein. Jetzt bin ich hier.»

«Natürlich habt Ihr recht.» Stedings Stimme klang ergeben, er wandte sich wieder nach ihm um und steckte die Hände in die Rocktaschen. «Ich habe vier der älteren Jungen als meine Vertreter bestimmt und betrachte das als eine Übung für die Kinder. In», er räusperte sich dezent, «in Selbstbeherrschung. Und Gehorsam, natürlich. Es scheint zu gelingen, jedenfalls höre ich keinen Lärm. Ich muss trotzdem rasch zu den Jungen zurück. Ich wollte nur einen Vorschlag machen, Monsieur Zacher, es hat keine Eile.»

«Vorschlag?» Zacher zog seine Perücke vom Kopf und stülpte sie über die dafür vorgesehene Holzform, die hinter ihm im Regal stand. Er hätte sich gerne über der Stirn gekratzt, das alte Ding reizte stets seine nur noch spärlich mit Haar bedeckte Kopfhaut, aber nicht vor diesem geleckten jungen Mann. Er wusste seine Würde zu wahren. «Vorschlag, so. Ihr macht mich neugierig.»

«Nun gut. Eine Minute länger werden die Jungen sich noch gedulden. Ich wollte mit Euch über die Tinte sprechen. Ich weiß», fuhr er hastig fort, «wir müssen sehr sparsam sein – ich bin stets darum bemüht. Aber diese Holzruß-Tinte, die wir den Kindern geben, ist viel zu dünn. Es animiert sie überhaupt nicht, sich Mühe zu geben und die Buchstaben, die Reihen der Sätze auch schön zu schreiben. Die Schönheit des Schreibens, der Buchstaben ist wichtig, da werdet Ihr mit Eurer reichen

Erfahrung zustimmen. Wenn etwas schön ist, macht es Freude, und was Freude macht, fördert den Fleiß. Ganz einfach. Ich habe ein Rezept für eine bessere Tinte, ein lange erprobtes Rezept, ich mache meine eigene danach. Die Galläpfel und das Gummi arabikum kosten natürlich ein wenig mehr als der wohlfeile Holzruß, auch das Eisenvitriol, aber langfristig zahlt es sich aus. Unter den Mädchen sind einige sehr geschickt, wenn ich sie anlerne, können sie auch das regelmäßige Umrühren übernehmen, für sechs, besser acht Wochen.»

Zacher hob abwehrend beide Hände, doch seine Stimme klang ungewohnt milde. Was nur daran liegen konnte, dass es ihm schmeichelte, wenn der Präzeptor mit diesem Anliegen zu ihm kam, obwohl es ein ganz und gar unmögliches war. Eines, wie es nur einem schwärmerischen jungen Menschen einfallen konnte, der erst wenig von den wahren Härten des Lebens erfahren hatte. Ja, er selbst war einst – papperlapapp. Galläpfeltinte für die Waisenkinder! Überhaupt für Kinder – was für eine Vergeudung. Solche Tinte benutzte sogar er nur für die wichtigsten Schriftstücke, für Dokumente, die sehr lange, am besten bis zum Sankt-Nimmerleins-Tag lesbar bleiben mussten.

«Ich weiß Euren Eifer zu schätzen, Steding», sagte er und dachte mit einem Anflug von echtem Bedauern, dass er just diesen Eifer gleich ersticken werde. «Ihr seid noch kein Jahr bei uns und müsst erst lernen, was Sparsamkeit wirklich heißt. Nämlich *äußerste* Sparsamkeit. Es ist unmöglich, für diese armen Kinder so gute Tinte anzusetzen. Zumal es so viele Kinder sind, nämlich dreihundertfünf, wenn auch noch nicht alle schreiben, besonders mit Tinte. Es sind trotzdem zu viele.»

Im Übrigen müsse ein solches Anliegen Ökonom Faber unterbreitet werden, der Verwalter des Hauses entscheide mit den zuständigen Herren vom Rat und den Provisoren, er selbst führe nur darüber Buch.

Als er Stedings jugendlich leichten, auf der Treppe verklingenden Schritten nachlauschte und dachte, es sei doch schön gewesen, als seine Knie ihm noch erlaubt hatten, ebenso leicht die Treppen hinauf- und hinabzulaufen, fiel sein Blick auf den die gegenüberliegende Wand bedeckenden offenen Aktenschrank. Irgendetwas sah nicht so aus, wie es sollte. Wieder kniff er die Augen zusammen und schnaufte misslaunig. Er brauchte wirklich dringend eine zweite Brille, sehr dringend. Er war bekannt für seine mustergültige Ordnung, die Papiere lagen Blatt für Blatt Kante auf Kante, was bei all den vielen Bögen und Mappen nicht einfach war. Die schon zu Büchern gebundenen älteren Akten standen Rücken an Rücken in der richtigen Reihenfolge, Jahrgang um Jahrgang um Jahrgang.

An den Schrank getreten, die Nase ganz nah an den Fächern, war er nicht mehr so sicher. Seine Finger glitten über die Reihen, und richtig, da war doch eine Mappe verrutscht, dort eine andere, und hier waren zwei Bände vertauscht und standen in der falschen Reihenfolge. Er spürte seinen Nacken steif werden und lauschte angestrengt, als könne er in den schon verklungenen Schritten seines Besuchers noch etwas hören oder erkennen.

Alles war befremdlich ruhig. Die Kinder waren in den beiden Klassenräumen, niemand, auch keine der drei Mägde, klapperte mit Holzpantinen über die Treppe, die Webstühle standen noch still, sogar der gewöhnliche Lärm vom Hafen fehlte. Solange noch Eis auf dem Fluss war, gab es nur das Holpern und Knarren von Fuhrwerken, den Klang schwerer Pferdehufe. Selbst das Geschrei der Straßenverkäufer und Fuhrleute klang heute durch dieses beunruhigende Rauschen in seinem Kopf erst recht gedämpft. Siedend heiß durchfuhr es ihn. Er sah schlecht, aber immer noch besser als mancher seiner Altersgenossen, von denen etliche sogar der Star blind gemacht hatte – manche erst die Starstecher, aber das war eine andere Sache –, neuerdings vergaß er offenbar Wichtiges. Ließ ihn nun auch sein Gehör im Stich? Er schluckte erschreckt, und da kehrten die vertrauten Geräusche zurück, wenige und wie von ferne, denn es ging auf Mittag, die ruhigste Zeit des Tages.

Alles war normal. Alles war vertraut. Alles hatte seine Ordnung. Ein paar verrutschte Blätter alten Papiers konnten seine Ordnung nicht wirklich stören. Und wenn er schon so gedankenlos oder zu tief in Gedanken gewesen war (das gefiel ihm sehr viel besser), zu vergessen, die Tür abzuschließen, war er wohl auch so nachlässig gewesen, die Reihenfolge der Bände zu missachten. Allerdings – stirnrunzelnd blickte er auf die Reihen alten Papiers – konnte er sich nicht erinnern, gerade diese Bände in den letzten Tagen gebraucht zu haben. Wozu? Sie enthielten nur sehr alte Einträge.

Da fiel es ihm ein, und er konnte erleichtert zu seinem Platz hinter dem vor den alltäglichen Unbilden beschützenden Tisch zurückkehren. Es war im Januar gewesen. Das war lange genug her, um es für den Moment zu vergessen. Und nun war es ihm wieder eingefallen, also war sein Kopf noch, wie er sein sollte. Ja, im Januar hatte er einige der alten Bände gebraucht. Da waren Nachfragen zu irgendwelchen Jungen gewesen, zu welchen und warum, erinnerte er im Moment nicht, es war unwichtig. Da hatte er die Bände ausnahmsweise nicht ordentlich zurückgestellt, wahrscheinlich war er just in dem Moment von etwas Wichtigem gestört worden. So etwas kam vor. Womöglich hatten auch die beiden neugewählten Provisoren den einen oder anderen Band herausgezogen und darin geblättert, als der Ökonom sie durch das Haus geführt und mit allem bekannt gemacht hatte.

Nur so konnte es gewesen sein. Mit der anderen, der zerbrochenen Brille hätte er es natürlich längst bemerkt und in

Ordnung gebracht. Das holte er nun nach. Reihe um Reihe glitten seine Finger über das staubige Papier und die Buchrücken, und bald hatte alles wieder seine Ordnung. So wie immer.

Kapitel 4

Montagmittag

Der Leichnam war von den Eisbrocken befreit und mit Decken verhüllt worden. Nun zeigte sich, dass das durch soldatischen Eifer ausgelöste Vertreiben der Schaulustigen letztlich von Vorteil gewesen war. Wagner musste sich nicht als Schaubudennummer fühlen, während er die von zwei Soldaten geschobene Karre mit der traurigen Fracht zum glücklicherweise halbwegs nahen *Eimbeck'schen Haus* begleitete. Wohl folgten ihm tausend Augen, wurde hier und da flüsternd auf den Karren gezeigt, doch das bei solchen Gelegenheiten übliche Gedränge und Gejohle blieb aus. Er war sicher, das lag an den Soldaten, und offensichtlich hatte sich schon herumgesprochen, hier gehe es um ein Verbrechen, um offene Fragen und Zeugen, um die Suche nach einem Schuldigen. Da drängten sich nur Idioten vor.

Wagner merkte sich das. Bisher hatte er sich darüber geärgert, wenn den Uniformierten wieder mal größerer Respekt bewiesen wurde als ihm und seinen Leuten. Stattdessen wollte er das nun für sich nutzen, indem er sich von Soldaten begleiten ließ, wenn er einer komplizierten Ermittlung nachzugehen hatte. Er musste sich nur noch eine Schliche ausdenken, den Stadtkommandanten davon zu überzeugen. Leider neigte der Major gegenüber dem Weddemeister zur Ignoranz.

Als Wagner und Dr. Pullmann noch darüber gewacht hatten, dass die Soldaten die Leiche behutsam auf die Karre hoben und zudeckten, war Rosina schon auf dem Weg zurück zu ihrer Wohnung in der Mattentwiete. Seit sich die ersten

Wolken vor die Sonne geschoben hatten, war es mit der Milde des Frühlingstages schlagartig vorbei gewesen und wieder kalt geworden. Sie fror nicht nur deshalb.

Der Anblick der Toten hatte sie zunächst kaum berührt. Sie hatte sich erschreckt, als sie auf dem Bauch über das Eis gerutscht war und sie darin entdeckt hatte, aber der Schrecken hatte sich kaum von dem bei ihrem Stolpern und Fallen unterschieden. Als sie sich mit dem Weddemeister und dem Wundarzt am Ufer über den Leichnam gebeugt hatte, war sie vor allem neugierig gewesen. Jetzt holte sie die Kälte des Grauens ein. Das empfand sie als unangenehm und beruhigend zugleich, denn der Tod, insbesondere ein gewaltsamer Tod, sollte sie niemals gleichgültig lassen.

Zweimal hatte sie unterwegs ihren Namen rufen hören. Der Besitzer der Zeitungsbude bei der Trostbrücke war ihr sogar einige Schritte nachgelaufen. «Was ist dort an der Alster denn nun wirklich passiert, Madam Vinstedt? So bleibt doch stehen. Madam, sagt mir …»

Sie war nur noch ein bisschen schneller weiter gehastet, trotz der belebten Straßen. Es war nun schon fast ein Jahr her, seit sie sich mit ihrem damals gerade angetrauten Ehemann Magnus in Hamburg niedergelassen hatte. Auch da war die Stadt für sie kein unbekanntes Terrain mehr gewesen, seit etlichen Jahren war sie als Mitglied der Becker'schen Komödiantengesellschaft immer wieder hier aufgetreten. Für eine Saison zur Zeit des so grandios gescheiterten Versuchs eines ersten Nationaltheaters hatte sie sogar zum festen Ensemble des großen Komödienhauses im Opernhof beim Gänsemarkt gehört. Die Stadt war ihr also vertraut, sie kannte sich aus, hatte sogar Freunde hier und in diesen Straßen eine Menge erlebt. Trotzdem verblüffte es sie immer wieder aufs Neue, mit welcher atemberaubenden Geschwindigkeit sich in dieser riesengroßen Stadt Neuigkeiten, Gerüchte und Klatsch verbreiteten. Rasant wie ein Feuer, das bei Sturm von Dach zu Dach springt.

Als sie die Treppe zu ihrer Wohnung hinaufzusteigen begann, hörte sie von oben polternde Schritte. In der ersten Kehre rannte Pauline sie fast um.

«Da seid Ihr ja», rief sie atemlos und umklammerte mit beiden Händen das Geländer, damit ihr Schwung sie nicht weiter hinuntertrage. «Gott sei gedankt!»

Tobi!, dachte Rosina erschreckt, während der letzten beiden Stunden hatte sie nicht einmal an ihn gedacht. «Was ist mit ihm?», rief sie. «Geht es ihm schlechter?»

«Ihm? Wieso ihm? Ach so, Ihr meint den Jungen. Dem geht es gut. Er schläft wie einer mit engelreinem Gewissen. Wie geht es *Euch*? Ihr seid fast ertrunken, ach, und das schöne Kleid! Was sage ich da? Ich dumme Gans. So ein Riss ist im Handumdrehen repariert. Aber wenn Ihr jetzt krank werdet, vom eisigen Wasser und der Kälte, und erst der entsetzliche Anblick, den Ihr ertragen musstet ...»

«Halt, Pauline, halthalthalt. Du plapperst sinnloses Zeug. Mir ist nichts passiert, gar nichts.» Sie grüßte mit zuckersüßem Lächeln die aus zwei verstohlen geöffneten Türen blinzelnden Gesichter und zog Pauline energisch weiter die Treppe hinauf. «Ich habe nur Hunger», verkündete sie und dann, laut genug, damit alle im Treppenhaus es hören konnten, «und Lust auf einen Schnaps. Einen doppelten!»

Die Quelle für Paulines überraschendes Wissen war Madam Hopperbek aus dem vierten Stock. Sie hatte vor einer Viertelstunde bei ihr geklopft und die Neuigkeit gebracht. Das mit den Handgreiflichkeiten gegen die Soldaten hatte sie verschwiegen, obwohl es ihr wirklich schwergefallen war, denn das war doch das Beste. Aber sie war eben eine empfindsame Person, es wäre nicht nett gewesen, Pauline zu verdrießen, von der man sich immer mal einen Löffel Zucker, ein Ei, sogar ein paar Kaffeeböhnchen leihen konnte, ohne dass man es *gleich* ersetzen musste. Madam Hopperbek hatte die Neuigkeit vom Bäcker bei der Holzbrücke, der sie wiederum vom Königlich-Schwedischen Posthalter am St.-Petri-Kirchhof gehört hatte, dem es die Handschuhmacherin an den Raboisen anvertraut hatte. Die wusste es von einem Unteraufseher des Spinnhauses, der alles mit eigenen Augen gesehen hatte, was er bereit war, jederzeit und auf die Bibel zu beschwören, sobald er während dieses langen Tages ein offenes Ohr für seine Neuigkeiten fand. Wenn man die Kette bedachte, durch die die Nachricht weitergesaust war, war der Wahrheitsgehalt erstaunlich hoch geblieben.

Als das Fuhrwerk endlich entladen war, ließ Luis seinen Blick ein letztes Mal über den Holzplatz gleiten. Er hatte während der letzten Monate oft geholfen, Nachschub vom Holzhafen zum Borgesch oder von dort, wo auch ein Teil der die Elbe heruntergeflößten Stämme lagerte, zersägt oder zu Brettern gemacht wurden, hierherzubringen. Gewöhnlich lungerten ein paar Männer und Jungen herum und sahen ihnen bei der Arbeit zu. In der Hoffnung auf ein paar Münzen packte immer mal einer mit an, oder eine der Frauen aus der Nachbarschaft, die hier ihr Feuerholz holten, bat darum, gegen einen Krug Bier oder eine frischgebackene Waffel die schweren Holzkörbe in ihre Wohnung hinaufzutragen. Seltener eine Magd, in diesem Teil der Stadt gab es trotz der Lage nahe am Wasser nur wenige für wohlhabende Familien geeignete Häuser.

Heute war natürlich alles anders gewesen. Die Schaulustigen hatten sich blitzschnell und in großer Zahl eingefunden, ebenso schnell waren auch die letzten wieder verschwunden, nachdem der Karren mit dem Leichnam fort war. Immer noch lag der Platz verlassen. Niemand, nicht einmal ein Bettelkind oder eine der ewig hungrigen herrenlosen Hunde, sah ihnen bei der Arbeit zu, niemand wollte ihre Hilfe oder bot die eigene an. Gewöhnlich rannten alle dorthin, wo ein Unglück geschehen, wo etwas Grausames oder auch nur Gruseliges zu begaffen war. Am beliebtesten waren natürlich die Hinrichtungen, aber die gab es selten. Heute schien es, als mieden die Leute den Ort des Dramas, von dem noch niemand wusste, was für eines es war, welches sich womöglich hinter dem Tod der Frau verbarg.

Luis hätte sich die Tote gerne genau angesehen und mehr über sie erfahren, doch die Soldaten hatten ihn nicht wieder ans Ufer gelassen und auf Fragen eisern geschwiegen. Bei dem Arzt hatte Luis es gar nicht erst versucht, ebenso wenig bei dem kleinen dicken Mann, den sie hier Weddemeister nannten und der für «die Jagd nach jeglichen Unholden» zuständig war, so hatte ihm eine der Straßenverkäuferinnen mit einem großen Korb voll toter Täubchen und Wachteln wichtig zugeraunt. Als dann diese Frau nach vorne stürzte, hatte er wie alle den Hals gereckt, er hatte ihr Gesicht von seinem Platz erst sehen können, als sie sich wieder umdrehte und, mit den Ellbogen durch die Leute drängend, davonhastete. Er kannte sie nicht, jedenfalls glaubte er nicht, ihr begegnet zu sein, dennoch kam sie ihm bekannt vor.

Umso besser kannte er die andere Frau, die ihr aus den hinteren Reihen genauso eilig folgte. Elske, der gute Geist vom Borgesch, so nannte er sie manchmal. Sie mochte das nicht, sie sei nicht gut und erst recht kein Geist. Dann lachte er, weil sie ein so mürrisches Gesicht zog, als habe er sie beleidigt. Elske hatte ihn in der Menge nicht gesehen, sie war der anderen nachgerannt, als sei es eine Freundin, eine vertraute Freundin gar, um die sie sich sorgte, die sie in ihrem Schrecken – oder war es Kummer gewesen? – trösten wollte. Das war seltsam.

Er kannte Elske, wiederum *seine* vertraute Freundin, doch nun lange genug, um auch ihre Freundinnen zu kennen. Es waren wenige, aber vielleicht hatte er das nur geglaubt, und tatsächlich hielt sie ihn von ihrem wahren Leben fern. Erstaunt spürte er, wie ihn diese Vorstellung kränkte. Das war lächerlich. Er mochte Elske, auf seine Art liebte er sie sogar, er fühlte sich bei ihr auch – geborgen? Ja, geborgen. Aber es war eine Liebe auf Zeit, und da er sich in jugendlicher Leichtfertigkeit keine Gedanken über ihr zukünftiges Leben machte, hatte er sich auch kaum für ihr früheres interessiert. Oder für die Stunden, die sie ohne ihn verbrachte.

Nun würde er sie fragen und war gespannt auf die Antwort. Diese Frau, die am Ufer so entsetzt gewesen und der Elske nachgerannt war, musste wissen, wen sie dort aus der Alster geklaubt hatten. Warum sonst hätte sie so heftig reagiert? Und wenn Elske sie so gut kannte, wie es ausgesehen hatte, wusste sie es jetzt auch. Er verstand nicht wirklich, warum er unbedingt erfahren wollte, wer die Tote war. Wer sie *gewesen* war. Er ahnte den Grund seiner Wissbegier und schob ihn weg. Darin war er auch an diesem Tag ziemlich gut.

«Nu' mal los», hörte er Pieter knurren, «steh nicht blöd rum und guck Löcher in die Luft. Steig endlich auf. Oder willst du festwachsen?»

Bei jedem anderen hätte Luis nun die Fäuste geballt, so ließ er sonst nicht mit sich reden. Zumindest wäre eine deftige Replik fällig gewesen, er war für seine so flinke, für einen Flößer ungewöhnlich gewandte Zunge bekannt. Bei Pieter blieb er stumm, der hatte einiges bei ihm gut. Er wusste nicht, ob Pieter besonders langmütig oder als guter Christ dazu bereit war, auch die andere Backe hinzuhalten. Und sei es weniger Christus als Elske zuliebe. Er wollte nicht darüber nachdenken, das brachte nur Ärger ein. So schwang Luis sich mit schiefem Grinsen auf das leere Fuhrwerk, Pieter schnalzte schon, und das Pferd zog an.

Pieter war auf dem Borgesch ein wichtiger Mann. Auf dem so bezeichneten weiten Platz in der Vorstadt St. Georg lagerten, schnitten und sägten die Zimmerer große Mengen von Holz. Wenn Pieter auch kein Meister war – Luis wusste nicht, ob er es überhaupt bis zum Gesellen gebracht hatte –, wurde er von allen als so eine Art unterer Verwalter oder Aufseher des Holzplatzes und der dort stattfindenden Arbeit akzeptiert. Natürlich gab es einen Mann in feinerem Tuch und ohne Schwielen an den Händen, der das Amt tatsächlich innehatte, aber Pieter Hillmer war der, der sich auskannte, tatsächlich die Arbeit auf dem Platz übersah, organisierte und beaufsichtigte. Er sprach wenig, vielleicht war das der Grund, warum Elske nicht längst seine Frau war, als Luis zu Beginn des Winters auftauchte, als er schließlich Elske umwarb und schnell eroberte. Luis verstand immer noch nicht, warum Pieter ihn nicht windelweich geschlagen und davongejagt hatte. So wie er, Luis, es im umgekehrten Fall getan hätte.

Elske wohnte und arbeitete in der Schänke am Borgesch, aber sie arbeitete auch für Pieter. Sie führte für ihn Holzlisten oder schrieb seine unleserliche Krakelei sauber in das dicke Buch, das er in seinem Holzkontor verwahrte. So wurde das kleine Zimmer neben dem etwas größeren bezeichnet, in dem er wohnte. Vielleicht hatte er Luis nicht ernst genommen, vielleicht hatte er sich nicht vorstellen können, dass Elske sich in einen verliebte, den sie erst gesund pflegen musste und der zehn Jahre jünger war als sie. Ein Flößer zudem, der nichts versprach, von dem nur sicher war, dass er in absehbarer Zeit wieder verschwinden und sie zurücklassen würde. Pieter verstand wenig von den Frauen.

So oder so, er war einer von diesen Männern, die kaum jemals zeigten, was in ihnen vorging, die in ihrer Arbeit und im Umgang mit den Männern bedächtig, aber entschieden handelten, während sie verstummten, wenn es um Frauen, Freundschaft und um die Liebe ging.

«Was denkst du, was da passiert ist?», fragte Luis, als der Wagen an St. Jakobi vorbeigerollt war und vor der Springeltwiete wartete, bis eine hoch mit Schmutz bespritzte Droschke passierte und die Durchfahrt für sie frei machte.

Pieter hatte die Ellbogen auf die Schenkel gestützt, die Zügel lagen locker in seinen Händen, der Gaul kannte den tausendmal gegangenen Weg zurück nach seinem Stall im Schlaf. Schließlich hob er gleichmütig die Schultern. «Was weiß ich. Geht mich das was an? Oder dich?»

«Klar», rief Luis, in manchen Momenten brachte Pieter ihn doch an den Rand seiner Geduld. «Klar. Tu doch nicht so stupide, Mann. Immerhin haben wir die Leiche gefunden, jedenfalls fast.»

«Fast, genau. Gefunden hat sie die vorwitzige Madam im roten Kleid. Beinahe wär die jetzt selbst 'ne eiskalte Wasserleiche. Die könnt uns was angehen, die haben wir ans Ufer gezogen. Die andere – was weiß ich?»

«Dafür hat's dir ganz schön den Magen umgedreht. Das hab ich bei dir noch nie gesehen.»

Pieter schlug den Kragen seiner Joppe hoch, der Wind pfiff kalt und scharf durch die tief im Schatten liegenden engen Straßen, und knurrte Unverständliches. Luis fragte nicht nach, das hatte keinen Zweck.

Er legte den Kopf in den Nacken und sah zwischen den hohen Häusern zum Himmel hinauf. Das tat er immer, wenn ihn die Enge und der Gestank in der Stadt bedrängten. Schon jetzt im Winter fand er beides an der Grenze des Erträglichen. Allein die Vorstellung, wie es in der Sommerhitze sein musste, bereitete ihm Übelkeit. Vielleicht wäre er längst fort, wohnte er nicht am Borgesch außerhalb des Wallringes.

Dort standen die Häuser anders als hier weit auseinander, wenn man sich erst an die nahen Schweinkoben und die Abfallgruben gewöhnt hatte, zählte nur der Blick weit über die Äcker, Gärten und das Flusstal, an Tagen ohne Nebel von einem der höheren Holzstöße aus bis ins Lüneburgische hinter der Süderelbe.

Er hatte geplant, zwei oder drei, höchstens vier Wochen, gewiss nicht den ganzen Winter in Hamburg zu bleiben. Es hatte sich so ergeben – diese verdammten Stämme! –, und nun war es endgültig Zeit für den Heimweg, spätestens wenn der Frost sich verlässlich verabschiedet hatte. Dann war die Luft mild und die erwachende Natur eine Lust, obwohl es für die Wege zugleich den schlimmsten Morast verhieß.

Manchmal löste der Gedanke an seine Rückkehr eine Freude aus, die sein Herz schneller schlagen ließ, manchmal machte er ihn wehmütig. Nur zum Teil wegen des damit verbundenen Abschieds von den Menschen, mit denen er diesen Winter verbracht hatte, vor allem, weil dann alles anders wurde, sein ganzes Leben. Diese Reise bedeutete eine Zäsur, danach war es aus mit der Flößerei. Mit der Freiheit. Auch mit den Frauen.

Das Leben hielt eben bereit, was es bereithielt, und sein Bein war wieder gesund. Er hatte Glück gehabt, wäre es nur ein bisschen stärker gequetscht worden, als es ihm zwischen die Stämme geriet, hätte er auf nur einem Bein und einer Krücke heimhumpeln müssen. Wenn er das Desaster überhaupt überlebt hätte. Für einen Einbeinigen war der Weg zu weit, da hätte er einen Wagen finden müssen, der ihn mitnahm, und das war teuer. Wobei der Reisepreis für ihn ein geringes Problem gewesen wäre, was niemand von den Holzarbeitern wusste. Auch sonst niemand, Elske bestimmt nicht, da war er sicher.

Er hatte es nie gesagt oder durch teure Geschenke gezeigt,

und sie war keine, die heimlich seine Sachen durchsuchte. Abgesehen von ihrer Neugier, die er als den Frauen angeboren erachtete, hatte sie keinen Grund dazu. Wenn er endgültig fortging, wollte er ihr ein ansehnliches Geschenk machen, bis dahin fiel ihm schon noch ein, was sie am meisten freute und was sie am besten brauchen konnte. Ohne Elske wäre dieser Winter nicht nur für seinen Körper, sondern auch für seine Seele kalt gewesen. Sogar bitterkalt.

In schwachen Momenten hatte er sich vorgestellt, Elske mitzunehmen. Das war natürlich unmöglich. Sie wusste das, von Anfang an, sie war eine vernünftige Person. Dabei konnte sie erschreckend eifersüchtig sein, einmal hatte sie ihn in ihrem Zorn versucht zu schlagen. Da hatte er ihre Arme festgehalten und gelacht. Weder freundlich noch nachsichtig oder gar amüsiert, er würde niemals zulassen, dass eine Frau ihn schlug. Ihr Zorn war wie meistens so schnell verraucht, wie er aufgeflammt war. Dann hatte sie mit ihm gelacht, heiterer als er, eben dieses besondere, breite Lachen, tief aus der Kehle, das ihm zuerst an ihr gefallen hatte. Sie war bei aller Großherzigkeit eine kampflustige Person, er wäre höchst ungern ihr Feind.

Er würde sie vermissen, ihr großes Herz, ihren warmen weichen Körper, ihre trotzige Lebenslust, ihren Mut. Doch die Frau, die zu Hause auf ihn wartete, war die passende Wahl für ihn und für die Zukunft der Familie. Vergessen würde er Elske nie, daran zweifelte Luis keine Minute. Wenn man dreiundzwanzig Jahre alt ist, besteht das Leben aus lauter Gewissheiten.

Das Bein war nun verheilt, nicht zuletzt dank Elskes Pflege und Fürsorge. Besonders als das Fieber kam und der Chirurg schon die Säge schärfte, hatte sie Tag und Nacht bei ihm gesessen – wann hatte sie überhaupt geschlafen? –, kalte Umschläge gemacht, Kräuter zu heilkräftigen Dämpfen verbrannt und ihm alle möglichen angeblich kräftigenden Tränke eingeflößt, stinkende Salben aufgestrichen. Und gebetet, das auch. Im Fieber hatte er sie manchmal murmeln gehört. Es hatte geholfen, sogar gegen die immer wiederkehrenden Wellen von Angst. Inzwischen kannte er sie besser und argwöhnte, es könnten Zaubersprüche gewesen sein, was ihm letztlich einerlei war. In ketzerischen Momenten dachte er mit einer für sein Alter unpassenden Weisheit, zwischen beiden liege manchmal wenig Unterschied. Er vertraute auf einen milden, einen verständigen Gott.

Jedenfalls hatte es geholfen, also konnte es nicht schlecht gewesen sein. Nur die Narben waren groß und hart geblieben, er würde sie auch zukünftig spüren, und das Bein war nun weniger stark als das andere.

Es wird ihm recht sein, dachte er ohne Groll an seinen Vater, es wird ihn sicher machen, dass ich nicht mehr auf die Flöße gehe.

Als könnte das bisschen Steife in einem Bein ihn davon abhalten. Auch so war er immer noch behände genug für die gefahrvolle, die Kräfte zehrende Arbeit. Er wollte aus anderem Grund bleiben und in das Leben eines Floßherrn hineinwachsen, wie es die Familientradition verlangte. Es erschien ihm nicht als Opfer, es war einfach sein vorherbestimmter Weg. Er überlegte flüchtig, ob der Toten aus der Alster ein solches Ende vorherbestimmt gewesen war. Der Gedanke war unbehaglich, bei Vorherbestimmung dachte er gewöhnlich an Zukunft und Beginn, nicht an das Ende.

Eigentlich konnte er den Rückweg sofort antreten. Leider schwammen die Flöße nicht stromauf. Vielleicht kaufte er sich ein Pferd, obwohl er sich auf den nassen Stämmen sicherer fühlte als im Sattel. Ein wenig Zeit brauchte er hier noch, erst einer der beiden Aufträge, die mit seiner letzten großen Floßfahrt verbunden waren, war erfüllt. Für den zweiten musste er sich nun anstrengen und beeilen, und, wenn es nötig war, die richtige Hilfe finden.

Montagmittag, nach der Börsenzeit

Das Mittagessen im eleganten Speisezimmer des Hauses Herrmanns am Neuen Wandrahm verlief heute still. Alle hingen ihren Gedanken nach, wobei in diesen Wochen «alle» leider nur drei Personen bedeutete. Dem Hausherrn gegenüber saß seine Tante Augusta Kjellerup, an der dem Fenster gegenüberliegenden Längsseite der jüngere Sohn des Hauses. Niklas war gewöhnlich still, für sein Alter von neunzehn Jahren sogar überaus still, sein Vater und seine Großtante hingegen zählten sonst zu den lebhaften Plauderern. Normalerweise saßen abgesehen von nicht zur Familie gehörenden, doch häufig geladenen Gästen mindestens zwei weitere Personen an diesem Tisch, nämlich Anne Herrmanns, die Dame des Hauses, und Christian, der ältere Sohn. Der war seit Oktober in London, in Geschäften und – wenn sein Vater richtig zwischen den Zeilen seiner Briefe las – neuerdings zudem auf Freiersfüßen. Claes Herrmanns wäre es lieber gewesen, sein Ältester hätte sich für eine der passenden Hamburger Töchter entschieden, andererseits war er froh, dass Christian sich überhaupt zu entscheiden schien. Bisher hatte er eine Neigung zu so unpassenden wie flüchtigen Liebschaften gezeigt und so die väterliche Sorge genährt, sein bald dreißigjähriger Sohn werde womöglich zum Hagestolz und versäume seine Pflicht, einen legitimen Erben für das Familienunternehmen zu zeugen. Christian wurde im Mai zurückerwartet, es war geplant, dass er den Umweg über die Insel Jersey mache, um seine Stiefmutter Anne abzuholen und nach Hause zu begleiten.

Claes Herrmanns vermisste seine Ehefrau sehr. Das tat

er schon seit dem Tag, an dem sie nach ihrer heimatlichen Insel Jersey abgereist war. Nun gut, vielleicht nicht vom *ersten* Tag an, aber doch bald danach. Sogar während der Arbeit in seinem Kontor konnte es geschehen, dass er plötzlich von seinen Listen, Rechnungsbüchern oder Briefen aufsah und dieses sanfte, gleichwohl schmerzliche Ziehen in der Brust spürte. Dann nahm er die Miniatur mit ihrem Porträt aus dem Ebenholzkästchen, das immer neben dem Tintenglas stand, und betrachtete sie einen Augenblick. Es kam vor, dass er leise seufzte, während er ihr Bild in den Kasten zurücklegte.

Er vermisste seine Frau wirklich, heute wie an jedem dieser Tage. Auch in den Nächten, das gewiss. Anne war seine zweite Ehefrau, die sieben Jahre mit ihr waren nicht immer leicht gewesen, weiß Gott nicht – aber diese späte Liebe zwischen einem Witwer mit ergrauenden Schläfen und einer mehr in Handelsgeschäften als in Haushaltsfragen versierten Engländerin, die ebenfalls über das Heiratsalter hinaus gewesen war, diese so unerwartete wie auf den ersten Blick wenig aussichtsreiche Liebe hatte trotz einiger Turbulenzen Bestand gehabt. Das hatte manche in der Stadt überrascht – Claes Herrmanns hatte damals alles andere als heiratswillig gegolten –, aber natürlich war darüber nur hinter vorgehaltener Hand gesprochen worden, inzwischen nur noch, wenn es einen die Phantasien beflügelnden Anlass gab. So wie jetzt, da Anne Herrmanns mitten im Winter, als die Elbe gerade noch eisfrei gewesen war, die Reise nach der Insel Jersey angetreten hatte.

Bis zu ihrer für ihren einzigen Bruder ziemlich lästigen Heirat war sie die heimliche Herrin dessen Handelshauses gewesen, nun war er schwer erkrankt, so hieß es jedenfalls, und sie war an sein Krankenlager geeilt. Das klang nach inniger Geschwisterliebe und war verständlich, aber bei den

Herrmanns wusste man nie. Es war noch gut in Erinnerung, wie Madam Anne nach den amerikanischen Kolonien gereist war – und zwar ohne ihren Ehemann vorher zu fragen –, bis er sie persönlich zurückgeholt hatte. Die Engländer waren exzentrisch und reiselustig, erst recht die Engländerinnen, trotzdem gehörte eine Ehefrau ins Haus und an die Seite ihres Gatten, selbst wenn sie über eigenes Geld verfügte, was ohnedies eine fragwürdige Angelegenheit war.

Claes Herrmanns kümmerte der Klatsch nicht, es gab sogar Momente, in denen er das Gerede genoss. Sein Vertrauen in Anne und ihre Liebe war seit der amerikanischen Eskapade und ihr zum Glück nur beinahe tragisches Ende absolut, und er war stolz auf seine Frau. Zudem wurde es mit ihr niemals langweilig. In den Jahren ihrer Ehe hatte er, der durchaus zu hanseatischer, gelegentlich bis zur Ignoranz reichenden Behäbigkeit neigte, gelernt, dass die Meute sich stets über jene das Maul zerriss, die nicht dem Mittelmaß entsprachen. So konnte er das Geschwätz zum Kompliment umdeuten. Jedenfalls meistens.

In dieser Stunde vermisste er seine Frau weniger mit dem Gefühl von Sehnsucht als mit einer tüchtigen Prise Groll. Anne war nicht alleine gereist, natürlich nicht, sie hatte Betty mitgenommen, ihre Zofe, und Elsbeth. Betty war ihm egal, aber Elsbeth! Die wirkte in der Küche des Herrmanns'schen Haushaltes, fast seit Claes sich erinnern konnte. Vor langer Zeit war sie als Kostkind aus dem Waisenhaus zu den Herrmanns in den Neuen Wandrahm gekommen, um Dienst als Aschenmädchen zu tun. Die damalige Köchin hatte sich ihrer angenommen, sie war eine schroffe Person gewesen, aber das zarte Kind musste etwas in ihr berührt haben.

Das Aschenmädchen war im Laufe der Zeit zu einer handfesten Person und eine der besten Köchinnen in der Stadt geworden. Insbesondere nach festlichen Diners konnte es geschehen, dass Claes Herrmanns sich versucht fühlte, dem Himmel zu danken, weil sie nie geheiratet und auch anderen Abwerbeversuchen widerstanden hatte. Letztlich lag die Organisation des ganzen großen Haushaltes in Elsbeths Händen, wie sich nun endgültig zeigte. Ungeputzte Fenster, sogar schlecht gebügelte Mundtücher konnte er leicht übersehen, aber was da auf seinem Teller lag – so etwas war er nicht gewöhnt.

Missmutig schob er das Stück gepökelte Rinderzunge an den Tellerrand, es war zäh und viel zu salzig, und tunkte einen Brocken Weißbrot in die Hagebuttensoße. Das Brot immerhin war gelungen, dafür war die Soße, von der er sich reichlich hatte auftun lassen, weil sie zu seinen Favoriten zählte, zu fettig und zu süß. Gut möglich, dass in der Küche die Zitronen ausgegangen waren. Elsbeth wäre so etwas natürlich nie passiert, und hätte sie keine Zitronen gehabt, hätte sie sich eine andere Soße einfallen lassen.

«Ja, mein Lieber», sagte Madam Kjellerup, die allgemein und je nach Grad der Vertrautheit Tante oder Madam Augusta genannt wurde. «So ist es ohne Elsbeth. Wenn sie zurückkommt, solltest du umgehend ihren Lohn erhöhen, sonst kommt sie uns eines Tages womöglich noch ganz abhanden. WENN sie zurückkommt. Womöglich findet sich ein englischer Gourmet, der sie heiratet, und dann sind wir sie los.»

«Heiratet?! Sie muss fast fünfzig sein. Da heiratet man doch nicht mehr.»

«Ach ja? Und Eschbach? Der dicke Syndikus ist fast sechzig, hat noch fünf Zähne, nun gut, es mögen sieben sein, wer mag da schon genau nachschauen, kein eigenes Haar mehr auf dem Kopf und hält seine dritte Hochzeit in diesem Mai. Die Braut ist keine dreißig. Das arme Kind!»

«Eben», murmelte Claes Herrmanns und war klug genug, nicht hinzuzufügen, dass seine Bemerkung einzig das noch gebärfähige Alter der Braut kommentiert hatte. Schließlich hatten Eschbachs Ehefrauen Nummer eins und zwei ihm nur Töchter geboren, die zudem wenig ansehnlich waren.

Augusta war eine betagte Witwe mit einer Vorliebe für so teure wie elegante Schuhe und glänzende Bänder auf ihrer Witwentracht, die sie durch Seidenblüten in heiteren Farben und mutigen Kreationen ergänzte, besonders, nachdem Rosina Vinstedt ihr diese fabelhafte Seidenblumen- und Fächermanufaktur am Hafen empfohlen hatte. Sie war bekannt für ihre unerbittlich gute Laune, ihren wachen Geist und ihr untrügliches Urteil. Heute war offenbar einer der seltenen Tage, an denen sie leicht reizbar und ihre Zunge gespitzt war. Sicher drückte die schwere Küche ihre Galle.

Wenigstens die Fischpastete war halbwegs schmackhaft gewesen, ein wenig heftig gewürzt, auch mit Zimt, was nicht wirklich das Richtige war, aber in den letzten Wochen waren alle im Haus in ihren Ansprüchen an die Mahlzeiten bescheidener geworden. Gleichwohl wurde wenig gemurrt. Elsbeths Vertreterin musste als Köchin für Fleisch- und Fischgerichte, für salzige Pasteten, Soßen und derlei als Anfängerin mit bescheidenen Talenten gelten, in Sachen Desserts, Kuchen, Cremes und Konfekt jedoch als wahre Meisterin, und niemand, selbst die unübertreffliche Elsbeth nicht, verstand es, so delikate Schokolade zu kochen wie ihre junge Vertreterin.

«Vielleicht war es doch übereilt, nur auf Elsbeths Empfehlung zu hören», überlegte Claes Herrmanns laut.

«Nein.» Augusta tupfte sich die Lippen, legte das Mundtuch ordentlicher, als es sonst ihre Art war, neben den Teller und nahm einen Schluck Wein. «Köchinnen von Elsbeths Qualität sind rar. Da keine zur Verfügung stand, schon gar nicht für einen begrenzten Zeitraum, war es richtig, ihren Schützling in unsere Küche zu holen. Außerdem», sie lauschte einen Wimpernschlag lang zur Treppe hinaus und sprach erst weiter, als sie sicher war, keine Schritte zu hören, «außerdem kannst du dich damit schmücken, Mamsell Molly eine kleine Wohltat erwiesen zu haben. Nimm es als Bonuspunkt für deine Gute-Taten-Liste im Himmel. Du hast recht, der fordert größere und selbstlosere Taten», stimmte sie dem zweifelnden Blick ihres Neffen zu. «Trotzdem, wir haben eine nicht unbedingt grandiose, doch verlässliche Köchin, und Molly kann in diesen Wochen überlegen und ausprobieren, ob sie in den Haushalt ihrer Mutter, besser gesagt dieses Stiefvaters zurückkehren will. Uns beiden, mein Lieber, wird es nicht schaden, wenn wir nach dem langen trägen Winter ein bisschen weniger essen. Niklas scheint es ohnedies zu schmecken», schloss sie und sah mit einer Mischung aus Bewunderung und Argwohn vom absolut leer gegessenen Teller zum zufriedenen Gesicht ihres Großneffen.

«Ich finde, Molly kocht ganz fabelhaft», erklärte Niklas, was den Blick seines Vaters umgehend von zweifelnd zu misstrauisch wechseln ließ. Womöglich hatte er sich doch nicht geirrt, als er glaubte, seinen Sohn sanft erröten zu sehen, als sie beide heute Morgen Molly in der Diele begegnet waren. «Natürlich kocht sie *anders* als Elsbeth», erklärte Niklas nachdrücklich, «sie ist ja auch eine andere Person.»

Claes Herrmanns beschloss, darauf nicht einzugehen. Er liebte seinen Sohn und dachte manchmal noch mit Schrecken an die Jahre, als Niklas ihm nach dem Tod seiner Mutter unerreichbar und fremd gewesen war, ein einsames freudloses Kind. Nun war er neunzehn Jahre alt, hoch aufgeschossen, Gesicht und Glieder schmal, noch mehr Junge als Mann, was allerdings vielleicht nur im Auge des väterlichen Betrachters lag. Je älter Niklas wurde, umso mehr glich er seiner Mutter, weniger in der äußeren Gestalt oder in seinem zurückhaltenden Temperament, da war jedoch etwas in seinen Bewegungen, in seinem Blick, das an Maria erinnerte, die erste, auf furchtbare Weise ums Leben gekommene Madam Hermanns.

Vielleicht lag es daran und mehr noch an den schwierigen Jahren, die Niklas als Kind erlebt hatte, dass sein Vater ihm den Besuch des Akademischen Gymnasiums und das anschließende Studium an der Göttinger Universität erlaubte. Natürlich hätte er ihn lieber in einer Kaufmannslehre oder zumindest auf Professor Büschs Handelsakademie gesehen. Aber zu ihrem Staunen hatten seine Stiefmutter Anne und seine Großtante Augusta alle schlauen Strategien zur Erfüllung von Niklas' Wunsch nach einem für die Herrmanns'sche Familientradition ungewöhnlichen Lebensweg streichen können. Claes hatte zwei Tage nachgedacht und, weil so ein einfaches Ja nicht seinen Gewohnheiten entsprach, noch einen Tag hinzugefügt, um dann einfach zuzustimmen. Einen Fallstrick oder eine nachgeschobene Bedingung, auf die Augusta noch einige Zeit gewartet hatte, hatte es nicht gegeben.

Der Grund war einfach: Claes Herrmanns wusste genau, dass sein jüngerer Sohn sich nie für den Handel interessiert hatte. Christian, der ältere, war ihm schon als kleiner Knirps in die Speicher gefolgt und hatte in steter Neugier erkundet, was dort, im Kontor und im Hafen passierte. Darauf hatte er bei Niklas vergeblich gewartet. Der war ein Bücherwurm und hatte sich ständig mit der weiten Welt beschäftigt. Leider hatten ihn dabei nicht die Waren neugierig gemacht, die die Schiffe aus entlegenen Weltgegenden auch für die Herrmanns'schen Speicher brachten, sondern die exotischen Insekten und sonstiges seltsame Getier, deren Abbildungen er in den Büchern der Commerzbibliothek gefunden hatte. Eine Zeit lang waren Schlangen seine Favoriten gewesen, dann Schmetterlinge, irgendwann auch Gewürze, wiederum ungeachtet ihres Handelswertes, sondern einzig wegen der Schönheit der Pflanzen. Er hatte diese Vorliebe nicht wie andere Jungen nur für einen Sommer oder langen Winter gepflegt, um sich dann einer anderen zuzuwenden, sondern Jahr um Jahr um Jahr. Aus ihm wurde nie ein erfolgreicher Kaufmann. Außerdem, so hatte sein Vater den so erfreuten wie erstaunten Damen des Hauses erklärt, sei die Zeit im Wandel begriffen. Es könne von Vorteil sein, einen Gelehrten in der Familie zu haben. Weil es ihm gefiel, als großzügiger und neuzeitlich denkender Vater zu gelten, fügte er nicht hinzu, dass das Beispiel der Fechters ausreiche. Der alte Patriarch hatte seine beiden Söhne in sein Kontor gezwungen, obwohl jeder wusste, dass der Ältere nichts wollte als zur See fahren. Die Fechters waren nun bankrott.

Als Molly mit dem Dessert erschien, seufzte Augusta ergeben. Schon lange bevor die noch junge Tochter eines vor gut zwei Jahren verstorbenen Konditormeisters vorübergehend das Regiment in der Herrmanns'schen Küche übernahm, hatten alle im Haus ihr über die Maßen köstliches Konfekt zu schätzen gewusst. Wie ihre Konfitüren wurde es im Laden ihrer Familie verkauft. Zumindest Augusta war gespannt, wie sich deren Geschäfte entwickeln würden, falls Molly nicht zurückkehrte.

Niklas' Augen leuchteten bei Mollys Eintreten auf. Ob wegen des Tabletts mit kleinen Kuchen und süßen Cremes oder ihres runden Mädchengesichtes mit den stets ein wenig erstaunt wirkenden himmelblauen Augen, den lichtbraunen, nun leider fest nach hinten gebundenen Löckchen, war schwer zu entscheiden. Auch Claes Herrmanns fand ihren Anblick recht erfreulich, nach der zähen Zunge war er jedoch noch hungrig genug, um vor allem dem Dessert hoffnungsfroh entgegenzusehen, gleichwohl blickte er irritiert. Er hatte sich noch nicht daran gewöhnt, dass Molly zumindest die süßen Speisen stets selbst servierte, obwohl das in diesem Haus nicht zu den Aufgaben der Köchin zählte. Als Augusta sie freundlich darauf hinwies, hatte sie die Unterlippe ein ganz klein wenig vorgeschoben, ebenso dezent die Stirn gerunzelt, höflich genickt – und ihre Desserts weiterhin serviert.

Molly war einundzwanzig Jahre alt, sie wirkte bei aller Pummeligkeit, bei aller unermüdlichen Energie, die sie in der Küche bewies, wie eine zarte Seele. Sicher war sie das, ihre andere Seite jedoch zeichnete sich durch Zähigkeit und ein für ihre jungen Jahre und den unsicheren Platz im Leben beachtliches Selbstbewusstsein aus. Sie hatte ein schweres Jahr erlebt, bei genauerer Betrachtung sogar zwei, was außer Elsbeth und Madam Augusta niemand im Haus wusste oder je erfahren würde. Aber weder war sie zur Dienstbotin erzogen worden, noch war sie bereit, sich so zu gebärden, obwohl sie in diesen Monaten genau das war und vielleicht auch in Zukunft sein würde.

Eines der beiden Hausmädchen schlüpfte hinter Molly ins Speisezimmer, räumte die Teller des vorigen Gangs auf ein großes Tablett und verschwand wie ein Schatten. So präsent Molly war, selbst wenn sie still wartete, bis ihr Einsatz erforderlich wurde, so unsichtbar war dieses Mädchen. Dabei trugen beide die gleiche Tracht. Obwohl sie schon ein gutes Vierteljahr im Haus lebte, entfiel Augusta sogar hin und wieder, wie sie hieß. Valerie. Ein hübscher Name, besonders für ein so farbloses Geschöpf.

Molly füllte die Teller mit ihren Kuchen und Cremes und legte zu Letzteren jeweils ein paar Blättchen der Minze, die sie in Töpfen zog. Dann wünschte sie knicksend guten Appetit, zog eine kleine Papierrolle aus der Tasche ihrer makellos weißen Schürze und legte sie noch einmal knicksend, diesmal aus ehrlichem Respekt, neben Augustas Teller.

«Den Brief hat ein Bote gebracht, Madam Kjellerup, erst vor einer Viertelstunde. Er hat gesagt, es sei eilig, aber ich wollte nicht beim Essen stören, das ist unbekömmlich. Er hat eine Gebühr verlangt, die hat der Schreiber aus dem Kontor bezahlt. Ich hoffe, alles war recht so.»

«Danke, Molly», sagte Claes Herrmanns, als Augusta nur vage nickend den Brief in den Händen drehte. «Post wie zur Unzeit kommende Besucher immer erst nach dem Essen», fuhr der Hausherr in sanft belehrendem Ton fort, «aber wenn es eilig ist, war es so genau richtig, und unsere Leute im Kontor wissen am besten, was so ein Bote bekommt.»

Er hätte gerne noch etwas zur Bekömmlichkeit von Essen gesagt, insbesondere, wenn das übrigens recht teure Fleisch zäh und zu salzig geriet, aber Molly lächelte ihn so strahlend an, dass er sie beinahe mit einem Lob für ihre Kochkünste bedacht hätte, anstatt sie mit dem üblichen wohlwollenden Nicken in ihre Küche zu entlassen. Die Lüge wäre dann doch zu deftig gewesen, so trug er ihr nur noch auf, Valerie mit einer neuen Karaffe Wasser heraufzuschicken, und zwar mit einer der großen.

Er sah mit kaum verhohlener Neugier zu seiner Tante. Für eine alte Witwe bekam Augusta häufig Post. Briefe, Einladungen und Grüße aus der Stadt oder, besonders im Sommer, von den Landsitzen und Gartenhäusern des Umlands, sie hatte noch Freundinnen in Kopenhagen, wo sie den allergrößten Teil ihres Lebens verbracht hatte, nicht zu vergessen den Verwalter ihrer dänischen Liegenschaften und Schiffsparten. Sie korrespondierte mit einem, wie Claes fand, überaus exzentrischen Londoner Privatier und Kunstsammler von griechischen Antiken und einigen anderen Personen, die genug Muße für diese Schreiberei hatten. Wenn aber ein Brief so eilig war, dass seine Übergabe nicht bis nach dem Essen warten konnte, handelte es sich für gewöhnlich stets um seine Handelspost. Also um tatsächlich Wichtiges. Oder um Nachricht von Anne; ob im Kontor oder im Wohnbereich des Hauses würde es niemand wagen, ihm Post von seiner Frau auch nur zehn Minuten vorzuenthalten.

Augusta hatte das gerollte Papier von einer nachlässig gebundenen Schnur befreit. Sie murmelte etwas von «Sie hat mal wieder den Siegellack verlegt», und entrollte mit spitzen Fingern den, nun ja, den wirklich nicht reinlichen Papierbogen, klappte ihre Lorgnette auseinander und hielt sie vor die Augen.

«Ihr entschuldigt doch», murmelte sie, ohne den Blick von ihrer Post zu heben. «Und esst bitte euer Dessert.»

«Etwas Schlimmes?», fragte Claes endlich, nun weniger aus Neugier, Augustas besorgtes Gesicht beunruhigte ihn.

«Nein.» Sie faltete den Bogen und legte ihn neben ihren Teller. «Jedenfalls nicht wirklich. Tatsächlich weiß ich es nicht. Das Schreiben ist von meiner alten Freundin Amanda. Habe ich erwähnt, dass sie seit einiger Zeit hier in der Nähe lebt? Ach, einerlei. Ich fürchte, sie hat sich gründlicher, als ich dachte, mit ihrem Sohn überworfen und benimmt sich trotzig wie eine Zwölfjährige. Das hat sie allerdings schon ihr ganzes langes Leben lang getan, sobald nicht alles so lief, wie sie es wünschte. Ich wollte sie morgen besuchen, das hatten wir verabredet. Nun bittet sie, nein, sie ordnet an, ich sollte frühestens in der nächsten Woche kommen, sie sei noch nicht eingerichtet.»

«Hm», brummte Claes. Er verstand das Problem nicht und warf seinem Sohn einen hilfesuchenden Blick zu. Leider war Niklas intensiv damit beschäftigt, seinen Teller ein drittes Mal mit der göttlichen Aprikosencreme zu füllen. «Das klingt doch ganz vernünftig, Augusta. Wenn man noch nicht eingerichtet ist, und dann kommt Besuch ...»

«Im Prinzip mag das zutreffen. Aber ich habe sie schon gekannt, als wir Mädchen waren, sie hat mit ihrer Familie in Kopenhagen und dann auf den karibischen Inseln gelebt, jetzt ist sie eine ebenso alte verwitwete Schachtel wie ich und erst seit kurzem hier. Just bei ihrem ‹Sicheinrichten› sollte und wollte ich sie unterstützen. Ich glaube nicht, dass sie hier außer mir verlässliche Hilfe hat. Aber wahrscheinlich hast du recht, Claes, Amanda war schon immer schrullig.» Sie gab der Papierrolle einen unmutigen Schubs, griff nach ihrem Löffel und tauchte ihn in die Creme auf ihrem Teller. «Und dann auch noch zu lange Jahre zu viel in der Sonne, fürchte ich. Ich werde ihr schreiben. Bis zur nächsten Woche, möglicherweise schon morgen, hat sie es sich bestimmt anders überlegt. Das wäre typisch. Und wenn nicht, spiele ich eben den ungebetenen Gast. Sie wird kaum auf mich schießen.»

Dienstag, 23. März

An diesem Morgen hatte Rosina Tobias nachgesehen, bis er um die Ecke verschwunden und ihrem Blick entzogen war. Sie hatte vorgehabt, ihn nicht gehen zu lassen, aber obwohl er mit seinem blauen Auge, der geschwollenen Lippe und den zerschrammten Händen erbarmungswürdig aussah, war er munter wie an jedem Morgen aus seinem Kämmerchen gekommen. Er hatte seine Grütze hungrig heruntergeschlungen und sie ihn ermahnt, den Löffel richtig zu halten, nicht zu schmatzen oder zu schlürfen – wie an jedem Morgen. Dann war er davongehüpft, auf der Treppe immer zwei Stufen auf einmal nehmend, polternd – auch wie an jedem Morgen. Nur dieses Vor-sich-hin-Pfeifen, das er sich neuerdings angewöhnt hatte, klappte heute wegen der Lippenschwellung nicht. Das gab Hoffnung – vielleicht vergaß er es darüber.

«Ihr könnt den Jungen nicht schützen», sagte Pauline, «Kindsein ist nun mal selten lustig. Waisenkindsein doppelt wenig.»

«Vielleicht sollten wir ihn besser wieder in die Waisenhausschule schicken», überlegte Rosina, immer noch aus dem Fenster sehend. «Dort wäre er kein Außenseiter.»

«Doch, Madam, das wäre er.» Pauline hieb mit der Faust kräftig auf den Brotteig ein, den sie seit einer Viertelstunde knetete. «In der Katharinenschule ist er ein Außenseiter, weil er Kostkind und Waise ist. Im Waisenhaus wäre er es, weil's ihm hier bei uns besser geht als den anderen, übrigens auch als den meisten, sogar den allermeisten anderen Kostkindern. Allein die Kleider, die Monsieur Vinstedt ihm gekauft hat! Die sind viel besser als die ewigen blauen Sachen der Waisen. Ja, ich weiß: Denen im Haus am Rödingsmarkt geht's besser als vielen, die bei ihren Eltern oder Verwandten leben, kann ja sein. Reine Kleider und jedes Jahr neue. Sogar Schuhe. Sie lernen was und haben alle Tage nicht reichlich, aber wohl genug zu essen. Wenigstens ist er kein Findelkind, von dem keiner weiß, wo er herkommt und ob er, na ja, ob er einen ehrlichen Vater hatte.»

Rosina nickte halbherzig. In den Akten wurde Tobias nicht als solches geführt, und das war entscheidend. Einem, von dem man nicht wusste, ob er ehelich geboren war, blieben viele Wege in die Zukunft versperrt. Wenn diese Zukunft ein behagliches Auskommen durch ehrliche Arbeit versprechen sollte, tatsächlich die meisten. Insbesondere die Ämter, wie in dieser Stadt die Zünfte genannt wurden, achteten noch streng darauf, dass nur Geselle wurde, wessen eheliche Geburt in den Taufregistern vermerkt und bewiesen war. So genannte unehrlich geborene Kinder würden, ginge es strikt nach den Vorschriften, nicht mal im Waisenhaus aufgenommen.

Bei den fahrenden Komödianten, Musikern, Puppenspielern oder Akrobaten kümmerte das niemand. Aber auch ihr wäre das heute zweifellos wichtig, wenn sie nicht in jener schwarzen Nacht aus dem Fenster auf den knirschenden Kies gesprungen und zu den Komödianten davongelaufen wäre, wenn sie nicht ein Jahrzehnt deren Leben geteilt hätte, als wäre ihr nie ein anderes bestimmt gewesen. Flüchtig schoss ihr durch den Kopf, ob Magnus sie geheiratet hätte, wenn ihre Eltern unbekannt …

Weg mit diesen überflüssigen Gedanken! Sie hatte einfach zu viel Zeit, in ihrem früher so arbeitsreichen Leben war nun viel zu viel Nichtstun, da *musste* man auf dumme Gedanken kommen. Dumme, überflüssige Gedanken. Sie musste sich eine Arbeit suchen. Was nicht einfach war. Auf damenhafte Fertigkeiten wie Sticken und Nähen hatte sie sich nie verstanden, sie konnte singen und tanzen, Komödie spielen. Und Stücke übersetzen, sogar in Versen. Sie fühlte eine Welle von Zuversicht. Wenn erst die Fastenzeit vorbei war und die Theater wieder öffneten, wenn die neue Theatergesellschaft um den schon berühmten jungen Schröder zurück in die Stadt und an das Komödienhaus beim Gänsemarkt kam, würde sie sich etwas einfallen lassen.

«Er wird noch oft Prügel beziehen», stellte Pauline gerade nüchtern fest, und Rosina fragte sich flüchtig, ob sie womöglich einen bedeutsamen Satz überhört hatte. «Jungs prügeln sich, auch manche Mädchen. Sogar meine sanfte Älteste hatte ein oder zwei wilde Jahre. Mal gewinnt man, mal verliert man. So ist das. Wenn er ein bisschen größer und nicht mehr so spillerig ist, haben andere die dicken Augen.»

«Ich bin nicht sicher, ob mir das besser gefällt.»

Mit einem Achselzucken klatschte Pauline den Teigklumpen auf den Küchentisch. «Ich fürchte, danach wird keiner fragen, Madam. Wollt Ihr wirklich alleine zum Borgesch gehen?», fragte sie nach einer kleinen Pause. «Das ist keine gute Gegend.» Wieder klatschte der Teig mit Wucht auf den Tisch. «Ich hab's schon gesagt: Ihr solltet das nicht tun.»

«Mal gewinnt man, mal verliert man. So ist das. Ich weiß

die Fürsorge zu schätzen, Pauline. Aber ich laufe doch nicht zum ersten Mal alleine durch die Stadt. Es ist heller Vormittag, enge Gassen mit düsteren Kaschemmen gibt es dort auch nicht – was sollte mir geschehen?»

Pauline klopfte schweigend ihren Teig zum Oval und bestäubte ihn mit grobgemahlenem Mehl. Sie hatte weniger an Überfälle, tollwütige Hunde und ähnlich banale Gefahren gedacht, sondern einen weiteren Schatten auf dem Ruf der Vinstedts befürchtet. Keine ordentliche Dame spazierte alleine durch die Stadt, jedenfalls nicht so weit und erst recht nicht in jene Gegend der Vorstadt St. Georg. Die Alsterseite mit ihren Gärten und recht manierlichen Straßen mochte noch angehen, auch der südliche Teil mit den Sommerhäusern inmitten großer Gärten und dazu dem Malthus'schen Baumgarten, dazwischen jedoch – einen großen Teil St. Georgs ausmachend – waren Gewerbe angesiedelt, um die jeder, der es irgendwie vermeiden konnte, einen weiten Bogen machte: der Schinderhof, Branntweinbrennereien und die wegen des Gestanks aus der inneren Stadt verbannten Schweinekoben und -suhlen. Das alte, nun Köppelberg genannte Galgenfeld hatte zwar ausgedient – das Blutgerüst stand jetzt ein ganzes Stück außerhalb der zweiten, auch die Vorstadt St. Georg schützenden Mauer, dort, wo kaum jemand wohnte. Doch wo jahrhundertelang übelste Verbrecher gerichtet und ihre Überreste verscharrt worden waren, konnte nichts Gutes gedeihen. Bei Tag oder bei Nacht – das war einerlei.

Immerhin hatte Madam Vinstedt versprochen, ihren alten Umhang zu nehmen und vor allem ihren kostbaren weißen Pelzkragen zu Hause zu lassen. Natürlich hatte sie das, Pauline hätte sie nicht daran erinnern müssen. Schließlich ging sie nicht zum Gottesdienst, in ein Konzert oder zu den vornehmen Herrmanns zum Tee.

Dankbarkeit gehörte für Pauline zu den wahrhaft christlichen Tugenden, die sich auszahlten, aber auch übertrieben werden konnten. Zum Beispiel, wenn Madam Vinstedt selbst zum Borgesch hinausging, um den beiden Männern, die ihr vom Eis geholfen hatten – *vom* Eis, nicht *aus* dem Eis, was ein erheblicher Unterschied war! –, zu danken und eine Hasen-Pastete zu bringen. Eine Delikatesse aus den besten Zutaten in feinem Blätterteig, die grobe Kerle wie Holzarbeiter kaum zu schätzen wussten.

Hätte Pauline an der Tür gelauscht, nachdem sie gestern Nachmittag den Weddemeister in den Salon geführt hatte, hätte sie sich weniger gewundert.

Rosina hatte in eine Decke gewickelt und die Füße in dicken Socken auf heißen Steinen am Kachelofen gesessen und lustlos Salbeitee getrunken, der schrecklich gesund schmeckte und es hoffentlich auch war. Pauline hatte auf beidem bestanden und Rosina ausnahmsweise nicht widersprochen.

Weddemeister Wagner setzte sich mit besorgtem Blick, brachte Grüße von Karla, seiner Frau, die ihn wegen einer eilig auszuführenden Stickarbeit leider nicht habe begleiten können. Karla war ein zartes, liebevolles Geschöpf, trotz recht bescheidener Geistesgaben manchmal überraschend weise und enorm geschickt, wenn es um feine Stickerei ging. Da sie dieser Arbeit mit Leidenschaft und unermüdlich nachging, erfuhr Wagners bescheidenes Einkommen eine hübsche Aufbesserung.

«Ich bin nicht krank, Wagner. Ich habe mich nur erschreckt und ein bisschen gefroren. Es geht mir gut. Na ja, ziemlich gut. Etwas plagt mich doch.»

Sie schob den Tee weg, zog das Tablett mit der Portweinkaraffe heran und füllte zwei Gläser. Wagner erlaubte sich zu grinsen. Er war ein guter Beobachter und kannte sie längst genug, um in ihrem Gesicht lesen zu können. Er nippte in aller Ruhe an dem Portwein, einem seltenen Genuss, und stellte das feine, in seinen rundlichen Fingern zerbrechlich scheinende Glas behutsam auf den Salontisch zurück.

«Ja», sagte er, lehnte sich zurück und faltete die Hände über seinem Bauch, «das dachte ich schon.»

«Dann fangt an», sagte sie heiter und schenkte ihm nach. «Ihr müsst zugeben, dass ich in diesem Fall geradezu ein Recht auf meine Neugier und Euren Bericht habe. Schließlich habe ich sie gefunden. Das war kein Vergnügen, glaubt mir, dabei war ich Schlittschuh laufen, um mich von einem anderen Schrecken zu erholen, der mir nun im Vergleich unerheblich scheint. Also seid nett und entschädigt mich mit dem, was Ihr wisst.»

«Ja», Wagner grinste nun gar nicht mehr, «da haben wir ein Problem. Nun ja, *ich* habe eines.»

«Ich dachte gleich, dass Ihr nicht *nur* aus Sorge um mein Wohl gekommen seid.»

Er räusperte sich, rieb die Hände über die Oberschenkel und suchte nach dem richtigen Anfang.

«Eins ist sicher», begann er, «sie ist keinesfalls freiwillig in den Tod gegangen, das dachten wir ja schon. Der Stadtphysikus hat den Leichnam begutachtet und ist gleicher Meinung wie Dr. Pullmann, was er sonst selten ist. Allerdings sagt er, dass sie noch nicht ganz tot war, als sie in die Alster gestoßen wurde.»

«Das heißt, ihr Mörder hat sie gewürgt – und dann?» Rosina schauderte. «Natürlich, die Schollen. Als sie erst hilflos war, weil sie nicht mehr genug Atemluft bekam, hoffentlich ohnmächtig, hat er sie in die Alster und damit unter die Eisschollen gestoßen. Ihre Kleidung muss sie sofort hinuntergezogen haben. Es heißt, wer unters Eis gerät, ist rettungslos verloren.»

Beide schwiegen und hingen für einen Augenblick dem

gleichen Gedanken nach, nämlich was für ein Glück es war, dass Rosina der praktischen Überprüfung dieser Auskunft heute Morgen entgangen war.

«War sie schwanger, als sie starb?»

Wagner schüttelte sanft errötend den Kopf. Er würde sich nie daran gewöhnen, wie direkt Rosina über Angelegenheiten sprach, die sonst mit blumigen Worten umschrieben wurden, besser noch unerwähnt blieben. Wobei er zugestand, dass zum Beispiel «guter Hoffnung sein» für einen Leichnam wenig passend klang.

«Nein. Das heißt, der Physikus hat es nicht erwähnt. Und ich – nun ja.»

«Und Ihr habt nicht gefragt? Vielleicht solltet Ihr das nachholen», schlug Rosina ungewohnt milde vor. «Wenn sie jemand umgebracht hat, was die Spuren an ihrem Hals mehr als vermuten lassen, wäre das womöglich ein veritables Motiv, oder? Was hat der Physikus sonst gesagt?»

«Nichts Besonderes, ich bekomme noch das Protokoll», sagte Wagner, froh, dass sie ihm sein Versäumnis nicht mit Spott vergalt. «Er sagt, sie war eine gesunde Frau mittleren Alters und von mittlerer Größe, kräftig, auch die Muskeln, recht gut genährt, glattes blondes Haar, keinerlei Besonderheiten, ja, und alles in allem trotz des Wassers gut erhalten.»

Rosinas Blick wurde abwesend, Wagner lehnte sich endlich zurück, nahm noch einen Schluck und wartete. Die Wärme des Kachelofens und der süße Wein ließen ihn eine wohlige Schläfrigkeit fühlen. Irgendwann würde er für Karla auch so einen Ofen setzen lassen. Aus schneeweißen Kacheln. Sie war dünn wie ein Vögelchen und fror so leicht.

«Gut erhalten», holte ihn Rosinas klare Stimme aus der Schläfrigkeit. «Genauso hat auch Dr. Pullmann gesagt: gut erhalten. Ich verstehe mich nicht auf solcherlei Wissenschaften, aber jedes Kind weiß, dass Eis alles gut erhält. Ihr erinnert

Euch an den Toten im Festungswall? Obwohl der kein passender Vergleich ist. Er hatte nur kurz im Eis gesteckt, wenn ich mich richtig erinnere, eine Nacht und einen Vormittag, und da war kein Wasser, es gab nur unerbittlich kalte Eisblöcke.»

Wagner war nun wieder hellwach. «Ihr meint, wenn sie so gut erhalten ist, wie sie es ist – nicht völlig, vor allem an ihrer Rückseite, aber für eine Wasserleiche *wirklich* gut –, muss sie sehr schnell vom Eis eingeschlossen worden sein?»

«Das ist die einzige Erklärung, oder? Die Alster ist seit Wochen zugefroren, genauso lange muss sie tot sein. Hätte sie früher im Wasser gelegen, würde gewiss niemand urteilen, sie sei gut erhalten. Das bedeutet zweierlei. Zum einen ...»

«... wird sie dann kaum mit der Strömung zu der Fundstelle angetrieben worden sein. Das Eis mag sich auf der Elbe verschieben, auf der Binnenalster wandert es nicht, wenn es erst mal richtig gefroren ist.»

«Jedenfalls nicht weit. Und in diesem Winter war es so dick wie lange nicht mehr. Sonst hätte es den Leichnam auch weniger stark eingeschlossen. Also muss sie in einer Nacht unters Eis geraten sein, in der die Alster schon gefroren war, brüchige Schollen den See bedeckten, und – ja, und dann?»

«Dann muss es schon in den nächsten Stunden stark gefroren haben. Sehr stark.»

Wagner nickte zufrieden. «So starke Temperaturabfälle gibt es nicht oft. Damit kann ich herausfinden, wann sie starb, jedenfalls annähernd. Über das Wetter wird im Rathaus für den jährlichen Staatskalender Buch geführt. Auch die täglichen Zeiten von Ebbe, Flut und Torsperre oder der Gestirne. Obwohl ich mich frage, wozu es für die Bürger dienlich sein soll, das im nächsten Jahr nachzulesen.»

Rosina ignorierte den letzten Satz. «Das hört sich plausibel an. Ich meine das mit dem Wetter.» Ihre Stimme klang zögerlich. «Trotzdem habe ich ein Gefühl, als bewegten *wir* uns gerade auf sehr dünnem Eis. Metaphorisch gesprochen», fügte sie hinzu, und auf seinen verständnislosen Blick: «Ich meine bildlich, wie in einem Bild. Egal, es ist eine Spekulation, findet Ihr nicht? Sie könnte früher im Wasser gelandet sein, doch angetrieben und dann ...»

«Nein», unterbrach der Weddemeister mit überraschender Entschiedenheit. «Nein. Hätte sie länger im Wasser gelegen, bevor, nun ja, bevor sie zu Eis wurde, sähe der Leichnam anders aus. Aufgedunsener, weniger – vollständig, mehr ...»

«Es ist gut, Wagner. Ich glaube es. Wirklich. Heute vertrage ich keine gräulichen Details. Gehen wir also davon aus, ihr Leben endete dort, wo der Leichnam im Eis lag ...»

«Ihr habt gerade gesagt: Sie muss *in der Nacht* ins Eis geraten sein», unterbrach Wagner. «Warum eigentlich?»

«Habe ich das gesagt? Na gut, ich stelle es mir einfach so vor. Ein Mord am helllichten Tag in einer belebten Gegend – das hätte jemand gesehen, oder? Dort ist nicht der Jungfernstieg oder der Gänsemarkt, aber das Ufer ist an der Stelle nicht gerade einsam. Man sieht es sogar von der Brücke beim Lombard. Auf dem Holzplatz sind am Tag fast immer Leute. Jemand hätte es gehört, wenn sie um Hilfe gerufen hat. Das kann natürlich falsch sein. Leider ist diese Geschichte kein Theaterstück, und die Realität richtet sich selten nach der Phantasie.»

«Hmm.» Wagner blickte sinnend in sein leeres Portweinglas. «Es ist nur – der Holzplatz ist nachts verschlossen. Zwar gibt es keinen eigenen Posten, auch keine Hunde, dafür ist das nächste Wachhaus nah, und die Nachtwächter patrouillieren dort häufig. Der Winter war besonders lang und kalt, da versuchen sich noch mehr Leute als Holzdiebe als sonst.»

«Und bei der Bastion Vincent haben die Laternenträger ihre Station.»

«In sehr kalten Nächten trifft man allerdings nur selten einen an.»

«Und wer hat den Schlüssel?» Rosina saß plötzlich sehr aufrecht. «Den Schlüssel für das Holzplatztor.»

Wagner grinste gutmütig. «*Die* Schlüssel. Es gibt zwei, je einen für zwei Tore. Beide hat der Aufseher und gibt sie niemandem sonst, da ist er eigen. Er verwahrt sie auch nachts. Ich habe ihn schon befragt, Rosina. Es wäre hübsch einfach gewesen, leider kommt der alte Tönnsmann als Täter nicht infrage. Er hat die Gicht, in diesem Winter plagt sie ihn besonders schwer, und geht nur mühsam am Stock und nicht mehr aus dem Haus, nachdem er den Platz geschlossen hat. Das geschieht wie bei den Stadttoren mit dem Sonnenuntergang. Das sagt er, das sagt seine Frau, der Brillenmacher im Parterre des Hauses, in dem die Tönnsmanns wohnen, und auch Dr. Pullmann. Der sieht nämlich ab und zu nach ihm und gibt ihm von seinen Wundermitteln gegen eine kleine Ladung Torf. Er kommt keinesfalls infrage.»

Anders, als der Weddemeister annahm, war Rosina nicht im Mindesten enttäuscht. Natürlich sollte kein Mörder in der Stadt herumlaufen und womöglich Lust auf neue Untaten bekommen, doch endlich bekam ihr unruhiger Geist etwas Sinnvolles zu tun, endlich hatte das Gleichmaß der Tage und einsamen Nächte ein Ende. Die Frage nach einer Beschäftigung, insbesondere einer, die auch den dahingeschmolzenen Rest ihres Erbes wieder auffüllen könnte, damit sie nicht völlig auf Magnus' Versorgung vertrauen musste, konnte aufgeschoben werden.

«So oder so», versuchte Rosina ein Resümee, «was hat sie dort in der Dunkelheit und Kälte gemacht? Wenn sie an der Stelle ins Wasser, besser gesagt, in die Eisschollen gestoßen worden ist, wo ich geradezu über sie gestolpert bin, hat sie entweder jemand halbtot ans Ufer des Holzplatzes geschleppt, oder sie hatte da ein Stelldichein. Was in einer eiskalten Winternacht wenig verlockend klingt. Es sei denn, es gab einen besonderen Grund. Oder – ja, oder sie hatte überhaupt kein Obdach, hat auf der Straße gelebt und sich für die Nacht einen Unterschlupf im Holz gesucht. Aha, Ihr schüttelt den Kopf.»

«Weil das nicht sein kann. In diesen Winternächten wäre draußen jeder erfroren, der kalte Tod hat sich ja auch wieder einige dieser Elenden geholt. Außerdem sieht eine Landstreicherin oder eine, die in irgendeinem nassen Keller oder Verschlag haust, anders aus.»

«Stimmt, ich denke in die falsche Richtung. Sie war gut genährt, sagt der Physikus, und ihre Kleider wirkten bescheiden, doch keinesfalls wie Lumpen. Wobei wir bei der wichtigsten Frage wären. Ihr hättet es gewiss längst erwähnt, wenn Ihr es wüsstet: Wer war sie?»

Mit einem tiefen Schnaufer rutschte Wagner wieder nach vorn auf die Stuhlkante. Ganz nach vorn.

«Leider», sagte er, «leider weiß ich es noch nicht. Niemand scheint es zu wissen. Oder will es wissen. Es wird auch keine vermisst, auf die ihre Beschreibung passt. Wobei fraglich ist, ob überhaupt jemand vermisst wird. In unserer großen Stadt gibt es immer Leute, die jemanden vermissen, natürlich, aber wir sind die Wedde, wir sind da nicht so recht zuständig, die Leute müssen schon selbst nach ihren Angehörigen suchen. Gerade Ehemänner verschwinden so regelmäßig wie die Sonne hinter dem Horizont. Ja, auch Dienstboten, hin und wieder. Wer denkt dabei gleich an Mord und Totschlag? Die meisten denken eher an Flucht. Manchmal liest man Suchanzeigen in den Zeitungen, von Leuten, die es sich leisten können. Zumindest im letzten Vierteljahr habe ich aber keine gesehen und von keiner gehört, in der eine Frau in mittlerem Alter gesucht wurde. Ihr?»

Auch Rosina hatte kein solches Inserat gelesen. Allerdings gab es mehr als eine regelmäßig erscheinende und Inserate abdruckende Zeitung in der Stadt, weitere im nur eine halbe Stunde nach Westen entfernten Altona hinter dem Hamburger Berg oder nach Osten in Wandsbek. Sie und Magnus bekamen stets die ausgelesenen Exemplare des *Hamburgischen Correspondent* von den Herrmanns, manchmal auch die eine oder andere Ausgabe der *Addreß-Comtoir-Nachrichten.* Rosina erinnerte sich nur an einen samt einem Puderbeutel und einer Brennschere entlaufenen Kammerdiener, zwei verlorene chinesische Hunde und an zwei Männer, deren Erbe einem anderen zufiel, wenn sie sich nicht bis zu einem bestimmten Tag meldeten. Nur der Besitzer der exotischen Hunde versprach eine Belohnung für einen verlässlichen Hinweis.

Da Rosina vergaß, sein Glas nachzufüllen, und er unmöglich darum bitten konnte, zog Wagner sein großes blaues Tuch aus der Rocktasche, wischte sich über die Stirn und begann, es in den Händen zu drehen.

Ihm sei da etwas eingefallen, erklärte er, sie habe ihn nach einer Frau gefragt, die beim Anblick des Leichnams aufgeschrien habe, was er unbedachterweise ignoriert habe, ja, das müsse er nun zugestehen. Als dann der Dragoner nach der Person fragte, habe sich natürlich niemand gemeldet, so sei es eben mit den Soldaten. Die Weiber machten ihnen schöne Augen, aber wenn's um Auskünfte ging – nichts. Leider auch, wenn er, der Weddemeister, oder Grabbe, sein bester Weddeknecht …

«Ich weiß, Wagner, ich weiß», beteuerte Rosina fröhlich. «Ich dachte schon, Ihr fragt nie und ich muss mich ohne Euren Segen auf die Suche machen. Es wäre nicht zum ersten Mal, wenn Ihr Euch erinnert.» Sie schälte sich aus ihrer Decke und schob die warmen Steine zur Seite. «Ich weiß, wie ich etwas herausfinde. Nicht gleich Namen oder Wohnung der Toten, aber wer die andere war, die Erschreckte. Dann sehen wir weiter. Ich bin sicher, dass die Männer, die mir vom Eis geholfen haben, die Frau kennen, die Ihr jetzt sprechen möchtet. Ach, du meine Güte – jetzt habe *ich* ein Problem.»

Wagners Schultern sanken herab, sein Rücken wurde eine Idee krummer, und er schenkte sich rasch selbst ein winziges Schlückchen Portwein nach.

«Nur ein kleines Problem», fuhr sie schon fort und hielt ihm ihr Glas hin. «Ich habe keine Ahnung, wer die beiden sind. Habt Ihr sie gesehen? Sie haben irgendetwas davon gesagt, wohin sie noch fahren mussten, aber ich hab's in der Aufregung gleich wieder vergessen. Als Ihr mit dem Wundarzt am Ufer aufgetaucht seid, standen sie zuerst noch in der Nähe. Ein junger, recht hübscher Mann mit sehr dunklem Haar, er trug keinen Hut. Der andere mag etwa in Eurem Alter sein, er ist stämmiger gebaut als sein Helfer und trug einen alten schwarzen Hut, rund, kein Dreispitz. Darunter sah blondes Haar hervor, ziemlich struppig, glaube ich.»

«Ich denke, ich weiß, wen Ihr meint. Ich habe sie nur kurz gesehen, der Ältere verschwand gerade in der Menge. Während jedermann versuchte, in die erste Reihe vorzudrängen, drängte er sich nach hinten durch, ja. Als später alle weg waren, waren nur die beiden noch da und mussten ihr Fuhrwerk abladen. Der Ältere ist ein Holzplatz-Aufseher auf dem Borgesch in St. Georg. Seinen Namen kenne ich nicht, aber dort draußen kennt ihn sicher jeder. Und das junge schwarze Bürschlein? Hübsch, sagt Ihr?» Wagners Miene verriet, dass er diese Meinung weder teilte noch guthieß. «Den kenn ich nicht, hab ihn nie gesehen.»

«Macht nichts», sagte Rosina, «auf dem Borgesch werde ich ihn schon finden. Ich habe versäumt, mich für meine Rettung zu bedanken, das muss ich unbedingt nachholen. Denkt Ihr nicht auch?»

Anders als Pauline verschwendete Wagner keinen Gedanken daran, wohin Rosina Vinstedt ging. Noch weniger fiel ihm ein, sie zu begleiten. Denn dies war wieder so eine Gelegenheit, in der ein Weddemeister womöglich gar nichts herausfand, eine harmlose Frau, ansehnlich und charmant, hingegen sehr viel.

Auf halbem Weg neigte Rosina dazu, Pauline recht zu geben. Sie dachte dabei weniger an ihren Ruf – es war lächerlich, wegen eines Spaziergangs vor die Wälle an einem sonnigen Morgen darum zu fürchten – als an ihre Schuhe. Wie sie es bei einer englischen Dame einmal gesehen hatte, hatte sie sich bis über die Knöchel reichende Lederschuhe anpassen lassen. Das war kostspielig, exzentrisch und selbst bei Regen und Schnee genau richtig für lange Spaziergänge, wenn ihr die Stadt – oder ihr ganzes neues Leben – zu eng wurde. Heute wären die alten Holzschuhe noch nützlicher gewesen.

Als sie das Hauptgewölbe des Steintores passiert hatte, sah sie von dem vorgebauten Ravelin auf die Vorstadt hinunter. Von «Stadt» konnte keine Rede sein, dazu gab es noch zu viele unbebaute Flächen wie eben den Borgesch. Sie schnupperte und fand, sie habe Glück. Der Wind wehte von West und stark genug, um den Gestank von den Schweinekoben und den einige hundert Fuß weiter an der Vorwerkmauer angelegten Abfallgruben fortzuwehen. Trotzdem hing er sogar an diesem kühlen Tag in der Luft. In den heißen Sommermonaten musste er bestialisch sein.

Obwohl die Vorräte nach den besonders langen und harten Winterwochen schmal geworden waren, war der Holzplatz nicht zu verfehlen. Noch lag er ruhig, wenn es jedoch weiter so stark taute, woran jetzt im März niemand mehr zweifelte, sah es dort bald anders aus. Im neuen Holzhafen am Grasbrook wartete ein großer Teil der im Herbst und beginnenden Winter aus dem dichtbewaldeten Südosten elbabwärts geflößten Stämme, und bald kamen die großen Flöße aus den im Winter geschlagenen Bäumen wieder die Elbe herunter – dann wurde es hier laut und turbulent.

Der Holzplatz auf dem Borgesch stand den Zimmerleuten zur Verfügung, die Stämme zu Bauholz zu verarbeiten. Auch Feuerholz wurde hier gelagert und wie am Alsterufer direkt an die Bewohner der umliegenden Straßen verkauft, weil es praktisch war, auch Torf, das Feuerholz der armen Leute und der Küchen, und Reisig. Ohne Holz ging nichts. Die Zeiten, da das meiste aus dem Umland der Stadt kam, waren lange, sogar sehr lange vorbei. Einiges Holz wurde in den umliegenden Wäldern geschlagen, im Vergleich zur Menge der Stämme, die als Flöße aus dem waldreichen Südosten des Reiches und auf Schiffen aus den nordischen Ländern nach Hamburg kamen, dazu die besonderen Hölzer aus Übersee, war das eine geringe Menge. Als Lieferant für Bau- und Brennholz, von Material zur Herstellung von Wagen und Fässern, von Möbeln, Schiffen – von nahezu allem, was Menschen täglich an Gerät und Gefährt brauchten – bot der heimische Wald schon lange nicht mehr annähernd genug. Er war stattdessen zum ausgebeuteten Sorgenkind geworden. Wald wurde ja nicht nur als Holzlieferant gebraucht, ohne ihn gab es auch keine gute Schweinemast und kein Wildbret. Und nicht nur die Dichter, immer mehr Menschen aus der engen, oft stickigen Stadt mit ihrem ewigen Lärm wussten den Aufenthalt in den Wäldern als erholsame Idyllen zu schätzen.

Bei der Großen Allee, durch die Magnus die Stadt verlassen hatte, um beim Zollenspieker mit der Fähre die Elbe zu queren und dann im rasanten Ritt gen Süden zu entschwinden, bog Rosina zum Borgesch ab. Es war ungewiss, ob der

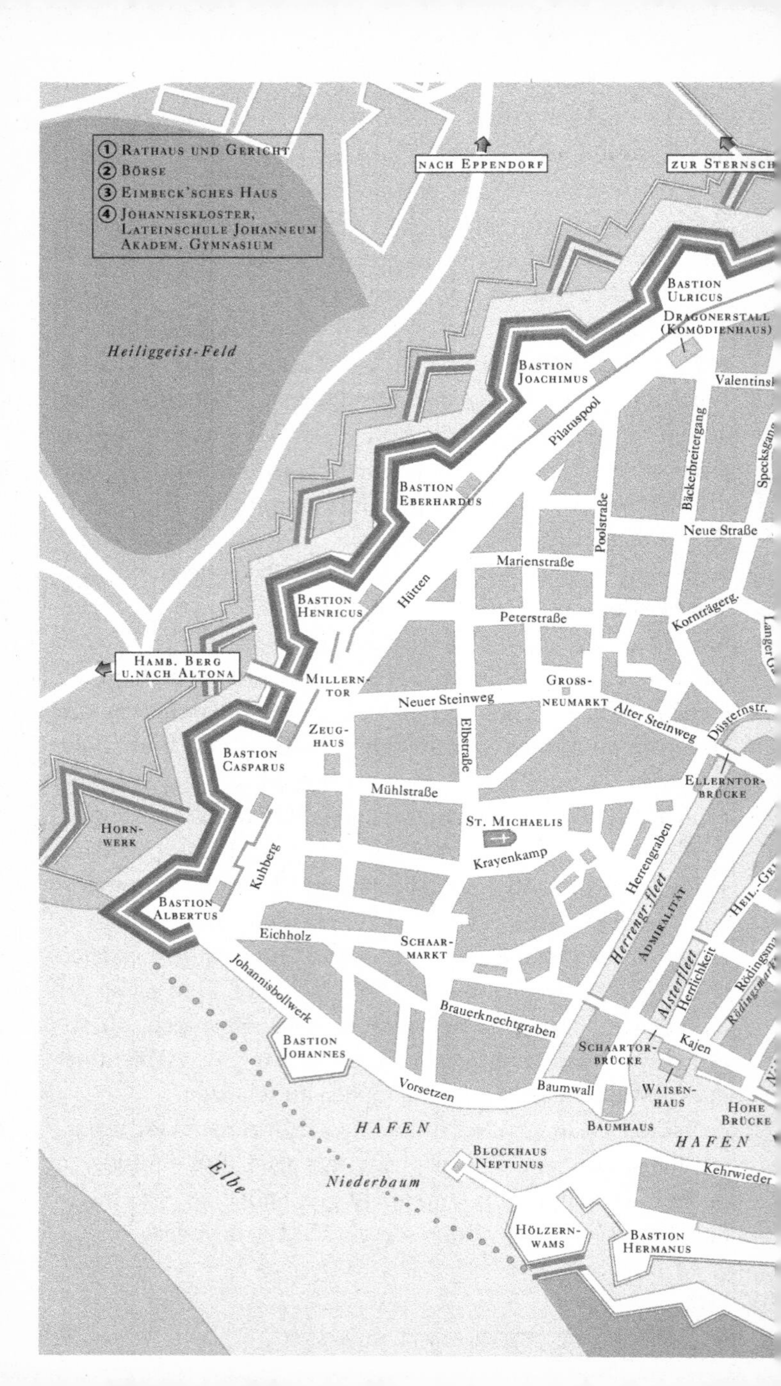

1 Rathaus und Gericht
2 Börse
3 Eimbeck'sches Haus
4 Johanniskloster, Lateinschule Johanneum Akadem. Gymnasium
nach Eppendorf
zur Sternsch
Heiliggeist-Feld
Bastion Ulricus
Dragonerstall (Komödienhaus)
Bastion Joachimus
Valentinsk
Pilatuspool
Bäckerbreitergang
Speckgang
Bastion Eberhardus
Poolstraße
Neue Straße
Marienstraße
Hütten
Bastion Henricus
Peterstraße
Kornträgerg.
Langer G
Hamb. Berg u. nach Altona
Millern-tor
Gross-neumarkt
Neuer Steinweg
Alter Steinweg
Düsternstr.
Zeug-haus
Elbstraße
Bastion Casparus
Ellerntor-brücke
Mühlstraße
St. Michaelis
Horn-werk
Krayenkamp
Herrengraben
Kuhberg
Herrengr. fleet
Admiralität
Heil.-Ge
Bastion Albertus
Eichholz
Schaar-markt
Alsterfleet
Herrlichkeit
Rödingsm
Rödingsmarkt
Johannisbollwerk
Brauerknechtgraben
Kajen
Bastion Johannes
Schaartor-brücke
Vorsetzen
Baumwall
Waisen-haus
Hohe Brücke
Hafen
Baumhaus
Hafen
Blockhaus Neptunus
Kehrwieder
Elbe
Niederbaum
Hölzern-wams
Bastion Hermanus

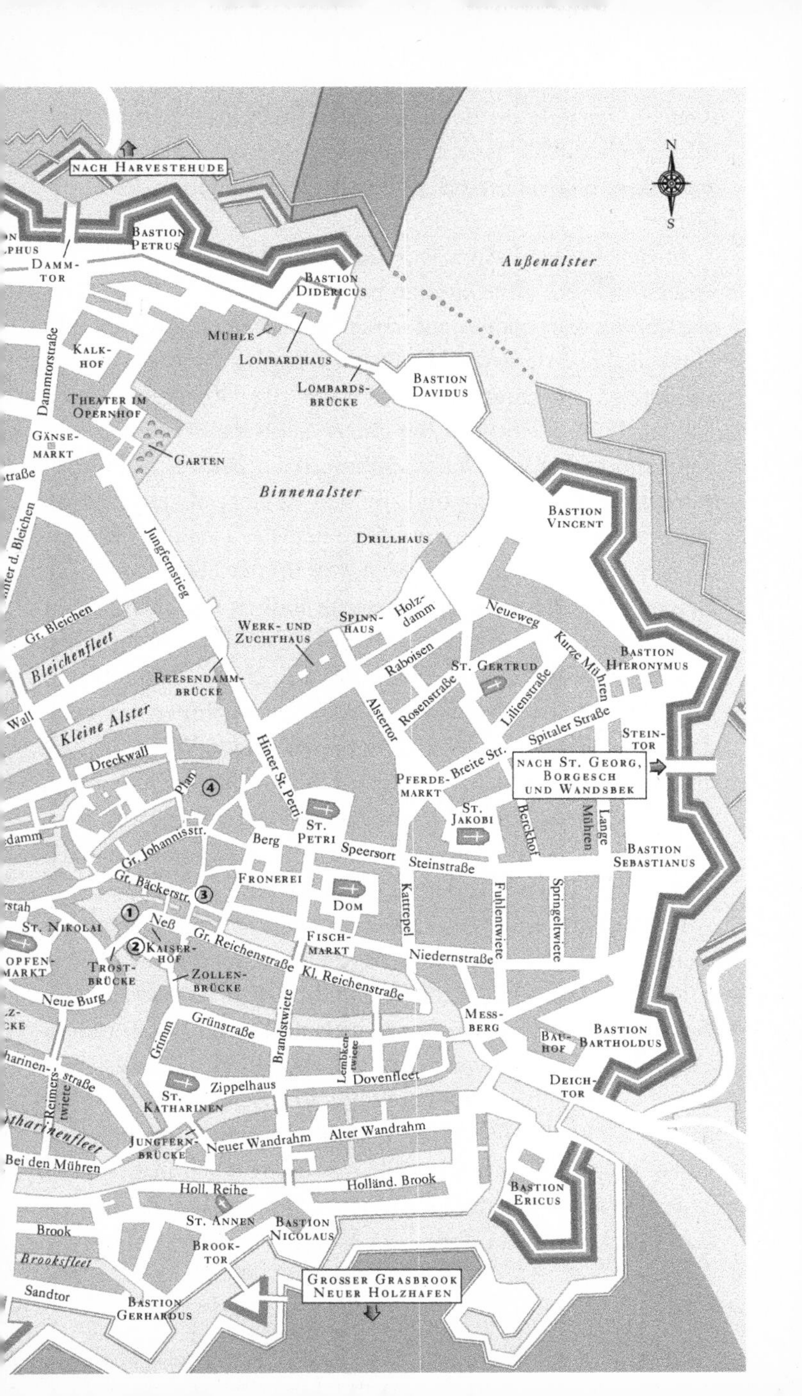

nach Harvestehude
N
S
Außenalster
Bastion Petrus
Dammtor
Bastion Didericus
Mühle
Lombardhaus
Lombardsbrücke
Bastion Davidus
Kalkhof
Dammtorstraße
Theater im Opernhof
Gänsemarkt
Garten
Binnenalster
Bastion Vincent
Drillhaus
Jungfernstieg
Spinnhaus
Holzdamm
Neueweg
Werk- und Zuchthaus
Kurze Mühren
Bastion Hieronymus
Gr. Bleichen
Bleichenfleet
Raboisen
St. Gertrud
Reesendammbrücke
Rosenstraße
Lilienstraße
Alstertor
Spitaler Straße
Steintor
Kleine Alster
Hinter St. Petri
Pferdemarkt
Breite Str.
nach St. Georg, Borgesch und Wandsbek
Dreckwall
Plan
4
St. Petri
St. Jakobi
Berckhof
Mühren
Lange
Gr. Johannisstr.
Berg
Speersort
Steinstraße
Bastion Sebastianus
Gr. Bäckerstr.
3
Fronerei
Dom
Fuhlentwiete
Springeltwiete
Kattrepel
1
St. Nikolai
Neß
2
Kaiserhof
Gr. Reichenstraße
Fischmarkt
Niedernstraße
Trostbrücke
Zollenbrücke
Kl. Reichenstraße
Neue Burg
Messberg
Grünstraße
Grimm
Brandstwiete
Lembkentwiete
Bauhof
Bastion Bartholdus
Zippelhaus
Dovenfleet
Deichtor
Reimers twiete
St. Katharinen
Jungfernbrücke
Neuer Wandrahm
Alter Wandrahm
Bei den Mühren
Holländ. Brook
Holl. Reihe
Bastion Ericus
Brook
St. Annen
Bastion Nicolaus
Brooksfleet
Brooktor
Sandtor
Grosser Grasbrook Neuer Holzhafen
Bastion Gerhardus

Seufzer, der sich aus der Tiefe ihrer Brust löste, sehnsüchtig oder grollend war. Es war nicht der Moment, darüber nachzudenken, denn sie stand schon vor dem Haupttor des Holzplatzes.

In den letzten Jahren war sie einige Male an diesem Tor vorbeigefahren, ohne es je zu beachten. Wer eine lange Strecke gereist war, zudem auf einem mit Theaterutensilien und Hausrat aller Art schwer bepackten Wagen, achtete auf diesem allerletzten Abschnitt der Straße vor der Durchfahrt durch das mächtige Steintor in die innere Stadt kaum auf das, was links und rechts lag. Dann bestimmte der Blick auf die hoch aufragende Befestigung und die sich darüber abzeichnenden Spitzen der Kirchtürme die Blicke und das Denken. Die Gewissheit, endlich am Ziel zu sein, war immer beglückend. Zugleich war es stets unwägbar, wie gründlich und missgelaunt die Soldaten die Wagen und die Reisenden durchsuchen würden. Mal winkten sie die Fuhren nach einem flüchtigen Blick auf die Ladung einfach durch, mal nahmen sie noch das bescheidenste Nadelkästchen auseinander. Wenn die Zeit des Sonnenuntergangs nahte, kam es vor, dass sie sich einen Spaß daraus machten, besonders langsam zu prüfen, denn nach Sonnenuntergang wurden die Tore geschlossen, danach kostete die Durchfahrt eine saftige Gebühr.

Rosina hatte gehört, der Holzplatz werde von freilaufenden Hunden bewacht, und hoffte, das gelte nur für die Nächte. Sie ging durch das weit offene Tor und blieb ratlos stehen. Der Weg fächerte sich in drei Abzweige auf, alle von Wagenrädern zerfurcht. Das Areal war weit, und obwohl es hieß, das Holz werde allmählich knapp, es sei höchste Zeit, dass zumindest das Eis die an den Duckdalben festgemachten Flöße freigebe, schien ihr der Platz noch voller Stapel von schon geschnittenem Holz und aufgeschichteter Stämme. Hunde sah sie zum Glück nicht. Da waren nur Männer, die zwei Fuhrwerke beluden, von einem anderen wurden mächtige Buchen- und Eichenstämme gehievt.

Zwei Frauen kamen ihr entgegen, gebeugt und in armseliger Kleidung. Eine trug ein Reisigbündel auf dem Rücken, die andere zerrte eine mit Torf und armlangen Stücken dünner Unterholzstämme beladene Handkarre hinter sich her. Sie gingen vorbei, ohne aufzusehen.

Und nun? Es war wenig verlockend, kreuz und quer über den aufgewühlten Platz zu stapfen und suchend die Holzstöße zu umrunden, bis sie die Gesichter erkannte oder sonst jemand fand, den sie fragen konnte. Sie hörte ein Sägegeräusch, dann eine fluchende Männerstimme und wieder das Sägen. Irgendwo musste sie anfangen, also umrundete sie dem Geräusch folgend einige Holzstapel – und wäre fast in einer Sägegrube gelandet.

Der Fluch, der ihr von dem über der Grube errichteten Gerüst entgegengebrüllt wurde, war deftig.

«Entschuldigung», rief Rosina. «Entschuldigung, ich wollte nicht stören, ich suche jemanden. Ich …»

«Hier gibt's nix zu suchen», kam die unwirsche Antwort von oben, «und du bleibst unten, verdammt!», brüllte der Mann im gleichen Atemzug in die Grube hinunter, aus der sich ein von Spänen zottiger blonder Schopf über den Rand nach oben schob. «Gibt nix zu sehen, nur 'ne verirrte Dame. Hier wird weiter gesägt, die Tage sind noch kurz genug.» Damit packte er wieder den Griff der mannshohen, in die Grube hinunterreichenden Säge. Gleich darauf fraß sich das mächtige Sägeblatt in gleichmäßigem Auf und Ab weiter durch den Baumstamm, der auf einem über der Grube befestigten Gestell lag.

«Halt», brüllte er plötzlich – vielleicht brauchte er zum Denken ein wenig länger als andere – und hielt die Säge fest. «Ob Ihr einen sucht oder Holz braucht, Madam, ist mir gleich. Da hinten», er schob seinen Hut in den Nacken und zeigte vage nach Osten, «das Dach da, das ist der *Eschenhof.* Die Schänke», rief er ungeduldig, «da fragt, was Ihr wollt. Die Weiber schwatzen den ganzen Tag.»

Damit beugte er sich wieder über seinen Sägegriff und stieß einen Pfiff aus, worauf sich die Säge sofort wieder hob und senkte, nun jämmerlich kreischend, sie musste dringend geschärft werden.

Rosina hatte kein Dach gesehen, das war nur von der Höhe des Sägegerüstes zu erkennen, doch als sie in die Richtung ging, die ihr der Zimmerer gewiesen hatte, traf sie nach wenigen Schritten auf einen Bohlenweg, der sie direkt zum *Eschenhof* führte.

Dies war einer jener Momente, in denen sie zu bedenken vergaß, dass sie nun Madam Vinstedt war und nicht mehr die Wanderkomödiantin Rosina Hardenstein, eine Vergesslichkeit, die in diesem Fall (wie zuvor in manchem anderen) von Vorteil war. Eine Madam Vinstedt hätte kaum allein eine solche Schänke betreten – eine Rosina Hardenstein kümmerte das nicht im Geringsten.

Kapitel 5

Rosina hatte eine dieser so düsteren wie schmutzigen Kaschemmen erwartet, die sich überall in der Stadt fanden, zumeist im stets feuchten Souterrain oder in den verwinkelten Altstadtgassen. Sie hatte sich gegen diese Melange aus Gerüchen nach schalem Bier, feuchten Wänden, Kloake und ungewaschenen Kleidern gewappnet – den Ausdünstungen der Armut. So wurde der *Eschenkrug* zur Überraschung. Wohl war der Schankraum des alten Gasthofes düster – die Fenster unter dem gegen den Wind tief gezogenen Dach waren von bescheidener Größe –, doch die vom Alter dunklen Bohlen waren gründlich gefegt, der Spucknapf geleert und die Tische gescheuert. Auf dem Schanktisch standen eine ganze Reihe von sauberen Bierkrügen und einige Kerzenhalter aus geputztem Zinn.

Rosinas Augen hatten sich rasch an die Schummerigkeit gewöhnt, sie sah keine Gäste, nur leere Hocker, auch die lange Bank an der seitlichen Wand und die Plätze am Kachelofen waren unbesetzt. Ein Kachelofen – was für eine erstaunliche, geradezu luxuriöse Bequemlichkeit für ein so bescheidenes Gasthaus. Der Wirt schien kürzlich zu Geld gekommen, die schlichten tannengrün glasierten Kacheln schimmerten noch makellos, als sei der Ofen erst vor halbwegs kurzer Zeit aufgemauert worden.

Nun entdeckte Rosina doch eine Gestalt. Ganz hinten in der Ecke, wie eingeklemmt zwischen der Wand und den wärmenden Kacheln, schlief ein dürrer Mann auf der Ofenbank. Sein Kinn war auf die Brust gesunken, sein Kopf fast kahl, die alte Joppe von undefinierbarer Farbe bekleckert.

Er schlief geräuschlos, was Rosina für einen Moment verführte, darüber nachzudenken, ob er tatsächlich nur schlafe. Als sich aus einem hinteren Raum klappernde Holzschuhschritte näherten, drehte er sich aufschnaufend zur Seite – ein mattes, gleichwohl eindeutiges Lebenszeichen.

«Und? Was wollt Ihr?» Die Frau, die aus dem hinteren Teil des Hauses in die Schankstube getreten war, brachte den appetitlichen Geruch von Zwiebeln, gebratenem Speck und stark gekümmeltem Kohl mit. Ihr Gesicht war von der Küchenhitze gerötet, ihre Bluse aus verwaschenem blauem Kattun geflickt wie die meiste Arbeitskleidung, aber ziemlich sauber. Ihr Blick verriet so viel Neugier wie Misstrauen, nur eine Strähne, die sich aus dem zum dicken Zopf geflochtenen rötlich blonden Haar gelöst hatte, milderte die Strenge ihres Ausdrucks. Eine unbekannte Frau verirrte sich selten in den *Eschenkrug*, erst recht allein, noch seltener eine, der man auf den ersten Blick ansah, dass sie weder Schwielen an den Händen hatte noch für Geld zu haben war, wobei Letzteres natürlich immer unsicher blieb. Vielen Dirnen sah man ihre Profession sofort an, andere wiederum mochte man für Pfarrersfrauen halten. Dann gab es noch die, die sich nur dann und wann verkauften, zum Beispiel, wenn sie den Mietzins nicht zahlen oder ihre Kinder nicht satt bekommen konnten. Genau genommen waren die in der Überzahl, und die Frau hinter dem Schanktisch hatte sich abgewöhnt, Menschen nach dem ersten Blick zu beurteilen, insbesondere Frauen.

«Wenn Ihr Holz kaufen wollt – geht rechts am Haus vorbei. Dann noch zwanzig Schritt, da ist das Kontor. Und falls Ihr Euren Gatten sucht», fügte sie mit maliziösem Lächeln hinzu, «kann ich nicht helfen. Probiert's am besten auch dort.»

Rosina war unentschieden, ob sie ärgerlich oder amüsiert sein sollte. Diese Frau war keine, die sich die Butter vom Brot nehmen ließ, das war sicher. Und noch etwas war sicher: Sie war eine der beiden Frauen, die sie suchte. Nicht die, die beim Anblick der Toten an der Alster so entsetzt gewesen war, sondern die andere, die ihr nachgeeilt war. Rosina hatte sie nicht auf den ersten Blick erkannt, dazu hatte sie die beiden Frauen in der Menge zu flüchtig gesehen, sondern erst jetzt, als sie sich vorbeugte, um den ohnedies sauberen Schanktisch abzuwischen, als mattes Licht aus dem vorderen Fenster ihr Haar und Gesicht erhellte.

So einfach war eine Suche schon lange nicht gewesen, dachte sie und ertappte sich bei dem Gedanken, dass es so simpel doch nicht sein könne.

Sie wolle kein Holz kaufen, erklärte sie knapp. Ihren Ehemann fand sie überflüssig zu erwähnen, Magnus ging diese Wirtin oder Schankmagd nicht das Geringste an. «Ich suche zwei Männer, die hier auf dem Borgesch arbeiten. Sie haben mir gestern geholfen, und ich habe versäumt, mich zu bedanken. Das möchte ich nachholen.» Ein nur scheinbar flüchtiger, tatsächlich scharf prüfender Blick traf sie, doch die wischenden Hände, von harter Arbeit breit, kräftig und gerötet, sausten ohne Unterbrechung über die Holzplatte. «Vielleicht habt Ihr davon gehört?», fuhr Rosina fort. «Ich bin gestern beim Eislaufen auf der Alster fast eingebrochen. Die beiden haben es vom Holzplatz beim Drillhaus gesehen und mich den letzten Meter aufs Ufer gezogen. Sonst – ja, sonst wäre ich eingebrochen und womöglich unter die berstenden Schollen geraten.»

Endlich hörte die Frau hinter dem Tresen mit der überflüssigen Wischerei auf. «Natürlich hab ich gehört, was gestern an der Alster passiert ist.»

«'ne Leiche ha'm se da gefunden», verkündete eine heiser meckernde Stimme triumphierend hinter Rosina, «'ne tote Weibsperson. Zu retten gab's da nix mehr. Oder, Elske? Was haste gehört?»

Der Schläfer vom Kachelofen hatte sich aufgerappelt und war von Rosina unbemerkt herangetreten. Ein bisschen zu nah – er verströmte genau den penetranten, säuerlich-muffigen Geruch nach Schmutz und Armut, den sie hier erwartet hatte, in seinem graustoppeligen Kinn klebte ein Speichelfaden. Rosina schob sich einige Zoll zurück, gleichwohl bot sich hier eine Gelegenheit, die sie nicht verschenken durfte.

«Ja, die Tote in der Alster», sagte sie, bevor ihm die Frau, die er Elske genannt hatte, antworten konnte. Obwohl sie nicht aussah, als wolle sie das tun. Der Anblick des Alten hatte ihr Gesicht noch grimmiger werden lassen. Besser gesagt: unmutig und resigniert. Als sei sie für den Rest ihres Lebens dazu verurteilt, mit diesem menschlichen Wrack Bett und Tisch zu teilen. Ohne Aussicht auf ein Entkommen. Was wirklich ein schweres Los sein musste. «Weiß man denn schon, wer sie ist?», fragte Rosina harmlos. «Gestern …»

«Wenn Ihr es nicht wisst», versetzte Elske, «wie sollen wir es wissen? Hier draußen vor den Toren? Wenn Ihr die Frau seid, die Pieter und Luis vom Eis gezogen haben, habt Ihr die Tote doch entdeckt. Oder? Dann müsstet *Ihr* zuerst wissen, wer die ist.»

«Warum? Ein Name stand leider nicht auf ihrer Stirn.»

«Aber unsre Elske», meldete sich wieder der übelriechende Mann zu Wort und blinzelte Rosina aus geröteten Augen kurzsichtig an, «die ist 'ne Schlaue, immer schon, die weiß alles.»

«Blödsinn, Wilhelm, keiner weiß alles, und ich ganz bestimmt nicht.» Elske reichte ihm den Krug, den sie rasch für ihn gefüllt und mit einem tüchtigen Schuss Branntwein versetzt hatte. «Setz dich wieder auf die Ofenbank und trink dein Bier. Sonst kommen die bösen Träume wieder. Das möchtest du doch nicht.»

«Träume?», murmelte der Alte erschreckt. «Keine Träume.»

Er umklammerte den Bierkrug mit beiden Händen und schlurfte mit leichtem Humpeln und brav wie ein alter Hund zurück zu seinem warmen Platz.

Die beiden Frauen sahen ihm nach, beide stirnrunzelnd, doch mit sehr verschiedenen Gedanken.

«Euer Ehemann?», fragte Rosina, als er sich wieder in seine Ecke gedrückt hatte und langsam, Schluck für Schluck, den Krug zu leeren begann.

Elskes Augen wurden zu Schlitzen, ihre Lippen schmal – und plötzlich lachte sie leise und spöttisch auf.

«Gut gekontert», sagte sie. «Wilhelm ist der Wirt. Aber hört nicht auf ihn, er hat seine Sinne kaum mehr beisammen, und manchmal holt ihn das Grauen ein. Fragt mich nicht, welches. Vielleicht ist es nur eins, das in diesem Meer von Branntwein lauert, das er in seinem Leben schon leer getrunken hat. Er ist nicht so alt, wie er aussieht, er war 'n paar Jahre in der Welt unterwegs, auch in preußischen Diensten im Krieg», sie zuckte müde mit den Achseln, «das Gemetzel muss doch jedem schwarze Träume bringen.»

Rosina hatte in ihrem Wanderleben mit der Becker'schen Komödiantengesellschaft zahllose Schankmägde erlebt, sie konnte sich an keine erinnern, die wortgewandt war wie diese. Vielleicht hatte ihr Leben schon bessere Plätze als ein Gasthaus in der Vorstadt nahe den Schweinekoben geboten, sie war sicher nicht mehr so jung, wie es auf den ersten Blick im dämmerigen Licht erschienen war.

«Seht mir meine Misslaunigkeit nach, wenn Ihr könnt», fuhr Elske fort, «heute ist einer dieser Tage, die man gerne streichen möchte. Ihr sucht Luis und Pieter. Pieter Hillmer ist der Aufseher hier auf dem Platz, er verwaltet auch die Holzverkäufe für den Platzherrn vom Zimmerer-Amt. Und Luis», wieder hoben sich ihre Schultern, «der hilft aus, wo er gerade gebraucht wird. Er ist nicht von hier, und ich glaube, er verschwindet auch, sobald der Fluss wieder frei ist.»

Sie sprach hastig. Ein bisschen zu hastig, fand Rosina.

«Wo finde ich die beiden?»

«Eigentlich hier. Ich meine, meistens arbeiten sie hier auf dem Platz. Obwohl die Arbeit im Winter unregelmäßig ist. Besonders in *diesem* Winter. Solange die Elbe zugefroren ist, kommen natürlich keine Flöße», erläuterte sie auf Rosinas fragenden Blick, «kein neues Holz. Nur mit Fuhrwerken, was hier in der Gegend geschlagen wird. Es ist ungewiss, wann die beiden wieder hier sind. Kann Stunden dauern. Am besten, Ihr geht nach Hause. Ich richte Euren Dank aus. Und», sie zeigte auf den Korb, den Rosina auf den Schanktisch gestellt hatte, «falls Ihr was für die beiden hierlassen wollt.»

«O ja, natürlich. Die Hasen-Pastete.» Rosina nahm das Leintuch vom Korb und hob die bis zum Rand gefüllte Steingutschüssel heraus.

«Hasen-Pastete? Ihr lasst Euch nicht lumpen für so'n bisschen Vom-Eis-Ziehen.»

«Ich wäre sehr ungern eingebrochen, glaubt mir, das Knacken und Knirschen des Eises war schon schlimm genug. Euer Name ist Elske?»

«Elske Probst, ja. Warum?»

«Ich heiße Rosina Vinstedt. So spricht es sich besser, findet Ihr nicht? Ihr habt gesagt, ich müsse wissen, wer die Tote in der Alster sei, weil ich sie entdeckt habe. Das trifft nicht zu, und das wisst Ihr auch. Ihr seid gewiss nicht dumm. Nein, bitte», Rosina griff über den Tisch und legte ihr rasch die Hand auf den Arm, «bitte, geht nicht. Ich gestehe ja, ich bin neugierig», erklärte sie hastig und hatte nicht im Mindesten gelogen, «da ich die Ertrunkene nun mal entdeckt habe, möchte ich auch wissen, wer sie war. Ihr wart dort, Mamsell Elske, ich habe Euch gesehen. Ihr seid einer Freundin gefolgt. Nachdem sie die Tote am Ufer gesehen hatte, rannte sie voller Entsetzen fort. Oder war es Angst? Grauen? Ich bin sicher, sie hat die Tote erkannt. Wer war sie?»

Elske hatte die Arme vor der Brust verschränkt, ihr Gesicht glich einer ausdruckslosen Maske. *Wer war sie?* Die drei kleinen Worte hingen im Raum. Da hob Elske plötzlich die ausgebreiteten Hände und verzog den Mund, fast sah es wie ein Lächeln aus. «Wie kommt Ihr auf die Idee», fragte sie, «diese – Person, diese Frau, die gestern vom Ufer weggelaufen ist, als wär'n die Hunde hinter ihr her, ist eine Freundin? Ich kenne die gar nicht. Ich habe keine Ahnung, wer die ist.»

«Dann seid Ihr einer Fremden nachgelaufen?»

«Gar nicht. Stimmt, ich war dort. Na und? Da waren zahllose Gaffer. 'ne Wasserleiche gibt's nicht alle Tage zu sehen, und ein bisschen Aufregung und Abwechslung mag jeder. Plötzlich schlug die Glocke von St. Petri, dann gleich die von St. Jakobi, kann auch die Bimmel vom Dom gewesen sein – was weiß ich? –, jedenfalls hab ich gemerkt, wie spät es schon war. Ich bekomme meinen Lohn hier nicht fürs Nichtstun. Also bin ich weggerannt.»

«Zufällig gleichzeitig mit dieser anderen Frau.»

Elske nickte entschieden. «So ist das Leben. Jedenfalls für uns auf dem Borgesch. Zufall oder Gottes Werk – wer weiß das schon?»

Rosina unterdrückte einen Seufzer. Irgendetwas hatte sie falsch gemacht. Da war ein Moment gewesen, in dem diese Frau hinter dem Schanktisch sich geöffnet hatte, wenig nur, wie ein Spalt in einer schweren Tür. Er hatte sich wieder geschlossen. Warum? Nun war auch der sarkastische Ton der ersten Minuten in Elskes Stimme zurückgekehrt und ihre Rede grober geworden. Es war vorbei. Für diesen Moment.

«Ja», murmelte Rosina, «wer kann das schon wissen?» Sie zog einen Zettel aus der Tasche und legte ihn auf den Tisch.

«Ich habe meinen Namen und meine Anschrift aufgeschrieben. Ich wohne am Hafen, nahe der Katharinenkirche in der Mattentwiete, in dem großen Haus direkt gegenüber der Bäckerei, vier Treppen hoch.»

«Ob Ihr's glaubt oder nicht, Madam, ich kann lesen.» Elske schob den Zettel mit dem Zeigefinger näher. «Allerdings weiß ich nicht, wozu ich wissen soll, wo Ihr wohnt.»

«Ach», sagte Rosina heiter, «so etwas weiß man doch nie. Vielleicht fällt Euch heute Abend oder morgen doch eine Antwort auf meine Frage ein, es wäre schade, wenn Ihr mich dann nicht fändet. Und ich mich nicht erkenntlich zeigen könnte.»

Aus dem hinteren Raum, wohl die Küche, hörte sie ein Geräusch, als sei dort jemand und schleiche herum. Natürlich, in so einer Schänke hielten sich für gewöhnlich mehr Menschen auf als ein oder zwei. Und das Haus war groß genug, um über die Wohnung der Wirtsleute hinaus eine Reihe von Mietzimmern zu bieten. Rosina hätte gerne gewusst, wer hinter der Tür stand. Und lauschte? Wahrscheinlich sah – in diesem Fall: hörte – sie nur Gespenster. Es war an der Zeit, nach Hause zu gehen.

Sie ärgerte sich. Über diese Elske, die eindeutig log, so dreist und zugleich schlau, dass es der Bewunderung würdig war, mehr noch ärgerte sie sich über sich selbst: was für eine dumme Aktion, wie wichtigtuerisch. Da machte sie sich auf den Weg durch das Steintor hinaus in die Vorstadt, um eine Frau zu finden, sie nach einer anderen zu fragen, die wiederum – womöglich – den Namen der Toten kannte. Das war Wagners Aufgabe, oder Pflicht seines Weddeknechtes, Grabbe. Der würde sich schon Respekt zu verschaffen wissen, und sei es mit Hilfe Kunos. Der war trotz fleißigen Geknurrs und Zähnezeigens ein halbwegs friedlicher Geselle, aber er sah aus wie ein pechschwarzer Höllenhund.

Auf dem Weg zur Tür, es waren nur drei Schritte, blieb sie dennoch kurz entschlossen stehen und drehte sich um.

«Weder wisst Ihr, wer die lebende Frau am Ufer, noch, wer die Tote im Eis war», sagte sie und hörte selbst die Schroffheit in ihrer Stimme. «Also wird Euch womöglich nicht interessieren, was *ich* weiß und Euch trotzdem sagen will. Es schwirren alle möglichen Gerüchte in der Stadt herum, zum Beispiel, dass die Tote aus betrogener Liebe ins Wasser gegangen ist. Das wird ja immer erzählt, wenn man eine noch halbwegs junge Tote aus einem Fluss oder See birgt. In diesem Fall, Mamsell Elske, ist es falsch. Diese ist nicht freiwillig ins Wasser gegangen, auch war es kein Unfall. Das ist gewiss. Irgendjemand hat entschlossen dafür gesorgt, dass sie starb. Sie wurde getötet. Wer immer das getan hat, sollte möglichst schnell gefunden werden. Denkt Ihr nicht auch?»

Rosina erfuhr nicht, was Elske darüber dachte. Ihr Gesicht, ihre Miene hatte sich kaum verändert, vielleicht war es im Dämmer des Raumes nur nicht zu erkennen. Sie starrte Rosina an, starrte tatsächlich durch sie hindurch, dann drehte sie sich abrupt um und verschwand durch die Tür in den hinteren Teil des Hauses. Sie ging nicht weit, Rosina hörte keine Schritte. Auf dem Schanktisch stand noch der Topf mit der Hasen-Pastete zwischen den Kerzenleuchtern und Bierkrügen – der Zettel mit ihrer Adresse fehlte.

Sinnlos zu warten. Vielleicht hatte Wagner auch längst selbst herausgefunden, was ihr nicht gelungen war zu erfahren. Die Sonne verschwand für diesen Tag hinter einer milchig grauen Wolkendecke, die ganze Welt schien plötzlich grau und trübe. Obwohl die Luft sich kalt anfühlte, eisig gar, taute es weiter. Der Holzplatz war eine morastige Wüstenei. Zum Glück lagen entlang des Fahrwegs Bretter, andernfalls wäre jeder, der ohne Pferd und Wagen unterwegs war, bis über die Knöchel im Matsch eingesunken.

Die Männer an der Sägegrube hatten ihre Arbeit beendet oder pausierten, auch sonst war vom Platz nichts und niemand zu hören. Nur von der Straße klangen gedämpft durch die aufgestapelten Hölzer die Geräusche schwer beladener Fuhrwerke, Peitschenknall, harsche Männerstimmen und ganz von ferne das Signalhorn einer nahenden Postkutsche. Unwirklich und befremdlich. Wäre es nicht heller Tag, beinahe unheimlich.

Ein näher kommender Wagen brachte beruhigende Normalität zurück. Der halboffene Einspänner rollte auf dem Hauptweg auf den *Eschenkrug* zu. Allerdings konnte von Rollen genau genommen keine Rede sein, das vom Schweiß dampfende Pferd zerrte das Gefährt mühsam durch den morastigen Boden. Die beiden Männer auf der Sitzbank unterhielten sich leise, gleichwohl mit einer gewissen Heftigkeit, die auf unterschiedliche Meinungen schließen ließ. Das wäre kein Grund gewesen, sich vor ihnen zu verbergen, wenn Rosina sich rasch hinter einen fast haushohen Stapel von Torfsoden duckte, lag es einzig daran, dass sie den Mann, der die Zügel hielt, erkannt hatte. Er war kein Kutscher, sondern der tadellos gekleidete Besitzer des Gefährts und just der Mann, für den sie in diesen Tagen im allerbesten Licht erscheinen wollte. Und musste.

Ausgerechnet hier traf sie auf Monsieur Hegolt, den neuen Provisor des Waisenhauses. Was sollte er von ihr denken? Nach ihrer ersten Begegnung und dem Anblick des ramponierten Tobias musste er sie nicht auch noch in diesem schäbigen Umhang, den schlammbespritzten Röcken und ohne schickliche Begleitung in dieser übel beleumundeten Gegend sehen.

Als die Kutsche vorbeigefahren und außer Sicht war, lief sie dennoch die wenigen Schritte zu dem, was die seltsame Schankmagd als Kontor bezeichnet hatte. Es war nur ein Schuppen, immerhin recht stabil und aus gutem Holz, über die Tür war ein Brett genagelt, in das mit glühendem Eisen der Schriftzug eingebrannt war. Die linke Hälfte des Gebäudes barg einen Stall mit Raum für mindestens ein halbes Dutzend Pferde. Er war leer, gleichwohl verrieten das zertrampelte Stroh und der dampfende Misthaufen an der Seite des Schuppens, dass darin in etwa eine solche Zahl an Zugtieren untergebracht war.

Der abgeteilte kleinere Teil war verschlossen. Ungewöhnlich für einen Schuppen, selbst wenn dieser – wie hatte die Schankmagd gesagt? Pieter, ja –, wenn also dieser Pieter hier auch wohnte. Falls die Wohnung zugleich als eine Art Kontor fungierte, ergab das Sinn. Wo ein Kontor war oder wo etwas verkauft wurde, gab es auch einen Kassenschrank. Zumindest eine Kassette für das Geld und das Kassenbuch. Sie hätte gerne durch eines der beiden Fenster hineingesehen, doch die waren mit hölzernen Läden verschlossen, und ein seltsam dumpfes Gefühl in ihrem Rücken drängte sie, zu gehen. Und zwar sofort.

Hätte sie es weniger eilig gehabt und noch einmal zurückgeschaut, hätte sie vielleicht bemerkt, dass ihr zwei Augenpaare nachsahen.

Luis wischte mit dem Handrücken über die vom Küchendunst immer wieder beschlagende Scheibe. «Warum hast du sie belogen?», fragte er, mit den Blicken noch der just hinter der Wegbiegung verschwindenden Gestalt im schwarzen Umhang folgend.

«Ach. Hab ich das?»

«Ich denke, schon, ja. Ich hab dich gestern auch gesehen, dich und diese andere Frau. Hast du das vergessen? Ich glaub nicht an einen Zufall. Inzwischen ist es mir eingefallen: Ich hab euch früher schon zusammen gesehen, einmal war sie sogar hier. Vor zwei Wochen etwa. Jedenfalls ging sie gerade weg, als ich aus dem Holzhafen zurückkam. Warum machst du ein Geheimnis aus dieser Frau, dieser Freundin? Das macht erst recht neugierig, weißt du das nicht?»

«Geheimnis. So ein Unsinn, manchmal ergeben sich Sachen eben. Ist doch egal», sie drehte sich zu dem Kessel um, der leise brodelnd über der Feuerstelle hing, nahm einen Holzlöffel und begann in der sämigen Brühe zu rühren, ihre Schultern steif vor Abwehr und Trotz.

Elske Probst schlug sich alleine durchs Leben. Mehr oder weniger. Vor einigen Jahren hatte sie es sattgehabt, als Magd in einem reichen Haus Tag für Tag und von früh bis spät zu sehen, was sie selbst nie haben würde, und sich andere Arbeit gesucht. Ein gefahrvolles Unterfangen, eine schwächere Person als Elske wäre vermutlich unter die Räder gekommen, wobei ein einigermaßen manierlich geführtes Bordell noch die bessere Variante gewesen wäre. Elske hatte sich durchgebissen, bis sie schließlich in der Schänke beim Borgesch ihren Platz fand, was auch daran lag, dass der Wirt den ganzen Tag und die halbe Nacht beim Ofen saß und döste und seiner Frau die Arbeit überließ. Die hatte nichts dagegen und mit Elskes Unterstützung aus einer schmutzigen Kaschemme zwar nicht das respektable Gasthaus gemacht, von dem sie gerne sprach, doch eine reinliche Schänke.

Böse Zungen behaupteten, die Wirtin rühre ihrem Mann ein Schlafpulver in die Morgengrütze (die ihn besser kannten, sprachen vom ersten Krug Bier), aber Elske war bereit zu beschwören, das sei nur böses Geschwätz und habe absolut nichts mit der Wahrheit zu tun. Tatsächlich habe der Wirt vor Jahren ein übles Wechselfieber aus den Mooren im Holsteinischen mitgebracht, woran er immer noch leide. Das habe ihm wohl auch das Hirn vernebelt.

Elske war die rechte Hand der Wirtin geworden, denn als die erstaunt festgestellt hatte, ihre Magd verfüge über das seltene Talent, tadellos zu lesen, zu schreiben, sogar zu rechnen, war Elske bald fast so häufig mit Feder und Tinte beschäftigt wie mit Wischlappen und Bierkrügen. Das verhalf ihr zu einem besseren Auskommen, als sie je auf rechtmäßige Weise zu erreichen geglaubt hatte. Elske stellte sich einen Ofen in ihre bescheidene, bis dahin im Winter eiskalte Kammer, kaufte sich ein erst wenige Jahre altes Federbett und eine ebensolche Waschschüssel samt bauchigem Krug aus solidem, mit Blumen bemaltem Steingut und fand, sie habe das allergrößte Glück.

Luis schlang beide Arme um ihre Taille, seine Lippen folgten der Linie ihres Halses in den Nacken. Er dachte, sie werde sich losmachen und ihn wegschieben, um sich wieder ihren Suppentöpfen oder dem Rechnungsbuch zu widmen, das sie für die Wirtin führte. Sie ließ nie zu, dass Luis sie in der Küche, auf dem Holzplatz oder gar in der Schänke umarmte, küsste oder es auch nur versuchte. Auf dem Borgesch wusste jeder, dass sie ihr Bett mit ihm teilte und ihm Rechte einräumte wie sonst keinem. Hinter verschlossener Tür war sie eine leidenschaftliche Geliebte, sonst spielte sie in seiner Gegenwart gern die spröde Jungfer. Was nicht wirklich gelang, aber es war genug, wenn alle um ihre Liebe – sie sprach nur von einer Liaison – zu Luis wussten, auch wussten, dass es nur eine Liebe auf Zeit war, sie mussten es nicht auch noch sehen. Heute schob sie ihn nicht fort. Sie schmiegte ihren Körper an seinen und lachte gurrend. Dann legte sie den Kopf in den Nacken und sah ihn an.

«Du bist heute neunmalschlau, Luis Sachse», sagte sie mit zärtlichem Spott. «Was heißt schon Geheimnis? Da gibt's keines. Und seit wann interessieren dich meine Freundinnen? Muss ich eifersüchtig sein? Die gestern vom Ufer weggelaufen ist, ist nicht mal eine Freundin, ich kenne die kaum. Ich glaube, sie heißt Hanne, oder Helma? – Was weiß ich?

Wir begegnen uns ab und zu bei den Grünhökern oder den Fleischschrangen auf dem Hopfenmarkt, das ist alles. Als sie so erschreckt wegrannte, dachte ich, es wär gut, wenn sich jemand um sie kümmert.»

«Und das hast du getan.»

«Wollte ich. Sie war aber gleich verschwunden, ich weiß nicht, wohin. Wohl in irgendeine Seitenstraße.»

«Und warum hast du das dieser Madam eben nicht erklärt?»

«Verdammt, Luis!» Nun schob sie ihn doch fort, und zwar mit aus Ärger erwachsenem Nachdruck. «Hast du Fragewasser gesoffen? Das geht dich ebenso wenig an wie diese feine Madam. Aber ich sag's dir: Weil ich nicht wirklich weiß, was die wissen will, und im Übrigen, du warst doch gestern auch an der Alster, ganz vorne, da hast du alles gesehen. Mit wem tat diese harmlose, angeblich nur ein bisschen neugierige Person da völlig vertraut? Genau! Die kennt den Weddemeister. Ausgerechnet. Von dem hält man sich am besten fern. Wenn du das nicht weißt, musst du noch viel lernen. Und jetzt schnüffelt die hier rum, wo wir nichts, absolut gar nichts mit der Toten zu schaffen haben. Nicht früher, nicht heute, nicht in Zukunft. Punktum. Und jetzt lass mich in Ruhe, ich muss die Suppe rühren. Es riecht schon angebrannt. Verschwinde endlich, dann frage ich auch nicht, warum du hinter der Tür gelauscht hast und nicht in die Gaststube gekommen bist. Schließlich hat sie nach dir gefragt.»

Ohne ihn noch einmal anzusehen, schob sie ein dickes Buchenscheit aufs Feuer und beugte sich über den dampfenden Topf, der groß genug war, ein kleines Schwein zu fassen, hielt den Holzlöffel mit beiden Händen und rührte, als gelte es ihr Leben. Ihr Gesicht war nass von Schweiß, beinahe sah es aus, als weine sie.

Luis kannte Elske gut genug, um zu wissen, wann es besser

war zu gehen. So ließ er sie allein. Es war ihm recht, er hatte anderes zu tun.

Später, als Elske die Gäste bedient und wieder verabschiedet hatte, die stets um die Mittagszeit im *Eschenkrug* einkehrten, dazu einige bessere, die um die derb-deftige, doch für ein solches Gasthaus recht schmackhafte Küche wussten und gerne hier pausierten, wenn ihre Geschäfte sie in die Nähe führten, als sie in der engen Küche stand und Teller, Krüge und Löffel wusch, kehrten ihre Gedanken unerbittlich immer wieder dorthin zurück, von wo sie sie lieber ferngehalten hätte. Aufseufzend rieb sie die Hände an dem groben Sacktuch trocken, das sie um die Hüften gebunden hatte, um ihre Röcke vor dem fettigen Wasser zu schützen, und suchte in ihren Taschen nach dem Zettel mit der Adresse dieser Frau aus der Mattentwiete. Ihren Namen hatte sie vergessen, nur den der Straße erinnerte sie noch. Der Zettel war nicht mehr da, wahrscheinlich war er mit den Gemüseabfällen in die Tonne für das Schweinefutter geraten.

Auch gut, dachte sie halb ärgerlich, halb erleichtert, dann kann ich nicht falsch entscheiden.

Wagner hatte tatsächlich einen Hinweis bekommen, wer die Tote war. Bald nachdem der Stadtphysikus seine Untersuchungen abgeschlossen hatte, während Wagner noch in der Mattentwiete Besuch machte, hatte sich ein Paar im Eimbeck'schen Haus eingefunden, war direkt in das Souterrain marschiert, wo sich der Raum für die auf unnatürliche Weise ums Leben gekommenen Toten befand, und hatten verlangt, den Stadtphysikus zu sprechen. Es gehe um die Tote aus der Alster, könne gut sein, dass sie wüssten, wer die ist. Der Physikus saß schon bei einem Stück Hammelbraten und einem Krug Bier in der oberen Gaststube. Der nah bei dem

Theatrum Anatomicum, dem Anatomiesaal, liegende Ratsweinkeller behagte ihm nach solchen Untersuchungen nicht. Er war zutiefst verstimmt, als der Gehilfe im besudelten Hemd vor seinem Tisch stand und mit nervösem Händereiben bat, der Herr Stadtphysikus möge sich in den Keller bemühen, dort warte jemand, der behaupte, die neue Leiche zu kennen. Und weil es doch immer von Vorteil sei, sogar nützlich, wenn man wisse, wer da tot geblieben sei ... Dann war er verstummt und hatte ergeben zugesehen, wie der Physikus ungerührt das nächste Stück Fleisch in den Mund schob.

Der Gehilfe, Baldur, war ein Mann von etwa fünfunddreißig Jahren, unauffälliger Gestalt, weder schön noch hässlich, stets bleich und von sanftem, ja, ängstlichem Gemüt, also ein Mensch wie geschaffen zum Adlatus auf Lebenszeit. Er war noch damit beschäftigt gewesen, den Untersuchungsraum zu säubern und die Leiche in der besonders kühlen Abseite gut abzudecken und auch darüber nachzudenken, wie angenehm es doch sei, wenn unbekannte Tote im Winter gefunden wurden. Im Sommer, besonders in den heißen Hochsommerwochen, war es äußerst unangenehm, zu warten, ob sich jemand finde, sie zu benennen oder gar Anspruch auf sie zu erheben und das Begräbnis zu bezahlen, bevor die Leiche als Unbekannte der Erde des Armenfriedhofs übergeben werden konnte.

Asche zu Asche, Staub zu Staub – das war eine segensreiche Sitte, eine saubere und eindeutige Angelegenheit. Ein Seemann, der um die ganze Welt gefahren war – jedenfalls behauptete er das, und weil er ein Cousin dritten Grades war, vertraute Baldur seinen Worten –, dieser Seemann also hatte erzählt, es gebe ferne Länder, in denen die Toten verbrannt werden. Im ersten Moment war ihm das als eine abscheuliche Unsitte erschienen, bei längerem Nachdenken hatte er seine Meinung geändert. Einmal verbrannt, konnte man wenigstens nicht scheintot, also tatsächlich ganz und gar lebendig begraben werden, nur um jämmerlich im Sarg zu ersticken. Eine Vorstellung, die ihn so manche Nacht voller Entsetzen aufschrecken ließ. Andererseits – scheintot dem Feuer übergeben werden? Auch der Gedanke ließ ihn kaum besser schlafen.

Bei dieser Toten, die aus dem Eis geborgen worden war und nun im winterkalten Keller auf ihr Erdengrab wartete, gab es keinen Zweifel, ob sie je wieder erwachen werde, außer natürlich im Himmel. Oder in der Hölle, je nachdem, wohin die himmlischen Heerscharen ihre unsterbliche Seele führen mochten.

Der Physikus war nicht bereit, seine Mahlzeit zu unterbrechen, er verabscheute den Geschmack kalt gewordenen Hammelbratens. Nachdem Baldur ihm versichert hatte, es handele sich keinesfalls um hochstehende Personen, er sei da sehr sicher, hatte er ihm aufgetragen, die Zeugen zur Leiche zu führen und genau zu notieren, was sie auszusagen hatten. Im Übrigen sei dies nun Angelegenheit des Weddemeisters, den könne er holen oder das Nötigste notieren und ihm später mitteilen. Baldur entschied sich sofort für Letzteres. Es war zu kalt im Souterrain, als dass er die beiden ohnedies kränklich wirkenden Alten noch länger warten lassen wollte. Zudem war der Weddemeister ein viel beschäftigter Mann, woher sollte er wissen, wo der sich gerade herumtrieb?

Mette und Eustach Lindbeck waren Bruder und Schwester, beide hager und ärmlich gekleidet, die Gesichter zerknittert, die Haare grau wie Schieferstaub. Sie beugten sich bekümmert, doch ohne Scheu über die Leiche, als seien Ertrunkene oder sonst wie zu Tode Gekommene für sie alltäglich, was bei so kärglich lebenden Alten wie ihnen vielleicht nicht ganz verkehrt war. Mette sah ihren Bruder an und murmelte etwas, der nickte und murmelte auch etwas, dann blickten sie den Gehilfen des Physikus an und seufzten tief, zugleich, wie aus einer Kehle.

«Das ist sie», sagte Eustach, und Mette nickte dazu, «das arme gute Mädchen. Seltsam sieht sie jetzt aus, wirklich seltsam, was, Mette? Aber das ist sie, da gibt's kein' Zweifel. Und wir dachten, sie ist anderswo und im Glück.»

«Wobei keiner weiß», unterbrach ihn seine Schwester mit zaghaft, doch hoffnungsvoll nach oben weisenden Zeigefinger, «ob es *nicht* so ist. Kann gut sein. Gut sein, ja.»

Wegen des Namens der Toten waren die beiden nicht einig. «Hanna», erklärte Mette, doch ihr Bruder schüttelte den Kopf. «Neinneinnein», widersprach er, «nur so ähnlich, nämlich Wanda.»

Seine Schwester, flüsterte er Baldur zu, als die sich noch einmal mit wachsamen Augen über die Tote beugte und insbesondere den Hals betrachtete, seine arme alte Schwester höre schlecht und verwechsle so manches, was sie aber niemals zugebe. Der Name sei Wanda, das sei absolut richtig.

«Mit Namen ist das so 'ne Sache», fuhr er laut genug fort, dass auch seine Schwester ihn wieder verstand, was sie umgehend mit eifrigem Nicken bewies. «Die vergessen sich, die gehn verlor'n wie Reiskörner. Wir haben sie immer Jungfer genannt, das gefiel ihr. Den Familiennamen kennt man bei den Paulis, die wohnen in einem der großen Häuser am Platz gegenüber vom Drillhaus. Da beim Holzplatz.»

«Paulis? Welche Paulis?», fragte eine strenge Stimme hinter ihnen. Der Weddemeister war gerade rechtzeitig eingetreten, um den letzten Satz noch zu hören. Auf dem Rückweg von Rosinas Wohnung hatte er plötzlich das Gefühl gehabt, es werde ihm weiterhelfen, wenn er sich die Tote noch einmal genauer ansehe. Nun sah er Baldur, den er als Gehilfen des Stadtphysikus schon lange von ähnlichen Gelegenheiten kannte, fragend an.

«Sie kennen die Tote», erklärte der eifrig, «und sind gekommen, um sie zu iden..., id..., ja, um sie anzusehen und zu benennen. Der Herr Stadtphysikus ist anderweitig beschäftigt und hat mir aufgetragen, alles Wichtige zu notieren. Zweifellos, um es Euch zu übergeben, Weddemeister, zweifellos. Aber nun seid Ihr ja selbst hier.» Mit einer Verbeugung trat er einen Schritt zurück und räumte Wagner seinen Platz neben den beiden Alten ein.

Wagner blickte auf die ärmlichen, dürren Gestalten, auf den in devoter Haltung stehenden Baldur, und fühlte sich stark und bedeutend. Dieses gute Gefühl wurde nur sehr wenig von einem Hauch von schlechtem Gewissen ob dieses Anfluges von Eitelkeit überschattet.

«Wanda heißt sie also», sagte er und wippte ein kleines bisschen auf den Fußspitzen auf und ab.

«Oder Hanna», erklärte Baldur, und die alte Frau nickte heftig. Der Familienname sei bei den Paulis zu erfragen, der Seidenhändlerfamilie, die wohnten gegenüber dem Drillhaus, nur zwei oder drei Häuser von der Einmündung der Neuestraße, es sei ein großes, wenn auch recht altes Haus, gleich neben einem Gürtler und nicht zu verfehlen.

«Sie ist da Hausmagd gewesen», erklärte Mette, «schon einige Jahre. So eine brave Person, immer freundlich, ein bisschen verträumt manchmal, vielleicht zu sehr für dieses Jammertal. Und jetzt», eine Träne rann über die zerknitterte Haut ihres Gesichts, «und jetzt nur noch vergehend' Fleisch. Ein irdisches Restlein.»

«Ach, ein solches Unglück», fiel ihr Bruder ihr ins Wort, «immer trifft es die Falschen, nie die Richtigen, nämlich die Bösen, ja, die Welt ist voller Unrecht.»

So lamentierten sie noch ein wenig, mal sie, mal er, stets einander mit eifrigem Nicken bestätigend, während der Gehilfe des Physikus mit mühsam gemalten Buchstaben einige der Angaben notierte.

«Und woher», wollte Wagner wissen, «kennt Ihr die – na, diese Wanda oder Hanna?»

Das war schnell erklärt. Sie hatten die Tote als Hausmagd des Kaufmanns und Seidenhändlers Pauli häufig auf der Straße getroffen, denn die beiden verdienten ihr Brot als Straßenhändler. Je nach Jahreszeit verkauften sie Windräder und Strohpüppchen, Äpfel und Birnen, Reisig, manchmal Nähnadeln, wenn das Geld für die Zutaten reichte, auch mal Aniskringel. Die aßen sie nur selbst zu gern, erklärte die Schwester mädchenhaft kichernd, weshalb die ein schlechtes Geschäft seien. Die beiden bewohnten ein Souterrain-Zimmer einige Häuser von dem der Paulis entfernt, und Wanda – «Hanna, Bruder, sie hieß doch Hanna», kam prompt die Verbesserung – hatte ab und zu etwas bei ihnen gekauft und immer, wenn sie einander begegneten, ein freundliches Wort gehabt. Manchmal sogar Zeit für ein Schwätzchen, was selten sei in diesen hektischen Zeiten, früher, in ihrer Jugend, da sei das Leben viel ruhiger gewesen, ja, früher hätte jeder Zeit für den anderen gehabt, da hätte man sich auch geholfen, früher …

Wagner bemühte sich, trotz seiner Ungeduld freundlich zu bleiben. Aus einem ihm unersichtlichen Grund jammerten ihn diese beiden Alten. Auf seine Frage, wann sie die Tote zuletzt gesehen hatten, antworteten sie ausnahmsweise rasch und ohne Umwege.

«Februar», sagten beide gleichzeitig mit fester Stimme. Gewöhnlich machte Wagner eine so rasche und absolute Übereinstimmung misstrauisch, in diesem Fall war das unnötig. Seit Februar hatten sie sie nicht mehr gesehen, erklärte der Bruder noch einmal, und seine Schwester ergänzte nickend: Darüber hätten sie sich neulich erst unterhalten, auch gewissenhaft nachgedacht. Dann beharrte Eustach allerdings auf Anfang, seine Schwester auf Mitte des Monats, diesmal natürlich jeweils ohne bestätigendes Nicken.

Bevor die beiden diesen eklatanten Mangel an Übereinstimmung in ihrer gewöhnlichen Weitschweifigkeit zu klären versuchten, rief Wagner, das werde er schon selbst herausfinden, nun, da er dank ihrer Aufmerksamkeit und ihres löblichen Pflichtbewusstseins als Bürger dieser Stadt wisse, wer die Tote sei, zumindest wo sie gearbeitet und gewohnt habe. Auch Wagner neigte gelegentlich zu weitschweifigen Formulierungen.

«Eine Frage noch. An der Alster hat sie sich niemand angesehen außer den Leuten, die sie gefunden haben, dem Wundarzt des Militärs, ein paar Soldaten und mir. Es schien auch niemand zu wissen oder nur zu vermuten, wer sie ist. Wieso dachtet ihr, die Tote zu kennen?»

Mette hüstelte rau, murmelte, es werde nun wirklich zu kalt, sie müssten gehen, und war sehr damit beschäftigt, ein neues Loch in ihrem oft gestopften wollenen Schultertuch zu begutachten. Eustach hüstelte auch, leider hatte er kein Schultertuch, auch keinen Umhang, der bei diesem kalten Wetter mehr als angemessen gewesen wäre, dessen Löcher er begutachten konnte.

«Nun», sagte er bedächtig, als habe er erst alle Würde zusammenkratzen müssen, die sein stets kärgliches Leben ihm gelassen hatte, «Euer Ton ist plötzlich schroff, Weddemeister, dabei gibt's nichts zu wundern. Alle fürchten sich vor Ertrunkenen, das wisst Ihr doch. Die bringen nun mal Unglück. Und wir sind alle arme Leute, wir könn' uns kein' Ärger mit den Soldaten leisten. Die stecken einen schnell ins Loch, ob's rechtens ist oder nicht, und eine Nacht bei denen im Kerker reicht im Winter schon, da hustet man sich die Seele aus dem Leib und ist bald tot, wenn's der Teufel so will. Wir war'n am Ufer gestern, wo so viele Leute hingerannt sind, sind wir auch hingerannt, weil wo viele sind, kann man was verkaufen. Hat sich aber nicht gelohnt, gestern. Ja, und als ...», er schluckte und fuhr steif mit dem Handrücken über die Augen. «Sie war so 'ne freundliche Person, munter und fleißig. Und immer fröhlich, da wurde der Tag hell, wenn sie kam.»

«Nicht immer», wandte seine Schwester ein, «ich mein, nicht immer *fröhlich*. Da gab's ein paar Wochen, da war sie – traurig?»

Sie sah ihren Bruder fragend an, und der nickte.

«Traurig, ja. Aber zuletzt nicht mehr, da war sie wieder fröhlich und hat gezwitschert wie'n Pirol im Mai», beharrte er.

Seine Schwester nickte, halbherzig, aber doch zustimmend.

«Ihr habt sie nur von ferne gesehen, wieso habt ihr sie erkannt?»

«Der Rock, Weddemeister», erklärte Eustach aufseufzend, «zuerst der Rock. Der hat genau die Streifen wie die Röcke aller Pauli-Mädchen. Dann die langen blonden Haare, na, und weil sie so nah im Wasser lag, wo sie gewohnt und gearbeitet hat – da dachten wir, wir gucken mal nach. Ist doch eine Schande, wenn sich keiner um sie kümmert. Es hieß ja, sie ist verschwunden. Abgehauen, sagten manche, andere haben gesagt, sie is' jetzt bei Verwandten von Madam Pauli irgendwo im Süden. Noch hinter Hannover.»

«Und …», sagte seine Schwester, schubste ihn mit dem Ellenbogen und sah ihn auffordernd an, «und …? Wir dachten», fuhr sie selbst entschlossen fort und machte einen geraden Rücken, «es gibt vielleicht eine Belohnung.»

Anders als sonst, wenn diese Frage gestellt wurde, bedauerte Wagner, sagen zu müssen, es sei keine Belohnung auf die Klärung der Identität der Toten ausgesetzt. Nein, gar keine. Er bedauere wirklich.

Die beiden Alten schienen um einige Zoll geschrumpft, als sie in ihren abgelaufenen Holzpantinen die wenigen Stufen aus dem Souterrain hinauf zur Straße stapften. Für einen Moment war Wagner versucht, ihnen nachzulaufen und wenigstens eine kleine Münze aus seiner eigenen Tasche zuzustecken, dann dachte er an Klara, an ihr gemeinsames Kind, an den kostspieligen Kachelofen, von dem seine Frau und auch er selbst träumten. Er war für das karge Leben fremder Leute nicht verantwortlich, und vielleicht ergab sich etwas, vielleicht konnte er die Paulis dazu bewegen, den beiden Alten etwas zukommen zu lassen. Oder – notfalls – Madam Augusta im Hause Herrmanns, die hatte nicht nur ein großes Herz, sondern auch stets ausreichende Mittel für milde Gaben. Natürlich würde er niemals wagen, eine Madam Augusta Kjellerup in dem großen Kaufmannshaus am Neuen Wandrahm anzubetteln, aber er könnte Rosina von den beiden erzählen, nebenbei Madam Augusta erwähnen, Rosina würde lachen und das Anliegen bei passender Gelegenheit und im richtigen Ton weitergeben – gewöhnlich direkt und ohne umständliche Diplomatie.

Dabei vergaß er wie gewöhnlich, dass nun auch Rosina zu denen zählte, die hin und wieder eine milde Gabe erübrigen konnten, wenn auch keinesfalls in vergleichbarem Maß wie Madam Augusta und die Herrmanns. Er vergaß das gerne, denn so musste er nicht befürchten, sie könnte ihm, seiner Frau und denen, die noch ihre gemeinsamen Freunde jenseits der großen Bürgerhäuser waren, verloren gehen.

Und dann machte er sich auf den Weg zum Haus des Seidenhändlers Pauli, so pflichtbewusst wie widerwillig. Wagner betrat ohne Zögern die übelsten Spelunken und die düstersten Ecken der Gängeviertel, an die Türen der Bürgerhäuser zu klopfen war ihm hingegen verhasst. Obwohl es inzwischen vorkam, dass er auch dort respektiert und zur Vordertür eingelassen wurde, behandelten ihn die meisten Bürger, und zwar nicht nur die wohlhabenden, kaum besser, als sei er selbst ein Delinquent oder ein böser Geist mit Unglück im Gepäck.

Er verband etwas mit dem Namen Pauli. Etwas Unangenehmes? Leider fiel ihm nicht ein, was es war.

Dafür wurde ihm plötzlich klar, dass er den beiden Alten blind vertraut hatte, vielleicht hatten sie nur eine besonders lebhafte Phantasie oder wollten ihre langweiligen Tage bunter und sich selbst wichtiger machen. Aus einem ihm unerfindlichen Grund glaubte er das nicht. Trotzdem war es leichtfertig gewesen. Aber eigentlich – eigentlich war das gar nicht schlecht, womöglich sogar nützlich.

Zur selben Zeit in Venedig

Magnus Vinstedt war wirklich schnell gewesen, geritten, als sei ihm der Teufel selbst auf den Fersen. Wie oft er das Pferd gewechselt hatte, wusste er nicht mehr. Sehr oft jedenfalls, immer wenn sich eine Gelegenheit ergeben hatte. Mehrfach war er glücklich genug gewesen, direkt vor Gewitter und Schneetreiben davonzupreschen, besonders am Brennerpass.

In Venedig angekommen, hatte er begriffen, welch ein Glück er gehabt hatte, dass er keiner der auf dem Festland immer häufiger auftauchenden Räuberbanden in die Hände gefallen war. Womöglich, so hatte er da gedacht, sei Friedrich Blanck ein Opfer dieser *rapinatori* geworden, denn auch Kutschen wurden überfallen und die Reisenden ausgeraubt, gerade wenn sie in Eile und deshalb auch nachts unterwegs waren. Womöglich war deshalb einer der Wechsel in falsche Hände geraten. Aber Blanck, der Mann, an dessen Fersen er sich heften, den er in diesem Labyrinth von Gassen, Kanälen, Höfen und toten Winkeln finden sollte, war zumindest in Venedig *gewesen*. Das war verbürgt.

Paulis Erster Schreiber war im Dezember mit einer beachtlichen Anzahl von Wechseln nach Venedig gereist, um Rohseide von guter Qualität auszusuchen und zu ordern und, falls sich die Möglichkeit ergebe, auch einen oder zwei geschickte Weber anzuwerben und mit nach Hamburg zu bringen. Magnus erinnerte sich, wie in der Herrenrunde an jenem Abend in Claes Herrmanns' Rauchzimmer auch die Frage auftauchte, warum Monsieur Pauli seinen Schreiber überhaupt nach dem fernen Venedig schicke. Allein in Bergamo, dem zur Republik gehörenden Ort in den südlichen Alpen, werde inzwischen mehr Seide gewebt.

Monsieur Bocholt hatte zu bedenken gegeben, die beste Seide komme sowieso längst aus Frankreich, in Lyon webe man erlesene und wirklich komplizierte Muster wie nirgends sonst. Auch nicht in England, wohin der preußische König neuerdings angeblich sein Spione schicke, obwohl man annehmen sollte, mit all diesen Hugenotten in seinem Land habe er genug Leute, die sich darauf verstünden.

Pauli hatte höflich gelächelt, es wirkte nur ein ganz klein wenig überlegen, und erklärt, das stimme schon, aber teure Ware wie Seide verkaufe sich nicht allein mit der Ratio. Natürlich könne man einfach behaupten, die angebotenen Muster seien nach venezianischem Vorbild gewebt, die Fäden sogar dort produziert, gesponnen, gefärbt, es sei aber von Vorteil, wenn das auch stimme. Alle Welt träume von einem Aufenthalt in Venedig, die Damen ebenso wie die Herren, wer sich das nicht erlauben könne, ob aus Gründen der Zeit, des Geldes oder aus Furcht vor der so beschwerlichen wie gefahrvollen Reise, sei gerne bereit, gutes Geld für Seiden aus Venedig oder von venezianischen Webern gemachte Stoffe auszugeben. Nicht umsonst versuchten alle regierenden Fürsten, ganz besonders die große Maria Theresia in Wien, in ihren Reichen eigene Seidenindustrien einzuführen, dann bleibe das Geld für die teure Ware im Land. Sein Handel sei sein Hauptgeschäft, seine Manufaktur dagegen recht klein. Er lasse vor allem Samt machen, wenn er jedoch zwei geschickte italienische Weber bekomme, werde er zwei weitere Webstühle aufstellen. Es sei Zeit, sich zu vergrößern. Stillstand bedeute Niedergang, so sei es nun einmal.

Pauli hatte an seinem Bordeaux genippt, sich die Lippen getupft und erklärt, wer nicht bedenke, dass mit Luxuriösem wie Seide, Samt, auch Taft oder Teppichen, Porzellan und erlesenem Mobiliar auch Träume verkauft werden, werde in diesem Geschäft nur geringen Erfolg haben.

Später – Monsieur Bocholt als ein Mann von säuerlicher Moral hatte die Runde gerade als Erster verlassen, da er am nächsten Morgen mit klarem Kopf in seinem Kontor erscheinen wollte –, ein wenig später also hatte Monsieur Pauli von seinem Problem mit seinem Ersten Schreiber Blanck berichtet, bedauert, dass Hamburg keinen Gesandten in Venedig habe, somit niemandem, dem man in einer so delikaten Sache blind vertrauen könne. Leider wisse er niemand, der willens, in der Lage und zudem absolut vertrauenswürdig sei, sofort und im Eilritt nach Venedig aufzubrechen, die Sache zu klären und von seinem Eigentum zu retten, was noch zu retten war. Blanck könne bleiben, wo der Pfeffer wachse. Aber die Wechsel, die der Kerl offenbar gerade in die eigene Tasche wirtschafte, die hätte er nun wirklich gerne gesichert.

«Es geht nicht gerade um das Bestehen meines Handels, aber man darf das nicht hinnehmen. Es ist eine Schande. Blanck ist der Milchbruder einer der Schwäger meiner Frau, er zählt also so gut wie zur Familie und wird an mir zum Betrüger.»

«Das ist noch nicht erwiesen», hatte Claes Herrmanns vernünftig eingewandt.

«Nein», hatte Pauli zugestanden, «es sieht aber ganz danach aus.»

Eine weitere halbe Stunde später war verabredet, dass Magnus sowohl willens und bereit als auch fähig war, am übernächsten Morgen zu dem winterlichen Eilritt nach der Lagunenstadt aufzubrechen. Es war ein halb spaßhafter Vorschlag von Claes Herrmanns gewesen, doch als der Seidenhändler ihn sofort dankbar aufgriff, fühlte Magnus dieses gefährliche Kribbeln, die Freude bei der Aussicht auf diesen Ritt. Er hatte sich beinahe aufgedrängt – und dabei nicht bedacht, dass er nun eine Ehefrau und einen Haushalt hatte. Die Entschädigung, die Pauli geboten hatte, deckte gerade die Kosten für die Schlafplätze in den Gasthäusern unterwegs und die Miete für die Pferde, wobei er sich, wann immer es möglich war, das beste an den Poststationen verfügbare Tier ausgesucht hatte.

Und nun stand Magnus Vinstedt, die Piazzetta San Marco im Rücken, an Rand der Mole und sah über das grüne Wasser hinüber nach Santa Maria della Salute. Der Blick auf die beiden Kuppeln und Türmchen der mächtigen Kirche faszinierten ihn trotz der Überfülle von Palazzi, Kirchen und Klöstern, von Fassaden und Ausblicken besonders. Vielleicht, weil sie in dieser Stadt, in der das Wasser allgegenwärtig war, prall und doch erhaben den Himmel festhielten. Hunderttausend Pfähle waren vor anderthalb Jahrhunderten in den schwankenden Boden der Inselspitze gerammt worden, um darauf diese grandiose Kirche zu errichten. Er fand das ungemein beeindruckend. Spätestens seit seinem langen Aufenthalt in England, wo großartige Kanäle und Brücken konstruiert und gebaut wurden, auch die unglaubliche Kuppel der St.-Pauls-Kathedrale in London, wo Experimente mit Dampfmaschinen noch erstaunlichere Fortschritte machten, interessierte sich Magnus für die Ingenieurkunst. Keine andere war so verwegen, so riskant, so sehr Wirklichkeit gewordene Magie.

Auch in Hamburg waren viele Gebäude auf Pfählen erbaut worden. Aber das Vertraute wirkt selten beeindruckend, hier löste allein die Vorstellung neue Gedanken aus. All die vielen Bäume, dachte er nun allerdings halbwegs bedauernd und erinnerte sich an die nahezu waldlose Landschaft, durch die er geritten war, bevor er sich von Mestre nach Venedig hatte übersetzen lassen. Nur Maulbeerbäume hatte er in Mengen gesehen, deren Blätter die empfindlichen Seidenraupen ernährten. Wie groß wäre ein Wald von hunderttausend Bäumen? Wie viele solide Stämme, jeder einst ein alter Baum, waren nötig gewesen, um diese Stadt mitten in die Lagune hineinzubauen? Jahrhundert um Jahrhundert?

Es kam ihm plötzlich seltsam vor, als verhielten sich die Menschen kaum anders als gefräßige Raupen: Sie «fraßen» oder eigneten sich begierig und bedenkenlos alles an, was sie für ihre Pläne brauchten.

Er war nun schon drei Tage in Venedig, gleichwohl gab es noch Momente, in denen ihm ein trügerisches Gefühl vorgaukelte, er sei nur Teil eines überdimensionalen Ölgemäldes, einer Spukgeschichte. Doch dafür war diese seltsame Stadt bei all ihrer Unwirklichkeit zu real. Er hatte bedauert, dass er erst nach den turbulenten Monaten des Karnevals hier sein konnte, der – nur unterbrochen durch zwei kurze Weihnachtswochen – von Oktober bis Fastnacht gefeiert wurde. Dann war Venedig angeblich ein einziges Fest, wobei er sich nicht vorstellen konnte, dass eine ganze Stadt, in der so viele Menschen lebten, arbeiteten, mit Nahrung, Kleidung, überhaupt allem Besonderen und Alltäglichen versorgt werden mussten, beständig feiern konnte.

Die Sache mit den Masken hingegen, traditionell aus weißem Satin oder nur als schwarze Larve für die Augenpartie zum langen Mantel aus schwarzem Taft, konnte er sich sehr gut vorstellen, sie boten ein enormes Maß an Freiheit. Ein Inkognito, das Unterschiede verwischte, Träume ebenso möglich machte wie Lug und Trug. Kein Wunder, dass sie außerhalb der Karnevalsmonate in der Öffentlichkeit verboten waren – und sich niemand daran hielt.

Alle, ob arm oder reich, ob Hure, Fischhändler, Patrizierin, Notar oder Wäscherin, Bischof und Doge, angeblich sogar Nonnen, verließen in diesen Monaten zu jeder Tageszeit und Gelegenheit ihr Haus nur maskiert. Wenn die ganze Stadt bis in die Nacht ein einziger Trubel war, voller Feste, Zirkus und Akrobaten, Bälle, Regatten, Konzerte, Theater – überall Theater und Oper, Tierhatzen, und überall wurde gesungen, nirgends so viel und so schön wie in dieser Stadt. In den späten Nächten, deren kurze Stille wie ein verheißungsvolles Flüstern wirkte, schimmerte Fackelschein auf den Kanälen, in den Gärten, auf Dächern und versteckten Innenhöfen. Und zugleich ging das alltägliche Leben weiter, das musste es ja.

Jedenfalls erzählte man sich all das im Norden von der Lagunenstadt, je nach Gesinnung mit Sehnsucht, Staunen oder Verachtung, nie gleichgültig. Magnus hätte schon lange gerne geprüft, ob das Legende oder Wahrheit war, inzwischen war er von Letzterem überzeugt.

Die Stadt, so hieß es auch, huldige dem Vergnügen und erlebe tatsächlich ihren Niedergang. Im Hafen legten längst nicht mehr die Schiffe aus allen Häfen des Mittelmeers an wie in der großen Zeit der Republik Venedig, als sie Umschlagplatz für die Waren aus Orient und Okzident gewesen war. Das war endgültig vorbei. Die begehrten Reichtümer der Welt kamen nun aus den Ländern jenseits der Ozeane und machten Herren anderer Häfen reich. An diesen Molen lagen bescheidenere Schiffe, die zumeist nur Waren von der *terra ferma* brachten, dem zur Republik gehörenden überwiegend bäuerlichen Festland. Selbst das Handwerk verblasse, sagte man, sogar die Glasbläserei, aber die Künste, insbesondere die Malerei, die Bildhauerei und die Baukunst, blühten in diesen Jahrzehnten wie nie zuvor.

Venedig mochte verarmen und als Ort politischer Macht und des weltweiten Handels bedeutungslos geworden sein. Trotzdem gab es noch immens reiche Familien, deren Pracht der Stadt nach wie vor Glanz verlieh. Ihr Mythos, der Ruf der schillernden Metropole auf engstem Raum in der weiten, von Inselchen gesprenkelten Lagune, als Hort der Künste und der Geselligkeit, natürlich auch des Glücksspiels und aller denkbarer Sünden, war höchst lebendig und real und zog Besucher aus aller Welt an.

«Ihr träumt, mein Freund.» Eine breite, warme Hand legte

sich auf Magnus' Schulter. «Passt nur auf, dass Ihr nicht ein Opfer der Taschendiebe werdet, während Ihr die Schönheit dieser Inseln bewundert. Sie sind sehr fleißig hier, die Langfinger, und sehr geschickt. Nun, ich will nicht anklagen, in meiner Heimat ist es nicht besser. Genau besehen», er faltete die reich beringten Hände vor seinem ausladenden, in rosenholzfarbenen Samt gekleideten Körper und senkte sein Doppelkinn auf die mit einer Gemme gehaltenen Spitzenhalsbinde, «ja, genau besehen gibt es in meiner Heimat noch viel mehr arme Pisser, da wird natürlich auch mehr geklaut.»

Mr. Hobson war ein sehr reicher Mann, er hatte eine gute Erziehung genossen, aber er befleißigte sich keiner vornehmen Sprache. Als Engländer, pflegte er zu sagen, habe er alle Freiheiten. Dafür sei England berüchtigt. Er habe sie umso mehr, als er alles bezahlen könne, Gemälde, Marmorbüsten, Weiber, Flitterkram, Langusten, ebenso ein Entgelt für sein schlechtes Benehmen oder die Beleidigungen, auf die er manchmal unbändige Lust verspüre. Mit Geld lasse sich alles ausgleichen. Nur Duelle vermeide ein kluger Mann, selbst als guter Schütze solle er sich auf Wildbret und Tauben beschränken. Bei Tod und Blut gebe es Grenzen. Magnus fand das beruhigend.

Howard James Hobson war ein Freund der Herrmanns, genau genommen der Familie Roberts, Annes Familie. Claes hatte Magnus ein Empfehlungsschreiben mit auf die Reise gegeben, und Hobster hatte ihn umgehend in seinem Palazzo einquartiert. Das sei doch mal eine Abwechslung, hatte er mit dröhnender Stimme verkündet, immer nur Engländer und Venezianer sei allmählich langweilig. Na gut, er habe hin und wieder auch Franzosen und Österreicher zu Besuch, auch mal einen Armenier, ein wirklich interessanter Mensch, aber einen Hamburger – das sei selten.

In dem weitläufigen Palazzo war es kalt, dafür überaus geräumig. Das Zimmer, das Magnus nun bewohnte, maß gut und gerne dreimal die Fläche der ganzen Wohnung in der Hamburger Mattentwiete (er hatte es abgeschritten), von einem schmalen Balkon blickte er über den *Canal Grande*, den die Inselstadt teilenden breiten Kanal und Hauptverkehrsweg, auf das quirlige Auf und Ab der Gondeln, kleinen Segler, Ruderboote und behäbigen Lastkähne. Er hätte stundenlang dort stehen und zusehen mögen, aber er hatte einen Auftrag, er musste Blanck suchen, und zwar bevor der alle Wechsel eingelöst hatte und mit dem Ertrag verschwand.

Den ersten Tag nach seiner Ankunft hatte er gänzlich verschlafen, was keiner Trägheit zuzuschreiben war, sondern einzig die Folge des fast drei Wochen langen Gewaltrittes. Seitdem suchte er nach den Spuren Blancks. Wie Pauli ihm aufgetragen hatte, war er zuerst zur *Fondaco dei Tedeschi* gegangen, dem deutschen Handelshaus. Kaufleute aus verschiedenen Städten der deutschen Länder und Regionen hatten direkt bei der Rialtobrücke, der einzigen über den *Canal Grande* führenden Brücke, ihr großes Lager- und Kontorhaus. Dort hatte Blanck in den beiden Räumen des Nürnberger Kontors wohnen sollen, von dort war die Nachricht gekommen, er sei da gewesen und dann nicht mehr aufgetaucht – statt seiner bei der Bank einer der Wechsel, die er in Paulis Namen mit sich geführt hatte. Magnus hatte bei den Nürnbergern angeklopft, aber sie waren auf irgendeinem Markt oder Amt gewesen. Ihr Nachbar, ein Kaufmann aus Leipzig, hatte empfohlen, es am nächsten Tag wieder zu versuchen. Die Durheims seien gewöhnlich am späteren Nachmittag hier.

Magnus war es recht gewesen, auf einen Tag mochte es nun nicht mehr ankommen. Der Rialto war als Zentrum des Geschäftslebens und des Handels in der Stadt leicht zu finden gewesen, jeder hatte ihm den Weg gewiesen. Auf dem Rückweg war er langsam vorangekommen und hatte begriffen, dass man in dieser vertrackten Stadt eben nur langsam vorankam. Einmal falsch abgebogen, und man war verloren und konnte nur auf das Glück hoffen. So hatte er sich gestern wie heute aufs Schlendern verlegt, das hier einzig angemessene Tempo. Er hatte schon begonnen, es zu genießen.

Überall sah er auch eilige Menschen, gestern wie heute, die mussten sich gut auskennen, also schon lange hier wohnen, ach was, hier geboren sein und jeden Fußbreit Boden kennen, auch wissen, wo eine Gasse vor einer Wand, einer fest verschlossenen Tür zu einem geheimen Garten oder einem toten Kanalstück endete, wo eine Brücke in das gesuchte Stadtviertel führte. Sie mussten bei all den Kurven und Abzweigungen über den Orientierungssinn einer Katze oder eines Zugvogels verfügen.

«Ihr seht nicht aus, als wäret ihr erfolgreich gewesen», stellte Hobson fest. «Sicher liegt es an der Sprache. Kein kultivierter Mensch kann das Kauderwelsch verstehen, das die Leute hier sprechen.»

Magnus grinste. «An der Sprache liegt es in diesem Fall nicht. Wobei ich zustimme, wenn Ihr den venezianischen Dialekt meint. Der ist wahrlich eine Prüfung.»

«In der Tat, mein Freund, in der Tat. Hat die Karte geholfen?»

«Die war auch eine Prüfung», gestand Magnus. Hobson hatte ihm einen Plan der Stadt überlassen. Ohne den finde man sich als Fremder überhaupt nicht zurecht, hatte er gesagt, damit gehe es leidlich. Was sich als falsches Versprechen erwies. Die Überzahl der winzigen Gässchen und Höfe, der toten Winkel und Abzweigungen hatte die Karte zu einem immer größer werdenden Geheimnis und Verwirrspiel gemacht. Schließlich war er doch bei San Marco und dem *Palazzo Ducale* gelandet, dem glanzvoll orientalisch anmutenden Palast der Dogen, und seither hatte er auf der Mole gestanden und über das Wasser zu der Kirche vor dem düster dräuenden Himmel mit einem giftig goldgelben Rest der Sonne geblickt. Es erinnerte ihn an das Inferno – ein prachtvolles Bild.

«Am besten mietet Ihr einen Führer», überlegte Hobson mitfühlend, grüßte zwei vorüberflanierende, unter schwarzen Seidenumhängen und hinter aufgeschlagenen Fächern fast verborgene Damen mit einer für seine Jahre überraschend behänden Verbeugung. «Und sobald Ihr nicht mehr wisst, wo Ihr seid, versucht, eine Gondel zu bekommen. Der Gondoliere wird Euch natürlich als Fremden erkennen und übervorteilen, das ist sein gutes Recht, dafür kommt Ihr sicher, wohin Ihr wollt. Zu schade», murmelte er, während er sich mit nachdenklicher Miene noch einmal nach den schon in der Menge verschwundenen Damen umsah, «ja, zu schade, dass ich Euch Otranto nicht überlassen kann. Er ist mir einfach unentbehrlich, ohne ihn gehe ich sofort verloren. Nicht einmal die Spione der hiesigen Regierung kennen sich so gut in diesen Gassen und Kanälen aus wie Otranto.»

Er betrachtete den schwarzen Diener, der, wie es sich gehörte, einen halben Schritt hinter ihm stand, mit dem gleichen Stolz, wie man ein seltenes Schmuckstück betrachtet. Tatsächlich wirkte Otranto in seiner geschmackvollen, nur in Schwarz und Weiß gehaltenen Livree und der wohl gepuderten, aber einfachen Perücke ungleich eleganter als sein zu stark aufgeputzter Herr. Dass der ihn nach seinem Lieblingsroman benannt hatte, einer düsteren Geschichte in einer noch düstereren Burg im süditalienischen Otranto, mochte wenig geschmackvoll sein, war aber zumindest indirekt als Kompliment zu verstehen. Hobson hatte Otranto einem anderen Engländer abgekauft, als der im *Ridotto*, der elegantesten und gefährlichsten Spielhölle der Stadt, sein ganzes Vermögen gelassen hatte und Geld für die Heimreise nach Bristol brauchte. Von Hobson wurde er als Leibdiener wirklich gut behandelt, wenngleich er auch in dessen Dienst letztlich ein Sklave blieb. Otranto sprach ein erheblich kultivierteres Englisch als sein Herr, auch sein Italienisch und Französisch reichten für eine angenehme Konversation, neuerdings wurde er zudem zum Experten für venezianische Malerei. Otranto war für Hobson wirklich unersetzlich, zu seinem Glück wusste sein Herr das.

Hobson lebte seit Jahren in Venedig. Er kaufte preiswert gute und weniger gute Gemälde, die guten behielt er, die weniger guten verkaufte er in London und neuerdings in Paris und Madrid teuer weiter. Angeblich auch in Konstantinopel, aber das war ungewiss. Er handelte vor allem zum Vergnügen, reich war seine Familie ohnedies seit Generationen.

Hobson war ein begeisterter Gastgeber, besonders wenn man bedachte, dass Magnus zwar mit einem Empfehlungsschreiben, aber ohne Einladung gekommen war. Sicher lag es an seiner schwärmerischen Erinnerung an die überaus reizende Miss Anne Roberts, die nun Madam Herrmanns war und die er, wie er Magnus nach einigen Gläsern toskanischen Weines anvertraut hatte, in jüngeren Jahren sehr verehrt habe. So kam Magnus in den Genuss später Folgen einer mit dem einsamen Altern glorifizierten Liebe.

Hobson lud ihn in eine offene Gondel ein und ließ zum Rialto rudern, damit Magnus wieder seiner Pflicht nachkommen könne. Als Gegenleistung, erklärte er augenzwinkernd, erwarte er heute Abend seine Beleitung. Er habe ein Diner in einem besonders prächtigen Palazzo zu bewältigen, bevor man sich in einem Hinterzimmertheater oder am Spieltisch verlustieren könne. Mit einem hübschen jungen Ausländer, der zudem der italienischen Sprache halbwegs mächtig sei, mache ein fetter alter Kerl wie er immer ein paar Punkte gut. Auch wolle er Magnus' Meinung zu den Fresken dieses allseits bewunderten, wenn auch seit zwei Jahren toten Malermeisters, dieses Giovanni Battista Tiepolo, hören. Er persönlich ziehe die handfesteren, nämlich das wahre Leben zeigenden Werke eines Francesco Guardi oder Pietro Longhi vor, aber er lasse sich gerne belehren. Ab und zu.

Magnus stieg bei der Rialtobrücke aus, zwischen den Booten am Anleger der *Fondaco* war keine Handbreit Platz gewesen. Er blickte Hobson in seiner Gondel nach, die auf dem vom emsigen Bootsverkehr unruhigen Wasser des *Canal* davonschaukelte. Als Claes Herrmanns ihm die Empfehlung in die Hand drückte, hatte er mit einem gesetzten englischen Gentleman gerechnet, keinesfalls mit einem schillernden Exemplar wie Howard Hobson. Eine angenehme Enttäuschung!

Er betrat den quadratischen Innenhof des Handelshauses und blieb verblüfft stehen. Gestern war es hier sicher nicht verlassen, aber doch halbwegs ruhig gewesen, heute tönten ihm wie ein vielstimmig summender Chor deutsche und heimische Dialekte entgegen, dazwischen meldeten sich ein Maultier und ein Esel, Karrenräder quietschen und knarrten. Der nach oben offene Innenhof war groß, im Schutz des haushohen unteren Arkadenganges, dem ersten von vieren, stapelten sich nun Fässer, Säcke, auch Kisten, weitere waren beim Brunnen gelagert, der die Mitte des Hofes dominierte. Da war mehr als ein Schiff angekommen, woher auch immer.

Magnus kannte sich nun schon aus – wenigstens hier – und stieg die Treppe zum zweiten Stock hinauf, ging durch den entlang des ganzen Innenhofes verlaufenden Arkadengang und fand die Tür der Nürnberger. Sie war verschlossen, ebenso die zweite, hinter der sich die dazugemietete Wohn- und Schlafkammer verbarg. Es blieb still, nur von unten drangen Stimmen und die Geräusche der Händler und Fuhrleute herauf.

Diesmal war es nicht der Leipziger, der ihn ansprach, sondern ein Kaufmannsgehilfe aus Mainz. Falls er zu den Nürnbergern wolle, zu den Durheims – die seien auf dem Festland. In einer der vornehmen Villen am Brenta-Kanal, wo die reichen Venezianer ihre Sommerfrische verbrächten, stehe kostbares Mobiliar zum Verkauf, auch Spiegel, eine überall begehrte Ware. Es habe sich mal wieder einer der Noblen ruiniert.

Er wusste nicht, wann die Durheims zurückerwartet wurden, und hatte gehört, sie wollten, wenn sie schon auf dem Festland seien, vielleicht noch in Padua Besuch machen. Kurz und gut, sie würden mindestens eine Woche fort sein, eher zwei.

Irgendetwas lief hier verdammt schief, Magnus bemühte sich, den freundlichen Mainzer seinen Ärger nicht spüren zu lassen. Zwar hatte er die beiden Seidenhändler, bei denen Blanck vorsprechen sollte, gefunden und besucht, zwar waren sie ebenso freundlich gewesen – von Blanck allerdings hatten sie nie gehört. Auch der Name Johannes Pauli sagte ihm nichts, in Hamburg hatten sie bisher nur Geschäfte mit dem Seidenhändler König gemacht. Was Magnus zuerst höchst seltsam erschien, hatte er sich bald damit erklärt, dass Blanck ja gerade erst diese Geschäfte erkunden und wenn möglich hatte einleiten sollen.

Heute war es zu spät, aber morgen würde er tun, was er längst hätte tun sollen, nämlich zu der Bank zu gehen – wenn er sie denn fand –, auf die Paulis Wechsel ausgestellt waren. Dann würde er sehen, welche eingelöst worden waren – was aber nichts darüber aussagte, wozu Blanck das Geld verwendet hatte. So einfach verriet ein Wechsel seine Spur nicht. Die Hamburger Bank war in ganz Europa renommiert – sie galt als eine der sichersten, was sie tatsächlich war. Was wiederum bedeutete, Blanck würde die Wechsel von dieser Bank auch außerhalb Venedigs einlösen können. Sie waren für ihn so gut wie bares Geld.

Spät an diesem Abend stand Magnus auf seinem schmalen Balkon und sah auf den nächtlichen *Canal Grande* hinunter, er sehnte sich nach Rosina und versprach ihr in Gedanken, weiterhin stark zu bleiben und sich nicht zu hohen Einsätzen am Spieltisch verführen zu lassen. Die Überfülle an Bildern dessen, was er heute an Pracht und buntem Leben gesehen hatte, schwirrte noch in seinem Kopf herum wie die Musik der kleinen Kapelle und der Gesang der Sopranistin, und plötzlich mutete ihn diese ganze Geschichte mit der Verfolgung des betrügerischen Schreibers höchst seltsam an.

Vielleicht lag es an der Nacht, die die Umrisse der Dächer und Türme, das Schimmern des schwarzen Wassers, den sternenübersäten Himmel, das ganze nächtliche Wispern und Flüstern zu einer geheimnisvollen Kulisse verwob, an den hier und da noch über die schmalen Gänge entlang der Kanäle huschenden Gestalten – plötzlich sah er dieses ganze übereilte Unternehmen in einem neuen Licht. Was war, wenn man ihn nur aus Hamburg hatte fortschicken wollen?

Verrückt, oder nicht? Fort, warum?

Fort von Rosina, von wem sonst? Der Gedanke überflutete ihn wie eine heiße Welle. Heiß vor Angst um den Menschen, den er am meisten auf der Welt liebte. Mit einer Tiefe, Innigkeit und Leidenschaft, wie er sie vorher nicht gekannt hatte. Was, wenn …?

Nein! Niemand hatte ahnen können, dass an diesem Abend bei Herrmanns der Plan, der Entschluss zu dieser Reise entstehen würde. Niemand, nicht einmal Pauli. Oder doch? Hatte er das alles nur klug eingefädelt? Das war nun wirklich zu abenteuerlich. Selbst wenn man der Idee folgte: warum dann bis nach Venedig? Da hätte Dresden oder Frankfurt, sogar Hannover oder Bremen auch gereicht.

Er hätte nicht mehr mit ins Theater gehen sollen. Das brachte leicht auf verrückte Ideen.

Kapitel 6

Dienstagnachmittag

Madam Pauli war eine überaus beschäftigte Frau. Sie stand nicht nur ihrem Haushalt vor, zu dem außer ihrem Gatten und den vier Kindern auch eine mittellose, häufig kränkelnde, somit wenig nutzvolle Cousine gehörte. Dazu kamen die zu beaufsichtigenden und anzuleitenden Dienstboten, nämlich eine Köchin, zwei Mädchen, ein Diener, der zugleich als Kutscher und Mann fürs Grobe fungierte, und zeitweilig ins Haus kommende Aushilfen. Zur Mittagsmahlzeit saßen ein Kontorschreiber, zwei Unterschreiber und zwei Lehrlinge mit am Familientisch. Einer der beiden Letzteren, mittlerer Sohn einer Kaufmannsfamilie in Riga, bewohnte auch eine der Dienstbotenkammern unterm Dach, was in heißen Sommer- und eisigen Winternächten kein Vergnügen, aber das übliche Los eines Kaufmannlehrlings war, selbst wenn er aus wohlhabendem Haus stammte.

Zudem, so hieß es, habe Madam Pauli auf die ihr eigene diskrete Weise stets ein wachsames Auge auf die Geschäfte des Hauses Pauli, sie verstehe sich auf Zahlen, sogar auf Bilanzen, und wisse auch mit den Tabellen der zahlreichen verschiedenen Währungen, Maße und Gewichte umzugehen. Was für das Unternehmen durchaus von Vorteil war, denn der Herr des Hauses – das wusste jeder, der je mit ihm zu tun gehabt hatte – war ein vergnügter Mann. Das bedeutete nichts anderes, als dass er über seine Vergnügungen hin und wieder den guten Fortgang seiner Geschäfte vergaß. Einer seiner Freunde vermutete heimlich, das wäre anders, hätte er eine dumme Ehefrau, eine, die absolut nichts von den Geschäften verstünde. Andererseits stand zu vermuten, dass Monsieur Pauli seine Frau mit Bedacht gewählt hatte, denn wenn er auch ab und zu ein dickes Fell brauchte, um die durchaus berechtigte Strenge seiner Gattin zu ertragen (oder mit einem charmanten Lächeln zu ignorieren, was weitaus häufiger vorkam), gab ihm sein Leben, so wie es war, viel Freiheit.

Zudem war Madam Pauli noch im fortgeschrittenen Alter von gut vierzig Jahren eine schöne Frau, der niemand ansah, dass sie sechs Kinder geboren hatte. Ihre Haut war rosig und glatt, ihre Taille auch ohne übermäßiges Schnüren schmal, ihre Haltung stolz. Dabei war sie nur die Tochter eines Kleinhändlers, der durch glückliche Umstände zu genug Geld gekommen war, um seine einzige Tochter mit einer Mitgift auszustatten, die sie im Verein mit ihrer Schönheit und ihren Fähigkeiten auch für einen aufstrebenden Seidenhändler aus gutem Hause zu einer passablen Partie machte.

Als Madam Pauli hatte sie stets alle ihre Pflichten erfüllt – die meisten erfüllte sie immer noch –, auch ihre Kinder waren schön und wohlgeraten, die Geschäfte liefen gut, sie hielt sich für eine erfolgreiche und zufriedene Frau.

Einiges davon hatte Wagner in der Weddemeisterei in Erfahrung gebracht, das meiste jedoch in der kurzen Mittagspause von seiner Frau gehört und wieder einmal gestaunt, woher die stille, sogar schüchterne Karla so viel wusste. Man mochte es Klatsch nennen, für einen Mann seiner Profession verbargen sich darin oft bedeutsame Informationen und Hinweise. Wahrscheinlich, so hatte er gedacht, während er die zum dritten Mal aufgewärmte Kohlsuppe aß und dabei seine über den Stickrahmen gebeugte junge Frau mit verstohlenem Entzücken beobachtete, wahrscheinlich lag es gerade daran. Sie wirkte für die meisten Menschen beinahe unsichtbar, da plapperte, plauderte und klatschte man auch in ihrer Gegenwart einfach weiter. Er hingegen hatte sie damals, als sie sich kennenlernten, gleich vom ersten Moment an sehr deutlich wahrgenommen, und gewiss nicht nur, weil sie im Verdacht gestanden hatte, eine Diebin zu sein. Leider zu Recht, mehr oder weniger und in aller kindlichen Unschuld, aber das war lange her, niemand wagte es, ihn daran zu erinnern.

Nun saß er Madam Pauli gegenüber und versuchte, in ihr die Frau zu sehen, von der Karla erzählt hatte. Es mochte alles stimmen, sicher tat es das. Das Haus der Paulis stand nicht in der besten Gegend der Stadt, tatsächlich am Rande des schlecht beleumundeten Gängeviertels um St. Jakobi, aber die Fassade des Hauses zeigte wie die seiner durchaus honorigen Nachbarn zur Alster hin. Der Blick aus den oberen Etagen musste wunderbar sein, und die Luft war so nah an der weiten Wasserfläche selbst im Sommer erheblich besser als in manchen der vornehmeren Straßen.

Die Ausstattung des Hauses zeugte von Wohlhabenheit, jedenfalls soweit Wagner es erkennen konnte. Madam Pauli hatte ihn in der Diele warten lassen und auch nicht weiter hereingebeten, weder in das Kontor noch in den Salon. Immerhin hatte sie ihm einen der harten Stühle mit den hohen geschnitzten Lehnen angeboten, die in der Diele nahe der kalten Feuerstelle standen, und sich ihm gegenübergesetzt.

Sie war tatsächlich schön, sogar in Wagners Augen, der nicht immer sah, was seine Frau sah. Sie saß sehr aufrecht, ganz die erste Dame des Hauses, und war perfekt frisiert, ihr Hausgewand, ein Negligé aus schwerer Lyoner Seide, war für einen schlichten Nachmittag allerdings eindeutig zu fein. Vielleicht war es ihre Gewohnheit, so die Waren des Hauses zu präsentieren. Vielleicht liebte sie auch nur das Rascheln und Knistern der edlen Stoffe.

Zufrieden, gar glücklich sah sie allerdings nicht aus. Aber warum sollte sie ein so privates Gefühl einem Fremden zeigen? Trotzdem, die Strenge des Mundes war wie eingraviert.

Stolz? Ja. Glücklich? Nein. So befand Wagner und runzelte über sich selbst die Stirn. Früher wäre ihm so etwas nicht einmal eingefallen, geschweige denn, dass er einem solchen Gedanken weiter nachgehangen hätte.

«Nun, Weddemeister», Madam Pauli klang klar, kühl und ob seines Schweigens amüsiert, «ich bin hier. Wie unser Diener Euch schon sagte: Mein Mann ist außer Haus, er macht nur einen Krankenbesuch bei Nachbarn, die bedauernswerte Madam Hegolt ist schon lange leidend, es ist ein Jammer. Sicher ist er bald zurück, bis dahin müsst Ihr mit mir vorliebnehmen. Leider ist meine Zeit begrenzt.»

«Pardon, Madam.» Wagner war froh, dass sein deutlich fühlbares Erröten in der schlechtbeleuchteten Diele sicher nicht zu erkennen war. «Ja, gewiss. Nur einige Fragen, Madam. Obwohl, genau genommen, zuerst eine Auskunft. Es steht nämlich zu vermuten, dass eines Eurer – nein, lasst mich doch zuerst fragen: Kann es sein, Madam, dass Euch ein Mitglied Eures Haushaltes fehlt? Eines Eurer Mädchen? Eine Magd?»

Das Amüsement verschwand aus Madam Paulis Gesicht. «Fehlt? Das klingt nach einem Handschuh, einer Münze oder einem Mops. Tatsächlich hat uns eines unserer Mädchen vor geraumer Zeit verlassen, ohne das Ende des Kontraktes abzuwarten oder auch nur Bescheid zu geben. Ich war damals sehr verärgert, das werdet Ihr verstehen, andererseits hat sie dafür auf einen großen Teil des Lohns verzichtet, der ihr noch zustand. Ich hatte gedacht, sie werde schreiben, das kann sie nämlich recht gut, und den Lohn fordern. Ich glaube», sagte sie plötzlich wieder ganz gelassen und lehnte sich in ihrem Stuhl zurück, «ja, ich glaube, ich hätte geantwortet. Allerdings nur um sie aufzufordern, sich ihr Geld abzuholen, wenn sie es haben wolle. Ich hätte nicht einmal daran gedacht, es einem Boten mitzugeben und den womöglich zu bezahlen.»

Als sie leise lachte, hatte Wagner das unangenehme Gefühl, Teil einer Posse zu sein. Er hatte nie davon gehört, dass Dienstboten ihre schmählich im Stich gelassene Herrschaft schriftlich um die Zusendung des restlichen Lohnes baten. Er hatte keinerlei persönliche Erfahrung mit Bediensteten und deren möglichen Capricen, aber natürlich wusste er, dass sie ab und zu entliefen, weil sie etwas gestohlen hatten, weil sie geschlagen wurden, aus Abenteuerlust – es gab viele Gründe.

«Nun, Madam, Eure Zeit ist begrenzt, wie die meine. Sie hat also nicht geschrieben, und Ihr habt nie wieder von ihr gehört? Ja? Das dachte ich. Habt Ihr Euch keine Sorgen gemacht? Ob ihr etwas, nun ja, etwas zugestoßen ist?»

«Nein, Weddemeister, das habe ich nicht, auch sonst niemand im Haus.» Madam Pauli saß nun wieder ganz aufrecht. «Jetzt verstehe ich! Wollt Ihr mir etwa weismachen, diese Tote, die man gestern aus der Alster gezogen hat, sei Wanda? Das ist Unsinn. Sie hat uns und die Stadt im Februar verlassen, und ich bin sicher, das undankbare Geschöpf ist inzwischen in Italien, in Venedig genauer gesagt. Sie amüsiert sich und begreift nicht, dass sie in ihr Unglück läuft, ach, was sage ich: rennt, stürzt. Es ist immer wieder die gleiche Geschichte: nicht mehr jung, aber verliebt und gutgläubig. Bald verschwindet der Galan, und es bleibt nur noch das Elend. Ein Bankert, Verlassenheit, Armut – der Tod. Eine Straßenecke, im besten Fall ein Haus, in dem sie ihren Körper feilbieten kann, um sich und ihr Kind zu ernähren. Aber was ist daran besser als der Tod?» Sie erhob sich mit Heftigkeit und ging einige Schritte in der Diele auf und ab. «Ihr seht, Weddemeister», sagte sie dann mit ironischem Lächeln, «ich habe mich doch geärgert. Ich hatte Hoffnung in sie gesetzt, sie hätte es leicht zur Wirtschafterin in einem guten Haus bringen können. Ich mochte sie, wie alle im Haus, ja, wirklich alle, und hatte nicht gedacht, dass sie so dumm ist.»

«Wer, meine Liebe, ist ‹so dumm›?»

Schon beim Stichwort Venedig war Wagner schlagartig eingefallen, was er mit dem Namen Pauli verband. Magnus Vinstedt, Rosinas Ehemann, war im Auftrag des Seidenhändlers Pauli vor einigen Wochen nach Venedig aufgebrochen, eine eilige Reise, von deren Grund wenig bekannt war. Geheimnistuerei, hatte er gedacht, Kaufleute nehmen sich und ihre Geschäfte viel zu wichtig.

Niemand anderer als Monsieur Pauli konnte dieser elegante Mann in dem mattgrünen Seidenrock über einer in passenden Farben fein gestreiften Weste und der schwarzen Kniehose aus mattem Satin sein, der sich formvollendet über die Hand seiner Gattin beugte. Er stand ihr in Schönheit kaum nach, die noch festen Züge mit der hohen Stirn zeigten eine markante Männlichkeit, doch fehlte diese Kantigkeit, die ein Gesicht hart macht, die geschwungenen Lippen, das tiefbraune, an den Schläfen silbrig melierte Haar voll genug, um zumindest bei Alltagsgeschäften auf die formelle Perücke verzichten zu können. Er war weniger schlank als seine Gattin, doch die Fülle seines Körpers ging nicht über die Anmutung von männlicher Kräftigkeit hinaus.

Noch nicht, dachte Wagner mit diesem Anflug von Bosheit, den kleine dicke Männer leicht gegenüber den schlanken und hoch gewachsenen empfinden.

«Es geht Madam Hegolt gar nicht gut», erklärte er seiner Frau rasch und mit bedauernd gesenkter Stimme, «wirklich gar nicht gut.» Sie nickte nur, dann fragte er wieder im launigen Ton, worum es sich beim Besuch der Wedde handle.

«Der Weddemeister – du kennst ihn vielleicht? – ist wegen Wanda hier», erklärte Madam Pauli. «Er möchte erfahren, ob wir eines unserer Mädchen vermissen. Ich habe ihm erklärt, dass Wanda vor einigen Wochen dumm genug war, bei Nacht und Nebel mit – nun, eben zu verschwinden. Ich bin sicher», diese drei kleinen Worte betonte sie besonders deutlich, «wirklich ganz sicher, sie ist inzwischen längst in Venedig.»

Johannes Pauli musterte Wagner aufmerksam und durchaus wohlwollend wie ein exotisches Insekt.

«Der Weddemeister Wagner, aha. Nein, meine Liebe», fuhr er, ohne den Blick von ihm abzuwenden, fort, «ich hatte noch nicht das Vergnügen, natürlich habe ich von ihm gehört. Ein verdienstvoller Mann.» Er strich nachdenklich mit der sorgfältig manikürten Rechten über sein Kinn und lächelte verbindlich. «Du hättest ihn in unseren Salon bitten sollen, Melitta. Aber mir scheint, Eure Frage ist schon geklärt, Weddemeister. Wenn Ihr nach Wanda sucht – warum auch immer –, können wir nicht helfen. Wie meine Frau sagt, hat sie uns auf wahrhaft dumme, wohl die dümmste Weise verlassen. Sie ist mit einem Mann durchgebrannt – kann man das so sagen, meine Liebe?», wandte er sich flüchtig an seine Frau. «Ja, ich denke, das kann man. Mit einem Kerl, dessen Ruf auch nicht der beste ist, obwohl sie das damals noch nicht wissen konnte. Selbst wir begannen es erst zu ahnen. Das muss man ihr zugutehalten. Weitere Auskunft können wir leider nicht geben.»

Als Pauli erschienen war, hatte Wagner sich erhoben, so wie es sich gehörte, nun setzte er sich wieder. Irgendetwas lief hier zu glatt. Zugleich zu undurchsichtig, Theater eben. Man wollte ihn rasch los sein und nichts mit unbekannten Wasserleichen zu tun haben, das war das Einzige, was eindeutig war. Allerdings auch nicht erstaunlich, denn wer wollte das schon? Trotzdem, ein bisschen mehr Neugier hätte in einem solchen Fall auch der strengste und besterzogene Bürger gezeigt. Madam Pauli mochte die verschwundene Dienstmagd für dumm halten, ihr Gatte, dieser feine Herr Seidenhändler, hielt offenbar ihn für dumm. Bevor Wagner fragen konnte, was nahelag und er unbedingt wissen musste, nämlich wer dieser «Kerl» mit dem schlechten Ruf war, ergriff Madam Pauli wieder das Wort.

«Der Weddemeister vermutet, die Tote, die gestern in der Alster gefunden wurde, sei Wanda. Ich habe ihm schon gesagt, dass das unmöglich ist.»

Keinesfalls unmöglich, widersprach Wagner, die anfängliche Unsicherheit und das Unbehagen waren verschwunden, immer wenn er das Gefühl hatte, man wolle ihn loswerden, man wolle seinen Fragen ausweichen, rappelte sich in ihm der Spürhund auf, der nur noch auf eigene Befehle hörte. «Die Leiche liegt noch im *Eimbeck'schen Haus*», erklärte er kühl, «heute Morgen waren zwei Zeugen dort und haben in ihr eine Dienstmagd aus Eurem Haus erkannt, Wanda oder Hanna, das war das Einzige, worin sie nicht einig waren.»

Madam Paulis Gesicht zeigte keine Regung, aber sie sank gegen die Lehne ihres Stuhls zurück, ihre Hände schlossen sich fest um die Armstützen. Johannes Pauli stand unbewegt in der Mitte der Diele, die Hände auf dem Rücken verschränkt, die Unterlippe vorgeschoben. «Zeugen?», sagte er. «Wer sind diese Zeugen? Aus unserem Haus können sie nicht sein, dann wüssten wir davon.»

Hier hatten die beiden Alten bestimmt keine Belohnung zu erwarten, dachte Wagner, höchstens Ärger.

«Zeugen eben», erklärte er streng, «wer sie sind, tut nichts zur Sache, vorerst. Da sie keine Verwandten sind, auch keine Mitglieder Eures Hauses, wie Ihr richtig vermutet, ist es nötig, dass jemand, der sie wirklich gut kannte, die Identität bestätigt, also jemand aus Eurem Haus. Ja, das ist unbedingt nötig, und zwar rasch! Am besten sofort.»

Wieder zog Wagner sein großes blaues Tuch aus der Rocktasche und wischte sich über die Stirn. Diesmal war sie wirklich ein bisschen feucht. Dabei hatte es sich gut angefühlt, vor diesem hochmütigen Paar als Autorität aufzutreten, sehr gut sogar.

«Ihr müsst mich nicht selbst begleiten», er bemühte sich, seinem Ton den Anstrich von Generosität zu geben, «wenn Ihr mir keine Verwandten nennen könnt, kann eines Eurer Mädchen oder Euer Kutscher im *Eimbeck'schen Haus* die traurige Pflicht erfüllen, ja, diese sehr traurige Pflicht. Doch zuerst», er holte einige zerknitterte Zettel und einen kurzen Bleistift aus den Tiefen seiner ausgebeulten Rocktaschen und sah Monsieur, dann Madam Pauli auffordernd an, «zuerst habe ich nun einige Fragen.»

Madam Paulis Einwand, was immer er fragen wolle, mache doch nur Sinn, wenn die Tote endgültig als die arme Wanda erkannt sei, ignorierte Wagner. Für ihn war längst klar, wer dort in der Souterrainkälte des *Eimbeck'schen Hauses* lag. Er hoffte, nicht Monsieur Pauli, sondern eine der Dienstbotinnen werde ihn später begleiten, um die Leiche zu begutachten. Eine Ohnmacht war nicht zu befürchten, wer für die Küche Hühnern und Fasanen den Hals umdrehen musste, wurde nicht so schnell schwach. Aber alles, was die Dame und der Herr des Hauses Pauli für sich behielten – und das schien Wagner einiges zu sein –, würde er aus einem Zimmermädchen oder einer Küchenmagd leicht herauslocken. Erst recht, wenn der Anblick der Leiche sie doch tüchtig erschreckte.

Allmählich begann er sich in die Sache zu verbeißen, die Angelegenheit fing an, ihm Spaß zu machen. Wenn er Letzteres auch niemals zugegeben hätte, denn die Arbeit eines Weddemeisters war viel zu ernsthaft, um Spaß zu machen. Ganz besonders, wenn es um Mord ging.

Mittwoch, 24. März

Alberte lauschte angestrengt ins Treppenhaus. Sie hörte nur Georgines leiernde Stimme und nickte zufrieden. Die Gouvernante war noch bei den Mädchen und fragte das Wochenpensum ab. Georgine war immer vor Felice dran, es würde also noch ein wenig dauern. Das arme Kind, es lernte so schwer auswendig, darin war ihr Felice haushoch überlegen. Sie war die Ältere, sicher, aber vielleicht war Gott doch gerecht. Wenn er das Kind schon mit untüchtigen Beinen geschlagen hatte, hatte er es wenigstens mit einem wachen lernbegierigen Geist ausgestattet.

Ob das ein Glück oder nur ein weiteres Hindernis bedeutete, würde man sehen. Gelehrte Frauen hatten schlechte Chancen bei der Suche nach einem Ehemann, aber eine, die nicht laufen konnte, musste gar nicht erst suchen. Selbst mit einer goldenen Mitgift würde sie keine Chance haben. Sie konnte sich ohne Hilfe nur wenige schleppende Schritte fortbewegen, für mehr brauchte sie jemanden, der sie trug oder fuhr. Das versprach keine guten Aussichten auf Mutterschaft, und viele verstanden ein solches Leiden als Strafe Gottes. Vielleicht gab es ihn trotzdem, diesen klugen, liebevollen … Es war vertrackt. Irgendwann, so hoffte Alberte, würden die Zeiten anders werden und auch eine solche Frau Liebe und Glück finden können. Alberte gab sich gerne schroff, so verbarg sie am besten ihr zuzeiten butterweiches Herz.

Was war denn so schlimm daran, wenn ein Mädchen schwache Beine hatte? Felice war ein so angenehmes und heiteres Kind, so voller Leben und Beweglichkeit. *Noch* war sie das. Ihre Mutter hatte es immer verstanden, ihr zu zeigen, was für ein wertvoller, geliebter Mensch sie war. Die liebe arme Madam Hegolt. Sie durfte nicht sterben. Sie war ein guter Mensch und das Licht dieses Hauses, was sollte werden, wenn sie nicht mehr da war? Alle liebten und brauchten sie. Jeder auf seine Weise und nach seinen Bedürfnissen. Die Kinder, der Ehemann, auch das Gesinde. Georgine und Emanuel, das jüngste und das älteste der Kinder, waren stark und gesund an Körper und Seele. Doch was sollte aus Felice werden? Wer sollte aus dem fröhlichen Kind eine fröhliche junge Frau machen, all die Demütigungen und Rückweisungen auffangen, die sie erfahren würde, und Trost spenden? Niemand verstand sich darauf wie Madam Hegolt. Sie konnte in die Herzen der Menschen sehen und fand so immer das richtige Wort, die richtige Geste oder Entscheidung. Das klang schwärmerisch? Es war trotzdem die Wahrheit.

Alberte steckte rasch eine der Ordnung entkommene Haarsträhne unter ihre Haube zurück, lauschte ein letztes Mal und drückte die Klinke zu Madam Hegolts Kammer herunter.

Wieder schlug ihr der Geruch von Krankheit entgegen, allerdings milder als beim letzten Mal. Vielleicht hatte sich doch jemand erbarmt, die Meyberg gar oder Monsieur Hegolt, und ein wenig frische Luft herein- und die krankmachende hinausgelassen.

Ina Hegolt lag erschöpfter als vorgestern in ihren Kissen, bleich wie das Leinen, die Lippen trocken und blutleer. Ihr Haar hatte immer einen warm glänzenden Goldton gehabt, nun war es schmutzig gelb und stumpf.

«Alberte?», flüsterte sie, als die Köchin behutsam näher trat. «Ist sie noch weg?»

«Ja, Madam. Sie war wieder ein Stündchen mit Felice aus, wie Ihr befohlen habt, Georgine, unsere kleine Stubenhockerin, hat sie heute begleitet. Nun fragt sie die Mädchen ihre Lektionen ab. Ich denke, sie braucht noch ein Weilchen, bevor sie zurück sein wird.»

«Und Emanuel?»

«Der Junge ist im Reitstall am Gänsemarkt, Madam. Sobald es wirklich Frühling ist, vielleicht schon in der nächsten Woche, wird der Reitlehrer mit ihm und einigen anderen Jungen durchs Tor hinausreiten, nach Eimsbüttel, glaube ich. Aber das weiß Monsieur Hegolt natürlich genauer, ich habe nur davon gehört. Ihr solltet Euch keine Gedanken um die Kinder machen, allen geht es gut, denkt lieber an Euch und Euer Wohlergehen. Damit Ihr bald gesund werdet.»

Ina Hegolt schloss für einen Wimpernschlag müde die Augen, als sei es schon Anstrengung, an Gesundheit nur zu denken. «Warum bist du nicht früher gekommen? Hattest du mich nicht verstanden?»

«Doch.» Alberte tupfte die Stirn der Kranken mit einem feuchten Tuch und berührte sanft ihre Wange. Sie wusste, dass ihr Ton vor falscher Munterkeit triefte, und hoffte, die Kranke werde es nicht merken. Leider war Madam Hegolt keine, die sich Theater vorspielen ließ, ohne es zu durchschauen. Selbst jetzt nicht.

Alberte war erschreckt. Es gab gute und schlechte Tage, heute war ein besonders schlechter. Diese Krankheit war ein unberechenbares, beständiges Auf und Ab. «Eine große Mattigkeit des Herzens», hatte einer der Ärzte die Achseln zuckend dem anderen zugeraunt, als sie durch die Diele zum Portal gingen und die Köchin übersahen wie ein Möbelstück.

Alberte war etwa im gleichen Alter, vielleicht sogar einige Jahre jünger als ihre Herrin, doch schon von Anfang an, als noch niemand an Schwäche und Krankheit dachte, hatte sie bis dahin kaum bekannte mütterliche Gefühle für Ina Hegolt gespürt, als müsse sie, eine Dienstbotin, die Kaufmannsfrau beschützen. Das war so lächerlich wie vermessen, trotzdem fühlte sie so. Jetzt erst recht. «Doch, Madam, ich war schon einmal hier», versicherte sie, «Ihr habt geschlafen, und ich wollte Euch nicht wecken. Schlaf ist doch die beste Medizin.»

«Dieser Schlaf nicht.» Ina Hegolt umklammerte mit überraschender Kraft Albertes Handgelenk. «Dieser nicht.» Ihr Blick flatterte zu dem braunen Laudanum-Fläschchen zwischen den anderen Dosen, Schachteln und Phiolen mit allerlei sinnvollen und sinnlosen, jedenfalls vergeblich verabreichten Mitteln und Arzneien. «Die Kinder. Du musst auf die Kinder achtgeben.» Ihre Stimme bat nicht, sie flehte, ihre Augen, eben noch matt, brannten dunkel, ihre Wangen und Lippen röteten sich.

«Natürlich, Madam, natürlich.» Alberte streichelte beruhigend die Hände der Kranken. «Sorgt Euch nicht, wir alle geben auf die Kinder acht, und bald könnt Ihr das wieder selbst. Dann ... schüttelt nicht den Kopf. Erinnert Ihr Euch an die Frau des Goldschmieds bei der Börse? Jetzt ist mir doch der Name entfallen. Egal, jedenfalls war sie noch schlimmer dran als Ihr, weit schlimmer. Ganze drei Wochen ohne Besinnung, und nun? Auf dem letzten Maskenball hat sie keinen Tanz ausgelassen. Man sorgt sich allgemein um Euch, ja, das tut man. Monsieur Pauli war hier und hat Genesungswünsche gebracht, auch von Madam Pauli, ja. Und er sprach von einer neuen Arznei, aus Frankreich, glaube ich, oder von den französischen Kolonien. Ich hab's in der Diele gehört.»

Ina Hegolt schüttelte unwillig den Kopf. Auf ihrer Stirn stand wieder Schweiß, ihr hager gewordenes Gesicht war wieder bleich wie zuvor, aus ihrem rechten Augenwinkel rann eine Träne und versickerte im Leinen ihrer Kissen.

«Hör mir zu», flüsterte sie atemlos und bedeutete Alberte, näher zu kommen. Als die sich hinunterbeugte, nahm sie leicht einen seltsamen Geruch wahr. Die Kranke war schwach oder furchtbar müde, ihre Zunge ging nur schwer und träge. «Hör mir zu», raunte sie, «wir haben jetzt nur wenig Zeit ... du musst ...» Ein heftiger Hustenanfall unterbrach sie, ihr dünner Körper bäumte sich mit jedem Hustenstoß auf. «Mademande

… wieder hier», flüsterte sie endlich. «Die Kinder. Felice, vor allem Felice. Du musst … du musst … Mademandae …»

«Alberte! Wie oft habe ich gesagt, hat *Monsieur* gesagt, man soll unsere verehrte Madam in Ruhe lassen?»

Verdammt, diese aufdringliche Meyberg. Sie war schneller zurück, als Alberte gedacht hatte. Hätte sie das dumme Soufflee doch zusammenfallen lassen, anstatt zu warten, bis es fertig und perfekt war. Hätte sie doch gewusst, dass heute einer der schlechten Tage war, oder wenigstens daran gedacht. Das würde ihr nun nicht mehr passieren, von nun an würde sie auf jede noch so kurze Möglichkeit lauern, sich ins Krankenzimmer zu schleichen.

«*Was* muss ich, Madam?», flüsterte Alberte eindringlich, von dieser Gans ließ sie sich nicht so einfach vertreiben. «*Was* soll ich tun?»

Ina Hegolt sah sie nur noch beschwörend an, und ihre Lippen formten etwas, das Alberte als «Madam» und dann etwas mit einem langen E las. Bedeutete das den Namen, den sie gerade genannt hatte? Es konnte auch etwas ganz anderes bedeuten.

«Wer?», flüsterte sie hastig. «Von welcher Familie? Und wo?»

Ina Hegolt schloss erschöpft die Augen, ihre Hand, gerade noch etwas zeigend erhoben, flatterte müde auf das Bett zurück. Einem Vögelchen mit gebrochenem Flügel gleich. Da umfasste Mlle. Meyberg mit festem Griff Albertes Arm und zwang sie einen Schritt zurück. «Willst du schuld sein, wenn es unserer lieben verehrten Madam schlechter geht?»

«Spielt Euch nur nicht so auf», zischte Alberte und rieb ihren schmerzenden Unterarm. «Und für Euch immer noch *Mamsell* Alberte! Merkt Euch das. Was glaubt Ihr eigentlich, wer Ihr seid!?»

Eine ganze Tirade an Gemeinheiten drängte über ihre Lippen, es wäre ihr ein inniges Vergnügen gewesen, sie gegen diese dumme Gans loszulassen, die es mit frommen Blicken und schleimigem Geschwätz verstanden hatte, Monsieur Hegolt für sich einzunehmen. Allein das leise Seufzen vom Bett der Kranken ließ sie mit einem wütenden Schnaufer schweigen.

Dafür erfreute sie sich an der Vorstellung, dem eitlen Fräulein eine tüchtige Portion Wunderbaumabsud ins Essen zu rühren. Sollte sie sich doch auf dem Abtritt in Krämpfen winden. Überhaupt war das keine schlechte Idee, dann hätte sie, Alberte, sogar für einige Stunden freie Bahn. Wirklich, ganz und gar keine schlechte Idee. Andererseits würde sie womöglich ständig nach Tee oder einem Wärmestein verlangen, nein, die Idee war doch nicht gut, sie musste sich etwas anderes einfallen lassen, etwas, das sie ungestört sein ließ. Eigentlich reichte es, wenn dafür gesorgt war, dass die Gouvernante mit den Mädchen an die frische Luft ging. Und wenn nicht – dann fiel ihr schon etwas anderes ein.

Bis Alberte ihre Küche im Souterrain erreichte, hatte sie einen Entschluss gefasst. Weder gehörte es zu ihren Aufgaben, noch ziemte es sich für eine Köchin, aber es musste sein. Sonst war niemand da, sich darum zu kümmern. Jedenfalls nicht, bis sie diese geheimnisvolle Person aufgespürt hatte, von der Madam Hegolt sich offenbar Hilfe erhoffte. Noch hatte sie keine vernünftige Idee, wie sie die finden sollte. Vielleicht phantasierte Madam Hegolt auch nur eine Person aus alter Zeit, so was kam bei Fieber häufig vor. Sie hatte es selbst einmal getan. Und wen konnte sie danach fragen? Da war nur Monsieur Hegolt, doch den zu fragen war gerade in dieser Angelegenheit unmöglich. Hätte seine Frau ihm vertraut, hätte sie nicht ihre Köchin um Hilfe bitten müssen. Plötzlich fröstelte es Alberte. Hier geschah etwas, das nicht geschehen sollte. Etwas, das über ihren Verstand ging.

Aber eines nach dem anderen. Sie wusste noch nicht, wie,

doch auf irgendeine Weise sollte es gelingen, die Kinder wenigstens für einige Minuten zu ihrer Mutter zu bringen. Und wenn es auch noch gelang, herauszufinden, wer oder was diese oder dieses «Amaa» war und wo sie suchen sollte, würde sie auch dafür sorgen, dass diese geheimnisvolle Dame das Krankenzimmer betreten konnte. Wenn es eine Dame war. Vielleicht ging es gar nicht um eine Bekannte oder doch eine bisher unbekannte Verwandte, sondern um eine von diesen Frauen, die manche Hexen nannten. Andere sagten weise Frauen oder Heilerin. Überhaupt war das eine bedenkenswerte Idee. Selbst wenn Madam etwas anderes gemeint hatte, konnte es nicht schaden, eine aufzutreiben und herzubringen.

Alberte war mit ihren zweiunddreißig Jahren eine rundum gesunde Person, sie hatte noch nie einen Doktor oder Wundarzt gebraucht, nicht einmal einen dieser Quacksalber, die ihre Dienste auf den Märkten anboten. Die alltäglichen Malaisen wusste sie wie die meisten Frauen selbst zu versorgen, sogar das schwere Fieber vor drei Jahren hatte sie ohne Hilfe solcher Männer überlebt. Oder gerade deshalb, davon war sie tatsächlich überzeugt. Da würde sie eher einer dieser Kräuterhexen vertrauen, manche, so hieß es, vollbrachten Wunder. Daran glaubte Alberte nicht, aber wenn sonst nichts half, war es einen Versuch wert. Sie hatte von einer Alten gehört, die auf dem Hamburger Berg lebte, kurz vor der Stadtgrenze von Altona im Dänischen. Sie gehörte lange genug zum Hegolt'schen Haus, um zu wissen, dass es allemal klüger war, dem Hausherrn gar nicht erst einen solchen Vorschlag zu machen. Diesmal musste sie alleine entscheiden. Und handeln.

Tagsüber hockte der Zerberus von Gouvernante im Lehnstuhl am Fenster, stickte, las in der Bibel, einer anderen erbaulichen Schrift oder heimlich in einem Roman und wachte über die Kranke. Oder wie sonst man es nennen wollte.

Und nachts – nun, nachts war der Ehemann an ihrer Seite.

Sie musste sich etwas einfallen lassen. Ob Kräuterfrau oder eine andere – irgendetwas. Bevor es zu spät war. Der Gedanke schnürte ihr die Luft ab, sie atmete heftig aus, zog den Schlüssel für den Vorratsschrank aus den Tiefen ihrer Schürzentasche und öffnete die obere Tür, hinter der sie auch die Liköre für ihre berühmten Kuchen und Puddings aufbewahrte. Sie entschied sich für den Himbeerlikör. Ein Schlückchen davon, besser zwei oder drei, gaben Alberte stets die förderlichsten Ideen ein. Die brauchte sie jetzt. Unbedingt. Und vor allem rasch.

Mittwochnachmittag

Ich konnte ihr Gesicht nicht richtig sehen, vielleicht hab ich mich doch geirrt.» Janne Valentins Stimme klang beschwörend. «Kann doch sein, oder? Verdammt, Mine, sag endlich was.»

Wilhelmine Cordes zog behutsam den hauchfeinen seidenen Faden weiter durch den Stoff, bis er – nicht zu stramm, nicht zu locker – am richtigen Platz lag. Es würde noch viele Fäden und geduldige Stiche erfordern, bis die Stickerei als die Blüte eines Anemonenröschens erkennbar war, zu der sie werden sollte.

«Nein», sagte sie dann, immer noch den prüfenden Blick auf ihrem Seidenfaden, «du hast dich nicht geirrt, Janne. Ganz sicher nicht, das weißt du auch.»

«Und woher weißt *du* das?»

«Es geht längst durch unsere Straßen. Hast du etwa nicht davon gehört?» Sie sah ihr Gegenüber an. Wer sie nicht kannte, würde in diesem Blick nichts lesen. Janne kannte sie gut, zumindest viele Jahre, was nicht immer dasselbe ist, sie wusste, dass dieser ausdruckslose Blick Missbilligung und Zorn bedeutete. Die Missbilligung mochte ihr gelten, der Zorn nicht. So hoffte sie. Früher hatte sie immer deutlich in Wilhelmines Gesicht lesen können, im Laufe der Jahre hatte sich das geändert. So wie auch sie beide und ihrer beider Leben sich geändert hatten.

Noch mehr, seit Wilhelmine ihren Kleinwarenladen nach dem Tod ihres Mannes allein weiterführte, zusammen mit den Handarbeiten, die sie in jeder freien Minute anfertigte, der Stickerei und Häkelei, ernährte ihre Arbeit sie selbst und ihr einziges Kind. Dass sie das Leben und ihre Geschäfte allein bewältigte, gab ihr keine besondere Befriedigung, das war ihr selbstverständlich, ihr Stolz galt einzig ihrem Sohn. Moritz war für seine zwölf Jahre groß und kräftig, wie seine Mutter von ruhigem, strebsamem Gemüt, zudem klug genug für die Lateinschule, das ehrwürdige Johanneum. Der Besuch war für den Sohn einer in so bescheidenen Verhältnissen lebenden Witwe durch einen Freiplatz möglich. Zum Glück seiner Mutter vergaß der Junge nie, durch unermüdlichen Fleiß und Gehorsam seinen Dank zu zeigen.

«Es heißt», fuhr Wilhelmine fort, «man hat eines der Mädchen der Paulis aus der Alster gezogen. Aus dem Eis. Das sei zuverlässig bezeugt. Und wer sonst soll es sein? Es ist eine einfache Rechnung: Wanda ist seit einigen Wochen verschwunden, wohl seit dem letzten Maskenball, die anderen Dienstboten der Paulis sind alle noch da.»

Sie legte ihren Stickrahmen auf den Tisch, behutsam und auf ein extra zu diesem Zweck ausgebreitetes Tuch, damit der kostbare Stoff keinen Schaden nehme, stand auf, zog einen Lappen aus einem in dem großen Regal verstauten Weidenkorb und reichte ihn Janne. Ohne diesen jedes Gefühl lähmenden Kummer hätte sie gelächelt. Janne hatte nie ein Taschentuch, wahrscheinlich besaß sie keines. Wenn sie eines brauchte, benutzte sie einen Schürzenzipfel oder ihren Ärmel.

Sie war eben wie ihre Nachbarn, die Leute in den Gängevierteln hielten so etwas für Getue. Oder für Luxus. Für die allermeisten von ihnen war es das.

Als Janne das Tuch nicht nahm, hob sie wie eine fürsorgliche Mutter sanft deren Kinn, wischte die Tränen ab und drückte ihr das Tuch in die Hand. «Die Nase musst du dir schon selbst putzen», sagte sie schroff, als müsse der Moment der Zärtlichkeit ungeschehen gemacht werden, und setzte sich wieder. «Dann trink endlich deinen Tee, kalt hat er nur die halbe Wirkung. Man soll Hagebuttentee nicht verschwenden, besonders am Ende des Winters. Ein paar Holunderbeeren sind auch drin, also trink.»

Janne leerte gehorsam ihren Becher, dann lehnte sie sich müde zurück. Sie war immer stolz auf ihre Bärennatur gewesen, auf ihre Zähigkeit. Und jetzt? Nur ein kleines Fieber, hatte sie sich zuerst gesagt, das kommt und geht und ist nicht schlimm.

Heute Morgen war die Versuchung, einfach liegen zu bleiben und Arbeit Arbeit sein zu lassen, beinahe übermächtig gewesen. Sie war trotzdem wie an jedem Morgen noch in der Dunkelheit unter ihrer Decke hervorgekrochen, hatte die Hände an der Feuerstelle gewärmt, in der noch ein bisschen Glut unter der Asche gloste, hatte einen Brocken des von gestern übriggebliebenen, längst fest gewordenen Buchweizenbreis durch den wunden Hals hinuntergewürgt und ein paar Schlucke Dünnbier dazu getrunken. Da hatte sie sich besser gefühlt und auf den Weg gemacht.

Als sie aus dem Gang, in dem sie wohnte, in den Berckhof eingebogen war, die Straße hinter der Jakobikirche, hatte sie den Duft frischgerösteter Kaffeebohnen gerochen, sehnsüchtig geschnuppert und sich schon von diesem Duft belebt gefühlt. Es würde schon gehen, hatte sie gedacht. Außerdem hatte sie keine Wahl.

Wenn sie wieder zu spät kam oder diesmal gar einen ganzen Tag ausblieb, war es mit der Arbeit bei dem Tabakfabrikanten endgültig vorbei. Die Arbeit war längst nicht so anstrengend wie manche andere, die sie hatte tun müssen, seit sie ein Kind gewesen war, sie mochte sie trotzdem nicht, was mehr an dem Fabrikanten als an der öden Arbeit mit dem Tabak lag. Mit ein bisschen Glück fand sie bald wieder eine andere, am liebsten in einer der Gärtnereien, dort arbeitete sie gern, obwohl es oft schwere Plackerei war. Bis dahin musste sie froh sein, wenn sie für Hartung Tabak schneiden durfte.

Und dann hatte Hartung sie wieder fortgeschickt. «Heute nicht», hatte er gesagt, «heute gibt es nichts zu tun.»

Sie war den halben Tag herumgelaufen und hatte in den Gärtnereien nach Arbeit gefragt, bei den Malthus hatte man ihr immerhin welche für den April in Aussicht gestellt. Oder Mai, das hänge auch vom Wetter ab, man werde sehen. Zwischendurch hatte sie sich in St. Johannis ausgeruht, die Kirche war natürlich genauso eiskalt wie die anderen, aber einer der Buchhändler, die dort ihre Stände hatten, hatte einen kleinen Kohleofen und nichts dagegen, wenn sie sich ein bisschen aufwärmte. Danach hatte sie es noch bei der Kunstblumenmanufaktur am Hafen versucht, dort hatte sie früher schon ausgeholfen, wenn besonders viele Pakete zu packen oder auszutragen waren. Madam Joyeux hatte den Kopf geschüttelt und verstohlen missbilligend auf Jannes schmuddelige raue Hände gesehen. Jetzt sei keine Saison, für eine zusätzliche Tagelöhnerin gebe es nichts zu tun.

Dann, endlich, hatte sie sich auf den Weg zu Wilhelmine gemacht. Sie wusste selbst nicht genau, warum sie nicht gleich am Morgen zu ihr gegangen war. Womöglich, weil oft etwas erst zur Wirklichkeit wurde, wenn man darüber sprach.

Der Tee war nur noch lauwarm und schmeckte muffig, wie es bei den letzten Vorräten hin und wieder vorkommt. Dann schwiegen die beiden Frauen im Hinterzimmer des Kleinwarenladens in der Grünstraße. Der enge Raum, zugleich Warenmagazin und Wohnstube, wurde durch das kleine Fenster nur notdürftig erhellt. In zwei Regalen lagerten ordentlich sortiert Schachteln und Beutel mit Stoffresten, Garnen, Bändern und Posamenten in verschiedensten Materialien und Farben, als besondere Kostbarkeit sogar aus feiner Lyoner Seide, in anderen Fächern dünne Ballen von zumeist einfachen Stoffen.

Das Schmuckstück des Raumes war eine hölzerne Bank mit geschwungenen, immer noch stabilen Beinen und geschnitzter Rückenlehne, an der Wand darüber hing ein gerahmtes Stickmustertuch. Es bezeugte weniger Phantasie als Akkuratesse und so die Gewichtung der Talente der Mieterin dieser Räume.

Die Stille lag plötzlich bleiern im Raum. Janne hätte gerne das Fenster geöffnet, doch das schätzte Wilhelmine nicht. Der Hof hinter dem Fenster mündete in einen weiteren, der zu einer Gerberei gehörte, die war nur klein und erzeugte wenig Leder, der Gestank war trotzdem übel, selbst in den kalten Monaten. So saßen die beiden Frauen bewegungslos, wie auf einem Bild, bis Wilhelmine sich über die Schachtel auf dem Tisch beugte, in der akkurat sortiert weiße und bunte Garne lagen. Sie entschied sich für einen blassroten Faden, griff wieder nach ihrem Stickrahmen, noch in Gedanken und ohne ernste Absicht, ihre Arbeit fortzusetzen.

«Erzähl mir nochmal genau, was du gesehen hast», sagte sie, während sie die Nadel ins Licht hielt und den Faden durch das Öhr schob. «Aber zuerst: Wieso warst du am Vormittag überhaupt an der Alster? Ich dachte, du arbeitest jetzt bei Hartung. Warum warst du nicht dort?»

«Wenn's dich auch überhaupt nichts angeht, wo ich vormittags bin und was ich tu, Hartung gehn die Vorräte aus. Weil schon so lange keine Schiffe mehr einlaufen, ist sein

Tabaklager fast leer, dann gibt's auch keine Arbeit für mich. Nächste Woche vielleicht, hat er gesagt. Nächste Woche kann ich wiederkommen.» So bekümmert Janne auch sein mochte, es bedurfte nur einer unbequemen Frage, und schon waren ihre Lebensgeister geweckt, besonders ihr Widerstandsgeist. «Ich wollte auf dem Holzplatz nur einen Korb Torf kaufen. Manchmal, wenn der Aufseher gute Laune hat, macht er mir einen besonderen Preis, er ist ein alter lahmer Kerl, aber er weiß, was es wert ist, wenn er mal was Hübsches zu sehen bekommt. *Zu sehen!*, Wilhelmine. Guck nicht gleich wie 'ne fromme Stiftsdame. Zu sehen, mehr nicht. Falls du's vergessen hast, das ist billig für einen satten Preisnachlass und eine warme Stube.»

«Stimmt, fast hätte ich's vergessen.» Wilhelmine nickte und stach mit der Nadel durch den feinen Stoff. «Aber nur fast. Glaub mir, nur fast.»

«Dann vergiss es nur nicht ganz», fuhr Janne halbwegs besänftigt fort. «Ich wollte also Torf kaufen. Da waren viele Leute an der Alster, zuerst hab ich mir aber gar nichts gedacht, zuerst hab ich auch nichts gesehen. Irgendeine Frau, keine Ahnung, wer die war, hat gesagt, die Soldaten ziehen da eine aus dem Wasser. ‹Wasser?›, hab ich gesagt. ‹Die Alster ist doch zugefror'n.› – ‹Aber das Eis schmilzt schon›, hat die Frau gesagt, ‹und 'ne Dame auf Schlittschuhen hat was entdeckt, da haben sie die Soldaten geholt, die hacken jetzt das Eis auf und holen sie raus.› So war's auch. Als es so weit war, da hab ich den Rock gesehen, ich hab gleich an Wanda gedacht, aber nein, hab ich mir gesagt, das kann ja nicht sein. Und dann waren da die Haare, so lang und blond, wer hat die sonst? Und dann so nah bei dem Haus der Paulis. Da hab ich mich nach vorn zum Ufer durchgedrängelt, und dann – verdammt, Mine, hör doch mal auf mit der dämlichen Stickerei. Wanda ist tot, und du stickst und stickst und stickst.»

«Das ist meine Arbeit, Janne, kein Vergnügen. Wanda ist tot, ja, soll ich nun die Hände in den Schoß legen? Was erwartest du? Was soll ich tun? Oder wir?»

«Ich weiß es nicht. Du bist doch die Schlauere.» Janne stand auf und begann unruhig in der engen Stube hin und her zu gehen, zwei Schritte hin bis zur Truhe und der knarrenden Diele unter dem Fensterchen, zwei zurück bis zum Ofen neben der Tür, zwei Schritte bis zur Truhe …

Wilhelmine sah dieser unruhigen Wanderung eine Weile zu. «Setz dich», sagte sie dann. «Bitte. Du machst mich ganz rappelig.»

Janne war zu aufgewühlt, um still zu sitzen, aber sie hörte auf, hin und her zu gehen, und lehnte sich gegen eines der Regale. «Ich hab gedacht, sie hat es gut gemacht und ist wirklich abgehauen», sagte sie mit rauer Stimme. «Klar, ich war auch wütend, als sie plötzlich weg war, ohne uns was zu sagen. Ohne Abschied, dazu bei so eisigem Wetter. Aber ich fand es gleich seltsam, als die von ihrem Haus zuerst sagten, sie wissen nicht, wo sie ist, und dann verbreitet ihre Hausfrau, diese hochnäsige Pauli, Wanda ist nicht mehr in der Stadt. Sie lebt jetzt bei ihrer Schwester in Nürnberg, soll sie gesagt haben. Hat man so was Verrücktes schon gehört? Ihre Schwester! Die muss doch gedacht haben, was wir gedacht haben. Und dann kommt sie mit Nürnberg! Schlau, das muss man ihr lassen. Wer kennt sich schon in einer Stadt aus, die so weit weg ist? Ich wusste gar nicht, dass es eine gibt, die so heißt.» Janne kannte die Namen vieler Hafenstädte, sogar einiger jenseits des Ozeans, aber der Süden des Reiches, dazu in der Mitte des Kontinents, war für sie eine so unbekannte wie uninteressante Weltgegend. «Und jetzt – in der Alster und …»

Der unbeendete Satz hing in der Luft wie klebrige Spinnweben in dunklen alten Gewölben. Die beiden Frauen schwiegen wieder, sie sahen einander nicht an. Vielleicht dachten beide das Gleiche.

«Wanda ist nicht einfach nur tot», flüsterte Janne schließlich. «Hast du *das* auch gehört? Auf unseren Straßen?»

«Ja.» Wilhelmine ließ ihre Arbeit sinken und blickte Janne an, wieder mit diesem ausdruckslosen Blick. «Ja. Das habe ich auch gehört. Jemand hat sie getötet. Was auch sonst? Sie war keine, die ihr Leben müde war. Sie war immer froh. Ich habe nie verstanden, wo sie ihre beständige Heiterkeit hernahm.»

Diesmal war es an Janne zu schweigen. Beständige Heiterkeit? Das stimmte nicht. Wanda hatte auch dunkle Tage gehabt. Davon wollte Mine nichts wissen, hatte sie nie gewollt.

«Und jetzt?»

«Was meinst du mit ‹Und jetzt?›?» Endlich schwang in Wilhelmines Stimme doch Ungeduld mit. «Da gibt es für uns nichts zu tun. Jetzt nicht und zukünftig nicht. Außer trauern. Oder willst du zu diesem dicken kleinen Weddemeister gehen? Genau», fuhr sie nachdrücklich fort, als Janne nur schweigend den Kopf senkte, «genau. Was sollten wir dem auch zu erzählen haben? Gar nichts.»

«Gar nichts», bestätigte Janne. «Natürlich. Gar nichts. Es ist nur – ich habe wieder an Elfchen gedacht. Da dachte ich, erst Elfchen, jetzt Wanda, das ist doch …»

«Unsinn! Nur blanker Unsinn! Elfchen ist vor mehr als zehn Jahren gestorben. Du weißt genau, wie krank sie war. Und diese Schweine, bei denen sie leben musste und schuften, bis sie nur mehr ihr eigener Schatten war, haben nichts getan, ihr zu helfen. Nichts! Für die war sie nur billig. Und wehrlos. Ohne Hilfe. Und leicht zu ersetzen.»

Da gab sich Janne einen Ruck und tat, was sie seit etlichen Jahren nicht mehr gewagt hatte. Sie umarmte Wilhelmine, nahm sie einfach in die Arme, umschloss und hielt sie fest und warm, bis Wilhelmine nicht mehr in ihrem plötzlich aufbrechenden Zorn bebte und sie sich freimachte. Niemand hatte das zarte Elfchen so geliebt wie Mine, doch anders, als Janne angenommen hatte, hatte sie nicht geweint. Jetzt nicht.

«Ich muss wieder in meinen Laden.» Wilhelmines Stimme klang nur wenig belegter als gewöhnlich, sie neigte sich lauschend zur Tür. «Das sind mehr als zwei, sogar mehr als drei Stimmen. Das schafft Regina nicht allein. Am besten nimmst du den Weg durch die Küche und die hintere Pforte», fügte sie hinzu. «Es ist ja gerade noch hell, da findest du den Weg durch die Höfe leicht.»

Janne war nicht beleidigt. Der bescheidene Laden ernährte Wilhelmine und ihren Sohn knapp, es würde für ihre Geschäfte wenig förderlich sein, wenn eine wie sie aus dem Hinterzimmer kam. Sie wusste, dass sie nicht wie ein Muster an Reinlichkeit wirkte, keiner aus den Gängevierteln tat das, dort gab es nun mal zu viel Schmutz und zu wenig reines Wasser, besonders, wenn auf den Fleeten noch Eis war.

Als Janne in den Hof trat, ging im Westen, weit hinter der Elbe und den roten Dächern, die noch winterlich blasse Sonne unter. Der Lärm der Stadt klang nur gedämpft herein, und die Ausdünstungen der Gerberei waren für ihre an üblen Gestank gewöhnte Nase unerheblich, umso mehr, als sie sich mit dem Geruch der Holz- und Torffeuer vermischten, deren Qualm aus den Schornsteinen aufstieg. Wenn sie vor der Dunkelheit zu Hause sein wollte, musste sie sich beeilen. Sie seufzte, und ihre Schritte wurden langsamer.

Zu Hause. Dort war niemand. Es wurde erst wieder zu einem Zuhause, wenn Matthes und Jakob zurück waren oder ihre Tochter wieder im Land und an einem ihrer seltenen freien Tage zu Besuch kam – Anna, schon eine junge Frau von vierzehn Jahren in guter Stellung. Anna würde nie erleiden, was Elfchen passiert war. Für Anna gab es jemand, der aufpasste und da war, wenn ihr ein Unrecht geschah.

Sie eilte lächelnd weiter. Anna war klug, fleißig und sauber. Vor allem aber war sie eine aufrechte junge Person, die sich nicht leicht beugen ließ. Janne war stolz auf ihre Tochter und ganz besonders darauf, auf dieses Aufrechte. Ihr eigenes Leben war kein Honigschlecken, trotzdem war es alles in allem nicht so schlecht, wie es hätte werden können. Ein besseres hatte das Schicksal für sie eben nicht bereitgehalten, sosehr sie sich auch abgerackert hatte. Aber die beiden ihrer fünf Kinder, die ihre ersten Jahre überlebt hatten und zu gesunden jungen Menschen herangewachsen waren, würden es besser haben. Sie würden es schaffen, ganz sicher. Dafür hatte es sich alles gelohnt.

Manchmal erinnerte ihre Tochter sie an Elske, ja, ein bisschen war Anna tatsächlich, wie Elske in diesem Alter gewesen war. Erst bei diesem Gedanken fiel ihr auf, dass Wilhelmine nicht gefragt hatte, ob sie auch auf dem Borgesch gewesen war, ob Elske, die ja vor den Toren lebte und der vieles, was in der Stadt geschah, entging, von Wandas Tod wusste.

Sie hatte es vergessen. Oder es war ihr egal. Auch das war möglich, bei Wilhelmine konnte man da nie sicher sein.

Ein paar Gassen und Brücken weiter südlich auf der Wandrahminsel hing eine andere Frau ihren und damit ganz anderen Gedanken nach. Um ein paar Torfsoden oder eine Kerze musste Augusta Kjellerup sich keine Sorgen machen. Die Räume, in denen sie sich aufhielt, waren stets angemessen geheizt, sie war zeit ihres langen Lebens immer satt geworden, sie hatte niemals andere als reine Kleidung aus guten Stoffen getragen, die sie auch nie selbst hatte waschen müssen. Wenn sie ausgehen wollte und ihre Füße zu müde waren, ließ sie Brooks mit der Kutsche vorfahren, war der Weg nur kurz, bestellte sie eine Sänfte. Anders als die meisten Damen ihrer wohlhabenden Bekanntschaft wusste sie das als Bequemlichkeit zu schätzen. Augusta ging mit wachen Sinnen durch die Welt, sie übersah nie, dass es auch in dieser reichen Stadt mehr Elende als Glückliche gab, und sie wusste, wie schmal der Grat dazwischen sein konnte. Dass Wohlstand und Glück nach dem Maß der persönlichen Frömmigkeit und Verdienste verteilt wurde, glaubte sie schon lange nicht mehr. Dann müssten einige der Reichsten bettelarm und voller Jammer sein.

Augusta war als junges Mädchen nach Kopenhagen verheiratet worden, weil es den Geschäften ihrer Familie förderlich war. Als schüchternes, überaus gehorsames Kind wäre ihr niemals eingefallen, ihren Eltern zu widersprechen, besonders in einer so wichtigen Angelegenheit. Der Himmel war auf ihrer Seite gewesen – sie hatte sich in Thorben verliebt und er sich in seine Braut. Sie waren glücklich geworden, im Vergleich zu ihrem nun schon so langen Leben für viel zu kurze Zeit. Drei ihrer vier Kinder starben, noch bevor sie lesen und schreiben konnten, an Scharlach, der Jüngste blieb dann mit fünfzehn Jahren auf seiner ersten Fahrt auf See. Wenige Jahre später hatte auch ihr Mann sie verlassen – so hatte sie es empfunden. Es war nur ein Zufall, dass er just auf dieser Fahrt an Bord war, als eines seiner Schiffe in der Biskaya unterging. So wenig wie die glücklichen Zeiten würde sie die dunklen Jahre vergessen, am wenigsten dieses besonders schwarze, als er sie allein zurückgelassen hatte.

Irgendwann war ihre Welt wieder heller geworden, irgendwann hatte sie für das dankbar sein können, was ihr Leben zuvor so reich gemacht hatte. Auch für das, was Thorben ihr hinterlassen hatte: die Erinnerung an seine Liebe und wärmende Gegenwart, seine Heiterkeit und Zuversicht, die sie sich zu eigen gemacht hatte. Und den Reichtum, der ihr ein komfortables Leben ermöglichte. Sie hatte nie auch nur erwogen, ein zweites Mal zu heiraten, obwohl es an Bewerbern nicht gefehlt hatte, wie bei jeder wohlhabenden Witwe.

Sie hatte lange gezögert, bevor sie nach Hamburg zurückkehrte, in die Stadt ihrer Kindheit und Jugend, ihr behaglich geruhsames Witwendasein hatte ihr gefallen. Tatsächlich war es ziemlich langweilig gewesen, womöglich war sie nicht nur in das turbulente Haus am Neuen Wandrahm eingezogen, weil ihr Neffe Claes seinerseits verwitwet war und erfahrene weibliche Hilfe bei der Führung seines großen Haushalts und der Erziehung seiner Kinder, insbesondere seiner Tochter Sophie brauchte. Nun war sie hier glücklich, offenbar hatte sie dazu ein besonderes Talent. Himmel, ja, es waren turbulente Jahre gewesen, inzwischen ein gutes Jahrzehnt, und genau das hatte sie genossen. Da war zuerst Sophies Hochzeit und ihre Übersiedlung nach Lissabon gewesen, der Skandal der Scheidung, der vielleicht noch größere Skandal ihrer neuen Verbindung mit einem Handelskapitän, der genau genommen eher ein Freibeuter des englischen Königs gewesen war.

Und Anne Roberts. Bei diesem Gedanken wurde Augustas Lächeln breit und warm. Es hatte einiger Nachhilfe und Schubse bedurft, bis Claes endlich begriff. Fast wäre es zu spät gewesen, aber alles war gut geworden und aus Anne Roberts Madam Herrmanns. Augusta liebte Anne wie eine Tochter, die sie nicht hatte.

Sicher war auch das ein Grund, warum sie seit einigen Jahren zur heimlichen Gönnerin des Waisenhauses geworden war. Ihre eigenen Kinder hatte sie verloren, diesen fremden, kleinen Menschen ohne Familien wenigstens mit ihrem Geld ein wenig zu helfen tat ihr wohl. Sobald Anne mit Elsbeth von Jersey zurück war, würde sie auch dafür sorgen, dass wieder ein Kostkind als Hilfe für die Küche ins Haus kam. Niemand konnte besser für so ein Mädchen sein als Elsbeth, schließlich war sie vor sehr vielen Jahren selbst auf diese Weise in das Haus am Neuen Wandrahm gekommen.

Es war auch Elsbeth gewesen, die sie darauf aufmerksam gemacht und mehrfach nachdrücklich daran erinnert hatte, dass es im Waisenhaus immer an irgendetwas fehlte. Inzwischen war Augusta dafür berüchtigt, dass sie, wo immer sie eingeladen wurde, irgendwann das Gespräch auf die Kinder brachte, deren Wohl von der Nächstenliebe fremder Leute abhing. In einigen Häusern hatte es schon Debatten gegeben, ob man Madam Kjellerup weiterhin einladen wolle und, wenn ja – natürlich ja! – neben wen man sie bei Tisch am besten platziere, besser neben einen Schwerhörigen oder einen Prediger, der durch sein ganzes Leben und Wirken sozusagen die Verkörperung der Nächstenliebe war und, deshalb nicht zu weiterer Mildtätigkeit überredet werden durfte.

In diesen Wochen ging es um neue Kleider und Strümpfe für die Mädchen, wobei die Strümpfe fast noch wichtiger waren als die Röcke, Leibchen und Blusen, denn die sollten nun endlich von besserer Qualität sein. In den letzten Jahren waren die Strümpfe von harter isländischer Wolle gewesen, ob des geringeren Preises wegen von gestorbenen Schafen und somit voller Ungeziefer, zudem so rau, dass kaum eines der Kinder ohne wunde oder gar blutige Füße davongekommen war. Natürlich mussten diese Jungen und Mädchen Bescheidenheit lernen, aber alles hatte Grenzen, und wunde Füße konnten zu übleren Krankheiten führen. Die neuen Strümpfe sollten aus besserer Wolle gemacht werden. Ähnlich verhielt es sich mit den Schuhen, von denen viele noch aus so hartem Leder waren, dass die Kinder sich leicht daran verletzten. Immer wenn nun neue gemacht werden mussten, sollte der Schuster besseres, nämlich weicheres Leder verwenden. All das kostete.

Bei früheren Besuchen im dem großen alten Backsteinhaus

am Ende des Rödingsmarktes war Augusta stets nur im Zimmer des Ökonomen oder des Schreibers gewesen. Diesmal wollte sie die Gelegenheit nutzen, das ganze Haus zu sehen, sie wollte wissen, wie die Kinder wirklich lebten. Und arbeiteten. Auch das.

Der Ökonom hatte dienernd zugestimmt, versichert, es sei ihm eine Ehre, und dabei ausgesehen, als habe er in eine Zitrone gebissen. Was Augusta wiederum zu einem zuckersüßen Lächeln Anlass gegeben hatte. Der Ökonom und seine Frau verrichteten ihre Arbeit gut, sie standen im Ruf absoluter Untadeligkeit. Die wöchentliche Abrechnung der Einnahmen wie der Ausgaben und die Vorlage der Bücher zur Kontrolle durch die Revisoren hatte nie Anlass zu Beanstandungen gegeben. Das jedenfalls hatte sie gehört, und es bestand kein Grund, zu zweifeln.

Gleichwohl – Spender sollten spenden. Das war genug. Alles andere störte nur die Arbeit und den zum Wohl der Kinder strikt geordneten Tagesablauf. Je älter Augusta wurde, umso amüsanter fand sie es, strikt geordnete Abläufe in Unordnung zu bringen. Das wäre als Grund für ihren Besuch dann doch zu albern gewesen, sie war nur neugierig. Augusta hatte so viel Unterschiedliches über das Leben der Waisenkinder gehört, nun wollte sie es selbst sehen. Es würde flüchtig genug sein, aber besser als nichts.

Als Molly darum bat, sie begleiten zu dürfen, hatte sie sich zunächst gewundert. «Warum?», hatte sie gefragt, und Molly hatte mit ihrem unbefangenen Kinderlächeln geantwortet: «Aus reiner Neugier, Madam Augusta. Unsere Konditorei ist nur wenige Häuser entfernt, ich habe oft gesehen, wenn die Kinder ausgeführt wurden, stets zwei und zwei in der langen Reihe, und sie haben mich immer gedauert. Sicher werden sie dort so versorgt, wie es nötig ist, aber es ist doch zugleich ein halbes Gefängnis, dieses Haus, findet Ihr nicht?»

Ein paar Mal habe sie gesehen, wie eines oder auch mehrere Kinder aus einem Seitenfenster auf die Straße geklettert seien. Einmal sogar in der Nacht, als sie nicht habe schlafen können und aus dem Fenster ihrer Kammer gesehen habe. «Seltsam», hatte sie da gesagt, «erst jetzt fällt mir auf, dass ich nie welche gesehen habe, die auf dem gleichen Weg zurückgeklettert sind.»

Ja, Augusta freute sich auf den morgigen Tag, und Mollys Begleitung würde angenehm sein. Der Schmerz über den Tod ihrer eigenen Kinder, sie nicht als Erwachsene und selbst als Eltern zu sehen, würde nie vergehen. Aber anders als in den ersten Jahren nach Thorbens und Svens Tod, konnte sie das Glück der Kinder anderer Leute nicht nur ertragen, sondern sich auch darüber freuen. Dass ihre eigenwillige Großnichte Sophie mit ihrem hinreißenden Kapitän und ihren Kindern jenseits des Ozeans in den amerikanischen Kolonien lebte, war nun eines ihrer wenigen echten Kümmernisse.

Gleichzeitig wusste sie, dass Sophie dort glücklicher war, als sie hier an der Elbe je hätte werden können. Nicht nur, weil sie von jeher abenteuerlustig war und ihr zweiter Ehemann Jules Braniff selbst einer alten Witwe wie Augusta versonnene Seufzer entlocken konnte, vor allem weil eine Frau hier niemals respektiert und glücklich leben konnte, nachdem sie ihren ersten Mann verlassen hatte und umgehend mit einem anderen durchgebrannt war.

Natürlich brauchte eine Gemeinschaft verbindliche Regeln und Sitten, Verbote und Strafen. Diese Gnadenlosigkeit jedoch, mit der verurteilt und ausgestoßen wurde, wer sich eine Handbreit über den begrenzenden Rand herrschender moralischer Gebote hinwegsetzte, erschien ihr altväterlich und häufiger bigott als moralisch gerecht.

Es hieß zwar, dort drüben in den Kolonien gebärde sich die gute Gesellschaft – oder die, die sich dafür hielt – noch weitaus spröder als die hanseatische, aber Sophie und Jules Braniff hatten offenbar eine Nische gefunden, eine Region weiter im Süden, in der sie geachtet und inmitten befreundeter Familien leben konnten. Es war ja leicht dahergesagt, dass man sein eigenes Leben lebe und sich nicht um Klatsch und Zu- oder Abneigung der Nachbarn schere. Und sehr schwer getan.

Sie trat ans Fenster ihres Salons und blickte hinaus in die beginnende Dämmerung. Sie erinnerte sich an Zeiten, da sie diese Stunde gefürchtet und gehasst hatte, wenn das Licht diffus wurde und die klaren Bilder in Schemen verwandelte, wenn die Dunkelheit lauerte und unaufhaltsam heranschlich. Heute mochte sie die sanfte Wehmut dieser Stunde und beobachtete gern, wie hinter den Fenstern der Nachbarhäuser das Licht der Kerzen und Lampen warm zu schimmern begann.

Es war noch zu hell für die trauliche abendliche Beleuchtung, etwas anderes zog ihre Blicke an. Trotz der Fuhrwerke und Karren, Fußgänger und wenigen Reiter entdeckte sie auf der anderen Straßenseite eine rundliche Gestalt mit kleiner weißer Haube. Unter ihrem bis über die Taille hinabreichenden dunklen Schultertuch blitzte ein blassblau und weiß gestreifter Rock hervor, wie ihn das Herrmanns'sche Hauspersonal trug. Das konnte nur Molly sein, und tatsächlich, als sie sich halb umwandte, und zwar zu einem Mann, der offenbar auf sie gewartet hatte, erkannte Augusta ihr Profil.

Der Mann war jung, er hatte seinen Umhang über die Schulter zurückgeschlagen, der Dreispitz klemmte unter dem linken Arm. Er schien recht hübsch, genau war das leider nicht zu erkennen. Wer mochte das sein? Jedenfalls keiner der jungen Männer aus den Nachbarhäusern, die kannte sie alle, Herrschaften wie Dienstboten. Nun lächelte er auf Molly, die einen halben Kopf kleiner war, hinunter, er schwieg, sie redete eifrig – da wandte Augusta sich ab.

Sie hatte sich bei dem Wunsch ertappt, das Fenster einen Spaltbreit zu öffnen und zu lauschen. Wie eine alte Klatschbase, die sonst nichts zu tun und zu denken hatte, das war niederträchtig. Aber eigentlich – eigentlich wäre es doch recht nett gewesen.

Am besten Honig. In heißem Wasser und mit 'n paar Tropfen Branntwein. Wirkt Wunder. Noch besser in heißer Milch, die ist ja immer gut. Ich mein richtige fette, nicht das verwässerte Zeug, wie sie's Leuten wie uns verkaufen. Geht's wieder?»

Janne Valentin nickte, obwohl sie nur vage wusste, was der Flickschuster gesagt hatte. Wann hatte sie sich je so schwach gefühlt? Ihre Beine waren kraftlos, in ihrem Kopf machte sich Nebel breit. Sie durfte nicht krank werden, jetzt nicht.

Es gab graue Tage, an denen haderte sie mit sich und dem Schicksal. Andere hatten es zu einer ordentlichen Wohnung, Federbetten und hübschem Geschirr gebracht. Ihre Wohnung verdiente diese Bezeichnung kaum, und der Untermieter, den sie für die Zeit aufgenommen hatte, bis ihr Mann und ihr Sohn von See zurückkamen, war seit vorgestern verschwunden. Samt der letzten Wochenmiete. Natürlich ging es vielen in der Stadt ebenso, vielen auch schlechter. Aber anders als die hatte sie eine Chance auf ein besseres Leben gehabt und nicht verstanden, sie zu nutzen. Sie war zu dumm gewesen, zu vertrauensselig. Vielleicht auch nur zu verliebt. Das war viele Jahre her, und an neuneinhalb von zehn Tagen fiel Janne immer gleich ein, wie froh und dankbar sie sein konnte, denn später hatte sie Matthes getroffen. Noch nach all den Jahren fühlte sie ein Schaudern, wenn sie daran dachte, wo sie sonst gelandet wäre. Zum Glück kam das selten vor.

Wenn dieser vermaledeite endlose Winter vorbei und die

Elbe endlich wieder eisfrei war, wurde alles besser. Dann kamen Matthes und Jakob zurück und brachten ihre gute Heuer mit. Der Wasserschout hatte erzählt, ihr Schiff liege vor Brunsbüttel und warte, bis die Elbe wieder schiffbar sei. Sie vermisste ihren Mann immer, wenn er auf See war, nie zuvor hatte sie jedoch so sehnsüchtig auf seine Rückkehr gewartet wie in diesen Tagen. So sehr, dass sie schon zweimal geglaubt hatte, ihn in der Menge am Hafen zu sehen. Nur ein Wunschbild, was sonst?

Es musste noch einige Zeit dauern, mit Glück und endlich warmem Wetter nicht mehr lange. Das Eis brach schon. Dann war er wieder da, gesund und voller Geschichten, so wie immer, wenn er heimkehrte. Nur brachte er diesmal auch ihren Sohn mit zurück, voll Stolz von seiner ersten Fahrt. Etwas anderes verbot sie sich zu denken. Von kaum einer Fahrt kehrte die Mannschaft vollzählig oder auch nur gänzlich unversehrt zurück, aber Matthes war so zäh wie sie und Jakob ihrer beider Sohn. Es konnte gar nicht anders sein: Bald waren sie zurück. Und bevor sie wieder auf einem Schiff anheuerten, konnten sie in die bessere Wohnung umziehen. Matthes hatte es versprochen.

Just bei diesem Gedanken war ihr schwindelig geworden, und sie war dem Flickschuster in seinen Arbeitsplatz gestolpert.

Er hatte gelacht und sie genötigt, sich zu setzen, nur für einen Moment, sie sei ja bleich wie 'ne geschälte Gurke. Es hatte wohlgetan, eine bekümmerte Stimme zu hören, die nur ihretwegen bekümmert war.

Sie kam häufig an seiner Werkstatt vorbei, einem kargen Raum neben der Hofdurchfahrt zum Brauer und Weinhändler in der Niederstraße. An den meisten Tagen verrichtete er seine Arbeit bei weit geöffneter Tür oder gleich ganz davor, wegen des besseren Lichts und weil er gerne mit Passanten oder Nachbarn schwatzte. Das tat er, ohne seine Arbeit zu unterbrechen, jedenfalls wenn er welche hatte, was nicht immer der Fall war. Dann strickte er Wollstrümpfe, die seine Frau oder eine seiner vier Töchter mit ihren Strickwaren auf den Märkten verkaufte. Da er längst mit seinen Nadeln aus poliertem Holz hantieren konnte, ohne hinzusehen, erlaubte das Stricken ihm nicht nur, zu hören, was um ihn herum vorging und was man ihm erzählte, sondern es auch zu sehen. Der Flickschuster in der Niederstraße gehörte zu denen, die immer wussten, was in der Stadt vorging, das Wichtige und das Unwichtige, und ihr Wissen wie ihre Überlegungen bereitwillig weitergaben. Das entsprach nicht immer den Tatsachen, aber die menschliche Seele verlangt nach Abenteuer, nach Aufregung, nach Rührung – was also sollte man tun, wenn das tatsächlich Geschehene allzu gewöhnlich war?

Janne wusste nicht, wie er hieß, aber er war ein freundlicher Mann, was man von manchen, deren Namen sie sehr genau wusste, nicht sagen konnte. Sie hatte sein Angebot, für einen Moment in seiner Werkstatt zu verschnaufen, gerne angenommen. Obwohl dies einer der Tage war, an denen er nur Strümpfe strickte, trug er seine lederne Schürze, seine alte Joppe war dick genug, kaltem Wetter zu trotzen. Unter seinem runden Filzhut mit schmaler Krempe sah nur bis knapp über die Ohren reichendes ergrauendes Haar von der Farbe staubiger Feldmäuse hervor.

Er saß wie so oft auf einem Hocker in der offenen Tür und hatte für sie den zweiten herangezogen. Sie sahen auf das Gewimmel auf der Straße, und Janne hörte ihm zu, nur mit halbem Ohr, so klang sein Geplauder friedlich wie das Plätschern eines Baches im Sommer. Er erzählte, dass gutes Leder wieder teurer geworden sei, wie meistens am Ende des Winters auch Holz und Torf, was wirklich eine Schande sei. Dass seine Tochter nun eine Stellung gefunden habe, höchste Zeit, sie sei ja schon zwölf, dass manche das Ende der Karnevalszeit verschlafen hätten, gestern Nacht habe er aus dem Fenster gesehen, da strichen just zwei Kerle mit Masken vorbei. In Venedig, hatte ihm der Handelslehrling vom Seidenhändler Pauli erzählt, sei das nach dem Karneval verboten. Aber was wisse schon so ein Jüngelchen, so einer tue sich nur wichtig.

Seine Worte hatten Jannes nun wieder wachen Geist erreicht, sie überlegte kurz, warum ihr das mit dem Karneval vertraut vorkam, dann dachte sie an die Zeit, dass es bald dunkel sein werde, und wollte aufstehen.

Nein, sie solle besser noch sitzen bleiben und sich ausruhen, sie sei schon weniger bleich, ein oder zwei Augenblicke mehr, und sie würde sich wieder kräftig fühlen, just wie man es sonst an ihr gewöhnt sei.

Als sie widersprach und versicherte, sie müsse wirklich weiter, man sorge sich sonst um sie, zeigte er ein verschmitztes Lächeln, was wiederum eine breite Zahnlücke im rechten Oberkiefer sichtbar machte. «Das mag wohl sein», sagte er, «wenn dein Mann schon wieder da ist. Aber wie soll das gehn? Wo die Elbe noch voll Eis ist und kein Schiff durchkommt.»

Da lachte sie und ließ sich wieder auf den Hocker fallen. Und fragte sich nicht, wieso er so viel von ihrem Leben wusste.

«Nur ein Schlückchen auf den Weg», raunte er, kniff verschwörerisch ein Auge zu und drückte ihr einen schlanken, gerade eine Handspanne hohen Krug in die Hand.

Janne zögerte. Trotz des bitteren Geruchs, der daraus aufstieg, hätte sie gerne einen Schluck getrunken, aber hier, wo es jeder sehen konnte? So weit würde sie es nicht kommen lassen. Bei ihrem Glück erkannte sie just in dem Moment einer der Passanten, und Anna würde hören: «Deine Mutter säuft mit dem Flickschuster.» Und Matthes würde man bei seiner Rückkehr schon im Hafen zutragen, seine Frau trinke mit anderen Männern, und alle könnten es sehen.

Andererseits roch es aus der Flasche eher nach Medizin als nach Fusel. So drehte sie der Straße den Rücken zu, nahm hastig einen tiefen Schluck – und bereute es sofort. Tränen schossen ihr in die Augen, ihr Hals, ihr ganzer Schlund bis hinunter in den Magen stand in Flammen.

«Was ist das?» Sie rang keuchend nach Luft. «Hexenblut?»

Der Schuster nahm ihr kichernd das Behältnis aus der Hand, verstöpselte es und umwickelte den alten Kork sorgsam mit gewachstem Band. «Schnaps», erklärte er immer noch grinsend, «nur Schnaps. Selbst gebrannt. Ganz normal. Aber wenn man nichts verträgt …»

Achselzuckend schob er seinen hochprozentigen Schatz in die Joppentasche.

«Trotzdem danke.» Janne stand auf, aus dem Feuer in ihrem Innern wurde schon wohlige Wärme. Nur ihr Hals fühlte sich wunder an als zuvor. «Was so brennt, muss eine gute Arznei sein. Es war nur der erste Moment. Jetzt ist mein Leib hübsch warm.»

So kam es, dass Janne Valentin das letzte Stück ihres Heimweges doch in der Dunkelheit ging. Es war kalt und Halbmond, der Himmel fast klar, die Nacht würde nicht ganz dunkel werden. Doch der Mond, dieser tröstliche Geselle in schweren Nächten, begann seine Wanderung erst und stand noch hinter den Dächern. Vielleicht lag es an der «Arznei», vielleicht an der freundlichen Geselligkeit des Schusters, Janne fühlte sich leichter, immer noch schwach, zugleich weniger krank. Selbst die Dunkelheit schreckte sie wenig, die Straßen lagen noch nicht verlassen, und die Lichter hinter den Fenstern schenkten ihren warmen Schein auch denen draußen. Trotz ihrer Müdigkeit schwirrten ihre Gedanken, ein bisschen konfus, zugleich hellwach. Als hätten sie geduldig im Hintergrund gewartet, solange sie bei dem Schuster saß, plauderte und das Treiben auf der Straße beobachtete.

Sie schwirrten zu Wanda, zum Anblick der Toten, wie sie aus dem Eis gehoben wurde. Wie plötzlich ihr Haar herabhing. Das war der schlimmste Moment gewesen. Das Leben war so rasch, es schien ihr wie gestern, als sie sieben gewesen waren, Kinder noch. Waren sie überhaupt je Kinder gewesen? Kleine Mädchen mit Zöpfen und zerschrammten Knien, wie sie es bei ihrer Tochter erlebt hatte. Doch, Schrammen hatte es gegeben, sogar genug. Und, mein Gott, wie schnell sie gewesen war! Wenn es darauf ankam, konnte sie rennen, flitzen, sich auch unsichtbar machen. Sie kicherte im Weitergehen und wurde wieder traurig.

Sieben. Das war eine Zahl gewesen, die ihr gefallen hatte. Obwohl der Diakon auch ausführlich von den sieben Hauptsünden gesprochen hatte, dachte sie bei dieser Zahl von jeher lieber an sie als an das Symbol für den siebten Tag der Schöpfung, an den Tag der Vollendung und der Fülle. Auch dies hatte der Diakon sicher erläutert, sie kannte sich gut genug, um zu wissen, dass ihr so etwas nicht selbst einfiel. Dafür merkte sie sich viele Sachen, die ihr im Leben Rat gaben und weiterhalfen. Wie die Sache mit der Sieben. Sie waren sieben gewesen, also konnte es nur gut und richtig sein. Sie waren es nicht geblieben. Der Tod hatte sich geholt, was er wollte. Wen er wollte. Warum auch nicht? Das tat er immer. So war der Lauf der irdischen Welt. Als Erste Elfchen, das zarte Elfchen, viel zu zart für das Leben, das auf sie gewartet hatte.

Es war so lange her und nicht nur in Wilhelmine, auch in ihr war immer noch ein kleiner beharrlicher Schmerz, wenn sie an Elfchen dachte. So wie nun ein großer, stechender hinzugekommen war. Wie eine neue Wunde. Sie waren auseinandergeflattert, damals, das war traurig gewesen, aber richtig. Jede war ihren Weg gegangen, sieben so unterschiedliche

Wege. Aber Wanda war ihr nah geblieben, auch wenn sie einander nicht allzu oft gesehen hatten.

Ihre Gedanken schwirrten rasch weiter, zu der Hoffnung auf Arbeit in den schönen Malthus'schen Gärten, zu den Leuten, die jetzt noch mit Masken durch die Straßen gingen (sie war sicher, der Schuster hatte sie nur foppen oder ängstigen wollen), zu ihrer Lieblingsvorstellung, nämlich wie sie zu Hause von Matthes erwartet wurde, er war doch schon gekommen, natürlich mit Jakob, sie waren beide wieder da. Eine Kerze brannte, das Feuer loderte und wärmte, im Topf darüber blubberte eine dicke Suppe mit viel Speck. Ach, ein schöner wärmender Traum.

Dann weiter zu Wilhelmine, so sauber und akkurat, so fleißig, so – unberührbar? Nicht ganz, die Erinnerung an Elfchen berührte sie stark. Immer noch.

Janne überquerte die Steinstraße, sprang beiseite, als eine schlammbespritzte zweispännige Kutsche zu schnell heran- und vorbeirollte, und blieb schwer atmend und wütend stehen. Fast hätte sie eine ihrer Holzpantinen verloren. Unter den schweren Rädern wäre sie sofort zerbrochen. Auf der breiten Straße mit den vielen Gasthöfen und Wirtshäusern, Bier- und Branntweinkellern herrschte noch reger Betrieb. Als Janne in den Berckhof einbog, immerhin eine Gasse, in der sich zwei Fuhrwerke begegnen konnten, ohne ihre Räder ineinander zu verkeilen, schwand der Lärm schlagartig wie unter einer dicken Wolke. Auch glomm hier nur hinter wenigen Fenstern ein Lichtschein, weder Kerzen noch Öl gab es umsonst.

Plötzlich fühlte sie sich zurück in der realen Welt. Das war eine Welt mit Kälte und Gefahren, mit Schmutz, zuweilen mit Einsamkeit, zum Beispiel an Tagen wie heute. Oder mit Hunger. Manchmal mit Sehnsucht. Oder Angst. Unwirsch zog sie ihr Schultertuch fester und versuchte, schneller zu gehen. Wenn sie nur nicht so müde wäre.

«Jetzt werd bloß nicht weinerlich», murmelte sie, «das hat noch nie genützt.»

Es geht vorbei, dachte sie tapfer weiter, tut es immer. Und wir haben Frühling, jedenfalls fast, das ist der Anfang von was Gutem. Von Licht und Leben. Und Hoffnung. War es auch schon immer.

Sie bog in den schmalen Gang ein, hinter dessen zweiter Abzweigung ihre Wohnung wartete. Noch!, dachte sie so trotzig wie zuversichtlich. Noch! Hier war es stockdunkel, sie kannte den Weg auch blind, er war vertraut wie die Stimmen, die dieses letzte Stück ihres Weges begleiteten. Das beständig in seiner niederländischen Sprache streitende Paar etwa, dann das sehr heftig streitende Paar mit den jungen Stimmen, die alte Wiesingerin, deren Stimme nur so laut hallte, weil ihr Sohn halbtaub war, dazwischen Kinderstimmen, ab und zu sogar lachende, meistens bei den Hellmanns im dritten Hof, obwohl bei denen auch oft niemand als der Hunger zu Besuch kam.

Manchmal – heute leider nicht – hörte sie eine Violine, hin und wieder vom leisen Gesang einer Männer- und einer Knabenstimme begleitet. Bisher war es ihr nicht gelungen, herauszufinden, aus welcher Wohnung diese schönen Töne kamen. Auf das Wimmern des Säuglings im Nachbarhaus horchte sie immer genau. Die Mutter, wohl gerade ein oder zwei Jahre älter als Anna, siechte an irgendeiner Auszehrung, auch ihr Mann hustete neuerdings kläglich, solange das Wimmern zu hören war, lebte das Kind noch.

Dann war sie zu Hause. Sie waren eben *doch* ein Zuhause, die zwei Zimmer im ersten Stock in den Tiefen des Jakobi-Gängeviertels. Sogar, wenn dort niemand wartete. Es war kalt, sie stocherte vorsichtig in der gemauerten Feuerstelle herum und entdeckte noch ein bisschen Glut. Sie wollte nicht überlegen, ob das ein Wunder war – es musste eines sein –, sondern hoffen, dass die freundliche Martha aus der Wohnung über ihrer ein oder zwei Stücke Torf erübrigen und ihr leihen konnte. Sie war da, ihre Schritte waren deutlich zu hören, nun rückte sie einen Stuhl, jetzt hustete sie. Ihre beiden Schwestern, mit denen sie die beiden Zimmer teilte, schienen noch nicht da zu sein, man würde ihre Stimmen hören. Das war gut, die beiden waren furchtbar knauserig. Sicher konnte sie auch ihre Kerze an Marthas anzünden, für eine Stunde, wenigstens eine halbe brauchte sie ein Licht, sonst wurde die Nacht gar zu lang.

Sie hatte Glück, Martha war noch allein und gab ihr großzügig drei Stücke Torf. Als sie die steile Stiege wieder hinunterkletterte, trat ihr aus der Dunkelheit ein Junge in den Weg.

«Bist du Janne? Ich mein: Madam Valentin?»

Sie hielt die Laterne mit der im Luftzug des Treppenhauses unruhig brennenden Kerze nahe an sein Gesicht. Er war ein dünner Knirps mit braunen Zähnen und geschorenem Kopf. Ihr Herz klopfte schneller. Er erschien ihr vage bekannt, andererseits sahen viele Jungen so aus. Sicher stammte er aus einem der direkt benachbarten Gänge, wie sonst hätte er sie finden können? Sie erinnerte sich nicht, wann zuletzt jemand nach ihr gefragt hatte – das konnte nur Unglück bedeuten. Matthes, dachte sie, Jakob. Oder Anna?

«Ich bin Janne, ja. Warum? Was ist passiert? Wer schickt dich?»

«Passiert? Weiß ich nich'. Du sollst zu Madam Kohrs komm'. Gleich.»

«Kohrs? Ich kenn keine Kohrs. Oder doch, du meinst sicher Cordes. Wilhelmine Cordes?»

«Kann sein», nuschelte er, um sich gleich eifrig zu verbessern: «Klar, Cordes. Genau.»

Janne seufzte erleichtert. Kein Unglück. «Warum? Ich war gerade bei ihr.»

Der Junge hob die dünnen Schultern. «Weiß ich doch nich'. Zu Madam Cordes. Das soll ich sagen. Und nicht zu ihr'm Laden, sie is' nämlich in der Kattreppelschänke. Du sollst dich beeilen.»

Die letzten Worte sprach er schon von der Treppe. Die Dunkelheit verschluckte ihn, nur seine Schritte klapperten weiter die Stufen hinab, bis sie im Gang verklangen.

Madam Valentin, *Madam* Cordes. Das sah Mine ähnlich – immer ein bisschen fein tun. Was, um Himmels willen, machte sie in dieser muffigen Schänke? Sie musste sich schon bald, nachdem Janne sie verlassen hatte, auf den Weg gemacht haben, und, ganz klar, in die Gänge hatte sie sich bei Dunkelheit noch nie gewagt, was man ihr kaum verdenken konnte. Wenn sich irgendwo in der Stadt düsteres Volk herumtrieb, dann hier, und wer sich nicht ganz genau auskannte, ging in diesem Labyrinth schon bei Tag verloren.

Janne verschloss hastig ihre Tür und verließ das Haus. Plötzlich hatte sie es sehr eilig. Wenn Mine sich direkt nach ihrem Besuch diese Mühe machte, musste es um etwas Wichtiges gehen. Womöglich doch ein Unglück. Elske fiel ihr ein, und ihr Herzschlag stolperte. Nicht Elske. Nicht auch noch Elske.

Ein Mann kam ihr entgegen, sie drückte sich an die Wand, hielt die Laterne hoch über ihren Kopf und ließ ihn passieren. Er schlurfte, ohne sie zu beachten, schwerfällig vorbei, ließ einen undefinierbar penetranten Geruch zurück, vielleicht nach einer Mischung aus Schwefel und Terpentin, und verschwand in einem der nächsten Keller. Sie eilte weiter und bog in den letzten Gang ein, der direkt auf die Berckhofstraße führte. Da hörte sie ihren Namen, just dort, wo zwischen den eng aneinandergeklebten und hoch aufgetürmten, einander ächzend stützenden Gemäuern eine Lücke klaffte, weil eines der maroden Gebäude zusammengebrochen war. Sie blieb irritiert stehen und sah sich, die Laterne hochhaltend, suchend und lauschend um. Das Licht der Unschlittkerze reichte nur ein paar Handbreit und ließ die dahinterliegende Dunkelheit nur noch schwärzer erschienen.

«Ja?», rief sie. «Mine? Ich bin hier?», und begriff im gleichen Moment, dass sie einen Fehler gemacht hatte. Einen schrecklich dummen Fehler. Sie drehte sich hastig um, doch es gab kein Zurück mehr. Es war zu spät. Selbst für einen Schrei. Etwas schnürte ihre Kehle zu, keine Hände, etwas schneidend Dünnes, ihre Laterne fiel, Glas klirrte an Metall, und die Kerze verlosch. Noch einmal versuchte sie sich zu wehren, um sich zu schlagen, nach hinten zu treten, dorthin, wo ihr Angreifer sein musste, noch einmal. Wieder vergeblich, ihr Fuß verfing sich in einem Mantelumhang, und sie fiel und fiel und fiel …

Kapitel 7

Donnerstagmorgen, 25. März

Madam Augusta wunderte sich. Hatte Molly nicht ihr Leben lang über der Feinbäckerei nahe dem Waisenhaus gelebt? Der Anblick der durch acht bis zur Dachtraufe hinaufreichenden Pilaster gegliederten Fassade des dreigeschossigen Gebäudes musste ihr vertraut sein. Trotzdem stand sie nun davor und starrte zu der Statue über dem Portal hinauf, als sehe sie sie zum ersten Mal und müsse sich den Anblick genau einprägen. Als ein Glöckchen die Zeit schlug, trat sie einen Schritt zurück und beschirmte die Augen gegen das Morgenlicht mit der Hand, um auch den Dachreiter mit der Turmuhr und dem in seiner Laterne sichtbaren Glöckchen zu mustern. Molly schien nicht nur die Zeit vergessen zu haben, sondern auch, dass es sich für eine Dienstbotin nicht gehörte, ja, geradezu skandalös war, die Herrschaft warten zu lassen. Insbesondere auf offener Straße.

Augusta beschloss, geduldig zu sein, was ihr an diesem schönen sonnigen Morgen ausnahmsweise leichtfiel. Sie hatte wunderbar geschlafen und üppiger als gewöhnlich gefrühstückt, was den Tagesbeginn stets heiter machte. Dann hatte Claes erklärt, Brooks bringe den Einspänner zum Gartenhaus vor dem Dammtor, die Remise dort stehe leer und in der engen Stadt nehme das zurzeit kaum benutzte Gefährt Platz weg. Es sei nur praktisch, wenn der Kutscher den Weg am Hafen entlang nehme und Augusta zum Waisenhaus bringe. Da hatte sie endgültig gewusst, es werde ein guter Tag.

Vom Haus der Herrmanns am Neuen Wandrahm bis zum Rödingsmarkt ging man nur eine gute Viertelstunde, da der

Weg direkt am Hafen entlangführte, auch an der Waage und am Kran, wo es immer etwas zu sehen gab, konnte es doppelt so lange dauern, was aber keine größere Anstrengung bedeutete. Also war es ein angenehmer Weg, nicht zu lang, nicht zu kurz, um alte Knochen in Bewegung zu halten, ohne sie zu überfordern, insbesondere an einem so lieblich milden Tag. Seit sie begriffen hatte, dass sie nicht alt *wurde,* sondern alt *war,* bemühte sie sich, ihrer Neigung zu körperlicher Faulheit zu widerstehen, doch es wäre wirklich albern, die kleine Kutsche leer vorausfahren zu lassen.

Wahrhaft glücklich über die leider allzu kurze Fahrt war Molly gewesen. Sie fühle sich wie eine Prinzessin, hatte sie versichert, auch wenn es noch so rumpele und schüttele, eine Kutschfahrt sei doch etwas Grandioses, nur sei es furchtbar schade, dass diese Strecke zu eng und zu belebt sei, um schneller fahren zu können. Was Augusta wiederum sehr angenehm fand, denn für ihren Geschmack rüttelte und rumpelte es auch so mehr als genug, sie fand es aber überflüssig, das zu erwähnen. Sie freute sich an Mollys Freude, sie hatte nicht bedacht, dass für sie Kutschfahrten etwas Besonderes waren. Ihre Familie war nicht arm, aber gewiss nicht wohlhabend genug für eine eigene Kutsche.

Und nun stand Molly vor dem Portal und starrte zu der segnenden Christusfigur in ihrer Nische über dem Portal hinauf; zu deren Füßen kniete links und rechts je eine Kinderfigur, darüber hielten zwei Putten einen Strahlenkranz.

Als Augusta endlich gegen das Portal pochte, öffnete sich die Tür umgehend, als habe der Pförtner dahinter gestanden und gewartet, was er tatsächlich getan hatte. Madam Kjellerup war angemeldet, und dass ein besonders höflicher, besser noch ehrerbietiger Empfang der erste Schritt auf dem Weg zu einer besonders großzügigen Gabe war, war ein alter Hut. Selbst bei einer als leider unbestechlich geltenden, also

Waisenhaus am Rödingsmarkt (erbaut 1679–1681)

für allzu dicke Schmeicheleien unempfänglichen Dame wie Madam Kjellerup, die im Übrigen sowieso nicht zur Kniepigkeit neigte.

Der Ökonom, je nach Vorliebe und Anlass auch weniger offiziell als Waisenvater oder Verwalter des Hauses tituliert, stand ebenfalls bereit, neben ihm seine Ehefrau. Sie übertrieb ein wenig, als ihr Knicks so tief ausfiel, dass sie Mühe hatte, ihren kugelrunden Körper ohne Schwanken wieder aufzurichten. Ökonom Faber war ein hagerer Mann in mittleren Jahren, sein verbindliches Lächeln schien ihn einige Mühe zu kosten, was wiederum bei der Schwere seines Amtes verständlich war.

Dafür erschien seine semmelblonde Ehefrau mit ihren ausladenden Formen, den apfelroten Bäckchen und freundlichen Augen als wahre Verkörperung einer guten Waisenmutter. Ein wenig, fand Augusta bei sich, erinnerte sie an die Frau, die Molly in fünfzehn oder zwanzig Jahren sein mochte.

«Wenn es beliebt, Madam», zwitscherte Waisenmutter Faber, nachdem ihr Gatte die Besucherin mit gesetzten Worten begrüßt hatte, als wäre sie nie zuvor hier gewesen, «wenn es beliebt, ich habe ein kleines zweites Frühstück für Euch vorbereitet, für Euch und Eure Jungfer. Vielleicht nach dem Rundgang? Wenn Ihr es aber vorzieht, sogleich.»

«Danke, liebe Faberin, das ist sehr fürsorglich. Nach dem Rundgang wird uns eine Stärkung guttun. Nicht wahr, Molly?»

Molly stand nicht mehr neben ihr, sie war schon die wenigen Schritte durch die tunnelartige Einfahrt bis zum Hof vorausgegangen und betrachtete aufmerksam wie zuvor die Christusfigur nun den Innenhof und die ihn umschließenden Gebäude. Augusta folgte ihr, ihr selbst wiederum der Ökonom, respektvoll einen halben Schritt zurück. Aus der am Durchgang liegenden Küche roch es nach gekochtem Weißkohl und Ochsenfleisch, wie von jeher an jedem Donnerstag und Sonntag. An den anderen Wochentagen gab es zur Mittagsmahlzeit Grütze von Buchweizen, Reis, Hafer oder Graupen, montags mit grauen Erbsen oder weißen Bohnen angereichert, immer ein Butterbrot dazu, abends zumeist wieder nur ein Butterbrot und die Reste der Grütze. Das beim Fleischkochen abgeschöpfte Fett wurde über das Gemüse gegossen, und im Sommer, wenn sie verfügbar waren, der Weißkohl durch gelbe Wurzeln ersetzt. Das Frühstück bestand aus einem Becher Milch und einem Stück Brot. All das war in den Statuten genau festgeschrieben. Zurzeit wurde darüber verhandelt, ob es der Gesundheit der Kinder zuträglich, sogar für sie notwendig sei oder sie nur verweichliche, wenn man ihnen zumindest im Winter am Morgen ein warmes Getränk bewillige. Die Kinder sollten satt werden, zugleich von jeglicher die Moral und die Gesundheit verderbenden Völlerei bewahrt.

Augusta glaubte nicht, dass Molly, anders als sie selbst, um die Speiseplanprobleme in diesem wie stets überfüllten Haus wusste, irgendetwas berührte sie. Wohl die Enge und die fest verschlossene Tür in dem großen Portal, die beim Schließen schauerlich hinter ihnen gequietscht hatte.

Die hinter den roten Mauern herrschende drangvolle Enge war seit Jahrzehnten ein immer wieder debattiertes Problem. In den Annalen des Waisenhauses befanden sich jahrzehntealte Anträge, in denen immer wieder dringlich um Abhilfe gebeten worden war. Erst vor wenigen Jahren hatte der Rat nun ein Areal auf dem Wall zwischen Stein- und Deichtor zur Verfügung gestellt, zu dem die Kinder in manierlichen Reihen geführt werden konnten, um sich dort in frischer Luft zu tummeln.

Was hatte Molly gesagt? Wie im Gefängnis.

Ganz verkehrt war das nicht, wenn auch die Waisen, die das Pech hatten, anstatt hier im Werk- und Zuchthaus zu landen, sehr viel besser wussten, was es hieß, wirklich im Gefängnis zu leben.

Alles, was den Tag zu einem guten, frohen gemacht hatte, verblasste, und Augusta begann, sich schon angestrengt zu fühlen. Ihr Blick folgte dem der jungen Frau an ihrer Seite durch den gepflasterten Innenhof, kletterte die Fassaden drei Etagen hinauf bis zum Dach, glitt auch über die Kirchenfenster zur Linken und zurück in den Hof. Augusta gehörte zu den kritischen Geistern, sie neigte zu beharrlichen und unbequemen Fragen, was sie nicht überall beliebt machte. Ob sie wollte oder nicht, heute sah sie die ganze Anlage mit den Augen der empfindsamen Molly und beschloss, ihrem behäbig gewordenen Neffen Beine zu machen. Das fast hundert

Jahre alte Gebäude war nicht nur zu klein, es war marode. Die Debatte um den längst überfälligen Neubau schleppte sich nun schon seit Jahren dahin, ohne wirklich voranzukommen, obwohl am Gänsemarkt ein passendes neues Grundstück erworben worden war. Höchste Zeit, das Zaudern zu beenden, Entscheidungen zu fällen und zur Tat zu schreiten.

«Es ist so still», sagte Molly, «wie kann das sein? Bei so vielen Kindern?»

«Disziplin, Jungfer Runge! Wir halten auf Disziplin.» Ökonom Faber hatte Mollys Bemerkung als Lob missverstanden und nickte zufrieden. «Das ist uns allen selbstverständlich. Jetzt ist Schulzeit, da wird gebetet, gelernt, geübt, auch gesungen. Psalmen zuförderst, Ihr werdet später noch Singen hören. Wenn Ihr wünscht», wandte er sich an Augusta, «auch sofort. Zuerst möchte ich Euch in den unteren Schulsaal führen, gleich hier, hinter der Küche, was nützlich ist, denn die Schulsäle sind zugleich die Speisesäle für die Kinder. Wie Ihr wisst, haben wir zu wenig Raum, ja, viel zu wenig, da muss alles gut genutzt werden, zumeist doppelt. Jedes Kind hat im Saal seinen Platz, da gibt es kein Gerangel. Wenn Ihr erlaubt, Madam, eile ich voraus.»

Was er umgehend tat. Er öffnete eine schmale Tür zwischen dem Küchentrakt und einer in den Hof gebauten Kammer, die dem Hausknecht als Wohnung diente und Damen und Herren, die an die Bequemlichkeit eines großen Bürgerhauses gewöhnt waren, nur als ein Kabuff erscheinen musste, und führte seine Besucherinnen in ein enges Treppenhaus – alles schien hier eng oder schmal. Eine Stiege führte hinauf zum zweiten Schul- und Speisesaal, eine schmale Tür daneben zu dem Parterre-Schulsaal, im dem wohl einhundertsechzig Jungen den größeren Teil des Tages eng beieinanderhockten und lernten. Oder lernen sollten.

Er öffnete die Tür, rief: «Aaaachtung», und einer großen

Welle gleich erhoben sich alle Jungen aus den Bänken, das Gesicht starr nach vorne auf den Lehrer gerichtet, nur die ganz Verwegenen drehten verstohlen den Kopf, um zu schauen, für wen sie heute besonders stramm stehen mussten.

Eine alte Dame und ihre – ja, was? Zofe? Wahrscheinlich. Nach Tochter oder Enkelin aus reichem Haus sah das Gewand der Jüngeren nicht aus. Nur zwei Frauen – da musste man gleich nicht mehr ganz so stramm stehen.

Die Luft war zum Schneiden dick, und der Geruch der etwa hundertfünfzig Jungen, die insbesondere in einem so harten Winter nicht allzu oft mit Wasser in Berührung kamen, nahm ihnen den Atem. Obwohl sie es lieber vermieden hätte, musste Augusta gerade jetzt tief Luft holen. Der Ökonom zog den Lehnstuhl heran, der extra für diesen Besuch herbeigeschafft und bereitgestellt worden war, nötigte sie, Platz zu nehmen, und stellte ihr Sylvester Steding als den Präzeptor der Klasse vor, den Lehrer.

«Steding ist erst ein halbes Jahr bei uns», erklärte er, «doch er hat seine überragenden pädagogischen Talente schon bewiesen und ist auch recht gebildet.» An dieser Stelle legte er die gespreizten Finger an den Spitzen gegeneinander, hob sie schwungvoll vor die Brust und wippte einmal auf den Zehen auf und ab, bevor er fortfuhr: «Genau genommen über die Anforderungen einer solchen Schule hinaus.» Umso mehr müsse seine Bereitschaft gelobt werden, diesen letztlich nur Gott und der Mildtätigkeit der Bewohner dieser Stadt befohlenen Kindern die wichtigsten Kenntnisse zu vermitteln. «Gleichwohl, nun ja, gleichwohl ist man dem inzwischen zum neuen Provisor erwählten Monsieur Hegolt für die Empfehlung und Vermittlung ungemein dankbar, das ist man wirklich. Besonders, da der verehrte zweite Syndikus des Rats, Seine Magnifizenz Schuback, diese Empfehlung unterstützt hat. Auf das Urteil der hohen Herren kann man jederzeit vertrauen, unbedingt. Alles zum Besten der uns anvertrauten Schützlinge.»

Dabei machte er ein Gesicht, als verspeise er eine versalzene Suppe, sein Blick ging schnurgerade am rechten Ohr des neuen Lehrers vorbei zum Fenster hinaus, dorthin, wo just in diesem Moment die Morgensonne hoch genug geklettert war, um von der Straße hereinzuscheinen. Das Licht fiel auch auf das Gesicht des jungen Mannes, der für einen Lehrer, also einen Mann mit geringer Reputation und ebensolchem Einkommen, einen recht eleganten Samtrock trug. Allerdings zeigten die Ärmel unübersehbar abgewetzte Stellen. Er stand in halber Verneigung vor dem bedeutenden Besuch, ließ die eher beleidigende als lobende Vorstellung durch den Ökonomen mit angespannten Schultern und eingefrorenem Lächeln über sich ergehen.

Augusta war gekommen, um das Haus zu sehen, das Leben darin, die Kinder. Nun interessierte sie sich am meisten für diesen Präzeptor. Ein wirklich hübscher Mensch. Und überaus nervös, kaum wegen des Ökonomen. Nach ihrem Eintreten hatten seine Augen für einen Moment einen verwirrten Ausdruck gezeigt, obwohl er ohne Zweifel auf ihren Besuch vorbereitet war. Womöglich hatte er es vergessen? Sicher nicht. Augusta ahnte den Grund und hätte sich gerne vergewissert. Doch jetzt hieß es nicht fragen, sondern zuhören.

In ihrer Erwartung des angekündigten Gesangs sah sie sich enttäuscht, damit würden sie später die Mädchen im oberen Stockwerk ehren. Hier wurden die Kopfrechenkünste einiger der älteren Knaben demonstriert, was sie durchaus unterhaltsam fand. Das anschließende Auswendigaufsagen von längeren Abschnitten des Katechismus und lateinischen Texten musste sie leider mit der Bitte unterbrechen, man möge ein Fenster öffnen, besser zwei. Mit Unterstützung der eindringenden Morgenluft wusste sie die Leistungen der Kinder endlich angemessen zu schätzen und mit freundlich aufmunterndem Nicken zu honorieren. Wenn es auch etliche Jahrzehnte her war, dass sie die gleichen Worte und Kapitel auswendig gelernt hatte, die meisten wusste sie immer noch im Geiste mitzusprechen.

Als Dame und Mitglied der guten hanseatischen Gesellschaft verstand sie sich nach jahrzehntelanger Übung perfekt auf die Kunst, ein so interessiertes wie aufmerksames Gesicht zu zeigen, wenn ihre Gedanken meilenweit entfernt waren. So bemerkte niemand, dass sie jetzt weniger mögliche Fehler bei der Deklamation der Jungen beschäftigten als zwei ganz andere Dinge.

Zum einen überlegte sie, wie man diesen Kindern möglichst rasch zu mehr Raum verhelfen könne, insbesondere unter freiem Himmel. Sie hatte den Hof heute mit Mollys Augen und deren Unbefangenheit gesehen und so zum ersten Mal wirklich die Enge gespürt. Er maß etwa fünfzehn Schritte in der Länge und in der Breite, es war unmöglich, alle Bewohner des Hauses auch nur darauf zu versammeln, von Rennen und Toben gar nicht erst zu reden. Und das Leben auf zu engem Raum war nicht nur ungesund, es führte stets zu Bosheit und Gewalt.

Zum anderen, und dahin gingen ihre Gedanken ständig zurück, hatte sie in Sylvester Steding den Mann wiedererkannt, mit dem Molly gestern zur Zeit der beginnenden Dämmerung auf der Straße so eifrig gesprochen hatte. Aber vielleicht irrte sie, denn Mollys Miene war ungerührt, nicht das kleinste Zeichen des Erkennens, der Bekanntschaft, erst recht kein mädchenhaftes Erröten mit flatternden Wimpern über gesenktem Blick. Augusta schalt sich eine sentimentale Gans, trotzdem hätte sie zu gerne gewusst, ob sie irrte oder nicht. Ob und wenn nicht, was diesen jungen Mann, der sich vor dem gestrengen Blick des Ökonomen bemühte, seine Schüler möglichst vorteilhaft vorzuführen, mit Molly verband. Nach einer Angelegenheit des Herzens – was Augusta eindeutig favorisiert hätte – sah es nicht aus. Wonach dann? Sie musste sich gedulden, für Fragen würde später Zeit sein.

Es wäre übertrieben, zu behaupten, in den Gängevierteln wäre der Fund einer Toten etwas Alltägliches. Es stimmte, hier wurde schnell und oft gestorben, denn hier hausten die Ärmsten der Stadt in den übelsten Gassen der Stadt. Aber auch etliche, die sich bessere Wohngegenden leisten konnten, bevorzugten diese Gegend, gerade weil diese labyrinthischen Quartiere in den Kirchspielen von St. Michaelis und St. Jakobi als undurchdringlich galten, fühlten sie sich hier sicher auch vor den für Ruhe, Recht und Ordnung sorgenden Garnisonssoldaten. Also lebten hier auch manche mit recht einträglichen Geschäften, die jedoch kaum als honorig bezeichnet werden konnten. Die Gängeviertel galten vielen ehrbaren Bürgern als ein Ärgernis, als stinkende Pestbeulen im Herzen der übervölkerten Stadt, umso übler, als die Grundstückspreise ebenso stiegen wie die Mieten, nämlich rasant. Das Niederreißen dieser Viertel wäre ein Gewinn, auch für die Moral, die in einem ordentlichen Gemeinwesen niemals vernachlässigt werden sollte. In dieser Hinsicht waren der Rat und die Bürgerschaft von seltener Einigkeit. Erst recht in heißen Sommerwochen, wenn der ohnedies kaum noch erträgliche Gestank besonders im Umfeld dieser Viertel noch übler wurde.

Nun gut, die dort lebenden Menschen würden die Beseitigung dieser «Eiterbeulen» als Beseitigung ihres Lebensraumes empfinden, andere, nämlich teurere Wohnungen konnten sie sich nicht leisten. Das war bedauerlich, andererseits zeugte es auch von wenig Fürsorge der Obrigkeit, sie weiter in diesem Dreck leben zu lassen. Dummerweise waren es einfach zu viele, um sie irgendwohin umzusiedeln, zum Beispiel auf den noch öden Hamburger Berg zwischen dem Millerntor und Altona. Dazu hätte es neuer Häuser bedurft, *vieler* neuer Häuser mit vielen bescheidenen Wohnungen, deren Mieten diese armen Schlucker niemals bezahlen konnten.

So blieb alles, wie es war, und zumeist verborgen, was in den Tiefen der Gänge und Höfe geschah. Dass an diesem frühen Donnerstag trotzdem eine Tote gefunden wurde, lag an zweierlei. Zuerst an den Ratten, die an einer bestimmten, am Rande des Viertels liegenden Stelle erregt quiekend zusammenliefen, zugleich versuchte eine ganze Meute dürrer struppiger Hunde, sie mit Einsatz ihrer Reißzähne und sich heiser überschlagendem Gebell zu vertreiben. Was Mühe kostete, denn Ratten sind Akrobaten, sie entern ein Segelschiff über ein Festmachertau; die Balken der Ruine waren für sie also kein echtes Hindernis. Die Hunde schienen den Kampf zu gewinnen, was Kenner beider Spezies erstaunt hätte, die umkämpfte Beute würden sie trotzdem nicht erreichen.

Denn das war der zweite Grund, warum der Leichnam gleich im Morgengrauen gefunden wurde, anstatt auf welche Weise auch immer auf Nimmerwiedersehen zu verschwinden: Irgendwer, wahrscheinlich ihr Mörder, hatte sich die Mühe gemacht, die Tote etwa eine halbe Etage hoch – in dem verfallenden Gebäude war das schwer zu entscheiden – zu hieven und so auf einen quer verlaufenden Balken zu platzieren, dass sie nicht hinunterfiel. Es musste tatsächlich erhebliche Mühe gemacht haben, erst recht in der Dunkelheit. Wer immer das getan hatte, kannte sich hier aus. Oder hatte Glück gehabt – wenn man bei einer solchen Untat von Glück sprechen mochte. Die Röcke der Toten waren hochgerutscht, die Beine unschicklich entblößt. Es sah nach Absicht aus.

Als der herbeigerufene Weddemeister Wagner eintraf und

sich mit der Autorität seines Amtes durch die vor und auch in dem engen Gang drängenden Gaffer geschoben hatte, bot sich ihm ein Bild wie aus einem Albtraum: die Tote auf dem schrägen Balken, zu ihren nicht mehr ganz vollständigen Füßen wohl ein Dutzend zerfetzter Rattenkadaver, dazwischen ein erschlagener blutbesudelter Hund, ein großes Tier mit räudigem schwarzem Fell. Nun war Wagner froh, dass er keine Zeit für ein Frühstück gehabt hatte.

Der Anblick einer Erwürgten, das war es, was er dort in halber Höhe erkannte, war übel genug, die Tierkadaver zu ihren Füßen, von denen einer von scharfen Nagerzähnen angefressen war – das war zu viel.

Dies war einer der seltenen, wirklich sehr seltenen Momente, in denen er Frauen beneidete. Die durften bei einem solchen Anblick in Ohnmacht fallen, sogar Weinkrämpfe bekommen, zumindest erschüttert die Augen schließen. Ein gewöhnlicher Mann durfte immerhin Übelkeit empfinden, ein Weddemeister hatte stark und unberührt zu bleiben, einzig interessiert und wachsam.

Er durfte sich nicht einmal mitleidig abwenden, sondern musste ganz nah herantreten, damit ihm nichts entging. Jedenfalls wenn er sein Amt ernst nahm und entschieden gegen das Verbrechen antrat, wenn er Schuldige aller Art zu fangen und ihrer gerechten Strafe zuzuführen gedachte.

Die zweite, durch fremde Hand Gestorbene in einer Woche. Das kam nicht alle Tage vor, jedenfalls kam es der Wedde selten zu Ohren. Grabbe, sein Weddeknecht, und drei Helfer hatten die Leiche bewacht, bis Wagner eingetroffen war. Sie hatten alle Hände voll damit zu tun gehabt, zuerst die gierigen Tiere zu vertreiben, dann die Neugierigen zurückzuhalten.

«Holt sie endlich da runter», knurrte er, «und zwar bevor die Ratten und Hunde mit Verstärkung zurückkommen.»

«Tja», Grabbe kratzte sich im spärlichen Haupthaar, «das dachte ich schon, sie is' aber ganz steif.»

«Das ist bei Toten für gewöhnlich eine Zeit lang so», blaffte Wagner. «Du bist lange genug bei der Wedde, du musst das eigentlich wissen. Holt sie runter, legt sie auf die Karre, deckt sie gut zu. Einwickeln, sehr fest einwickeln, sonst habt ihr gleich eine ganze Kompanie Ratten, Hunde und wer weiß was noch für geiferndes Viehzeug im Gefolge, und bringt sie ins *Eimbeck'sche Haus*. Zu der anderen. Und ihr», wandte Wagner sich an die Leute, «ihr verschwindet. Es bringt Unglück, einer fremden Toten zu nahe zu kommen. Wisst ihr das nicht? Also worauf wartet ihr? Verschwindet!»

Die Warnung vor einem ominösen Unglück zeigte keinerlei Wirkung, vielleicht weil davon außer bei Ertrunkenen noch niemand gehört hatte, nicht einmal Wagner selbst. Besser wirkte eine in diesem Viertel stärker empfundene Warnung: «Von jedem, der hier bleibt, wird der Namen notiert, sofort, und ... Halt!», schrie er plötzlich, als die Menge sich umgehend in Bewegung setzte, reckte sich auf die Zehenspitzen und blickte grollend über die Köpfe. «Wer die Tote kennt, bleibt natürlich hier und gibt Auskunft. Alle anderen – abmarschiert.»

Der Gang war im Handumdrehen leer, es sah zwar nur so aus, als seien alle verschwunden – tatsächlich hockte mindestens die Hälfte der Menge hinter Fenstern, Mauerlöchern, Luken und Türen und beobachtete von dort das Geschehen weiter –, aber das war Wagner egal. Er hatte den Leuten nicht ihren Spaß verderben, sondern nur Ruhe und Platz haben wollen.

Drei Frauen waren geblieben, weil sie die Tote kannten. Angeblich. Es gab meistens welche, die sich wichtig tun wollten oder einfach ein bisschen verrückt waren.

Die drei standen dicht nebeneinander an die gegenüberliegende Wand gedrückt und glichen sich so sehr, dass es überflüssig war, zu erklären, sie seien Schwestern. Alle drei waren hager und in diesem Alter, das man weder jung noch alt nennt, sie trugen ehemals dunkelblaue, nun dünn und heller gewaschene und geschabte, halbwegs reinliche Röcke und Blusen und schwarze Schultertücher. Ihr Haar war glatt und von undefinierbarem Braun, die Augen in den blassen Gesichtern grau. Nur die Mittlere unterschied sich von ihren beiden verdrießlich wirkenden Schwestern. Ihr ganzer Ausdruck war sanfter, und sie blickte zutiefst betrübt aus vom Weinen geröteten Augen.

«Sie schuldet uns vier Stücke Torf und eine halbe Kerze», begann die links Stehende und wies mit dem Kinn auf die Tote.

«Fünf. Es waren fünf Stücke», verbesserte die auf der anderen Seite. «Und zwar von der großen Sorte. Wer gibt uns die jetzt zurück?»

«Schämt euch», sagte die Mittlere mit erstickter Stimme. «Wie könnt ihr jetzt von Torf reden? Janne ist tot. Versteht ihr das nicht? Sie ist *tot*. Unsere Nachbarin. Sie war ein guter Mensch. Ein wirklich guter Mensch.»

Ihre beiden Schwestern machten schmale Lippen, beide schwiegen und verschränkten zugleich die Arme vor der Brust.

Egal, was er jetzt über diese Tote namens Janne erfahren würde, wenigstens hatten diese drei sie tatsächlich gekannt. Dass sie in ihrer Beurteilung ihrer Nachbarin uneins waren, konnte von Vorteil sein. Gewöhnlich erfuhr Wagner die interessanten, die wirklich wichtigen Dinge leichter, wenn zwei sich stritten. Oder gar drei. Die Mörderinnen hatte er hier nicht vor sich, das sagte ihm seine Erfahrung. Die Trauer der Mittleren war echt, und die anderen beiden hätten zuerst dafür gesorgt, dass ihr zukünftiges Opfer seine Schulden beglich.

Fünf Stücke Torf und eine halbe Kerze. Das Leben konnte schrecklich deprimierend sein, fast so sehr wie der Tod.

Es roch immer noch nach Schminke und Kulissenfarbe, nach den geheimnisvollen Mixturen, mit denen Rudolf seine Feuerwerke zauberte, nach dem Qualm von feuchter Kohle, den die Laterna magica in aufsteigende Geister verwandelte, dem Kolophonium für die Bögen der Violinen, Celli und Gamben, nach …

Einbildung, alles pure Einbildung. Hier roch es nur nach Staub und den Pferden, die im noch als Stall genutzten Gebäudeteil standen, und nach etwas Undefinierbarem. Wahrscheinlich nach dieser Mischung aus Mäusekot, nassem, altem Holz und Hühnerstall. Dass sich zumindest für einige Wochen Hühner hier eingenistet hatten, war nicht zu übersehen. Sie hatten die Rückenlehnen der an den Wänden stehenden Bänke als Sitzstangen benutzt, es würde eine Menge Arbeit machen, sie wieder sauber zu scheuern. Eine Menge Arbeit, überhaupt …

Rosina gebot ihren vorauseilenden Gedanken und Phantasien Einhalt und versuchte den schon vor Jahrzehnten zu einem kleinen Theater umgebauten Dragonerstall nahe der Bastion Ulricus mit kühlen, sogar berechnenden Augen zu sehen. Vieler Arbeit würde es ganz sicher bedürfen. Und vielen Geldes. Wer da anders als kühl rechnete, war dumm. Vor allem, wenn man reichlich Zeit hatte, zu arbeiten, es jedoch an Geld mangelte.

Andererseits war das kein Grund, gleich aufzugeben. Sie hatte schon manches geschafft, was andere, oft sogar sie selbst für unmöglich erachtet hatten. Hier spielte sie darüber hinaus mit dem Gedanken an die Verwirklichung eines Unternehmens, das alles, was sie in den vergangenen anderthalb Jahren gelebt hatte, infrage stellte. Über den Haufen warf? Über den Haufen. Ruck, zuck.

«Nein», sagte sie laut und erschrak vor dem hohlen Klang ihrer Stimme in dem leeren, kaum mehr einem Komödienhaus gleichenden Raum. Nein, nicht alles. Aber was würde Anne sagen? Was Madam Augusta? Die ganze vornehme Familie Herrmanns? Oder Madam van Witten? Die einflussreiche Gattin des Weddesenators und Freundin der Herrmanns hatte viel dazu beigetragen, dass Rosina von der Hamburger Gesellschaft akzeptiert wurde. Nicht als ihresgleichen, doch halbwegs wohlmeinend als Randfigur, als Kuriosum.

Mit dieser Akzeptanz musste es vorbei sein, wenn sie die wahnwitzige Idee, die sie seit der vergangenen schlaflosen Nacht verfolgte, in die Tat umsetzte. Vorbei mit den Einladungen zum Kaffeekränzchen der Damen oder zum Tee, vorbei mit dem freundlichen Geplauder, wenn man sich bei einer Promenade auf den Wällen oder einem Konzert begegnete. Mit dem Gefühl, dazuzugehören. Vorbei – und dann?

Rosina drehte sich langsam einmal um die eigene Achse, ließ den Blick über die Wände und die Fenster wandern, prüfend und doch nicht aufmerksam genug, um zu sehen, wie sich die Gestalt, die sie schon geraume Zeit verstohlen durch das schmutzige Fenster beobachtet hatte, rasch hinunterduckte. Ihr Blick wanderte weiter zur Galerie über der Eingangstür, deren Brüstung Rudolf – Baumeister, Kulissenmaler und Feuerwerker bei der Becker'schen Komödiantengesellschaft – vor anderthalb Jahren solide erneuert hatte, schließlich über die Bühne. Auch die hatte Rudolf damals gründlich ausgebessert, sie war immer noch stabil. Was fehlte, war nur die Ausstattung: Kulissen und Lampen, ein bisschen Mobiliar und kleinere Requisiten, Kostüme natürlich, die waren das Allerteuerste. Aber die brachten die Komödianten mit, sie waren ihr kostbarster Besitz. Sie erinnerte sich, wie einmal eine der großen Gesellschaften ihre Kostüme versteigern musste, um den Prinzipal vor dem Schuldturm zu retten. Von dem Ertrag hätte man ein kleines Stadthaus kaufen können.

Nun gut, wenn Helena und Jean mit ihren Leuten nicht kamen, auch keine andere Theatergesellschaft – vielleicht könnte sie mit Konzerten beginnen? Dazu brauchte man nur die Musiker, davon gab es genug in der Stadt, ihre eigene Stimme war immer noch gut, dazu ein oder zwei weitere Sängerinnen, ein Sänger. Ob das erlaubt war? Sie kannte sich nur mit den Bedingungen für Theateraufführungen aus. Monsieur Bach würde Rat wissen, der städtische Kantor gab oft Konzerte, und er und seine Gattin waren ihr stets freundlich begegnet. Ein Unternehmen, wie sie es sich nun vorstellte, konnte er keinesfalls als Konkurrenz empfinden, dazu war Monsieur Bach zu berühmt und sein virtuoses Klavierspiel unübertroffen, ob bei eigenen oder fremden Kompositionen.

Es schlug schon das zweite Mal von St. Michaelis, was nicht nur hieß, dass der Wind von Südwest kam, sondern auch, dass sie nun schon zu lange hier war, nur um sich «ein wenig umzusehen». Und in all der Zeit hatte sie die Bühne nicht betreten, war nicht die fünf Stufen an der schmalen Seitentreppe hinaufgesprungen, um von dort den Blick ins Publikum und dann die Bretter selbst zu prüfen, zuerst mit behutsamen, vorsichtigen Tanzschritten, wenn sie hielten, mit stärkeren, bis zu den großen weiten Sprüngen, den Drehungen. Hatte nicht probiert, wie weit und hell ihre Stimme in diesem Raum trug, wie – nun, das mit der Stimme war überflüssig. Während der vergangenen, nur scheinbar lange zurückliegenden Jahre war sie oft genug hier aufgetreten, sie wusste, wie erstaunlich gut der Klang in diesem Raum trug.

«Na gut», murmelte sie, raffte tief Luft holend die Röcke und sprang die kurze hölzerne Treppe zur Bühne hinauf. Dann stand sie oben, sah die Kulissengassen und die Wachsreste vom Rampenlicht, sah über ihrem Kopf eine alte, von der letzten hier gastierenden Gesellschaft vergessene Soffitte mit abblätternder himmelblauer Farbe, den dürftigen, keinesfalls mit dem ausgeklügelten im großen Theater beim Gänsemarkt vergleichbaren Schnürboden, erinnerte sich, dass es hier keine Unterbühne gab und die Kulissen einzeln mit der Hand gedreht und geschoben werden mussten, und wusste wieder, warum sie die Bühne nicht gleich betreten hatte.

Denn plötzlich fühlte sie sich so wunderbar leicht wie zurückgekehrt ins richtige Leben, und just das war es, wovor sie Angst gehabt hatte. Es war ein gefährliches Gefühl, auch das wusste sie, so verlockend wie trügerisch. Es musste bekämpft werden – und zuerst gründlich genossen. Vielleicht lag es nur daran, dass sie in diesem Moment die Augen halb schloss, um ganz bei ihrem Gefühl, diesem Anflug von Glück zu sein, dass sie das Gesicht hinter einer der schmutzigen Scheiben nicht wahrnahm. Ein Gesicht mit abwägenden, neugierigen Augen. Ihre Füße fanden ganz von selbst die Tanzschritte, ihre Stimme eine der vertrauten, lange nicht mehr gesungenen frivolen Melodien, leise nur, vorsichtig, kaum mehr als gesummt – bis ein Räuspern sie zusammenfahren ließ, heftig, als habe sie eine Elektrisiermaschine berührt, und Hitze in ihr Gesicht schoss. Aus irgendeinem Grund war sie für eine Sekunde überzeugt gewesen, Magnus stehe dort unten – mit anklagendem zweifelndem Blick.

Aber Magnus war weit weg. Es war nur Weddemeister Wagner. Weder er noch Rosina bemerkten die Bewegung hinter der Scheibe, dort, wo das Gesicht des Beobachters von Rosinas Tanzschritten mit Wagners Eintritt hastig verschwand.

Augusta lauschte dem Gesang der Mädchen, es war die reinste Belohnung für die Konzentration auf die zuvor vorgetragenen Psalmen und Sinnsprüche, denn die Kinder sangen schön. Sogar lieblich, fand Augusta, die im Ruf stand, so musikalisch zu sein wie ein Ackergaul. Sie mochte Musik, sie besuchte sogar gern Konzerte, selbst wenn sie so lange dauerten wie die Predigten in den Hauptkirchen, und zwar nicht nur, um Freunde zu treffen und in den Pausen neuen Klatsch auszutauschen, das ließe sich auch anlässlich der Gottesdienste erledigen.

Der Klassenraum der Mädchen befand sich in der oberen Etage des Waisenhauses und war wie bei den Jungen zugleich der Speisesaal. Durch die fünf Fenster, drei zur Straße und zwei zum Hof, fiel helles Tageslicht. Als sie den Raum betreten hatten, hatte Molly erschreckt geflüstert: «Die sehen ja alle gleich aus!» Was natürlich nicht stimmte, aber auf den ersten Blick tatsächlich so schien. Alle Mädchen, es mochten etwa achtzig oder hundert sein, trugen blaue Kleidung, vom Haarband über den Schnürleib bis hinunter zu den Strümpfen. Bei den Jungen war es ebenso gewesen, aber weder ihr noch Molly so sehr aufgefallen. Augusta war lange mit dem Waisenhaus vertraut, sie wusste um die strikte Kleiderordnung, in der auch penibel festgelegt war, wann es neue Kleider gab, wann neue Schuhe, sogar wann die von wem geputzt wurden.

«Was sind das für Zeichen auf den Blusen?», fragte Molly weiter, als sie ein ineinanderverschlungenes W und H auf der Tracht einiger Mädchen entdeckte.

«Eine seit der Gründung hilfreiche Sitte», erklärte Ökonom Faber eifrig, «sehr hilfreich und zugleich gute Erziehung. Für jeweils zehn Kinder, bei den Jungen wie bei den Mädchen, wird immer eines bestimmt, das für Ordnung, Sauberkeit, auch für eine reinliche und tadellose Kleidung verantwortlich ist. Jeder Riss, jedes Löchlein, ein verlorenes Band, alles muss gleich gemeldet werden. Am Zeichen sind diese Kinder sofort für jedermann zu erkennen, für mich, für die Aufsicht und für die Herren vom Rat und die Provisoren bei ihren Besuchen, ja, und auch für die anderen Kinder.»

Die jüngsten der Mädchen mochten fünf oder sechs Jahre alt sein, das älteste vielleicht siebzehn. Eigentlich hatten die Kinder das Waisenhaus nach der Konfirmation zu verlassen, um eine Arbeit anzunehmen und im Haus ihres Dienstherrn zu leben. Augusta wusste, dass das nicht immer gelang. Das eine oder andere Mädchen wurde auch länger hierbehalten, weil es sich als besonders geschickt im Umgang mit den Jüngeren und den anfallenden Arbeiten erwiesen hatte.

Was manchen gut gefallen mochte. Augusta und der neben ihr immer stiller gewordenen Molly mochte dieses Haus nicht unbedingt als erstrebenswertes Heim erscheinen, für die Mehrzahl dieser Kinder war es jedoch das einzige Zuhause, das sie je gehabt hatten oder haben konnten. Wer nicht bei Kosteltern in der Stadt oder auf dem umliegenden Land untergebracht gewesen war, dem war die Welt außerhalb dieser Mauern fremd. Da gab es nur den jährlichen Waisengrün-Umzug durch die Stadt mit den Sammelbüchsen und dem folgsamsten Kind an der Spitze, im Sommer bei schönem Wetter am Sonntagnachmittag einen Spaziergang, immer hübsch manierlich in festen Reihen, und wer besonderes Glück hatte, durfte für den Waisenvater einen Botengang erledigen oder nach alter Sitte gar bei Hochzeiten und anderen Familienfeiern das Dienstmädchen begleiten, das die Einladungen verteilte, und ein Trinkgeld annehmen. Wer zu spät zurückkehrte, wurde bestraft, nur zum eigenen Besten und in Maßen. Denn der Waisenvater sollte ein Zuchtmeister sein, kein Schinder. So stand es jedenfalls geschrieben.

Alles in allem bedeutete das, die meisten der hinter diesen roten Backsteinmauern lebenden Kinder durften das große

Portal selten passieren, kaum unbeaufsichtigt die Freiheit schmecken. Und sei es nur eine kleine, so wie Kinder eben eine Straße entlang oder über einen Platz hüpfen, am Hafen die Schiffe bewundern, auf dem Jahrmarkt die Stände voller Waren und Leckereien, die Menschen und Tiere, die Akrobaten und Sänger, auf den Flüssen Boot fahren – das ganze bunte aufregende Treiben.

Immer wieder gelang es Kindern, zu entlaufen. Sie flüchteten aus der Enge, dem Drill der Erziehung, aus Angst vor einer Strafe oder nach einer Strafe, zum Beispiel einer der Festigung des Charakters förderlichen Leibstrafe oder der üblichen drei Tage im finsteren Keller bei Wasser und Brot, wie es in den Vorschriften stand.

Ängstlichere Gemüter mochten hingegen jenseits der Mauern weniger Freiheit und Abenteuer, überhaupt das eigentliche Leben vermuten und herbeisehnen, sondern sich vor dem Fremden und Ungewissen fürchten. Auch vor der Einsamkeit.

Der Mädchenklasse stand eine Lehrmutter vor. Augusta wunderte sich nicht, als sie auf den Bänken mehr Näh- und Strickarbeiten sah als Papier, Tinte und Feder oder gar Bücher. Die Klasse der Mädchen war auch kleiner. Für sie fanden sich leichter Koststellen, und natürlich wurden sie nur kürzere Zeit im Rechnen und Schreiben unterrichtet. Bevor sie und Molly den Unterrichtssaal betraten, hatte Ökonom Faber seine Gäste durch einige kleinere Räume geführt, in denen etwa drei Dutzend Mädchen mit der Flachsspinnerei beschäftigt waren.

«Warum sind sie nicht bei den anderen im Unterricht?», fragte Augusta.

«Nun, gnädigste Madam», erklärte der Ökonom mit zufriedenem Lächeln, «wie Ihr wisst, sind wir gehalten, die Kinder auf das Leben vorzubereiten. Das ist unsere größte Pflicht, damit sie später nicht den milden Gaben aus dem Gotteskasten zur Last fallen, sondern sich ehrbar und mit ihrer Hände Arbeit ernähren können. Das will geübt und gelernt sein. Bis vor vier Jahren haben unsere Mädchen Strümpfe gestrickt, doch die Spinnerei ist ertragreicher, ja, auch wenn wir extra eine darin erfahrene Frau einstellen mussten, die den Mädchen das Nötige beibringt. Das Gesponnene wird verkauft, unsere Schatulle braucht jeden Pfennig.»

Zugleich sollten sich die Kinder an der Arbeit für die Gemeinschaft beteiligen, so lernten sie, für sich selbst und für andere zu sorgen. Auch gebe es so keinen Müßiggang, der verderbe nur den Charakter.

«Diese hier», Faber neigte sich Augusta vertraulich zu, «sind brav und emsig. Einige haben schon alles gelernt, was ein Mädchen in der Schule lernen sollte. Da wäre es doch Verschwendung, sie weiter müßig dort herumsitzen zu lassen, nicht war? Einige andere – lasst es mich so sagen: Bei den mit wenig Verstand gesegneten Geschöpfen lohnt weiterer Unterricht erst recht nicht. Völlig vergeblich, ja. Die meisten dieser Art helfen für gewöhnlich in der Wäscherei, in der Küche und beim Reinmachen, all diese Arbeit muss getan werden und erfordert viele Hände. Unsere armen Waisen leisten brav ihren Teil, das tun sie wirklich.»

«Einige eignen sich besser für die Spinnerei, oh, es sind fleißige Bienchen darunter», wagte sich Waisenmutter Faber mit einem eigenen Beitrag hinter dem Rücken ihres Gatten hervor, «das kann ich wohl sagen, wirklich fleißige Bienchen mit geschickten Fingerchen. Da denke ich dann wieder, der Herr ist so gerecht: Wem er wenig Geist gibt, dem gibt er fleißige Hände.»

Von irgendwoher aus dem Parterre erscholl ein Schrei, dann ein kurzes zorniges Gebrüll, eilige Füße trappelten, eine Tür rummste ins Schloss, noch ein gepresster Aufschrei, dann war es wieder still.

«Du meine Güte», murmelte Augusta und sah den Ökonomen fragend an.

«Knaben», erklärte Faber säuerlich lächelnd. «Mutwillige junge Burschen, ja, unser guter Steding muss noch lernen, für Stille zu sorgen. Manchmal ist es ein hartes Stück Arbeit, sie im Zaum zu halten, wie bei jungen Pferden, wenn Ihr den Vergleich erlaubt. Zunächst verweigern viele das Zaumzeug, aber nach und nach, im Laufe der Zeit, bleibt ihnen gar nichts anderes, dann gehen sie brav im Geschirr. Ja, hier herrscht von jeher gute Zucht. Ich möchte sagen, bessere, als viele Kinder in ihren Familien erfahren. Bedenkt nur, welche Brut in den verderbten Gängen wenige Schritte von hier heranwächst und sogar gedeiht – da muss man sich um das Wohl der Stadt und seiner braven Bürger sorgen, das muss man wirklich. Hier jedoch …»

Der Rest seiner Worte versickerte in einem plötzlichen Hüsteln. Seine Frau hatte die unbewegte Miene Augustas bemerkt und ihrem Mann sicherheitshalber am Ärmel gezupft – bei diesen betuchten Damen wusste man heutzutage nie, auf welche schwärmerischen Ideen und Vorstellungen sie kommen mochten.

«Die Arbeit unserer Lehrer und Erzieher», schloss Faber noch seine Rede, «zu denen ich mich auch rechnen darf, mich und auch Madam Faber, denn wir alle arbeiten mit an dem großen Werk, gewiss, diese Arbeit ist aufreibend, sie erfordert alle unsere Kräfte und viele Gebete, aber sie ist Gott gefällig. Tag für Tag, bis in die Nacht. Jahr um Jahr.»

Molly entfuhr ein nervöses Kichern. Sie war solche Reden nicht gewöhnt, höchstens von Predigten, allerdings hatte sie nie eine gehört, die so selbstgefällig klang. Augusta war nachsichtiger, letztlich sprach Faber aus, wie es war.

«Wie viele Kinder habt Ihr zu» – «züchtigen» hätte sie fast gesagt –, «zu betreuen und erziehen?»

«Zu viele, Madam Kjellerup, wie immer zu viele für unsere bescheidenen Mittel. Zurzeit sind es fast achthundert, weit mehr als die Hälfte leben außerhalb in Koststellen, müssen aber von uns in den Akten geführt und mit Kostgeld versorgt werden. In dieses Haus passen selbst mit Mühe und entschiedenstem Zusammenrücken nicht mehr als dreihundert Kinder. Es wären noch mehr zu betreuen, hätte Gott nicht im vergangenen Jahr achtzig unserer Kindlein zu sich genommen. Ich weiß», fügte er hastig hinzu, «es klingt nach vielen, der Senior der Bürgermeister, unser hochweiser Patron und Schutzherr hat das schon angemerkt. Aber nur, weil seine Magnifizenz vergessen haben, pardon, so ist es, er muss vergessen haben, dass es nicht mehr sind, als von sieben- oder achthundert Kindern in der Stadt sterben. Ich darf sogar sagen, in manchen Jahren eher weniger. Wir achten auf gutes Essen, nicht zu viel, das ist, wie jeder weiß, für diese Kinder unbekömmlich, aber auch nicht zu wenig. Und auf Reinlichkeit, Madam, alle zwei Wochen wird sogar gebadet, gegen das Ungeziefer hilft nur baden, das ist die Vorschrift, alle zwei Wochen! Obwohl jetzt, im Winter … Neuerdings heißt es ja, Reinlichkeit sei allgemein der Gesundheit förderlich. Natürlich wäre es einfacher, müssten nicht zumeist zwei, bei den Kleinen oft drei Kinder ein Bett teilen. Aber unsere Kranken haben eine Extrastube, sie werden ausgezeichnet versorgt. Wir dürfen sogar den Wundarzt holen, und er kommt auch, das tut er wirklich. Unverzüglich, sobald er seine anderen Kranken versorgt hat. Aber so ist es nun einmal, Madam, Menschen sind sterblich, auch, ich möchte sogar sagen: besonders kleine.»

«Ich weiß, Monsieur Faber», hatte Augusta da gesagt, mehr nicht. Der Ökonom hatte verdutzt geguckt und sie erleichtert weitergeführt, in den Klassen- und Speisesaal der Mädchen.

Die hatten nun ausgesungen, zum Abschluss das von Augusta wegen seiner Heiterkeit allseits und immer wieder geliebte «Geh aus, mein Herz, und suche Freud», allerdings hatte sie um Beschränkung auf vier Strophen gebeten. Was die Lehrmutter enttäuschte, sie hatte viel Mühe darauf verwandt, die Mädchen (bei dem größeren Teil war es gelungen) zu Ehren der hoffentlich spendablen Dame alle fünfzehn Strophen auswendig lernen zu lassen.

Augusta fand, sie habe genug gesehen und gehört, umso mehr, als der Ökonom und seine Gattin sie zwischen den Besuchen bei den Jungen und den Mädchen auch durch die Back- und die Waschstube geführt hatten, den Winkel genannten bescheideneren Raum, in dem beizeiten Schuster und Schneider ihre Arbeit versahen. Sie hatten sie auch zu einem Blick in die drei Schlafsäle genötigt, schließlich hatte Madam Faber dafür gesorgt, dass die Decken heute besonders akkurat gefaltet und der Boden besonders gründlich gefegt worden war. Auf den Besuch der Krankenstube wurde verzichtet, Augusta fand es unpassend, Molly den gefährlichen Krankheitsdämpfen, die dort zweifellos in der Luft hingen, auszusetzen, schließlich würde sie nach diesem Besuch gleich in die Herrmanns'sche Küche zurückkehren. Außerdem fühlte sie sich für das Mädchen verantwortlich.

Augusta hätte nun gerne eine Sänfte kommen und sich nach Hause bringen lassen. Der Vormittag war ihr lang erschienen, sie war müde, und ihre Füße schmerzten, sie hatte schon eine freundliche Ausrede parat, um das von Madam Faber avisierte zweite Frühstück zu umgehen, leider hatte sie keine Chance.

Als Madam Faber nach beendetem Rundgang so ehrerbietig wie eifrig zu Tisch bat, kam Molly Augusta rasch zuvor und erklärte, eine Erfrischung sei genau das, was Madam Kjellerup sich nun wünsche. Ihr um Verzeihung heischender, geradezu beschwörender Blick ließ Augusta gnädig zustimmen. Genau genommen wäre es auch höchst unfreundlich, Mühe und

Ehrgeiz der Faberin mit einer Absage zu missachten. Aber spätestens jetzt wollte Augusta endlich wissen, was Molly hier suchte. Die junge Mamsell würde ihr Rede und Antwort stehen müssen. Augustas gute Laune war schlagartig wiederhergestellt. Die Aussicht auf eine gute Geschichte, sei sie auch abstrus, ließ sie sogar der zuvor als lästig empfundenen Mahlzeit fröhlich entgegensehen.

Dann würde sie ihre Rolle eben noch ein bisschen länger spielen, diese Rolle der wohlhabenden Matrone, der man schmeicheln musste. So nahm sie huldvoll lächelnd den Arm, den der Ökonom ihr mit geneigtem Kopf reichte, und schritt gemessen zu Tisch, Molly und die strahlende, gleichwohl vor Nervosität trippelnde Madam Faber im Gefolge.

Weddemeister Wagner stand mitten im kleinen Dragonerstall-Theater und sah fröhlich grinsend zu Rosina hinauf, was selten geschah. Er legte die kurzen dicken Finger zusammen, zweimal, dreimal, zu einem verhaltenen Applaus.

«Bravo», rief er, «bravo. Ich hab's gewusst! Auf Dauer haltet Ihr das nicht aus, ein Leben so ganz ohne Bühne. Wann kommen sie an?»

«Ankommen? Wer?»

«Wer? Die Becker'schen natürlich. Jean, Helena, Titus und all die anderen. Muto nicht zu vergessen.»

«Ach, Wagner.» Rosina ließ sich auf den vorderen Bühnenrand sinken, stützte links und rechts die Arme auf, ließ die Beine baumeln und kreuzte die Füße. Diesmal verkniff Wagner sich ein Lächeln. Sie wusste es nicht, aber kaum war sie in dem alten vertrauten Komödienhaus, vergaß sie, auf den Staub und auf ihre Kleider zu achten, auch darauf, ob ihre Knöchel schicklich bedeckt waren. «Ich habe keine Ahnung, wo sie sind. Ich fürchte, sie sind mir doch gram, weil ich sie verlassen und mich für Magnus und die Sesshaftigkeit entschieden habe. Sie schreiben nicht, und ich weiß keine Adresse, an die ich meine Briefe schicken kann. Vielleicht haben sie einen der Orte gefunden, in dem es in der Fastenzeit kein öffentliches Spielverbot gibt. Wie habt Ihr mich überhaupt hier gefunden?», wechselte sie rasch das Thema. «Hat Pauline Euch hergeschickt?»

Wagner hätte lieber noch ein bisschen über das Theater gesprochen; er hätte gerne gewusst, was Rosina hier tat, warum sie die seit Monaten unbenutzte Theaterbude inspizierte, wenn sie *nicht* ihre alte Komödiantengesellschaft erwartete.

«Heute Morgen wurde noch eine Tote gefunden», begann er, «in einem der Gänge, die vom Berckhof abzweigen, von dieser Gasse hinter St. Jakobi. Sie hat dort gewohnt, nicht direkt, wo sie gefunden wurde, ein paar Abzweigungen weiter.» Eigentlich war es zu kalt, um hier herumzusitzen, doch der lange Weg hatte ihn erhitzt, so zog er eine der Bänke heran und ließ sich, achtsam die Berührung mit der beschmutzten Rückenlehne meidend, darauf nieder. «Ich bin den ganzen Vormittag kreuz und quer durch die Stadt gelaufen», erklärte er entschuldigend und fuhr fort: «Ja, eine zweite Tote. Bevor Ihr sagt, das könne ein Zufall sein, was mir im Übrigen viel lieber wäre, also bevor Ihr das sagt, muss *ich* sagen: Es ist kein Zufall. Nein, leider. Das kann man einfach nicht glauben, selbst wenn man es möchte. Die Leute dort, und erst die Ratten – der Rat muss wirklich etwas gegen diese Rattenplage unternehmen, wie soll das erst im Sommer werden, wenn sie sich vermehren wie, wie – ja, wie Ratten eben. Wenn ...»

«Wagner!», rief Rosina lachend, auch sie spürte nun die Kälte und raffte ihren Umhang mit dem dicken Pelzkragen enger um den Körper. «Lieber Wagner, ich verstehe kein Wort. Nur, dass es eine zweite Tote gibt. Wenn ich Euch richtig interpretiere, ist auch sie keines natürlichen Todes gestorben, wie es immer so hübsch harmlos heißt. Kommt es nicht hin und wieder vor, dass innerhalb weniger Tage zwei Menschen sterben, sogar eines unnatürlichen Todes?»

Wagner hatte sich vorgestellt, wie schon die Erwähnung der Toten und die Andeutung der Umstände ihres bedauerlichen Ablebens Rosinas Jagdinstinkt entzünden würden, zumindest ihre berüchtigte Neugier. Ausnahmsweise sah es nicht danach aus. Sie hatte anderes im Kopf. Theater! Gewöhnlich hätte er das sehr begrüßt, heute nicht. Er hätte es gern ein bisschen spannender gemacht, nun brachte er gleich seinen Trumpf ins Spiel.

«Natürlich kommt das vor, wenn auch nicht allzu oft, zum Glück. Allerdings, in diesem Fall – die Tote heißt Janne Valentin, vielleicht auch Johanne, da ist sich die Nachbarschaft nicht einig. Seltsam, jetzt fällt mir auf, bei der ersten Toten gab es auch solche Uneinigkeiten. Nun ja, das tut wohl nichts zur Sache. Tot ist tot. Bleiben wir bei Janne Valentin. Wie sie auch heißen mag – sie ist die Frau von der Alster. Versteht Ihr? Genau», fuhr er endlich hoch befriedigt fort, als Rosina ein undamenhafter Pfiff entfuhr. «Genau. Die Frau, die sich nach vorne ans Ufer gedrängt hatte, als die erste Leiche geborgen wurde, und dann in tiefem Schrecken davongelaufen war.»

«Ihr habt sie erkannt?» Rosina rutschte von der Rampe und begann fröstelnd auf und ab zu gehen. «Ich dachte, Ihr hättet sie dort am Ufer gar nicht beachtet.»

«Ich habe sie sehr wohl beachtet. Leider nicht genug, ja, leider. Das stimmt. Aber es gibt überhaupt keinen Zweifel, ich habe sie heute Morgen gleich erkannt. Und dann», er hüstelte mit einem Hauch Selbstgefälligkeit, «ermittelt.»

«Erzählt», sagte Rosina. Sie setzte sich neben ihn auf die schmutzige Bank, im Blick nichts als erwartungsvolle Neugier.

Elise, Martha und Wiebeke Schuldt, die Nachbarinnen der

Toten, hatten Wagner bereitwillig erzählt, was er wissen musste, bis auf den Namen des Mörders. Sie konnten nicht einmal mit einem Verdacht aufwarten, was Wagner erstaunlich fand, Verdächtigungen war er gewöhnt wie Regen im April, zumeist waren es falsche. Nun ja.

Die drei hatten ihn in ihre Behausung mitgenommen, weil es draußen zu kalt sei, und er hatte wieder einmal festgestellt, wie glücklich er mit seiner eigenen bescheidenen Wohnung war. Die Wände der zugigen Kammer und der dazugehörigen Abseite zeigten feuchte Stellen, immerhin war kein Schimmel zu sehen, es roch ungut; auf dem Bett, das die drei sich teilten, lag eine Zudecke, die aussah, als enthalte sie neben Stroh oder Lumpen immerhin auch ein paar Handvoll Daunen. Sicher hatten sie einmal bessere, behaglichere Tage erlebt. Die Zimmer waren so sauber, wie sie bei diesen Lebensbedingungen sein konnten, die Feuerstelle gab sogar ein wenig Wärme – Wagner hatte schlimmere als Wohnung bezeichnete Löcher gesehen. Allerdings wollte er sich nicht vorstellen, wie es hier gewesen war, als der Frost noch klirrte.

Die drei setzten sich auf die Bank bei der Feuerstelle, ihm blieb der Hocker. Janne – Wiebeke bestand auf Johanne – wohnte eine Etage tiefer. Ihr Mann und Sohn waren noch auf See, nur das Eis sei schuld, dass die beiden nicht längst zurück seien.

«Dann wär das nicht passiert», erklärte Martha, die Mittlere, «niemals. Dann wär sie nicht mehr raus in die Dunkelheit gegangen, jedenfalls nicht alleine. Ohne männlichen Schutz.»

Sie begann wieder zu weinen, der Ellbogen der Ältesten ermahnte sie, sich zusammenzureißen, was wenig nützte. Keine wusste den Namen des Schiffes, auf dem Matthes und David Valentin angeheuert hatten, oder gar den des Eigners oder welche Route es gefahren war. Das musste in den Listen des Wasserschouts stehen, Wagner wollte daran denken.

Dann gab es noch Anna, die einzige Tochter. Sie war in Stellung in Neumühlen, allerdings hatte Janne erzählt, sie sei in diesen Wochen mit ihrer Herrschaft nach Glückstadt gereist, von dort gehe es weiter nach Kopenhagen. Darauf sei Janne sehr stolz gewesen, denn die Herrschaft ihrer Tochter nehme natürlich nur die besten ihrer Dienstboten mit auf Reisen.

Schon die Frage, ob es einen Grund für jemanden gegeben hatte, Janne Böses zu, nun ja, zu wünschen, empörte Martha. Wiebeke sagte dazu nichts, und Elise murmelte, in den letzten Wochen habe Janne viel geborgt, die verspätete Rückkehr von Mann und Sohn, und zwar mit der Heuer für eine lange Fahrt, hatte sie in Not gebracht. Doch, sie hatte gearbeitet, wenn sie Arbeit fand, im Winter war das nun mal noch schwerer als sonst. Zuletzt bei dem Tabakfabrikanten Hartung im Kattrepel über der Weißbäckerei im zweiten Stock. Der geizige Kerl habe mit Vorliebe einen Teil des Lohns in Naturalien bezahlt, und weil Janne so gerne ihre Pfeife geraucht hatte, war davon wenig zum Tausch gegen Feuerung und Kerzen übrig geblieben, da hat sie eben borgen müssen. Das sei aber kein Grund, ihr nach dem Leben zu trachten, hatte Elise streng ergänzt, und es genau so gewählt ausgedrückt.

«Die drei haben nicht ihr ganzes Leben in diesem Viertel zugebracht», überlegte Wagner jetzt, «da lernt man eine andere Rede.»

Rosina nickte. «Ihr habt sicher auch die Wohnung der Toten gesehen. Gab es dort etwas Interessantes? Einen Hinweis?»

«Was für einen Hinweis? Briefe, Notizen, Tagebücher, Kontrakte, Schatullen – dergleichen?»

«Spottet nur, Wagner. Ich verstehe schon, da war also nichts.»

«Nur das Nötigste zum Leben. Das Allernötigste, ja. Falls da mehr gewesen war, auch nur ein bisschen mehr an Küchengerät, an Geschirr oder Kissen, dann hatte sie es schon verkauft. Wenn man bedenkt, dass sie die Rückkehr von Mann und Sohn erwartet hat, nahezu täglich – es gab nicht einmal für jeden eine Decke. In den Gängen leben viele, die haben kein Hemd, geschweige denn Schuhe oder eine warme Decke, aber zu den so völlig Elenden kann sie nicht gehört haben. Ihre Kleider waren ausgebessert, natürlich, auch schon dünn gewaschen, aber – nein, so verloren war sie nicht. Wenn doch, dann erst seit kurzem.»

«Weil ihr Mann mit der Heuer überfällig war?»

«Wahrscheinlich.»

Rosina spürte die Kälte schärfer. Wie würde es ihr ergehen, wenn Magnus nicht zurückkam, wenn er Monate und Monate länger ausblieb als verabredet? Er hatte bei der Bank Geld für sie hinterlegt und Anweisung gegeben, ihr jederzeit auszuzahlen, was sie brauchte. Aber sie hatte keine Ahnung, wie lange es reichen würde. Sie wusste nur, ihr eigenes Geld, der magere Rest ihres väterlichen Erbes, erlaubte allerhöchstens ein halbes Jahr, die Miete und Paulines Lohn zu bezahlen und sich und Tobi zu ernähren, und dann …

«Ja», sagte Wagner, «schon lange überfällig.» Er hüstelte wieder, und sie kehrte umgehend zu den wirklichen Problemen zurück. Zwei Frauen waren ermordet worden, und sie grübelte, was in einem halben Jahr und im ganz und gar unwahrscheinlichen Fall werde, wenn Magnus sie verriete. Das würde er niemals tun. Und wenn er verunglückte? Ausgeraubt, erschla…

Schluss!

Magnus kehrte in wenigen Wochen zurück, heil, unversehrt, voller abenteuerlicher, lustiger oder auch trauriger Geschichten, glücklich, wieder bei ihr zu sein. Sonst nichts! Wenigstens hatte dieser unnütze Anfall von Grübelei sie bis in die letzte Faser ihres zweifelnden Herzens wieder wissen lassen, wie sehr sie ihn liebte – und wie sehr er sie liebte. *Obwohl* er die Reise zu ihrem großen Grimm ohne sie machte.

«Entschuldigt, Wagner, meine Gedanken waren gerade sehr langsam. Was haben die drei Schwestern noch erzählt?»

Wagner schnaufte in tiefem Behagen. Alle Tage so auskunftsfreudige Menschen, und seine Arbeit gliche einer Sommerpromenade, erklärte er.

Martha Schuldt hatte gehört, wie eine Jungenstimme Janne im Treppenhaus in eine Schänke bestellte. Den Jungen hatte sie nicht gesehen, konnte also nicht sagen, wer er war oder wie er aussah, und den Namen der Schänke hatte sie nicht verstanden, dafür den der Auftraggeberin des Jungen. Madam Kohrs, hatte der Junge gesagt, der übrigens eine sehr schlampige Aussprache habe, wahrscheinlich fehlten ihm etliche Zähne, und Janne hatte ihn nach kurzem Zweifel verbessert, nicht Kohrs, sondern Cordes, und war gleich losgerannt. Das war das Letzte, was sie von ihr gesehen und gehört hatte. Auf ihre Rückkehr hatten die Schwestern nicht geachtet und im Zweifelsfall auch angenommen, sie übernachtete bei Madam Cordes, weil es ja schon Nacht gewesen sei, jedenfalls stockdunkel. Nein, es war nicht Jannes Gewohnheit, am Abend noch auszugehen, jedenfalls nicht alleine.

«Janne», betonte Martha entschieden, «war eine anständige Frau. Dies nur, falls Ihr auf falsche Gedanken kommt. Nur der ihr nach dem Leben trachtete, einer braven Frau, die niemandem je etwas zuleide getan hat, der ist ein Satan. Das ist gewiss.»

Da weinte Martha nicht mehr, sondern blickte so zornig, dass sie bei all ihrer Spitznasigkeit einer Kriegerin glich. Was Wagner sehr erleichtert hatte. Weinende Frauen machten ihn hilflos und ungeduldig. Er hatte nun den Besuch bei Madam Cordes vor sich, zweifellos noch eine weinende Frau. Die drei Schwestern wussten, wer sie war, sogar, wo sie lebte, Janne hatte Martha mit Stolz von dieser Freundin erzählt, die es weiter gebracht hatte als sie selbst. Dass die jammervolle Martha plötzlich eine kampflustige Seite zeigte, fand er großartig, auch wenn er grundsätzlich sanfte Frauen vorzog. Wie jeder vernünftige Mann.

«Und? Hat sie geweint, diese Madam Cordes?», fragte Rosina. Die letzten beiden Sätze, die sie in schallendes Gelächter hätten ausbrechen lassen, hatte Wagner nur gedacht.

«Nein, vielleicht später, heimlich. Sie wurde kreidebleich, als ich den Anlass meines Besuchs sagte, wirklich kreidebleich. Übrigens ist sie keine, nun ja, keine feine Madam, sie hat einen bescheidenen Kleinwarenladen, einfache Sachen, keinerlei Seidenblumen und derlei, wenn Ihr versteht, was ich meine. Er gehört ihr, und sie führt ihn allein, seit ihr Mann gestorben ist.»

«Gestorben? Wann? Woran?»

«Keine Sorge, nicht noch ein Mord in dieser Sippschaft, er starb an einem gewöhnlichen Brustfieber. Der Laden ernährt sie und ihren Sohn offenbar recht gut. Sie sieht bescheiden, aber keineswegs ärmlich aus. Außerdem», Wagners Gesicht zeigte einen Anflug von Unmut, «außerdem fertigt sie Stickereien, sie nimmt Aufträge an.»

«Und ich bin sicher, sie liefert nicht annähernd so gute Arbeit wie Karla», warf Rosina rasch ein, «keine stickt so zierlich wie Eure Frau.»

Wagner nickte mit großem Ernst. Das hatte er hören wollen. Es gab zahllose Stickerinnen in der Stadt, und immer wenn er einer begegnete, die in dieser Fertigkeit wirklich geschickt war, fühlte er Unruhe. Nicht *nur* wegen des zusätzlichen Einkommens, Klara liebte diese Arbeit so sehr, es wäre ihm schwer erträglich, wenn sie ihre Heiterkeit verlöre, weil die Aufträge ausblieben.

Wilhelmine Cordes hatte dem Weddemeister berichtet,

Janne sei eine alte Freundin, sie habe sie gestern noch besucht. Am späten Nachmittag, doch sei sie rechtzeitig genug gegangen, um noch bei Tageslicht ihre Wohnung zu erreichen. Keine Frau gehe gern allein durch die dunkle Stadt.

«Also hat sie ihre Freundin auch nicht in diese geheimnisvolle Schänke bestellt», vermutete Rosina.

Wagner nickte. «Sie hat das Haus gestern nicht mehr verlassen, sie wohnt in zwei Zimmern hinter ihrem Laden. Eine Nachbarin und ihr Sohn können das bezeugen, sie hat gestickt, ein eiliger Auftrag, deshalb noch am Abend bei Kerzenlicht, die Nachbarin hat mit einer Näharbeit dabeigesessen, weil der Sohn ihnen die Arbeit mit Vorlesen süßer gemacht hat.»

Wagner hatte nach diesem und jenem gefragt, ausführlicher, als es sonst seine Art war, was an seinem leeren Magen und den köstlichen Haferküchlein lag, die Wilhelmine Cordes ihm auf den Tisch gestellt hatte. Er erfuhr von ihr kaum mehr als von den Nachbarinnen der Toten, nur dass Jannes Mann wohl bald Steuermann werde und sie dann eine bessere Wohnung mieten wollten.

Wilhelmine Cordes fiel kein Grund ein, warum ihre Freundin noch einmal das Haus verlassen hatte, es müsse ein echter Grund gewesen sein, ein wichtiger Anlass. Wie jeder auch nur halbwegs vernünftige Mensch habe sie die Dunkelheit gefürchtet.

Welchen Anlass denn der nachmittägliche Besuch bei ihr gehabt habe? Da hatte sie die Achseln gezuckt. Keinen besonderen. Alte Freundinnen besuchten einander eben. Ab und zu, nicht zu oft. Auch habe Janne sonst um diese Zeit gearbeitet, um Tageslohn in der Tabakfabrik Hartung, dort sei aber zurzeit keine Arbeit für sie. Mehr als vier oder fünf Leute beschäftige der Fabrikant ohnedies selten, dieser Tage seien es nur zwei, nämlich seine Frau und seine Tochter. Für mehr sei nicht mehr genug Tabak da, bis die Schiffe neue Ware bringen, also wenn die Elbe wieder eisfrei ist.

Schließlich, der letzte Haferkuchen war aufgegessen, hatte Wagner noch gefragt, woher sie sich kennen. Sie sah ihn mit großen Augen an. «Wie man sich eben kennt», erklärte sie, «Janne hat ein paar Mal etwas bei mir gekauft, schon vor Jahren, wir haben uns auch ab und zu auf dem Markt getroffen, irgendwann kennt man sich, und manchmal wird man zu Freundinnen.»

Dann war Wagner, weil es nicht mehr weit war, in die Mattentwiete zu Rosinas Wohnung gegangen. «Und Mamsell Pauline hat gesagt, Ihr habt den Schlüssel für das Kleine Komödienhaus, da dachte ich, ich seh mal, was Ihr hier tut.» Er schwieg und sah sie fragend an.

«Da dachtet Ihr, die Becker'sche Komödiantengesellschaft kommt und ich prüfe, was hier getan und repariert werden muss, bevor die Aufführungen beginnen können? Ich wünschte, Ihr hättet recht, Wagner. So ist es nicht, ich wollte nur mal schauen. Einfach so. Es ist eine Verschwendung, wenn diese hübsche kleine Bühne so lange leer bleibt. Auch ohne gute Theatermaschinerie eignet sie sich für viele Aufführungen sogar besser als das große Haus am Gänsemarkt, findet Ihr nicht? Das braucht tausend Menschen, um es richtig zu füllen, dieses nur zwei-, höchstens dreihundert, und auch wenn es nur hundert sind, wirkt es nicht wirklich schlecht besucht. Im Übrigen steht auch das große Haus schon wieder leer und ist unbespielt. Die Ackermann'sche Gesellschaft gastiert für den ganzen Winter, es heißt sogar bis in den Mai oder Juni, in Hannover und Celle, und von Nikolini habt Ihr gewiss gehört? Er ist bankrott», fuhr sie fort, als Wagner, der sich im Moment nicht gerade brennend für die Probleme oder Freuden der Theaterleute interessierte, sie kaum mehr als höflich fragend ansah.

Madam Ackermann hatte den Prinzipal mit seiner Kinderpantomimentruppe von Braunschweig engagiert, um ihre eigene Gesellschaft unterhaltsamer zu machen. Als die Ackermann'schen nach Hannover zogen, blieb er mit den Kindern im Hamburg, doch so viel Erfolg er zunächst gehabt hatte – die Leute waren im Sommer ganz närrisch nach den Possen der Kinder gewesen –, so sehr ging es dann bergab. Zudem hatte er in der Manier höfischer Verschwendungssucht über seine Verhältnisse gelebt, jedenfalls war er seit einigen Tagen verschwunden, nur seine beachtlichen Schulden hatte er zurückgelassen.

«Immerhin hat er die Kinder mitgenommen. Was auch besser für ihn ist, denn einige von ihnen soll er auf den Straßen eingesammelt haben. Womöglich gibt es Eltern, die sie vermissen, obwohl man das – auch bei Licht besehen – nicht glauben kann. Wären die Kinder entführt, gestohlen, gegen den Willen der Eltern mitgenommen, wäre es ein Leichtes gewesen, Nikolini mit seiner weithin bekannten Pantomimengesellschaft zu finden. Große Theater wie die in Braunschweig und in Hamburg kann man nicht wirklich als ein Versteck ansehen. Und wenn er eltern- und heimatlose Kinder auf den Straßen eingesammelt hat, kann ich ihm daraus keinen Vorwurf machen.»

Wagner schwieg. Er wusste um die nur als gelungene Flucht zu bezeichnende Abreise des Pantomimenprinzipals, und natürlich wusste er, wie es vagabundierenden Kindern erging, und er wusste auch, dass Rosina jetzt an ihre eigenen ersten Tage allein auf den Straßen dachte. Er verstand nicht, warum, aber seit sie sesshaft geworden war, geschah das häufiger.

«Vergessen wir jetzt das Theater», fuhr Rosina nachdrücklich fort, als koste es sie Mühe. «Habt Ihr die Cordes gefragt, ob sie Mamsell Elske kennt, die Schankmagd vom *Eschenkrug* auf dem Borgesch? Macht nichts», sagte sie, als Wagner sie nur betreten schweigend ob des Versäumnisses ansah, «es war bloß so eine Idee. Das kann man nachholen. Wie ist sie eigentlich gestorben? Ich meine, auf welche Weise? Womit?»

«Erwürgt», erklärte Wagner knapp. «Allerdings nicht direkt mit den Händen wie die andere. Wohl mit einem Seidenband, Grabbe hat eines ganz in der Nähe der Leiche gefunden, die Stärke passt genau zu den Würgemalen an ihrem Hals. Ja, genau. Ihr Mörder muss es verloren haben, oder es ist ihm aus der Tasche geglitten, als er die Tote auf den Balken gehievt hat.»

Rosinas Blick wanderte nachdenklich aus dem Fenster, als sehe sie dort, direkt hinter den an einigen Stellen gesprungenen schmutzigen Scheiben die Tote. «Er wird es kaum extra für Euch dort hingelegt haben.»

Sie wies ihn nicht darauf hin, dass er ganz selbstverständlich von einem Mörder gesprochen hatte, von einem «Er». Wenn es so weit und nötig war, würde Wagner schon bedenken, dass es auch Frauen gab, die mordeten. Erwürgen setzte ein gehöriges Maß an Kälte, Verachtung oder glühendem Hass voraus, allerdings kostete es vor allem große Kraft. Doch genau genommen konnten nur Frauen aus der kleinen feinen Gesellschaft als schwaches Geschlecht bezeichnet werden. Die anderen hatten von der Arbeit im Haus, vom Schleppen ihrer Kinder, vom Wäschewringen oder Holzhacken für gewöhnlich kräftige Arme und Hände, auch die in der Stadt, auch in den Bürgerhäusern.

«Und nun?», fragte Rosina. «Zwei tote Frauen liegen im *Eimbeck'schen Haus* – oder ist die erste endlich beerdigt worden?»

Wagner tastete in seiner wie stets ausgebeulten Rocktasche nach seinem großen blauen Tuch, aber er zog es nicht heraus, ihm war nun wirklich zu kalt, als dass das winzigste Schweißtröpfchen auf seiner Stirn entstehen könnte. Auch fühlte er etwas anderes, um das sich seine Finger sogleich schlossen. Er wollte es keinesfalls vergessen.

«Beerdigt, ja, eigentlich, ich weiß nicht. Nun, es ist ein Problem, es ist …» Er räusperte sich und fuhr endlich in zu ganzen Sätzen geordneten Worten fort: «Sie sollte heute beerdigt werden, es war höchste Zeit, wenn Ihr versteht, was ich meine, wirklich höchste Zeit. Ich wollte dabei sein, ja, das wollte ich, weil ich dachte, vielleicht kommt jemand, der etwas weiß. Obwohl – woher hätte jemand Ort und Zeitpunkt der Beerdigung wissen sollen? Es hat niemand gefragt, und es ist nicht bekannt gegeben worden, natürlich nicht. Womöglich wäre trotzdem jemand gekommen, so was weiß man nie.»

«Wollten, sollten, wäre? Was ist passiert? Keine Beerdigung?»

«Keine Beerdigung. Keine, wie sie in solchen Fällen üblich ist, ja, Armengrab, diskret, auf Kosten der Kämmerei und des Kirchspiels. Aber die Leiche ist weg. Leider. Verschwunden. Was eine Ausgabe erspart, das ist von Vorteil, aber es ist doch seltsam. Und beunruhigend. Auf gewisse Weise.»

Es hatte schon gedämmert, als gestern eine schwarz verschleierte vornehme Dame in Begleitung eines ebenso eleganten Herrn im Souterrain des *Eimbeck'schen Hauses*, genau genommen in dem zum Anatomischen Theater gehörenden winzigen Amtszimmer, die Herausgabe der Toten erbat. Sie hatte von ihrer lieben Verwandten gesprochen, ein Papier vorgelegt, das der einzige Anwesende, nämlich der des Lesens unkundige Knecht, sofort als ein amtliches erkannte, weil es nämlich gesiegelt war. Leider hatte er nicht bedacht, dass jeder siegeln kann, der ein paar Münzen für den Kauf von Siegellack erübrigt. Die Dame hatte immer wieder heftig aufgeschluchzt und der Herr versichert, alles habe seine Ordnung, man sei nur wegen der nahenden Dunkelheit in Eile, man müsse die Torsperre fürchten. So hatte der Knecht sich erbarmt, die Tote auf den Karren gelegt und hinaus zur wartenden Kutsche gebracht.

Da er später in dieser Nacht sturztrunken und mit fettverschmiertem Gesicht gesehen wurde, kann davon ausgegangen werden, dass die eine oder andere Silbermünze seiner erstaunlichen Bereitschaft erheblich nachgeholfen hatte, was er allerdings entschieden abstritt.

Vor dem Haus wartete eine Kutsche, in der Kutsche ein Sarg, keine einfache Bretterkiste, sondern von gutem Holz, sagte der Knecht. Da er ein starker Mann war (er hatte lange davon geträumt, Akrobat zu werden und mit einer Gesellschaft von Fahrenden in die Welt hinauszuziehen), hob er die zum Glück in feste Tücher eingewickelte Leiche allein vom Karren, die beiden Verwandten und der Kutscher sahen zu, Letzterer half immerhin, den Deckel aufzulegen.

«Und dann waren sie weg», schloss Wagner, «keiner weiß, wohin.»

«Das können doch nur die Paulis gewesen sein», stellte Rosina fest. «Es heißt, die Tote habe keine Familie, wer als ihre Herrschaft hätte Anlass, für ihr Begräbnis zu sorgen? Nur das kann der Grund gewesen sein, oder?»

«Hoffentlich», sagte Wagner mit ungewohnter Trockenheit, «hoffentlich, ja. Trotzdem, die Paulis waren es nicht, jedenfalls hat Madam Pauli es abgestritten. Warum hätte sie das auch tun sollen? Sie war ihrer Dienstbotin doch gram, und dann plötzlich so ein Aufwand? Dazu verschleiert und vor allem – warum heimlich? Ohne den Pastor ihres Kirchspiels? Nein», Wagner wippte einmal auf die Zehenspitzen wie immer, wenn etwas sehr ernst und streng zu beurteilen war, «nein, die Leiche ist entführt worden. Fragt sich nur – wozu?»

«Ja, und wohin? Und vor allem: von wem? Moment! Hat die verschleierte Dame nicht irgendetwas von der Torsperre gesagt? Das klingt, als wären sie mit ihrer Kutsche und mitsamt dem Sarg durch eines der Tore aus der Stadt gefahren. Dann muss man nur die Torwächter fragen, die gestern zur Zeit des Toresschlusses Dienst hatten. Eine Kutsche mit Sarg – ich bitte Euch, Wagner, das vergisst keiner.»

«Eine wirklich vortreffliche Idee, ja, wirklich. Ich hatte sie auch schon, Grabbe hat alle befragt, leider erinnert sich keiner der Männer von den Torwachen.»

«Gar keiner?»

«Absolut keiner.»

«Dann haben sie die innere Stadt nicht verlassen. Oder gut bezahlt.»

Wagner nickte mit düsterem Blick. Dass sich Torwachen bestechen ließen und es ihm noch nie, nicht ein einziges Mal gelungen war, wenigstens einen dieser käuflichen Kerle zu überführen, machte ihn immer wieder aufs Neue wütend.

Rosina dachte noch über etwas anderes nach. «Der Knecht im *Eimbeck'schen Haus* hat gesagt, der Sarg sei aus gutem Holz gewesen? Ist er sicher?»

«Er hat sogar gesagt, aus gutem *poliertem* Holz.»

«So ein Sarg ist teuer.»

«Sehr teuer.»

Beide schwiegen und dachten dasselbe: Wem konnte Wanda Bernaus Leichnam so lieb und wert sein, um ihn mehr oder weniger zu entführen, und dazu in einem so noblen Sarg?

«Fast hätte ich es vergessen», murmelte Wagner, als sie das Theater endlich verlassen hatten und Rosina sich mit klammen Fingern mühte, den großen Schlüssel in dem rostenden Vorhängeschloss zu drehen. Er zog ein buntes Etwas von der Größe und Form eines leicht plattgedrückten Eis einer Drossel aus der Tasche und zeigte es Rosina auf der ausgestreckten Handfläche. «Das muss bei der Toten gewesen sein. Ihre Kleider hat die Fremde mitgenommen, alle, bis zu dem Schnupftuch, das in ihrer Rocktasche gesteckt hatte. Darauf hat sie bestanden. Aber dieser Stein – ein wirklich hübsches Ding, das muss ich sagen, ja, wirklich hübsch. Bemalt? Oder?»

Rosina nahm es mit spitzen Fingern von Wagners Hand, besah es von allen Seiten und hielt es ins Licht. «Kein Stein, ich dachte es schon. Das ist Glas, von verschiedener Farbe und kunstvoll ineinander verschmolzen. Schillernd wie eine Pfauenfeder.» Sie drehte und wendete das bunte kleine Ding und gab es Wagner schließlich zurück. «Es hat kein erkennbares Muster, oder seht Ihr eins? Es ist wohl doch nicht so kunstvoll, eher ein Probestück aus einer Glasbläserei. Oder der Versuch eines Lehrlings? Ich kenne mich mit der Glasbläserei, überhaupt mit Gläsern nicht im Geringsten aus.»

«Wozu könnte es nützlich sein?»

«Ihr denkt zu vernünftig, Wagner», stellte Rosina lachend fest. «Es sieht nicht nach etwas Nützlichem aus, selbst für einen Briefbeschwerer ist es zu klein und leicht. Na gut, für einen Bogen mag es angehen. Ich denke, es ist einfach nur hübsch, das ist Nutzen genug. Egal, was es bedeutet oder nicht bedeutet, interessanter finde ich, woher sie es hatte. Ihr seid sicher, dass es in ihrer Kleidung gesteckt hat?»

Wagner nickte. «Soweit ich sicher sein kann, wenn ich es nicht selbst herausgezogen habe. Der Knecht im Anatomischen Theater hat es gefunden, nachdem diese seltsamen Fremden mit der Leiche fort waren und er sich ans Aufräumen machte. Es lag unter dem Schemel, auf dem die Kleider gelegen hatten. Es muss herausgefallen sein, dabei war ich sicher, dass wir alles durchsucht hatten. Er wiederum beteuert, vorher habe da nichts gelegen, also bevor die Leiche aus der Alster gebracht wurde. Es kann nur von dieser Toten sein. Jemand wird es ihr geschenkt haben, oder was denkt Ihr?»

«Wahrscheinlich. Es sieht nicht furchtbar wertvoll aus, aber doch zu teuer, um es vom Dienstmädchenlohn zu kaufen. Es sei denn …» Rosina dachte flüchtig an die samtbezogene

Spanschachtel in ihrer Truhe, in der sie Erinnerungen ganz ähnlicher, ebenso «unnützer» Art an ihre Mutter verwahrte und als unersetzliche Kostbarkeiten über all die Jahre gehütet hatte. «Es sei denn, es ist eine Erinnerung an frühere Zeiten, an jemand aus ihrer Familie. Ein geschenktes oder geerbtes Andenken.»

«Sie hat doch keine Familie», wandte Wagner ein, «das sagen jedenfalls die Paulis.»

«Aber sie muss eine *gehabt* haben, eine Frau hat sie geboren, also hatte sie zumindest eine Mutter. Wenn sie heute niemand mehr hat, werden solche Dinge doch umso wertvoller. Vielleicht kennen es die Paulis und wissen, woher oder von wem sie es hatte.»

Wagner nickte gedankenverloren, schob den Glasstein wieder in seine Jackentasche und drückte sich den Hut fester auf den Kopf. Ihn fror, er sehnte sich nach einer heißen Suppe. Oder nach einem dampfenden Becher Punsch. Womöglich beflügelte schon der Gedanke an die so delikaten wie wärmenden Freuden seinen Geist, jedenfalls fiel es ihm plötzlich und mit ungewohnter Klarheit und Sicherheit ein.

«Venedig», sagte er. «Natürlich, Venedig! Der Stein, pardon, das Glas, oder wie Ihr das Ding nennen wollt, ist aus Venedig.»

Rosina schob die kalten Hände tief in ihren Muff aus dickem weißem Kaninchenfell und hob steif die Schultern. Venedig war kein Ort, an den sie heute gern dachte. «Ihr meint, weil es auf der Insel in der Lagune dort die berühmten Glasbläsereien gibt? Es gibt auch anderswo Glasbläsereien, zum Beispiel hier in der Stadt oder nicht weit vor den Toren. Und die meisten besseren Gläser kommen aus Böhmen, auch aus Frankreich, sogar aus England. Aber sicher, warum nicht Venedig?»

Wagner spürte Ärger aufsteigen, gewöhnlich geschah das, wenn sich Rosina in einer Weise in seine Arbeit einmischte, die ihm nicht behagte oder für sie gefährlich schien. Nun geschah es, weil sie sich zu wenig einmischte, als interessiere sie die ganze Angelegenheit nicht.

«Venedig, versteht doch! Es heißt, die Tote habe eine Liebschaft mit dem Schreiber gehabt, natürlich nicht als Tote, das versteht sich von selbst, als sie noch lebte, die Tote, ja, mit dem Schreiber. Als sie verschwand, haben alle gedacht, sie ist ihm nachgereist, oder er hat sie geholt oder holen lassen, was weiß ich? Das ist ja auch unwahrscheinlich, denn da war dieser Kerl, jetzt ist mir doch tatsächlich der Name entfallen ... ja, da war er längst fort, und es war eiskalter Winter, da reist man doch nicht einfach einer Liebschaft nach, und man verschwindet auch nicht mitten in einer so eiskalten Nacht, wenn die Tore längst geschlossen sind, wenn keine Kutsche geht, vor allem, wenn man eine ist, die sich eine Kutsche ohnedies nicht erlauben kann, auch keine von der Post, die kaum gefedert ist, immer zu voll und überhaupt nach einer Stunde die reinste Folter. Zumal ohne wärmende Pelze, die nicht jede Bürgerfrau und ganz gewiss keine Dienstmagd besitzt.»

Rosina blickte den Weddemeister, in diesem Moment mehr ihren alten Freund Wagner, verdutzt an. Der atmete schwer, kleine Dampfwölkchen standen vor seinem Mund, seine für gewöhnlich Trägheit vortäuschenden Augen blitzten. «Ihr seid wütend, Wagner. Warum, um Himmels willen, macht Euch ein hübsches Glas aus Venedig so wütend? Viele Mädchen mögen solche Geschenke besitzen.»

«Nicht das Glas», stieß er immer noch erregt, aber schon weder versöhnlicher hervor, «das ist nur Papperlapapp, wie Madam Augusta sagen würde. Aber in dieser ganzen Geschichte passt nichts zusammen, es scheint auch niemanden zu interessieren, dafür wird mir aber zu viel gelogen. Zu viel, ja. Und Liebschaft? Das ist mir zu billig. Bei Mägden und Dienstmädchen fällt immer allen zuerst eine Liebschaft ein.

Als hätten die Damen aus gutem Haus, aus der oberen Etage sozusagen, keine Liebschaften. Bleiben wir bei dem hübsch nutzlosen Glas, ganz wie es beliebt. Venedig, sage ich, ein ganz ähnliches habe ich nämlich bei einer der Stiftsdamen im Johanniskloster gesehen. Natürlich sind das nur Kinkerlitzchen. Ich fand das Ding trotzdem hübsch, zum Beispiel als Geschenk für Karla. Aber leider unerschwinglich, ja, leider. Mir wurde nämlich versichert, es sei von dort, von dieser Insel Mo-, Mo-Dingsbums. Dann ist es aber unwahrscheinlich, dass der Schreiber der Paulis – verdammt, wie heißt der Kerl bloß? – es ihr geschenkt hat, der war nämlich nie zuvor in Italien, das hat Monsieur Pauli erwähnt, es ist seine erste Reise nach den Ländern südlich der Alpen. Und jetzt, verehrte Madam Vinstedt», versetzte er, «möchte ich erfahren, was Ihr wisst. Magnus ist nach Italien gereist, im Auftrag der Commerzdeputation, heißt es, und mehr weiß angeblich niemand. Das ist auch Papperlapapp. Tatsächlich ist er dem Schreiber der Paulis auf den Fersen, angeblich wegen einer großen Summe Geldes. Ich bin sicher, Ihr wisst darüber Bescheid.»

Rosina seufzte ergeben, Wagner hatte erregt, doch immerhin mit gedämpfter Stimme gesprochen. So war das also mit der angeblich höchst diskreten Mission, mit der Magnus betraut worden war. Andererseits war Wagner eine Amtsperson, natürlich erfuhr er, was andere nicht erfahren sollten. Sie hatte von Anfang nicht verstanden, warum es so wichtig war, diese Angelegenheit mit größter Diskretion zu behandeln. Ihr war sie völlig alltäglich erschienen.

«Zu Eurer Erinnerung, Wagner, der Mann heißt Friedrich Blanck. Leider hält Magnus sich auch mir gegenüber an das Gebot der Verschwiegenheit, wenn es denn gefordert ist. Ich habe nicht viel gefragt, dazu war er zu sehr in Eile. Die kurze Zeit bis zu seiner Abreise habe ich darauf verwandt, ihn zu überzeugen, mich mitzunehmen. Vergeblich, wie Ihr wisst. Wenn ich jetzt darüber nachdenke», sie blieb stehen, zögernd, als müsse sie überlegen, in die nun abzweigende, wenig einladende Poolstraße einzubiegen, «ja, wenn ich darüber nachdenke, gab es womöglich noch einen Grund für die eilige Verfolgungsjagd.»

«Welchen?»

«Ich habe keine Ahnung. Verbrechen sind Euer Metier.» Ob Wagner wollte oder nicht, diese Bemerkung ließ ihn grinsen. «Magnus ist nicht zum ersten Mal im Auftrag der Herren im Rathaus oder Commerzium unterwegs», erklärte sie weiter, «diesmal geht es allerdings nicht um inoffizielle diplomatische Botendienste, sondern schlicht um die Verfolgung Blancks, der mit einer beachtlichen Summe Geldes, insbesondere einem ganzen Stapel auf seinen Namen ausgestellter Wechsel nach Venedig gereist ist. Er soll dort für die Paulis Seide einkaufen und einen, besser zwei erfahrene Seidenweber anwerben. Ich dachte immer, die besten Weber findet man in Lyon. Jedenfalls, aus einem Grund, den ich nicht kenne, gehen Monsieur Pauli und die Herren im Commerzium nun davon aus, dass Blanck nicht so vertrauenswürdig ist, wie sie angenommen hatten. Das ist mein Wissensstand und offenbar auch der Eure.»

Sie bogen in die quer durch das Neustädter Gängeviertel führende Straße ein, kein Sonnenstrahl erreichte die Tiefe zwischen den Hauswänden, sofort umfing sie muffiger Geruch. So viel Raum der Weg entlang der Innenseite des Walls geboten hatte, so beengt war es nun. Immerhin hatten sie genug Glück, um sich nicht an einer Kutsche oder einem hoch und zudem seitlich beladenen Fuhrwerk vorbeidrängen zu müssen, ein Unterfangen, das es unmöglich machte, jedem Kothaufen, jeder Morastpfütze auszuweichen, sie begegneten nur einem von zwei Hunden gezogenen Karren voller stinkender alter Lumpen, einer Handvoll geschäftig vorwärtsdrängender ärmlicher Leute, ein Bettler näherte sich in devoter Haltung, streckte seine Hand vor Rosina aus – und war blitzschnell verschwunden, als er den Weddemeister erkannte.

«Und da schicken sie jemand extra auf diese weite Reise?», überlegte Wagner, er hatte den Bettler gar nicht bemerkt. «Es muss doch ungewiss sein, ob man ihn überhaupt noch antrifft. Wenn der Mensch tatsächlich betrügen will, kurz gesagt, nun ja, ich sage es mal so, die Wechsel einlösen und mit dem Geld verschwinden – wird er ohnedies längst über alle Berge sein.» Rosina ging nun schneller, leichtfüßig wie immer, Wagner hatte Mühe, mit ihr Schritt zu halten. «Ich meine, dann mag es doch einen noch gewichtigeren Grund geben, ihn zu verfolgen, als diese Wechsel.»

«Meint Ihr etwa den Mord an einem Dienstmädchen? Nach dem zu urteilen, was ich bisher über die Paulis und ihre … Fürsorge für ihre Dienstbotin gehört habe, scheint mir, dass auch weniger bedeutende Wechsel als die, um die es hier geht, wichtiger sind. Ein anderer Grund fällt mir nicht ein. Glaubt mir, hätte ich geahnt, was ich beim Eislaufen entdecke, ich hätte Magnus mit Fragen gelöchert, bis er bereitwillig alles erzählt hätte. Wenn es denn etwas zu erzählen gibt. Aber wer weiß – fragt doch Monsieur oder Madam Pauli. Oder Claes Herrmanns, er war dabei, als Magnus' Auftrag beschlossen wurde. Ich denke sogar, es war letztlich seine Idee, Magnus um diesen Dienst zu bitten. So hat er es ausgedrückt, *ich* würde sagen: ihm das Vergnügen dieser Reise zu verschaffen. Ha! Ich hoffe, in Venedig erwartet ihn alle Tage Hochwasser und Nebel. Und eine verlauste Unterkunft. Saurer Wein und ranziges Hammelfett!»

Kapitel 8

Zur selben Zeit in Venedig

Magnus blinzelte in den Schimmer zahlloser Kerzen und bemühte sich, das einladende Dekolleté der ihm zunächst sitzenden Dame zu übersehen. Es gab genug anderes, das die reine Augenlust bot, nämlich den gedeckten Tisch, an den er – in dieser Gesellschaft ein Niemand – als Hobsons Begleiter geladen war. Der hatte Magnus mit Otrantos geschmackssicherer Beratung aus seinem exzellent sortierten Kleiderzimmer ausstaffiert, damit er nicht mit einem Türöffner oder Gelehrten verwechselt werde. Wohl dreißig Personen waren um die Tafel versammelt. Was an verschiedenen Braten und Pasteten, Fischen, Gemüsen und Früchten auf dem Tisch stand, reichte leicht für die dreifache Menge, und es war, wie Hobson ihm zugeflüstert hatte, gewiss nicht der letzte Gang. Alles sah nicht nur herrlich aus, es schmeckte auch unglaublich gut.

Bis heute hatte Magnus gedacht, die üppigen Tafeln der Hanseaten, noch mehr die der wohlhabenden Londoner, seien unübertrefflich, wenn man von königlichen absah. Dieses Haus war kein königliches, doch immerhin ein hochadeliges, wahrscheinlich lag es daran. Er begann zu verstehen, warum Hobson Taille und Hals verloren gegangen waren. Gleichzeitig empfand er einen gewissen Widerwillen gegen diese unweigerlich in Verschwendung mündende Pracht und Fülle – ein moralischer Anfall von sehr kurzer Dauer. Nicht zuletzt, weil auch die servierten Weine jegliche Genügsamkeit korrumpierten.

Was für ein unwirkliches Leben, so konnte es nicht weitergehen. Das Venedig, das er durch Hobson kennenlernte, war nur ein kleiner Teil der realen Stadt. Dieser blendende Reichtum hatte seinen Reiz, die Genüsse waren wunderbar, aber schon jetzt, nach diesen wenigen Tagen, erschien ihm all das ermüdend, als eine schillernde Kulisse. Bis auf die allgegenwärtige Musik, die und den Gesang genoss er ohne Vorbehalt. Aber vielleicht war er doch nur ein braver kleiner Bürger, ein verkappter Puritaner.

Er schätzte Hobson, seine Großzügigkeit, seinen Humor, seine Schrulligkeit, dennoch wollte er sich auf die Suche nach anderen Kreisen machen. Venedig galt auch als ein Zentrum des Buchdrucks, irgendwo mussten sie doch sein, die Gelehrten, die Stückeschreiber, Dichter, die weniger berühmten Maler, die künstlerischen Handwerker. Er stellte sich vor, in einem solchen Kreis am Meer zu sitzen, einen gerade gefangenen und über dem Feuer gebratenen Fisch zu essen, dazu einfachen säuerlichen Wein aus einem Tonkrug zu trinken, in einer Runde von Männern arm an Vermögen, reich an Ideen und Plänen und Träumen.

Hobsons Palazzo war schön, wenn auch nicht annähernd so prachtvoll wie dieser, in dem er heute die Ehre hatte zu dinieren, aber er sehnte sich plötzlich nach einer Nacht unter dem Himmel, mit dem Mond als Beleuchtung, den Sternen und, ja, und Rosina neben ihm, ganz nah, um ihre Wärme zu spüren, ihren Herzschlag, ihren vertrauten Geruch zu atmen.

«Ihr träumt schon wieder», hörte er Hobsons gut gelaunte Stimme, «ach, die Jugend! Dabei seid Ihr aus dieser so seligen wie quälenden Zeit längst heraus, es scheint nur aus der Sicht meiner vielen Jahre so. Ja, da träumten wir alle noch. Und jetzt? Träumt Ihr von den reizenden Damen hier? Ihr müsst nicht alle Nächte allein verbringen, mein Freund, auch nicht die Tage. Da lässt sich leicht was arrangieren, selbst wenn man sich in dieser Hinsicht so scheu gebärdet wie Ihr.»

«Ihr haltet mich für scheu?»

«Unbedingt. Geradezu jungfernhaft.»

«Gut! Lassen wir es dabei.»

Hobson klopfte ihm tröstend auf die Schulter, dann widmete er sich schon genüsslich schmatzend der Platte mit dem gefüllten Fasan, von der ein Lakai ihm just anbot.

Magnus hörte auf die Stimmen, hier war eine überwiegend venezianische Gesellschaft versammelt, außer den italienischen waren neben Hobsons englischen sonst nur einige französische Sätze zu hören. Die Musik machte gerade eine Pause, was offenbar niemand störte. Der Raum war voller schwerer Gerüche von den Speisen und süßen Parfüms. Magnus' Blick wanderte über die Gemälde zu den hohen Fenstern. Nach dem erstaunlich milden Tag war die Nacht wieder kalt, trotzdem waren sie zu dem von hohen Hecken gesäumten Garten geöffnet. Im Mai würde es nach Flieder duften, im Sommer nach Rosen und Lavendel. Was sicher von Vorteil war.

Als er heute bis zur beginnenden Dunkelheit durch die Stadt gelaufen war, wie stets auf der Suche nach einer bestimmten Gasse oder Brücke, hatte er plötzlich nicht mehr den Zauber, sondern den Geruch dieser übervölkerten Stadt wahrgenommen, von brackigem, zugleich als Kloake dienendem Wasser, in dem er gerade eine tote, schon aufgedunsene Ratte entdeckt hatte; in den Ecken sammelte sich Abfall, schwappte faulig in den toten Seitenarmen der Kanäle.

Er war rasch dorthin gelangt, wo keine reichgestalteten Fassaden, Fenster, Dachsimse und Portale zu bewundern waren, wo schlichte, oft nur ein- oder zweietagige Häuser die Kanäle und Gassen säumten. Hier lebten die Handwerker und die einfachen, auch die armen Leute, die wie überall sonst auf der Welt die große Mehrheit ausmachten. Da waren auch die Kranken gewesen, die Bettler, hungrige Kinder.

Er hatte sich treiben lassen, war immer wieder an den Rand der Inselstadt geraten, hatte zu den Friedhofsinseln hinübergeschaut, an anderer Stelle zum Festland oder zu der Giudecca, der vorgelagerten, langgestreckten Insel, auf der reiche Familien ihre Sommervillen, Gärten und Parks hinter hohen Mauern schützen.

Er war am strikt abgeschlossenen Arsenal vorbeigekommen, der legendären, von steinernen Löwen und hohen Mauern bewachten Schiffswerft. Und plötzlich hatte er sich vor einem großen, noch offenen Tor wiedergefunden, dahinter ganz andere, nämlich schmale, hochaufgetürmte Häuser, und gleich gewusst, wo er war. In Venedig mussten die Juden in einem eigenen, nachts versperrten Viertel leben, und weil das zu klein war, zeitweilig *viel* zu klein, hatten die Bewohner ihre Häuser immer wieder aufgestockt. Das war das *Ghetto*, Magnus hatte davon gehört, das nach einer Gießerei benannte Viertel der Juden.

Er wusste, dass es das in etlichen Städten gab. In Hamburg, erst recht im benachbarten, in Glaubens- und Zunftregeln noch erheblich freieren Altona gab es so etwas nicht. Auch dort unterlagen die Juden strikten Bestimmungen und den ihr Leben und Arbeiten einengenden Verboten, sie wurden jedoch nicht auf ein Quartier beschränkt und wie hier für die Nacht eingesperrt und mussten auch keine für alle deutlich sichtbaren Kennzeichen tragen, wie einen roten Hut oder gelbe Kreise und Sterne auf der Kleidung. Trotz seiner Neugier war er weitergegangen, um nicht wie ein Eindringling zu erscheinen, wie einer, der eine Menagerie besichtigt oder die Kranken im Pesthof auf dem Hamburger Berg.

Das Verschließen der Tore habe auch Vorteile, hatte Hobson später erklärt, es gebe ja viele, die die Juden nicht mögen, sie von Zeit zu Zeit sogar aufs heftigste verfolgten. Er selbst halte das für dumm, aber es gehe ihn nichts an, schließlich kenne er keine persönlich. Hinter einem geschlossenen und von außen bewachten Tor könne man ruhig schlafen, das sei sicher recht angenehm.

Magnus hatte etwas von «Wahrscheinlich ist es so» gemurmelt und dann geschwiegen. Er hatte sich nie Gedanken über die Juden gemacht, auch er kannte keine persönlich, jedenfalls wusste er von keinem. Es war, wie es war, dennoch blieb der Anblick des Tores und der gedrängt stehenden hohen Häuser in seinem Kopf.

«Die Mädchen», Hobsons freudig erregte Stimme holte ihn in den Saal zurück, «die Waisenmädchen. Sie sind superb. Habt Ihr sie schon gehört?»

Magnus hatte gedacht, die weithin berühmten Chöre der hiesigen Waisenmädchen mit ihren meisterhaft ausgebildeten Stimmen sängen nur in den Gottesdiensten. Aber wie hatte Hobson gesagt? In dieser Stadt könne man alles kaufen. Da heute ein Kardinal unter den Gästen war, sangen sie vielleicht ihm zu Ehren, und alles hatte seine Ordnung.

Magnus lächelte über seine eigenen Gedanken. Womöglich unterschied er sich gar nicht so sehr von Hobsons Familie, vor deren Verachtung für Luxus und Vergnügen er nach Venedig geflohen war? Gar so arg, hoffte er, sei es nun doch nicht.

Endlich wurde die Tafel aufgehoben, und man begab sich an die Spieltische. Während Magnus noch nach einer wirklich guten und die Höflichkeit wahrenden Ausrede suchte, den gefährlich verführerischen Karten, am besten überhaupt der ganzen Gesellschaft zu entkommen und sich eine vergnügliche Taverne zu suchen, ein Kaffeehaus oder eine Trattoria, winkte Hobson ihm eifrig zu. Er stand bei einem neben dem beleibten Engländer hager wirkenden, Mann, er war auch im Vergleich schlicht gekleidet, wobei der Ring auf dem Mittelfinger seiner linken Hand jedem Zweifler bewies, dass es sich um einen wohlhabenden, nur Prunksucht und Angeberei verachtenden Signore handelte.

Hobson stellte die beiden Männer einander vor, leider verstand Magnus den Namen nicht gut, er würde später noch einmal fragen müssen. Der Signore, raunte Hobson dann direkt in Magnus' Ohr, habe den Gesuchten, diesen Blanck, getroffen, er könne Auskunft geben. Als alter Freund sei er absolut glaubwürdig, wirklich verlässlich, Magnus könne ihm da ganz vertrauen. Dann führte er die beiden durch eine nur für Eingeweihte sichtbare Tür in ein Kabinett und überließ sie ihrem Gespräch.

Als Magnus spät in dieser Nacht neben der von vier Männern getragenen Sänfte ging, in der Hobson schnarchte, überlegte er immer noch, was er von den Auskünften von Signore Garanello halten, und besonders, was er danach entscheiden sollte. Der ein wenig strenge italienische Herr besaß einen der Wechsel aus dem Hause Pauli. Blanck, hatte er erklärt, ja, so habe der Mann geheißen, Friedrich Blanck. Der Name habe auch auf dem Wechsel gestanden, es sei somit rechtens gewesen, ihn dafür auszuzahlen. Warum hätte er so dumm sein sollen, es sonst zu tun?

Allerdings war er – warum auch immer – nicht bereit gewesen, die Summe zu nennen, die Blanck eingestrichen hatte. Nur eines war ganz klar: Mit dem Seidenhandel oder der Vermittlung gut ausgebildeter und erfahrener Seidenweber hatte der Signore absolut nichts zu tun. Als Magnus Hobson später nach dessen Profession fragte, hatte der nur gegrinst und erklärt, auf manche Fragen bleibe man die Antwort besser schuldig, gerade in Venedig. Jedenfalls sei Garanello – der vielleicht auch anders heiße, wer außer ihm selbst wisse das schon? – ein Experte in Sachen Informationen. Welche Geschäfte er sonst betreibe, wolle er, Hobson, gar nicht wissen. Das könnte sich schnell als ungesund erweisen. Denke er sich mal.

Nun spazierte Magnus also neben der Sänfte her, blickte mal wieder zum Mond auf, seufzte und beschloss, es zu tun. Er würde es tun! Er wollte noch einige Tage bleiben, bis die Nürnberger zurück waren, und sie befragen. Wenn sich dann keine neue Sicht der Angelegenheit ergab, wovon er nun überzeugt war, würde er nach Mestre übersetzen, ein wirklich gutes Pferd mieten und nach Süden reiten. Er konnte doch nicht einfach umkehren, dazu unverrichteter Dinge, nur weil Blanck mit dem größeren Rest der Wechsel ein paar Meilen weitergereist war.

Signore Blanck, hatte Hobsons geheimnisvoller Informant erklärt, habe Venedig verlassen, in seiner Begleitung sei eine junge Dame – eher *keine* Dame, eine Signorina eben, eine Norddeutsche. Recht hübsch, wenn man die schlichte Art möge, aber unbedeutend. Wohin? Nach Rom. Aber ja, natürlich sei er sicher. Würde er es sonst sagen?

Magnus machte einen kleinen freudevollen Satz. Die Sänftenträger blickten sich nach ihm um, nur kurz, sie waren Ärgeres gewöhnt. Er wollte nach Rom reiten. Siebzig Meilen, was war das schon? Es hieß, die Straßen dorthin seien recht gut, es war Frühling und – er würde Rom sehen.

Freitagvormittag, 26. März

Rosina fröstelte. Dabei hatte die Sonne an diesem Märzmorgen entschieden, alles zu geben, was sie vermochte. Sie tauchte die Stadt in ein mildes Licht, und wenn ihr nicht gerade ein aufmüpfiger Wind in die Parade fuhr, wärmte sie bereitwillig Menschen, Tiere und Gewächse. In den Gärten innerhalb wie außerhalb der Tore wurde das Erdreich weich, und alles, was darin ungeduldig gewartet hatte, vom Huflattich bis zur Narzisse, drängte endlich seine grünen Spitzen ins

Licht. Schneeglöckchen, längst überfällig, spreizten gleichsam über Nacht ihre zarten Blütenblätter, der Gesang der Vögel übertönte den Lärm der Stadt, der Kutschen und Fuhrwerke, der Schmiede- und Kupferhämmer, das Geschrei der Menschen, nicht zuletzt das Rattern und Quietschen einiger Kranwinden am Hafen.

Noch war die Elbe nicht eisfrei, aber allzu lange konnte es nicht mehr dauern, bis zumindest die ersten Ewer sich zwischen die Schollen wagen konnten. Die meisten Schiffer warteten einige Tage länger, bis sie Segel setzten. Das so träge wirkende Treibeis hatte große Kraft, und seine Schollen konnten scharf wie Messer sein und selbst vom gefräßigen Bohrwurm verschonten Schiffswänden gehörig zusetzen.

Natürlich waren die Schiffer und die Kaufleute weitaus ungeduldiger als die grünende und blühende Natur, wochenlang Schiffe im Hafen und Waren in den Speichern – das bedeutete kein Geschäft, sondern Verlust. So war diese Märzsonne wirklich allen eine Freude. Der lange Frost hatte jegliches Leben aufgehalten und niedergedrückt, nun schlug es sich vehement Bahn. Da, wo Fleete, Elbe und Alster schon vom Eis befreit waren, ließ das helle Licht das Wasser glitzern, als schwämmen Diamanten darin.

Rosina stand im Ruf, eine vernünftige Person zu sein, doch für gewöhnlich wäre auch sie an einem solchen, wochenlang herbeigesehnten Frühlingstag in Schwärmerei verfallen. Heute nicht, sie zog nur unbehaglich die Schultern hoch, als sie über die Binnenalster zum jenseitigen Ufer blickte. Womöglich lag es an dem großen, zwei Innenhöfe umschließenden Werk-, Zucht- und Armenhaus und dem schräg gegenüber erbauten Spinnhaus, in dessen Schatten sie am Alsterufer stand. Sie war nie sicher gewesen, ob zumindest das erste und erheblich größere der beiden Häuser, zugleich Gefängnis und lebenslange Strafe für die einen, letzte Zuflucht vor dem Hungertod für andere, wirklich auch eine Art Obdach bedeuten konnte. Die hermetischen Mauern zeugten deutlicher als das prachtvolle Portal, worum es hier ging. Und dass eine ganze Anzahl von Waisen darin leben und aufwachsen musste, fand sie einen unerträglichen Gedanken. Das Tor zum Holzplatz war verschlossen, wenn dieses, das westliche, verschlossen war, würde das zweite geöffnet sein. Rasch lief sie die wenigen Schritte am Spinnhaus vorbei und dann die Raboisen hinunter.

Sie war heute besonders früh erwacht (ausnahmsweise nicht mit dem Gedanken an Magnus), plötzlich gewiss, noch einmal die Stelle an der Alster sehen zu müssen, an der sie die Tote entdeckt hatte. Als sie Pauline beim Frühstück davon erzählte, hatte die ihre Fäuste in die Hüften gestemmt und streng geblickt, kaum anders, als sie Tobi ansah, wenn er versuchte, sich um eine Pflicht oder für die Schule zu erledigende Aufgabe zu drücken. Da liege kein Segen drauf, hatte sie geknurrt, so eine Stelle meide man, da gehe man nicht wieder hin, jedenfalls nicht, solange noch Eis auf dem Wasser sei. «Nein, da liegt gar kein Segen drauf, ist doch geradezu sündhaft, das Schicksal so rauszufordern, die Gegend heißt nicht umsonst Teufelsort.»

«So abergläubisch kannst du gar nicht sein, Pauline», hatte Rosina gespottet. Im Übrigen sei es unmöglich, diese Stelle für den Rest ihres Lebens zu meiden, zum einen könne man dort Holz und Torf kaufen, zum anderen stehe direkt daneben das Drillhaus, wo es nach dem neuen Saal am Valentinskamp die besten Konzerte gebe. Doch sie verspreche, respektvollen Abstand zum Uferrand zu halten, gerade an einem Tag wie diesem, da das Tauwetter die Kante gewiss besonders rutschig mache.

Sie hatte Pauline nur necken wollen, doch deren Augen hatten sich erschreckt geweitet, und es hatte einige Mühe gekostet, sie zu beruhigen. Pauline wirkte stets so robust, mit beiden Füßen fest auf der Erde, dass Rosina oft vergaß, ihre Sorgen ernst zu nehmen.

Die Gasse war belebt, viele Fenster waren geöffnet, in einigen lagen schon Bettzeug und Winterkleidung zum Lüften, von irgendeinem Fensterbrett trillerte ein Kanarienvogel in tapferem Übermut gegen die hinter den Sonnenstrahlen lauernde Kälte. Nur noch ein paar Wochen, dann füllten sich die milden Abende und Nächte in den Alleen auf den Wällen und den Gärten und Gehölzen vor der Stadt wieder mit dem Gesang der Nachtigallen. Für einen Moment erlaubte Rosina ihren Gedanken, bei den stimmmächtigen Vögelchen zu verweilen, in der schönen Imagination, dann sei auch Magnus zurück. Schließlich hatte er versprochen, sie in diesem Frühsommer zu einer Kutschfahrt im Mondschein durch die Wandsbeker Gehölze zu begleiten, die Konzerte der Nachtigallen dort waren schon legendär. Deshalb stand leider zu befürchten, dass in einer solchen Nacht von trauter Zweisamkeit keine Rede sein konnte, sondern dass sich die Kutschen und Spaziergänger dort geradezu drängelten. Ein frischer, noch vom eisigen Wasser der Alster unangenehm temperierter Windstoß ließ sie idyllische Sommernächte umgehend vergessen, als sie das Ende der Raboisen erreichte und die Gasse sich zu dem Platz vor dem zweiten Tor und dem Drillhaus öffnete.

Zwei jeweils von vier Ochsen gezogene, hoch mit Stammholz von den nördlich gelegenen Walddörfern beladene Fuhrwerke passierten gerade das weit geöffnete Tor. Vielleicht war Rosina tatsächlich in all den Jahren, die sie sich immer wieder in der Stadt aufgehalten hatten, in der sie nun ständig lebte, niemals hier, genau an dieser Stelle gewesen, ganz sicher hatte sie nie darauf geachtet, es hatte keinen Anlass dazu gegeben. Doch jetzt, während sie die Fuhrwerke passieren ließ, sicherheitshalber einen Schritt vor den dampfenden schweren Tierleibern zurücktrat, sah sie es. Eigentlich war es unspektakulär, doch für sie jetzt nicht.

Von der anderen Seite des Drillhauses sah es aus, als ende der den Holzplatz umgebende hohe Zaun an der Mauer des alten Exerzierhauses. Doch das stimmte nicht. Natürlich war es Verschwendung von Raum und vor allem von Holz für den Zaunbau, wenn man die Drillhausmauer nicht als Begrenzung genutzt hatte, selbst die Mauern der Hauptkirchen und des Doms wurden seit jeher als Rückwand für andere Gebäude benutzt. Hier verlief der Zaun des Holzplatzes vier oder fünf Fuß von ihr entfernt parallel zur Drillhauswand zum Ufer. Am Ende des Durchganges konnte Rosina keinen Steg oder Anleger entdecken. Im Sommer mochte hier wildes Grün wuchern, jetzt lag der Gang öde, kein Strahl der noch tief stehenden Sonne erreichte seine Sohle. Die Lücke zwischen Zaun und Drillhaus war einfach da.

Wie hatten sie das übersehen können!? Wagner und sie hatten sich vergeblich den Kopf um den nächtlichen Zugang zum Holzplatz zerbrochen. Hier musste es geschehen sein. Nicht auf dem Holzplatz, sondern hier, in dieser engen, von nirgendwo einsehbaren überflüssigen Nische der Stadt, war Wanda Bernau in den Tod gegangen.

Rosina schlug den Pelzkragen hoch und raffte ihren schweren Umhang fest um ihren angespannten Körper, dann gab sie sich einen Ruck und lief die wenigen Schritte durch den Gang bis zum Ufer. Die Eisfläche, noch vor wenigen Tagen glatt, fest und ungemein einladend, begann sich aufzulösen, eine ganze Anzahl von Wildenten, auch einige Schwäne tummelten sich schon in den freien Stellen. Im Sonnenschein war es ein schönes, einen unaufhaltsamen Frühling verheißendes Bild, nun erschien es ihr bedrohlich. Ein Bild, eine Landschaft, ein Gegenstand sind ja wie die Menschen niemals nur das, was ihre äußere Gestalt zeigt. Ihre Bedeutung liegt im Auge, in der Seele des Betrachters.

Ihr Blick folgte der jenseitigen Uferlinie, sie erinnerte sich nun wieder, was sie bei ihrem letzten fliegenden Gleiten über die Eisfläche gesehen hatte: so wie auch jetzt den Malthus'schen Garten, dahinter die kreuz und quer aufragenden roten Dächer der Häuser im Viertel um den Gänsemarkt, weiter rechts unverkennbar das langgezogene Ziegeldach des querstehenden Ackermann'schen Komödienhauses, dann die beiden alles, selbst den dahinterliegenden von Ulmenalleen gesäumten Festungswall überragenden Schornsteine des Kalkhofes, den dorthin führenden Stichkanal, endlich die drei Villen in den letzten großen Gärten innerhalb des Wallrings und noch weiter rechts das Lombardhaus, die Mühle mit Dr. Pullmanns Domizil und die Brücke.

Das alles war ihr vertraut, da war noch etwas anderes in ihrem Kopf, eine andere Facette des Bildes. Die mit ihren Stöcken einen Stein über das Eis jagenden Jungen? Hoffentlich waren sie nach ihrer sausenden Fahrt unter der Lombardbrücke hindurch trocken und unversehrt an einem der Ufer angekommen, doch wäre es anders, hätte sie davon gehört. Unglücke sprachen sich selbst in dieser großen Stadt in Windeseile herum.

Plötzlich tauchte es aus einer dunklen Ecke ihrer Erinnerung auf, sie sah – nein, zuerst hörte sie es. *«Plus vite»*, rief eine helle Mädchenstimme. «Bitte, Mademoiselle. Schneller.» Da war diese ganz und gar in schlichtes Grau gekleidete Frau unter ihrer Kapuze gewesen, wohl eine Gouvernante, sie hatte das Kind in seinem mit Kufen versehenen Stuhl über das Eis geschoben – viel zu langsam für das Mädchen mit den verkrüppelten Beinen. Es war glücklich gewesen, dieses Kind, das nicht laufen und springen konnte wie andere kleine Menschen und nun eine Ahnung von dem Vergnügen rascher

Bewegung und der Geschwindigkeit bekam. Und dazu diese nachlässige Gouvernante, die zu bequem war, um schneller zu schieben – vielleicht zu müde Füße hatte oder geschwinde Bewegungen als undamenhaft empfand?

Plus vite, plus vite.

Gleich darauf hatte sie den Riss im Eis gehört und war geflohen, hatte das Kind und seine Erzieherin völlig vergessen. Auch sie mussten das Ufer sicher erreicht haben, erst recht davon hätte man sonst gehört. Sie überlegte flüchtig, ob sie selbst sich mit einem Kind an jenem Tag noch auf das Eis gewagt hätte. Zumindest nach Monsieur Klopstocks Warnungen sicher nicht. Selbst etwas zu wagen, Warnungen in den Wind zu schlagen war eine Sache, das Leben oder auch nur Wohlbefinden eines Kindes zu riskieren eine andere.

Aber das ging sie nichts an. Dennoch, aus irgendeinem Grund hatte sich das Bild ihr eingeprägt.

Plus vite. Hatte das vor vielen Jahren nicht auch ihr kleiner Bruder gerufen, als er sein dickes Pony anspornte, weil er seiner davonpreschenden ungehorsamen Schwester folgen wollte? *Plus vite.* Er war noch zu klein gewesen für einen so schnellen Ritt, er war gestürzt, sein Tod war der Anfang des Endes ihrer Familie gewesen, ihres alten behüteten Lebens.

Eine dunkle Wolke schob sich vor die Sonne und verwandelte die strahlende Fläche aus Wasser und Eis im Handumdrehen in stumpfes Grau, Schwarz und schmutzig gelbliches Weiß. Endlich senkte sie den Blick und sah dorthin, wo Wanda Bernau im rasch gefrierenden Wasser versunken sein mochte. Sah, wie ihr warmer lebendiger Körper in diese trügerische Fläche von eisigen Brocken gestoßen wurde. Stolpernd, fallend, in hinderlichen Röcken, mit einem noch hinderlicheren Umhang, nichts, das gegen das Eis wärmen würde – gar nichts könnte das –, alles würde sich nur verfangen, unbeweglich machen. Aber das war ohnedies einerlei, die Schollen wichen, um sich sogleich über den sinkenden, noch einmal um sich schlagenden, noch einmal aufbäumenden Körper unerbittlich zu schließen.

Abrupt drehte sie sich um, wandte sich ab von der mörderischen Vision und sah doch immer noch die versinkende Frau, sah einen brutalen, unerwarteten Tod, schüttelte sich, als könne sie die Bilder abschütteln wie Wassertropfen, und richtete die Augen fest auf den Gang und die dahinterliegende Stadt, den kleinen Platz beim Tor zum Holzlager, die Reihe der Häuser. Sie sah Menschen, eilend oder schlendernd, einfach alltäglichen Geschäften nachgehend, sah Karren, Fuhrwerke, auch zwei Reiter, ein paar Straßenhändler, Kinder, Frauen mit Körben voller Einkäufe, ein bisschen Feuerholz, Wäsche, sah herumlungernde Hunde, auf einer Fensterbank saß eine dicke rote Katze und blinzelte in die Sonne. Ein Bild des Friedens und der Behaglichkeit.

Das war nur ein Teil der Wahrheit. Die in hanseatischer Schlichtheit, doch teuer gekleidete und verschleierte Dame dort drüben, die sich gerade von einem ebenso eleganten Herrn – ihrem Gatten? – aus der Kutsche helfen ließ: Warum war sie verschleiert? Vielleicht schlug er sie, wenn sie allein waren. Vielleicht waren ihre Augen gerötet vor Gram, weil er seine Handelspartner betrog, vielleicht quälte ihn oder eines ihrer Kinder eine schwere Krankheit. Oder die junge Frau, die Federbälle und kleine Windräder als Knabenspiele feilbot – sie lachte, und der Singsang, mit dem sie ihre Ware anpries, klang heiter, womöglich war das nur eine Maske für den besseren Verkauf, und sie wusste kaum ihre Kinder zu ernähren, vielleicht drohte ihr wie vielen am Ende des Winters der Verlust ihrer Wohnung, und sie konnte bei dem allenthalben rasant steigenden Mietzins keine andere finden. Selbst die gemütlich schläfrige Katze – sie würde ohne Zögern und mit Genuss den Kanarienvogel verspeisen, der immer noch in einem der Fenster trillerte.

Rosina schirmte mit der Hand die Sonne ab und ließ den suchenden Blick über die Fassaden gleiten, irgendwo dort musste der kleine Sänger sein. Hinter den Raboisen begann bald das düstere Jakobi-Gängeviertel, zur anderen Seite waren es nur wenige Schritte bis zum Stall für die städtischen Arbeitspferde unterhalb der Bastion Vincent. Die dazwischenliegende kurze Häuserreihe direkt gegenüber dem honorigen Drillhaus beherbergte einige wohlhabendere Familien. Von den oberen Etagen musste der Blick über die Alster wunderbar sein, und so nah an der weiten Wasserfläche war die Luft selbst an drückenden Sommertagen immer frisch. Im dritten Haus von der Ecke zum Neueweg wohnten die Paulis, dort hatte Magnus den Seidenhändler und Manufakteur getroffen, um seine Reise nach Venedig zu besprechen. Links daneben über der Sattlerwerkstatt wohnte ein Zuckermakler mit seiner zahlreichen Familie, glaubte sie sich zu erinnern.

In dem Eckhaus zum Neueweg erschien just in diesem Moment an einem der Fenster im ersten Stock eine ganz in Grau gekleidete Frauengestalt, griff unwirsch nach dem Vogelbauer auf der Fensterbank, sodass der aufgeplusterte gelbbraune Sänger erschreckt aufflatterte.

«Denkst du denn niemals nach, Felice?», rief sie streng. «Soll der Vogel im Zug erfrieren? Er hat deinen Vater Geld gekostet, das darfst du nicht verschwenden.»

«Ach, Mademoiselle, er hat sich so nach der Sonne gesehnt. Da, wo er herkommt …» Rumms, war das Fenster geschlossen und der Riegel vorgelegt.

Dort waren sie also, das Mädchen und die Gouvernante vom Eis, sie hatten das Ufer sicher erreicht. Nun erinnerte sich Rosina wieder genauer. Magnus hatte von Nachbarn der Paulis erzählt. Von der Dame des Hauses heiße es, sie sei eine sehr freundliche, auch schöne Frau, lebe jedoch ungemein zurückgezogen. Leider habe sie eines ihrer Kinder mit verkrüppelten Beinen geboren, womöglich liege darin der Grund für ihre Menschenscheu. Der Name der Familie war Rosina entfallen, sie hatte an jenem Tag anderes im Kopf gehabt, vielleicht hatte Magnus ihn gar nicht genannt. Jedenfalls war der Vater des Kindes, der Gatte der scheuen Dame, ein Kaufmann, nicht reich, doch «in guten Verhältnissen», wie es hier hieß, und mit besten Aussichten. Wenn sie auch das richtig erinnerte, handelte er neben anderem mit Holz, insbesondere mit Hölzern aus Übersee, zumeist aus tropischen Gefilden.

Egal, wer die Nachbarn waren, die Nacht, in der Wanda Bernau gestorben war, war bitterkalt gewesen, wer öffnete da schon ein Fenster, um hinauszuschauen? Und die Scheiben waren von Eisblumen undurchsichtig gewesen. Wagners Leute hatten schon herumgefragt, niemand erinnerte sich an diese Nacht, niemand hatte etwas gehört oder gesehen.

Sicher war nur, dass Wanda mit einigen der Frauen und Männer, die in jener Nacht im Ausschank beim letzten Maskenball bedient hatten, vom Gänsemarkt über den Jungfernstieg und dann am Zuchthaus vorbei und in die Raboisen gegangen war. Kurz vor dem Ende der Straße, wo der Weg für die anderen abzweigte, hatte sie darauf bestanden, das letzte Stück allein zu gehen, es seien nur noch wenige Schritte, das Haus sei schon zu sehen und die Nacht so kalt, jeder solle sich beeilen und den kürzesten Weg nehmen, Magda, das war eine der anderen Frauen, huste schon die ganze Zeit. So waren der Mann mit der Laterne und die beiden anderen Frauen zur Lilien- und zur Spitalerstraße abgebogen, froh, in wenigen Minuten zu Hause zu sein.

Als Wanda über den Platz geeilt sei, fast gerannt, es war ja so furchtbar kalt, da habe sie noch einmal gezögert, sei ganz kurz stehen geblieben, das hatte der Mann, der die Schankgehilfinnen mit der Laterne heimbegleitet hatte, berichtet. Da habe er gedacht, sie werde doch noch um Begleitung für die letzten Meter bitten oder sich im Umsehen seiner Gegenwart versichern, es war ja so eine schwarze Nacht gewesen, recht unheimlich, und unterwegs hatten sie dunkle Gestalten mit Masken gesehen, sicher betrunkene Kerle von dieser letzten Ballnacht, die sich einen bösen Streich erlauben wollten, wie es oft vorkommt, besonders bei solchen Jungfern, die keine Familie haben, die sie beschützt. Ja, da kann eine Frau sich fürchten und tut sogar gut daran.

Aber Wanda war gleich, ohne sich noch einmal nach ihm umzusehen, weitergeeilt und in die Dunkelheit getaucht. Wenn er gewusst hätte, welches Schicksal auf sie wartete – keine Sekunde hätte er sie allein gehen lassen. Er könne sich das nie verzeihen und hoffe, wenigstens der Himmel vergebe ihm.

Die Paulis, hatte er noch hinzugefügt, nachdem er sich wieder gefasst hatte, hatten nie bei ihm und den anderen Frauen nachgefragt. Eine ihrer Dienstmägde war in einer eiskalten Nacht verschwunden, und sie nahmen es einfach hin – was war das für eine Welt!

Rosina machte einem von zwei Männern mit gesenkten Köpfen geschobenen Schott'schen Karre voller Unrat Platz, dann wandte sie sich wieder um. Wenn Wanda Bernau aus den Raboisen gekommen war, war es bis zum Haus der Paulis wirklich nur noch ein Katzensprung gewesen, sie war dem Gang zwischen Drillhaus und Holzplatz nicht wirklich nahe gekommen, keinesfalls nahe genug, dass sie jemand von dort mit einem raschen Griff hineinziehen und zum Ufer schleppen konnte. Dass sie in dieser unwirtlichen Nacht aus einer romantischen Anwandlung ans Ufer gelaufen war, um die Idylle der Alster zu genießen, erschien Rosina absolut unwahrscheinlich. Sie war eine Dienstbotin in niedriger Stellung gewesen, also hatte sie mit Glück einen wollenen Umhang, keinesfalls einen wärmenden Pelz besessen, der zu einer solchen Caprice hätte verlocken mögen. Nein, es gab nur eine Erklärung – da war jemand gewesen, der sie gelockt hatte, deshalb hatte sie plötzlich gezögert. Jemand, den sie kannte? Sehr gut kannte. Oder zu kennen glaubte. Mit dem sie sich vielleicht schon früher dort getroffen hatte, wenige Schritte von dem Haus entfernt, in dem sie lebte. So war sie ihrem Mörder entgegengelaufen.

«Strohpüppchen für Euer Töchterchen, Madam. Nähnadeln? Ganz fein poliert und sicher ohne Rost. Oder Dörrpflaumen? Ja, Dörrpflaumen, die letzten, bevor der Winter zu Ende geht, eine Gelegenheit, Madam.»

Die zittrige Stimme verstummte, versickerte gleichsam, und Rosina wandte sich nach ihr um, sie wollte nichts kaufen, erst recht keine Strohpüppchen oder Dörrpflaumen, und sah in ein graues zerknittertes Gesicht mit ungesund geröteten Wangen und Lidern. Eine magere alte Frau, unter einem wollenen Tuch dünnes strähniges Haar, grau wie Schiefer, auch um ihre Schultern ein Wolltuch, das mehr von den Flickfäden als dem eigenen Gewebe zusammengehalten wurde. Rosina suchte in ihrer Rocktasche nach einer Münze – irgendwo musste die kleine lederne Börse stecken –, als ein ebenso alter Mann herantrat, das dünne strähnige Haar unter einem verbeulten runden Hut schiefergrau, ein zerknittertes Gesicht.

«Ihr wohnt hier», stellte Rosina plötzlich fest, «hier ganz in der Nähe. Im Souterrain? Nein, bitte, nicht weggehen», bat sie, als die beiden sich einen erschreckten Blick zuwarfen und umdrehten. «Ich bin wegen, ja, wegen Wanda hier, Ihr habt sie doch gekannt. Die gute Wanda, ja?»

Sie hatte richtig vermutet, die beiden blieben stehen, sahen sich an, seufzten tief und kummervoll zugleich wie aus einem Mund und sahen dann diese Fremde, die Wanda gekannt hatte, fragend an. Wagners kurze Beschreibung war absolut passend gewesen, jetzt fielen Rosina auch wieder die Namen ein, Mette und Eustach Lindbeck. Die Straßenhändler, die die Tote aus der Alster im *Eimbeck'schen Haus* identifiziert und nur Gutes von ihr gesprochen hatten. Wenn irgendjemand bereit war, über die Tote zu reden, und den ein oder anderen privaten Klatsch wusste, dann diese beiden.

In den Sommermonaten war das Haus hinter üppigem Grün verborgen und vom Fahrweg nicht zu sehen. Die schmale Abzweigung mochte Neugierige verleiten, dem von Schlehen, Haselgesträuch und Weißdorn gesäumten Zufahrtsweg zu folgen, einfach um zu sehen, was an seinem Ende wartete, doch das geschah selten. Gleichwohl konnte das schon nahe dem Dorf Wandsbek, aber noch abseits gelegene Anwesen nicht als einsam bezeichnet werden, denn es wurde von vielen Gästen besucht. Besonders die Dame des Hauses galt als gesellig, doch auch der Herr des Hauses war alles andere als ein Einzelgänger, tatsächlich liebte und pflegte er Gesellschaft noch mehr als seine Gattin. Dennoch, wenn er auch als ein überaus ansehnlicher, unterhaltsamer und stets elegant gekleideter und frisierter Kavalier galt, die eigentliche Gastgeberin war Madam Junius.

Auch der Garten hinter dem im Stil italienischer Landhäuser, allerdings in solidem norddeutschem Backstein erbauten Anwesen war gepflegt und lud ein, sich zwischen Eiben- und Buchsbaumhecken, Rosen, Flieder und anderen zart duftenden Blüten zu ergehen. Jetzt im März konnte davon natürlich noch keine Rede sein.

Vom ersten Stock des Hauses ging der Blick weit über eine friedvolle Landschaft, über Wiesen und Felder, dazwischen Haine von Laubhölzern, Bäche, an deren Ufern schon die goldenen Blütenkränze des Huflattichs aufleuchteten, auch

Teiche und Dächer einiger von uralten Eichen bewachten Gehöfte. Ein Habicht zog über der Pferdekoppel hinter dem Garten Kreise, als er mit seinen scharfen Augen eine Beute fixierend treffsicher herabschoss, wandte Madam Franziska Junius sich abrupt um und wieder den beiden Frauen zu, die nebeneinander auf dem hochlehnigen gepolsterten Kanapee saßen.

Es hatte sie einen kurzen Moment der Überwindung gekostet, ihren Besucherinnen diese mit kostbarem Samt bezogene Sitzgelegenheit anzubieten, beider Röcke waren alles andere als reinlich – so war es eben, wenn man sich bei tauendem Boden auf den Weg von Hamburg hier heraus machte. Immerhin hatten sie ihr Schuhwerk im Entree gelassen, grobe Holzpantinen, wie sie um diese Jahreszeit für einen solchen Weg zweckmäßig waren. Eine der Mägde hatte sie mitgenommen, wenn die beiden das Haus wieder verließen, würden sie ihr Schuhwerk sauber gebürstet am Seiteneingang finden. Wilhelmine Cordes und auch Elske Probst wussten das, so war es stets zu Zeiten staubiger oder morastiger Wege, also fast immer. Nicht dass sie ständige Gäste in diesem Haus waren, wenn sie sich mit Franziska trafen, was in den letzten Jahren nicht allzu oft vorgekommen war, dann meistens im Zimmer hinter Wilhelmines Laden. Im Laufe der Jahre waren sie dennoch einige Male hier gewesen, zuletzt im Dezember, kaum jemals allerdings aus so ernstem oder – das vor allem – traurigem Anlass.

Der ganze Raum wirkte heiter, die Möbel weiß und gold, wie das Service, in dem eines ihrer Mädchen Tee und kleine englische Kuchen serviert hatte, die Tapeten in mattem Rosa, die Vorhänge in dunklem Weinrot wie die Polsterbezüge der Möbel, die Rahmen um die ungewöhnlichen Bilder – drei lichte Aquarelle – schmal und vergoldet. Selbst der in chinesischer Manier schwarz lackierte Sekretär mit den Einlegearbeiten von goldenen Vögeln und Blumen wirkte leicht und heiter. Einzig dem klobigen Kasten aus tiefschwarzem eisenharten Ebenholz mit drei Schlüssellöchern fehlte jede Gefälligkeit.

Es war nicht zu übersehen: Franziska Junius war eine wohlhabende Frau. Allein ihr für diese Stunde etwas zu offizielles Gewand aus mit winzigen weißen und blassroten Blüten besticktem rosenholzfarbenem Seidentaft war nach den Maßstäben einer Schankmagd ein kleines Vermögen wert. Sie liebte leichte Farben, nur Blau in allen seinen Varianten war weder in ihrer Garderobe noch in der Ausstattung ihrer Räume zu entdecken. Sie mochte diese Farbe nicht. Seltsamerweise trug sie, abgesehen von zwei silbrig schimmernden Schildpattkämmen in ihrem weißblonden streng frisierten Haar, keinen Schmuck, nicht die kleinste Perle. Ihren Besucherinnen fiel das nicht auf. Sie kannten Madam Franziska gut genug, um zu wissen, dass sie ihren kostbaren Schmuck erst anlegte, wenn sie ihre privaten Räume verließ.

Elske hätte gerne gewusst, wonach es in Franziskas Salon duftete. Ganz leicht nur, unaufdringlich, kostbar. Rosen, Maiglöckchen oder Melisse kannte Elske. Auch Minze und Lavendel. Es war etwas anderes, etwas, das ihr unbekannt war, weil es in den Gärten ihrer Welt nicht gedieh. Es hieß, Franziskas, Pardon, Madams Verbindungen gingen sehr weit, also musste es für sie ein Leichtes sein, Essenzen oder Duftwässer aus Italien oder gar dem Orient zu beziehen, oder aus noch ferneren Weltgegenden, zum Beispiel diesem Land von unermesslicher Größe namens China, woher auch der teure Tee kam, den sie gerne trank. Dass sie es sich erlauben konnte, bezweifelte Elske keine Sekunde. Natürlich hätte sie einfach nach dem Ursprung des Duftes fragen können – auch daran dachte sie nicht.

Elske Probst war eine handfeste Person. Wie die anderen

beiden Frauen im Raum hatte sie die dreißig überschritten, sie hatte eine Menge erlebt und wusste sich energisch zu wehren. Sie ließ sich von niemand leicht einschüchtern und hätte auch niemals zugestanden, dass Madam Franziska genau dies tat. Dabei war das keine Schande, Elske kannte niemand, der in Franziskas Gegenwart wirklich heiter und unbefangen gewesen wäre. (Abgesehen von ihrem Ehemann, vielleicht, doch das war eine andere, sehr eigene Geschichte, und mit Ehemännern kannte Elske sich sowieso nicht aus.) Seit wann war das so? Wahrscheinlich schon immer, nur war es weniger aufgefallen, als es Kleider aus Seide, diesen duftenden Salon, überhaupt das Haus und das Leben darin noch nicht gegeben hatte.

«Wenn du so sicher bist», hörte sie Franziska die angespannte Stille beenden, hörte auch das Rascheln der Taftröcke, als sie sich setzte, «wenn du wirklich sicher bist, Wilhelmine, dann …»

«Was soll das?», fiel Elske ihr ruppig ins Wort. «Glaubst du, wir wären sonst hier? Wir haben keine Kutsche, was du gerne vergisst, für uns ist das ein weiter Weg. Fast bis nach Wandsbek.» Und dann, nach einem kurzen heftigen Moment, war sie wieder da, diese Unsicherheit, die Franziskas kühler Blick aus diesen kleinen schwarzen Augen stets auslöste. Zorn stieg in ihr auf, gerade weil sie es spürte und nicht weiterwusste.

«Lass uns gehen, Mine», sagte sie, stand auf, schlang ihr Wolltuch um die Schultern und sah ihre Freundin auffordernd an. «Madam in ihrer sicheren Burg schert sich nicht um unsere Sorgen.»

Aber Wilhelmine starrte auf ihre so fest ineinander verschränkten Hände, dass die Fingerknöchel in der geröteten Haut weiß hervortraten.

«Nein, Elske», sagte sie, «das geht nicht. Setz dich auch wieder. Franziska hat doch recht, es ist wirklich ziemlich verrückt. Aber Elske hat sicher auch recht», wandte sie sich an Franziska, die immer noch mit seltsam starrer Miene Elske ansah, «und vielleicht – ach, ich weiß nicht, vielleicht ist es nur, weil ich wieder davon träume. Ich entkomme immer, aber ich bin nie sicher.»

«Wie im richtigen Leben, Mine», warf Elske heftig ein. «Ganz wie im richtigen Leben, vergiss die blöden Träume.»

«Ich versuch's ja, Elske, es geht nicht. Dabei ist es so lange her. Trotzdem, es kann kein Zufall sein. Erst verschwindet Wanda. Wenn wir ehrlich sind, hatten wir gleich Zweifel, ob sie wirklich ohne Abschied diesem windigen Blanck nachgereist ist. Ich hab's glauben wollen und ihr auch. Dabei musste man nur eine halbe Minute überlegen: Sie hat zwar gesagt, dass sie nicht mehr lange bei den Paulis bleiben will, und etwas von einer Reise nach dem Süden angedeutet. Ich habe das aber für eine dieser Geschichten gehalten, die sie sich ausgemalt hat, immer schon.»

Franziska nickte. «Früher haben wir ihr gerne dabei zugehört. Natürlich erinnern wir uns, Wilhelmine, aber die Zeit für Mädchenträume ist längst vorbei.»

Wilhelmine ignorierte Franziskas strengen Einwurf. «Wir hätten uns fragen müssen, warum sie gerade in dieser eisigen Nacht verschwunden sein sollte. Weil sie da ausnahmsweise auf dem letzten Maskenball im Ausschank gearbeitet hat? Wo hätte sie sich danach bei dieser Kälte bis zur Toröffnung sicher verbergen sollen? Viel besser und einfacher hätte sie an ihrem nächsten freien Tag oder vor dem Kirchgang aus dem Tor gehen können. Oder die Postkutsche nehmen, falls sie Geld für den Fahrpreis gehabt hätte. Ich habe auch gedacht, womöglich hat Blanck jemanden beauftragt, sie mitzunehmen, denn wie hätte sie alleine reisen können? Nein, wir hätten gleich zweifeln und genauer nachfragen müssen.»

«Und dann?», wandte Franziska ein. «Da lag sie längst

unterm Eis. Wer von uns konnte denn ahnen, was in dieser Nacht passiert war? Ich hatte sie seit geraumer Zeit nicht mehr gesehen und habe mir wirklich keine Gedanken gemacht.»

«Wie solltest du auch?» Elskes Stimme klang spitz und war voller Misstrauen. «Ich dachte, du hast überhaupt erst in dieser Woche erfahren, dass sie die Stadt verlassen hatte, dass sie verschwunden war und niemand wusste, wohin.»

Für einen Moment herrschte Stille, und Franziskas Blick wurde wieder dunkel. «Ich lebe zwar hier draußen», sagte sie dann leichthin, «und bemühe mich selten in die Stadt, es ist mir dort einfach zu eng und stickig, es gibt zu viele Augen, und Mauern konnte ich noch nie ertragen. Daran werdet ihr euch erinnern. Was dort vorgeht, erfahre ich trotzdem», sie nippte an ihrem Tee, verzog die Lippen missbilligend – er war kalt geworden – und legte einen der kleinen süßen Kuchen auf ihren Teller, «soweit es mich interessiert.»

«Du hattest Streit mit Wanda, kurze Zeit bevor sie verschwand. Das hat sie mir gesagt.»

«Kurz ist ein vager Begriff, ich würde sagen: etliche Wochen. In der Tat hatte Wanda großes Talent, sich in Schwierigkeiten zu bringen. Ich hielt es für angebracht, unsere ewige Schwärmerin vor diesem Galan zu warnen und sie daran zu erinnern, dass so einer keine besseren Absichten hat als sein Dienstherr selbst. Tu nicht so, als wüsstest du das nicht, Elske, gerade du. Aber wenn du diesen läppischen kleinen Zwist jetzt erwähnst – du willst damit sicher nichts Besonderes sagen? Ich kann dir versichern, ich war in jener Nacht nicht in der Stadt, sondern hier. Nur falls du danach fragen willst.»

«Sei nicht albern, natürlich nicht. Aber – ach, ich weiß auch nicht.»

«Das ist jetzt einerlei», entschied Wilhelmine, «Schnee von gestern, und hör du auf zu streiten, Elske, das geht jetzt nicht, wir brauchen uns. Mehr denn je, nachdem auch Janne», sie schluckte tapfer, und es gelang ihr, die Tränen zurückzuhalten, «auch Janne … Auf die gleiche Weise. Ich meine nicht im Eis, das wisst ihr, aber – o Gott, ich kann es nicht aussprechen.»

«Erwürgt», half Franziska kühl.

«Ja. Das ist kein Zufall. Es holt uns ein. Jetzt, nach so vielen Jahren.»

«Und ich sage dir wieder: Das ist Unsinn.» Elske erhob sich energisch, sie konnte nicht länger still sitzen. «Es ist mehr als fünfzehn Jahre her und lange vergessen. Es war doch nur – eine Dieberei? Ja, eigentlich nicht mehr. Mordet man dafür? Zweimal?»

«Und jetzt Janne», sprach Wilhelmine weiter, als habe sie Elske nicht gehört. «Schon die Vorstellung ist so entsetzlich, immer wenn ich die Augen schließe, sehe ich es vor mir, wie Wanda im Eiswasser versinkt, und dann Janne in diesem stinkenden Gang.»

Es nützte nichts, dass sie die Hände gegen die Lider presste, die Tränen quollen nun unaufhaltsam.

Franziska war wieder ans Fenster getreten und sah hinaus in den Garten. Ihr Rücken war sehr gerade, ihre Finger lagen leicht gespreizt auf den Scheiben, als müsse sie die Spitzen kühlen. Dann drehte sie sich um, ging zu ihrem Stuhl zurück und setzte sich. «Also: Was wollt ihr tun? Was soll *ich* tun? Zum Weddemeister gehen?»

«Unsinn», nun war es an Wilhelmine, Unmut zu zeigen, «das können wir nicht, das weißt du genau.» Mit ihrer so ruhigen wie entschlossenen, stets nach Eintracht strebenden Seele ließ sie sich am wenigsten von Franziskas Ausstrahlung kühler Überlegenheit einschüchtern. «Wir sorgen uns, Franziska, weil wir nicht wissen, was vorgeht, und nicht wissen, was wir tun können. Ich habe Angst, vor allem um meinen Sohn. Mir kann niemand Schrecklicheres antun, als mein

Kind … meinem Kind zu schaden. Wir sind gekommen, weil drei Köpfe klüger sind als zwei. Es hat übrigens schon zwei Mal geklopft, Franziska, hast du es nicht gehört?»

Sie hatte es tatsächlich nicht gehört, ihr abwesender Blick verriet, dass sie auch Wilhelmines letzte Sätze nicht wirklich aufgenommen hatte.

«Entree», rief sie nun und sah aus den Augenwinkeln, schon wieder halbwegs amüsiert mit der ihr stets eigenen Prise Bosheit, wie Elske das Gesicht verzog und lautlos das französische Wort nachäffte.

Ein makellos ganz in Rosé und Weiß gekleidetes Dienstmädchen trat ein (nur das Dekolleté schien ein wenig gewagt), knickste und überreichte Franziska ein gerolltes, mit einem einfachen verknoteten Bindfaden verschlossenes Schreiben. «Ein reitender Bote hat es gebracht, Madam, er sagt, er soll auf eine Antwort warten und es sei eilig.»

Franziska nickte, streifte den Faden ab und entrollte den Bogen. Sie überflog die Zeilen, ihr Gesicht war unbewegt, nur ihre Brauen hoben sich leicht, als sie den Bogen wieder zusammenrollte.

«Sage ihm, es dauert nicht lange. Bring ihn in die Küche, er wird hungrig und durstig sein.»

Sie überlegte einen Moment, ihre Fingerspitzen klopften dazu einen unhörbaren Wirbel auf der Armlehne ihres Stuhls, dann blickte sie ihre beiden Besucherinnen entschlossen an. «Kommt mit», sagte sie, «ich will euch etwas zeigen. Es ist gleich hinter dem Garten in einem besonders idyllischen Hain. Und später musst du, Wilhelmine, etwas für mich, nein, für uns alle erledigen. Denn wenn ich richtig informiert bin, kennst du den Weddemeister? Erschrick nicht, was ich von ihm will, kann ihm nur recht sein. Andererseits», wieder trommelten ihre Finger einen lautlosen Wirbel, «sicher ist es besser, ihn nicht zu – nun, sagen wir: ihn nicht zu belästigen und den schon bewährten, den direkten Weg zu gehen. Ich werde noch darüber nachdenken.»

Als die drei Frauen hinaus in den Garten traten, an der Seitentür hing wie am Hauptportal eine Laterne mit rot gefärbtem Glas, hallte ein Schuss. Erschreckt blieben Elske und Wilhelmine stehen, Franziska lächelte nur.

«Das war sicher wieder eine meiner Nachbarinnen, eine exzentrische alte Dame, sie schießt nur in die Luft. Jedenfalls bisher. Sie hat das Gut geerbt, eine Bruchbude, und ist ständig in Sorge, überfallen zu werden. Irgendwer in ihrer Familie ist wohl mit dem Testament nicht einverstanden.» Franziska lächelte wieder auf diese Art, von der schwer zu beurteilen war, ob es von Amüsement oder genussvoller Bosheit zeugte. «Sie hat so etwas Unberechenbares, das ist äußerst erfrischend. Nun kommt schon. Ich habe wenig Zeit, der Bote wartet auf Antwort.»

Sie lief weiter, plötzlich leichtfüßig. Wilhelmine und Elske folgten ihr immer noch halbherzig über den mit Brettern ausgelegten Weg – nicht mit Ästen und groben Bohlen, wie es in sumpfigen und moorigen Gegenden allenthalben üblich war, sondern guten Brettern –, folgten ihr hinüber zu dem Hain, der unter den rasch aufziehenden Wolken in ihren Augen ganz und gar nicht idyllisch wirkte, sondern düster und abweisend.

Die alte Mette löffelte ihre Kohlrübensuppe mit erstaunlicher Geschwindigkeit und nagte und lutschte die Speckschwarte gründlich ab. Nun wischte sie mit dem vorletzten Stück Brot ihre Schüssel sauber. Das letzte schob sie ihrem Bruder zu, der bedächtig Löffel um Löffel zum Mund führte, sein Napf war noch halb voll. Vielleicht wusste er besser zu genießen, vielleicht war er nicht so hungrig wie seine Schwester. Mette verzichtete oft auf dieses und jenes, um es ihrem Bruder zu gönnen, er war es sein Leben lang so gewöhnt und dachte nicht darüber nach. Rosina hätte den beiden gerne eine zweite Schüssel Suppe spendiert, doch der Wirt hatte misslaunig verkündet, das sei alles, er koche erst morgen neue. Samstags frische Suppe, so sei's nun mal.

Dass die Suppe eine Woche lang über der Feuerstelle in der, sanft ausgedrückt, schmuddligen Küche vor sich hin geköchelt hatte, war für Rosinas Wohlbefinden wenig förderlich, aber obwohl sie hungrig war, war sie klug genug gewesen, für sich selbst nichts zu bestellen. Wenigstens war es zu kalt, als dass die Suppe hätte schimmeln können. Die beiden Straßenhändler genossen die unerwartete Mahlzeit, sie war heiß und fett und würde sie den ganzen Tag wärmen, auch das trübe, säuerliche Bier mundete ihnen.

Rosina war nicht zimperlich, sie hatte viele üble Schänken gesehen, diese in einem Keller in den Raboisen gehörte eindeutig dazu. Mette nahm einen Schluck Bier und lehnte sich wohlig seufzend zurück. «Ach ja», sie seufzte noch einmal, «die liebe Wanda. Sie war ein freundliches mitfühlendes Ding, das war sie wirklich. Oder etwa nicht, Eustach?»

Ihr Bruder war immer noch mit seiner Suppe beschäftigt, während er das Brot in seinen Napf tauchte, nickte er trotzdem.

«Habt Ihr sie lange gekannt?»

Mette blickte irritiert, als sie ihren Kopf vorneigte, verstand Rosina, dass sie schwer hörte, und wiederholte ihre Frage. Ein diskretes Gespräch würde das sicher nicht.

«Lange gekannt? O ja, das haben wir», erklärte Mette, «das eine oder andere Jahr. Die Zeit ist ein Vogel, liebe Madam, fliegt dahin, dahin, dahin. Sie war immer freundlich, die Wanda. Nicht, Eustach, das war sie doch.»

Eustach nickte und löffelte.

«Schrecklich», begann Rosina und machte ein tragisches Gesicht, «keiner hat sie gesucht, als sie über Nacht einfach verschwand. Ihre Herrschaft hat gedacht, sie ist ihrem, nun ja, ihrem Verlobten nachgereist, Blanck, dem Schreiber der Paulis.»

«Verlobter? Ach was.» Mettes Blick flitzte durch die Schänke, traf abschätzig zwei rotnasige Trinker auf der Bank beim Durchgang zum Hof und neigte sich ihr näher zu. Rosina bemühte sich, nicht zu tief zu atmen. Es war eben schwer, sich sauber zu halten, wenn man in einem Keller hausen musste. «Ich sag Euch was, Madam, die Wanda war viel zu schade für den, aber sie hat immer gehofft, das dumme liebe Ding, ja, das hat sie. Und geglaubt, was er versprochen hat. Dann ist er in den Süden gereist, und sie hat gesagt, er holt sie bald nach, ja, oder er schickt einen, der sie holt. Aber wir verstehen das nicht. Eustach? Das verstehen wir doch nicht?»

Eustach nickte folgsam. Auch sein Napf war nun leer, doch er war noch mit den Resten am Rand der Schüssel und dem Brot beschäftigt, was seine ganze Konzentration erforderte.

«Der Blanck», erklärte Mette weiter, «war doch für Monsieur Pauli unterwegs, ist er immer noch, wir ham ihn jedenfalls nicht wieder hier gesehen. Ist ja auch ’ne weite Reise. Da gibt es so Gemunkel, viel Geld soll er dabeihaben und gar nicht zurückkommen, ja, Gemunkel. Die Menschen reden immer gerne schlecht. Wobei – dem Blanck trauen wir das zu. Das tun wir doch, Eustach?»

Eustach nickte und kaute weiter auf dem Brotkanten, nur auf der rechten Seite, wo er noch die meisten Zähne hatte.

«Ja, dem trauen wir das zu. Alles. Ein schöner Mann, aber immer so was im Blick, wenn Ihr versteht, was ich meine, Madam. So was – Flackeriges. Tut immer fein, so einer sucht sich eine andere Braut, eine, die was hat und eine Familie für den Aufstieg und Mitgift und alles.» Sie lehnte sich wieder zurück, schob die Unterlippe vor und dachte einen Augenblick nach.

«Sie hatte keine Familie?», nutzte Rosina rasch die Lücke. «Das ist wirklich traurig. Aber sicher hatte sie Freundinnen, ich glaube, ich kenne sogar eine. Mamsell Elske vom *Eschenkrug* auf dem Borgesch, kennt Ihr die? Wanda wird doch von ihren Freundinnen erzählt haben?»

«Davon wissen wir nichts», sagte der alte Eustach, bevor Mette antworten konnte, «und auf dem Borgesch kennen wir uns nich' aus. Das ist ja vorm Steintor, da gehen wir auch nie hin. Man weiß nie, ob sie unsereinen wieder reinlassen, zurück in die Stadt, mein ich.»

«Elske?», überlegte Mette laut, ohne den Unmut im Blick ihres Bruders zu bemerken, vielleicht übersah sie ihn nur geflissentlich. Es geschah selten, dass sich jemand mit ihr unterhielt, sogar Fragen stellte, anstatt vor allem selbst zu reden. Es war, als sei der Tag heller als andere Tage, da konnte Eustach gucken, wie er wollte. «Kann sein. Elske. Da war noch eine andere. Der Name fällt mir grad nicht ein. Oder zwei? Schwestern, hat sie mal gesagt, wie Schwestern sind die. Ach, gewesen, nur gewesen.»

Sie wischte sich schniefend mit dem Handrücken unter der Nase entlang und fuhr fort, als hätte sie diesen Gedankengang nie unterbrochen: «Der Blanck jedenfalls war keiner, der Schreiber bleiben will, dabei kann er Gott für die schöne Arbeit und das Auskommen danken, feine Kleider, das gute Haus, all das. Immer warm da drin, fast bis unters Dach. Und jetzt die Reise. In 'ner Postkutsche. Was sind das nur für Zeiten, wo den Menschen der Platz im Leben nicht mehr genug ist, den Gott ihnen zugedacht hat. Aber ich sag Euch was, liebe Madam, ich sag Euch was, nämlich was wir hier denken. Ich bin sicher, Ihr behaltet das für Euch, man soll ja kein falsch

Zeugnis reden wider seinen Nächsten, das soll man gewisslich nicht. Ich glaub aber nicht, dass es falsch ist. Wir hier in der Straße und am Ufer bis zur Bastion, wir glauben das nicht. Es ist nämlich», wieder versicherte sie sich mit raschen Blicken, ob jemand lauschte, «es ist nämlich anders gewesen. Im letzten Sommer, da war sie eine Zeit lang ziemlich dick, die meisten ham es nicht gemerkt, aber ich! Ich seh das. Jedenfalls kann das nicht nur vom Essen gekommen sein, die Paulis geben ihren Leuten nicht so gutes Essen, dass die davon fett werden. Die Paulis nicht, die zählen jeden Abend die Reiskörner nach, ja, das sagt man. Wenn man auch nichts Schlechtes sagen soll, was wahr ist, muss wahr bleiben. Also, dann ist das Mädchen mit Madam Pauli für 'n paar Wochen aus der Stadt gefahren, die Paulis haben kein Gartenhaus, aber sie haben Freunde, die eins haben, da sind sie gewesen, und dann – was hast du, Eustach?»

Ihr Bruder hatte seine Mahlzeit nun endgültig beendet. Er hatte wieder zugehört und bei der Erwähnung des Gartenhauses warnend den Finger gehoben. «Hüte deine Zunge, Schwester. Is' doch alles nur Gerede.»

Mette verschränkte die Arme vor der Brust und starrte mit grimmigem Blick ein rabenschwarzes Loch in die Luft.

«Gerede», sagte sie dann, einen Anflug von Trotz in der Stimme. «Kann sein, ist aber nicht vom Himmel gefallen, und nu' ist sie tot. Ich sag ja nicht, dass er's getan hat, ich meine – das Letzte getan hat. Das am Wasser. Aber vorher, das war er. Da kannst du sagen, was du willst.»

Rosina verstand kein Wort, was erstaunlich war, da sie für gewöhnlich auch Andeutungen gut und zumeist richtig zu interpretieren wusste. Mette ignorierte wieder den besorgt warnenden Blick ihres Bruders und sprach schon weiter, wenn auch mit gesenkter Stimme, was bei einer Schwerhörigen doppelt zählt.

«Versteht Ihr nicht? Erst dick, dann wieder dünn. Sie kam schlank wie 'ne Pappel zurück, war wie früher. Sie …»

«… hat da eben wenig gegessen und viel im Garten gearbeitet», warf ihr Bruder beschwörend ein, «oder sie war krank. Da auf'm Land gibt's furchtbar viel Dreck und Dämpfe, da holt man sich alles Mögliche.»

«Tüddelitütt!» Mette trank nun ihr zweites Bier, die Wirkung auf die vertrocknete, für gewöhnlich scheu wirkende alte Jungfer war erstaunlich. «Auf der Hinfahrt war sie in Umständen, auf der Rückfahrt nicht. Dazwischen muss ja was passiert sein. Und wenn die Pauli, die zitronige Madam, immer so etepetete, sie nicht auf die Straße gesetzt hat oder gleich aus der Stadt gejagt, dann heißt das nur eins.»

«Ja, nämlich dass du dir die Zunge verbrennst. Bald schneidet sie dir einer raus und wirft sie weg, das hast du dann davon.»

«Hab ich irgendwas gesagt, was gelogen ist?»

«Gewiss nicht», beeilte sich Rosina, die an Lautstärke zunehmende Uneinigkeit abzufangen. «Ich habe verstanden und werde alles für mich behalten.» Jedenfalls nicht eure Namen nennen, fügte sie in Gedanken hinzu.

Sie bestellte noch eine doppelte Portion Speck und helles Roggenbrot, bezahlte die Zeche und verabschiedete sich. Sie hatte sich gerade erhoben, als die beiden Rotnasen von der hinteren Bank auf dem Weg zur Tür vorbeikamen.

Der Ältere der beiden blieb stehen. Er steckte seine Tonpfeife in die Rocktasche, legte die Hände auf die Hüften und ließ seinen Unterleib die Bewegung machen, die überall auf der Welt verstanden wird und Damen tief erröten lässt. «Der Pauli», sagte er und lachte meckernd, «der feine Seidenkerl is'n ganz fleißiger, lässt keine aus, die er kriegen kann. Weiß doch jeder.»

Mettes Stimme hatte doch zu weit getragen. Eustach sank

ergeben aufstöhnend gegen die Wand, seine Schwester reckte mit Trotz im Blick die dünnen Schultern. «Was wahr ist», verkündete sie und schob das Kinn vor, «muss wahr bleiben.»

Rosina ließ die frisch von der Alster herüberwehende Luft tief in ihre Lungen dringen, als sie aus der Kellerschänke auf die Straße trat. Ihre Zeit als Fahrende war vorbei. Gleichwohl war sie immer noch so sehr daran gewöhnt, sich überwiegend im Freien aufzuhalten, dass sie die stickige Luft solcher «Etablissements» viel weniger ertrug als diese Stadtmenschen. Es war genug für heute. Hunger, Kälte, Schmutz, keine Hoffnung, dass es je anders werde als im Tod – die beiden Alten jammerten sie. Umso mehr, als sie daran erinnerten, welchem Schicksal sie selbst entkommen war (*wahrscheinlich* entkommen war – wer wusste denn, was das Leben bereithielt?). Sie machte sich auf den Heimweg, die Sehnsucht nach Paulines warmer Küche und appetitlichen Gerichten auf sauberen Tellern war groß.

Die beiden Lindbecks hatten nicht gefragt, warum Rosina etwas über Wanda Bernau wissen wollte, zuerst hatten sie gezögert, doch als Rosina sie in die Schänke einlud und von einer Schüssel Suppe und einem Krug Bier sprach, bereitwillig erzählt, ganz so, als sei Rosina eine Freundin. Wenn man hungrig war und fror, galt eine heiße Suppe als gute Währung. Was mochte es kosten, wenn man von einer Person, die die eigenen Kreise störte, ganz befreit werden wollte? Eine sinnlose Überlegung.

Was hatte sie nun erfahren? Ein Dienstmädchen, schon über das übliche Heiratsalter hinaus, verliebt sich in einen Mann, der für sie unerreichbar ist, jedenfalls, wenn es um den Weg zum Altar geht. Er macht ihr Avancen – oder auch nicht?

Dann ist da noch der Herr des Hauses – auch eine dieser alltäglichen Geschichten. Und wenn die ganze Sache mit dem Schreiber, dem zweiten Mann in Kontor und Manufaktur

Monsieur Paulis, nur eine Camouflage war, um eine Affäre des Hausherrn mit einer Dienstbotin zu kaschieren? Das hätte viel Mühe bedeutet, dann müsste es mehr gewesen sein als eine Affäre.

Und wer waren diese Leute gewesen, die sich so viel Mühe gemacht hatten, um den Leichnam der ersten Toten aus dem *Eimbeck'schen Haus* zu holen? So, wie sie es gemacht hatten, konnte es nur eines bedeuten: Sie wollten vermeiden, dass bekannt wurde, wer den Leichnam geholt hatte, also dass sie Wanda Bernau gekannt hatten. Warum? Es gab nur eine Erklärung: Sie alle musste etwas verbinden, was zumindest für einen von ihnen bedrohlich genug war, um zu töten. Wenn es so war ... Rosina blieb stirnrunzelnd stehen – zum Glück war sie nahe an den Hauswänden entlanggegangen, sonst hätte sie sich glatt von einem Fuhrwerk überrollen lassen. Wenn es so war, sah es ganz danach aus, als würde es nicht bei zwei Toten bleiben. Wenn es so war, lautete die andere Variante, den Gedanken zu beenden, tat allergrößte Eile not, den Mörder zu finden.

Was für ein Kuddelmuddel. Da gab es zwei tote Frauen, beide ermordet. Dass beide zu den Besitzlosen zählten, ohne ganz in das Elend abgerutscht zu sein, hatte nichts zu sagen, das traf auf den überwiegenden Teil der Frauen in einer großen Stadt zu. Aber: Sie hatten einander gekannt. Und zwar gut genug, dass eine beim Anblick der gerade aus dem Eis geborgenen Leiche der anderen voller Entsetzen davonlief. Somit auch die Verbindung verheimlichen wollte?

Dann wurde just diese Frau, wenige Tage nach der Entdeckung der ersten Toten, ermordet, ebenfalls erwürgt, wenn auch nicht auf genau dieselbe Weise.

Alles schien irgendwie zusammenzugehören und doch nicht zu passen. Lauter Zufälle? Einen mochte es geben, sogar zwei. Aber alles hatte Grenzen, besonders das Zusammenspiel der Zufälle. An die sie überdies nicht glaubte, obwohl das Leben sie das ein oder andere Mal eines Besseren belehrt hatte.

Wo war der Anfang? Sie konnte nur den für sie selbst gültigen finden. Der war Magnus' Auftrag, dem Pauli'schen Schreiber nach Venedig nachzureisen, Friedrich Blanck. Leider war sie zu stolz gewesen, gründlich nach den Hintergründen zu fragen, das erwies sich nun als Versäumnis. Andererseits hätte Magnus, dieser korrekte Mensch, ihr kaum mehr erzählt, da er auch diesmal auf absolute Diskretion eingeschworen worden war. Ungemein hinderlich.

Dann die Tote in der Alster, bis zu ihrem Ende Dienstbotin im Haus der Paulis, deren Schreiber wiederum Blanck war. Mit dem sie, wenn man sich einzig auf die Auskunft einer alten Straßenhändlerin verlassen wollte, eine Liebschaft gehabt und auf eine gemeinsame Zukunft gehofft hatte. Oder auch nicht? Nach dieser dürren Quelle war zudem der Dienstherr mit im Spiel, Monsieur Pauli. Zumindest Blanck konnte nicht mehr in der Stadt gewesen sein, als Wanda Bernau ihr gewaltvolles Ende fand. Der war zu dem Zeitpunkt nicht nur längst abgereist, er musste damals schon weit im Süden, womöglich in Venedig angekommen sein. Wofür es wiederum keine Zeugen gab, jedenfalls keine, von denen sie wusste.

Den Seidenhändler und -manufakteur Pauli konnte sie kaum danach fragen, aus welchem vermeintlichen Grund? Er würde höchstens eine argwöhnische Ehefrau in ihr vermuten, die die eilige, geradezu überstürzte Abreise ihres Ehemanns überprüfen wollte. Eher bisse sie sich die Zunge ab, als sich und Magnus einem solchen Verdacht auszusetzen.

Weiter: Dann wurde die zweite Frau ermordet – Janne Valentin, den Namen hatte sie sich gemerkt – und wenige Stunden später der Leichnam der ersten, nun ja, vielleicht war entführt doch das richtige Wort.

Wenn sie nun im Versuch einer Klärung, im Versuch, die Ereignisse zu ordnen und zu verstehen, zu ihrem Anfang zurückkehrte, zu dem nach Venedig gereisten (oder verschwundenen?) Blanck, war der erste Schritt einfach: Die Lösung hieß Claes Herrmanns! Er wusste um den Anlass für Magnus' Reise und damit um den gegen den Schreiber bestehenden Verdacht (falls es nicht eine Gewissheit war). Magnus hatte erzählt, wie es zu diesem Auftrag gekommen war. Er war mit einigen anderen Herren in das Haus am Neuen Wandrahm zu einem «zwanglosen Abend» geladen, zwanglos bedeutete *mit* Pfeifen, starken Getränken und ernsthaften Gesprächen über Handel und Politik, *ohne* Damen. Leider war es Rosina bisher nicht gelungen, zu prüfen, was es mit der Ernsthaftigkeit der Gespräche tatsächlich auf sich hatte. Ihre Freundin Anne, die zweite Madam Herrmanns, hatte nach einem dieser Abende amüsiert berichtet, wenn man bedenke, dass es um Handel und hohe Politik gehe, klinge an diesen Abenden doch recht viel lautes, mit fortschreitender Dauer gar johlendes Gelächter aus dem Herrenzimmer.

So oder so, dort war die Reise beschlossen worden. Claes Herrmanns hatte Magnus darum gebeten, es gehe ja nicht an, dass ein Mann womöglich honorige Hamburger Kaufleute betrüge und davonkomme. Nur weil es in Venedig keine hanseatische Niederlassung gebe und sich niemand finde, der rasch zur Tat schritt. Dabei hatte Rosina entgegen seinen Beteuerungen in seinen Augen nicht das geringste Bedauern entdeckt, nur die brennende Lust auf das Abenteuer. Sie spürte erstaunt, wie der bei diesem Gedanken gewöhnlich hochkochende Groll diesmal nur mehr schwach köchelte, und war es zufrieden. Schließlich wusste sie genau, dass sie an seiner Stelle ebenso entschieden hätte. Aber das nächste Mal, bei der nächsten Reise!

Sie hatte nicht auf ihren Weg geachtet. Als sie es wieder

tat, sah sie den Pranger, genau genommen seine Spitze über den Köpfen der Leute, die den Berg genannten und vielleicht wirklich am höchsten gelegenen Platz bevölkerten, als sei heute Jahrmarkt. In der innerhalb des Wallrings über die Maßen dicht bevölkerten Stadt herrschte wie so oft Gedränge, heute erschien es besonders groß. Sicher lag es an der Frühlingsluft, an den sich zwischen den Wolken hindurchstehlenden Sonnenstrahlen, an der Helligkeit des Tages, die die Seele leichter und die Gedanken zuversichtlich machte.

Ihr Blick glitt an der Fronerei vorüber, flüchtig nur, es war kein Platz guter Erinnerungen. Bis zum vergangenen Jahr hatte auch Wagner dort seine Amtsstube gehabt, nun war die Weddemeisterei ins Rathaus umgezogen, eine besondere Ehre, das ehrwürdige alte Haus galt trotz seiner Anbauten als chronisch zu klein. Für Wagner kam dies einer Anerkennung seiner Arbeit gleich, einem Orden. Rosina hingegen argwöhnte, dass die Herren Praetoren sich auf diese Weise höchst unfein um die längst überfällige Aufbesserung seines Lohns drückten.

Wie oft erschien ihr auch heute ein so wuseliger Platz wie eine überdimensionale Bühne, auf der ein wildes Stegreifspiel gegeben wurde: Voller verschiedenster Menschen und aller möglichen Arten von Wagen und Kutschen, dazwischen die schreienden Straßenverkäufer und stets eilig Platz fordernde Sänftenträger, hier balgte sich ein Knäuel Hunde, dort flitzte gar ein Schwein durch die Menge, obwohl innerhalb der Mauern – abgesehen von den nötigen Reit- und Zugtieren – kein Vieh gehalten werden sollte, das größer war als eine Gans. Damen und Herren flanierten, Köchinnen und Dienstmädchen eilten mit ihren Körben, dazwischen suchten und fanden Fuhrwerke, Karren und Kutschen ihren Weg. Heute fehlte nicht einmal Musik, die immer zu einer guten Aufführung gehörte, sei es Komödie oder Trauerspiel. Nahe dem

Pranger, an dem zum Glück heute niemand seine Strafe erlitt, musizierten ein Lautenspieler und ein Flötist tapfer gegen den Lärm der Menge an. Sie waren nicht schlecht, doch schon der sanfte Wind nahm die meisten ihrer Töne mit sich.

Der Lautenspieler war blind, zumindest ließ das seine Augen bedeckende Tuch darauf schließen. Der kleine Flötist erwies sich beim Näherkommen als Mädchen, ein Kind von vielleicht elf Jahren, Rosina warf eine Münze in den Strohhut zu ihren Füßen. Er war leer, hoffentlich nur, weil die Musikantin rasch jede eingeworfene Münze herausfischte, bevor sie jemand stahl.

So wie sie selbst vor Jahren, als sie mit ihrer Flöte auf dem Marktplatz einer anderen Stadt gestanden hatte, vor den Füßen keinen Hut, sondern eine kleine Holzschale. Es war bei dem einen Mal geblieben, denn bald war der Büttel gekommen und hatte sie am Schlafittchen gepackt. Für ein Mädchen, das mit den Wanderkomödianten herumzog, war ihre silberne Querflöte viel zu wertvoll. Es hatte große Überredungskunst und schließlich einen ganzen Tagesverdienst der Theaterleute gekostet, sie samt der Flöte wieder freizubekommen. Helena hatte geschimpft und Jean, ihr Prinzipal, gelacht. Das Mädchen beweise Initiative, hatte er gesagt, Stolz in der Stimme. Schließlich hatte er sie damals halb verhungert auf der Straße aufgelesen und mit zu seiner Komödiantentruppe genommen. Selbst wenn in besonders harten Zeiten die Versuchung groß gewesen war, die Flöte zu verkaufen, war es ihr gelungen, sie zu behalten, das Einzige, was sie einst aus ihrem Zuhause mitgenommen hatte. Während all der Jahre, dachte sie mit einem Anflug von Trauer und Sehnsucht. Sie verstand dieses Gefühl nicht. Alles war doch gut ausgegangen.

Eine elegante Kutsche hielt wenige Schritte entfernt und zog ihren Blick an. Das zweisitzige Kabriolett wurde von einem nicht minder eleganten Herrn gelenkt. Da es im März noch ein wenig verwegen war, mit heruntergeklapptem Verdeck zu fahren, lag um seine Schultern ein mit einem breiten Pelzkragen besetzter Umhang. Als der Mann in der Kutsche den Dreispitz abnahm und nachlässig auf den freien Platz neben sich warf, erkannte Rosina, wer da die Blicke auf sich zog. Der Seidenhändler Pauli, ehemals Dienstherr der Toten aus der Alster und Auftraggeber für Magnus' Reise nach dem Süden. Er beugte sich mit verbindlichem Lächeln aus seinem leichten Gefährt zu einer Dame hinunter, deren für den Tag zu üppiges Gewand aus großgeblümtem Zitzkattun von einem maronenfarbenen Samtumhang kaum verdeckt wurde. Rosina erkannte Madam Schwarzbach, die Gattin eines der bedeutenden Kattunmanufakteure. Sie war für ihre Neugier wie für ihr mit schriller Stimme unermüdliches Plappern bekannt. Madam Schwarzbach musste es wirklich eilig haben, denn schon nach einer Minute und bevor Pauli höflich aussteigen konnte, winkte sie mit neckischem Augenaufschlag und eilte davon. Ihre alte Bedienstete, in jeder Hand einen vollen Korb, konnte kaum mit ihr Schritt halten.

Rosina erinnerte sich, dass Monsieur Schwarzbach wiederum für seine Strenge und Humorlosigkeit bekannt war, auch für seine harte Hand. Niemand konnte sich erklären, warum Madam Schwarzbach, damals die wohlhabende Witwe Marburger, sich zu dieser Ehe entschlossen hatte. Sie tat wohl gut daran, nun nicht zu spät zu kommen.

Und da betrat schon die nächste Person die Bühne. Sie tauchte aus den von Menschen und Wagen, Pferden und Gebäuden gebildeten Kulissen auf, ganz in Grau gekleidet, um die schmalen Schultern nur ein kurzes schwarzes Cape, das Gesicht mit der hellen Haut rosig von der frischen Luft, auf dem Kopf keine Haube, sondern ein kleidsames, weiches graues Tuch. Pauli öffnete den Schlag und sprang mit jugendlichem Elan vom Wagen, und Rosina, die gerade ihren Weg hatte fortsetzen wollen, blieb noch einmal stehen. Hatte sie je behauptet, Neugier sei ihr fremd? Die junge Frau kam ihr bekannt vor, leider geschah das auch hier und da ohne Grund, sie wirkte nicht wie eine Tochter oder junge Ehefrau aus wohlhabendem Haus, wie Pauli sie aus seinen Kreisen kannte, sie wirkte eher wie, ja, wie …

«Sieh dir das an, Vita», zischte da eine Stimme hinter ihrem Rücken, «sieh dir das nur an. Jetzt hält er der Person den Schlag auf und lädt sie in seine Kutsche ein. Was sind das für Sitten!? Ich habe ja immer gesagt, der Pauli ist ein Luftikus. Du solltest deinem Mann sagen, dass er mit dem besser keine Geschäfte macht. Und jetzt! Sieh doch, jetzt plaudert er mit ihr, plaudert! Als wäre die Person nicht nur eines der Mädchen von den Hegolts.»

«Ach, Liebe, nicht nur ‹eines der Mädchen›. Sie ist doch die Gouvernante, Mlle. Meyberg. Das ist ein Unterschied, findest du nicht? Die kommen oft aus recht gutem Haus, sie soll sehr tüchtig sein, und ihre Manieren sind tadellos.»

«Tadellos? Ich nenne das schamlos, Vita. Dienstbote bleibt Dienstbote. Nur weil eine Französisch plappern kann und auf dem Pianoforte dilettiert, wird sie noch lange keine von uns. Die arme Madam Pauli, ja, die Arme. Man sollte sie darüber nicht im Ungewissen lassen, das sollte man wirklich nicht.»

Die Stimmen klangen nach zwei gesetzten Matronen, die großmütigere versicherte noch, Madam Pauli sei so klug wie hellsichtig, es sei unnötig, ihr solche Dinge zu berichten. Im Übrigen halte sie Mlle. Meyberg für eine ernsthafte junge Frau. Gerade wenn man ihr noch recht jugendliches Alter bedenke. Als Rosina sich endlich wagte umzudrehen, waren die beiden in der Menge verschwunden.

Egal, wer sie gewesen waren, die, die Pauli nun charmant nach links und rechts grüßend über einen der belebtesten Plätze Hamburgs kutschierte, war die Gouvernante der Hegolts. Und plötzlich begriff Rosina, dass sie just die Frau war, die das Kind mit den kranken Beinen über das Eis geschoben hatte – *plus vite, Mademoiselle, plus vite* –, als es schon brüchig zu werden begann, die Tochter von Monsieur Hegolt, dem Kaufmann und neuen Provisor des Waisenhauses.

Rosina fand nichts dabei, wenn Pauli eine Gouvernante nach Hause kutschierte. Solche Zeiten sollten wirklich vorbei sein. Nun gut, vielleicht saßen sie tatsächlich ein wenig nah beieinander, andererseits bot so eine leichte Kutsche wenig Platz, und überhaupt sah es aus der Entfernung sicher nur so aus. War sie etwa auf dem Weg, sich den Blick bigotter und missgünstiger Matronen zu eigen zu machen? Sie erinnerte sich gut an die argwöhnischen Blicke, die ihr gefolgt waren, als Claes Herrmanns neben ihr – damals noch eine Komödiantin – ein Stück des gemeinsamen Weges durch die Stadt gegangen war. Aber eine Gouvernante war wirklich etwas anderes als eine, die mit fahrendem Volk in die Stadt gekommen war und ihre Beine und ein großzügiges Dekolleté auf der Bühne zeigte.

«Madam Rosina, Madam Rosiiii-na!» Noch bevor sie seinen Rotschopf in der Menge entdeckte, wusste sie, wem die helle Kinderstimme gehörte. Er lebte erst wenige Monate bei ihr und Magnus, und es gab Momente oder auch ganze Tage, da erschien er ihr fremd und unerreichbar. Aber meistens war er ihr vertraut und seine Gegenwart selbstverständlich, als wäre er immer in ihrer Nähe gewesen, seine Gestalt, erst recht seine Stimme würde sie immer gleich erkennen.

Tobias hüpfte ihr vergnügt entgegen, das von der Faust eines seiner älteren Mitschüler getroffene Auge sah prächtig aus (fand er), inzwischen war es wulstig geschwollen wie ein Blutwurstring und leuchtete auch in schönstem Dunkelviolett. Immerhin hatte es das schielende Auge getroffen, sodass er mit dem anderen wenigstens ordentlich geradeaus sehen konnte.

Er ertrug seine Blessur nicht nur tapfer, sondern wie eine Trophäe, einen Orden nach gewonnener Schlacht. Obwohl das nur entfernt den Tatsachen entsprach, gab es ihm doch einiges Ansehen, jedenfalls konnte ihm niemand nachsagen, er sei ein Duckmäuser. Das alles wollte Rosina gar nicht so genau wissen, das war Jungensache. Etwas anderes allerdings war, wieso er jetzt, zur Schulzeit, vergnügt wie ein Harlekin hier auf der Straße herumhüpfte.

«Er ist krank», schrie Tobias, als er nur noch drei Schritte entfernt war, und strahlte bei dieser an sich betrüblichen Auskunft über das ganze Gesicht. «Wirklich, Madam Rosina, echt krank.»

«Ich nehme an, du sprichst von deinem Lehrer.» Sie nahm ihn am Ärmel und zog ihn von der Straßenmitte an den Rand. «Ich nehme auch an, du bist dir ganz sicher, dass das nicht nur eine hübsche Vorstellung ist?»

«Ja klar! Total sicher!» Sein Gesicht verzog sich in heller Entrüstung. «Ich würd doch nicht lügen! Würd ich nicht, ganz bestimmt. Manchmal, da fallen mir Geschichten ein», erklärte er mit großem Ernst, «eben Geschichten. Aber wenn der Lehrer krank ist, so was ist doch keine Geschichte. Außerdem», sein Kindermund verzog sich zu einem breiten Grinsen, «Ihr würdet es ja doch rauskriegen, wenn ich da flunkern tät.»

«Richtig.» Rosina bemühte sich vergeblich, sich nicht von seinem Übermut anstecken zu lassen. «Spätestens heute Nachmittag. Wenn der arme kranke Monsieur Wildt dir heute nichts beibringen kann, lass uns schnell heimgehen und dort zusammen lernen.»

«Klar», rief Tobias und hüpfte vergnügt von einem Bein auf das andere, «klar, Ihr zeigt mir endlich, wie ich auf Eurer silbernen Flöte spielen kann. Das ist doch auch Lernen, oder? Ihr habt's versprochen.»

«Das stimmt nur halb», korrigierte sie ihn, ob seines Eifers lächelnd. «Ich habe von der kleineren hölzernen gesprochen, der Blockflöte. Wenn du dich darauf bewährt hast, dann sehen wir weiter.»

Rosina fühlte, wie sich seine dünne schmuddelige Hand in ihre schob, wie er sich bemühte, seine Schritte den ihren anzupassen. Er wurde bald elf Jahre alt – wenn man den fragwürdigen Unterlagen glauben konnte, die nach dem Tod seiner Tante bei ihm gefunden worden waren –, doch er ging mit stolz erhobenem Kopf neben ihr wie ein kleiner Kavalier. Sie war gerührt. Und hoffte still, es werde ihr und Magnus – Pauline nicht zu vergessen – gelingen, dieses Kind zu einem selbstbewussten, aufrechten Menschen zu erziehen. Ohne ihm seinen fröhlichen Witz und seine Phantasie auszutreiben.

Sie war so damit beschäftigt, darüber nachzudenken, welche Eigenschaften als liebenswert zu pflegen und zu erhalten, welche ein wenig abzuschleifen, welche erst hervorzulocken und zu fördern waren, zugleich seinem munteren Geplapper zuzuhören, dass sie nicht spürte, wie ihnen jemand folgte, mit nur sehr geringem Abstand, jedoch keinesfalls um sie einzuholen, nur – vielleicht – um zu sehen, wohin sie ging. Wo ihr Zuhause war. Obwohl sein Gang bei aller Geschmeidigkeit ein wenig ungleichmäßig war, war es ihm ein Leichtes, mit ihrem raschen Gang Schritt zu halten.

Kapitel 9

Madam Augusta war müde. Sie hatte sich ein Kissen in ihren schmerzenden Rücken geschoben und die nicht minder schmerzenden Füße auf den gepolsterten Hocker gelegt. Leider waren die neuen Schuhe nicht nur elegant, sondern auch unbequem. Sie sollte endlich mit diesem Unsinn aufhören, wer sah die schon unter den Röcken, wer beachtete überhaupt, was für Schuhe eine eitle alte Matrone trug? Aber sie liebte nun mal schöne Schuhe. Das neue Mädchen hatte Augusta fürsorglich das leichte indische Tuch übergelegt. Valerie gab sich alle Mühe, die mit Anne und Elsbeth nach der Insel Jersey gereiste Betty auszustechen, und hatte nur ganz kurz irritiert geblinzelt, als Augusta ihr auftrug, ein Glas und die Karaffe mit dem Rosmarienbranntwein aus der Vitrine zu nehmen und auf das Tischchen neben ihrem Lehnsessel zu stellen.

Betty hätte mit keiner Wimper gezuckt. Nicht dass Augusta alle Tage von ihrem Rosmarienbranntwein getrunken hätte, er galt ihr nur als das beste Mittel gegen jegliches Unwohlsein, auch und vielleicht sogar besonders das der Seele. Sie braute ihn selbst – stets zur Sorge aller übrigen Hausbewohner, wenigstens hatte sie ihre Experimente mit Aufgesetztem eingestellt, nachdem ein Versuch mit Himbeeren mit einer Explosion der gärenden Früchte in ihrem Glasbehältnis endete – und stellte ihn jederzeit gern zur Verfügung. Auch sich selbst.

Ja, sie war müde, es war ein langer anstrengender Tag gewesen. Außerdem, so hatte sie unwillig festgestellt, als sie die Treppe zu ihren Räumen hinaufgestiegen war, fühlte sie plötzlich so etwas wie Einsamkeit. Es war ihr viel zu ruhig in dem großen Haus. Anne war auf Jersey, Elsbeth hatte sie begleitet, sie vermisste beide täglich mehr. Darüber vermisste sie auch wieder Anneke heftiger. Ihre alte Zofe hatte fast ihr ganzes Leben geteilt, sie war mit ihr nach Kopenhagen geschickt worden, als Augusta, gerade sechzehn Jahre alt, dorthin verheiratet worden war, und hatte ihr während ihres ganzen Ehe- und Witwenlebens gedient. Das traf es nicht genau. Anneke war stets wortkarg gewesen und hatte strikt auf den angemessenen Abstand zwischen Herrin und Dienstbotin geachtet, weit mehr als Augusta, trotzdem war sie nach Thorben, ihrem Ehemann, die vertrauteste Person in Augustas Leben gewesen. Anneke war mit ihr nach all den Jahren auch nach Hamburg zurückgekehrt, wie der alte Blohm, Claes' lebenslanger Diener, war sie im vergangenen Winter gestorben.

In ihren Sessel zurückgelehnt, gab sie flüchtig der Überlegung Raum, warum Gott sie noch auf dieser Welt ließ – wozu? –, und rief sich umgehend zur Ordnung. Sie nahm einen tüchtigen Schluck von ihrem Lebenselixier, noch einen, schüttelte sich, als der Alkohol durch ihre Kehle rann, und sagte laut und klar: «Keine weinerlichen Gedanken, Augusta, dafür bist du zu alt.»

Und dazu hast du keinen Grund, fügte sie in Gedanken hinzu, du lebst wohl versorgt mit weltlichen Gütern und mit aller Bequemlichkeit in einem schönen Heim, umgeben von dir wohlgesinnten Menschen, von einigen sogar geliebt, du bist bis auf einige dem Alter gedankte Zipperlein gesund – wie vermessen, *nicht* dankbar zu sein.

Sie musste einfach ein wenig mehr auf sich achtgeben und sich hier und da eine Schwäche und eine Ruhepause zugestehen. Was natürlich sehr langweilig wäre. Auf diese Weise hätte sie heute nicht Mollys Geschichte gehört. Diese war just eine solcher Geschichten, wie sie aus vagen Ängsten entstehen. Nun lächelte sie doch bei dem Gedanken an die letzte Stunde, die sie in der Küche bei ihrer Aushilfsköchin verbracht hatte. Molly hatte in Augustas Augen eine ordentliche Portion Lebenstüchtigkeit bewiesen, indem sie das tat, was sie am besten konnte und unter ihren Aufgaben am meisten liebte. Was gab mehr Halt, wenn Zweifel und Unsicherheiten gebannt werden mussten?

Molly hatte sich, kaum dass sie mit Augusta von ihrem Ausflug ins Waisenhaus zurückgekehrt war, in der Küche im Souterrain des Hauses an die Herstellung von köstlichem Konfekt gemacht. Da Augusta ihr gefolgt war, hatte sie eine halbe Handvoll der erst am frühen Morgen gerösteten Kaffeebohnen gemahlen und aufgebrüht, während Augusta die Bank an den großen Arbeitstisch zog, sich setzte und darunter mit erleichtertem Seufzen die drückenden Schuhe abstreifte. Sie rührte Zucker in ihren Kaffee, so liebte sie ihn zurzeit, nicht mit Mandelmilch, Kardamom, Anis, Zimt oder anderen Zusätzen, einfach nur Kaffee mit viel Zucker.

«Wunderbar», sagte sie nach dem ersten genussvollen Schluck, stellte die Tasse auf den Tisch und blickte Molly streng an, «und jetzt möchte ich hören, was heute in deinem Kopf vorgegangen ist.»

«Wegen des Konfekts?» Das Messer in Mollys Hand sauste noch ein bisschen schneller durch die Mandeln.

Augusta lächelte und schwieg abwartend. Endlich ließ Molly das Messer sinken, wischte die Hände an der Schürze ab und setzte sich Augusta gegenüber. Sie zog die Schale mit den Pistazien und den getrockneten Aprikosen heran, aber sie nahm keine heraus. «Es ist lächerlich», sagte sie.

«Macht nichts. Es beschäftigt dich, das reicht. Ich glaube einfach nicht, dass du mich ins Waisenhaus begleiten wolltest, ‹nur um mal zu sehen, wie es da ist›.»

«Doch, Madam Augusta, genau das wollte ich.»

«Aha. Wolltest du. Warum?»

Molly griff nach einer Aprikose, wählte ein feineres Messer aus und begann die getrocknete Frucht in hauchfeine Scheiben zu schneiden. «Na gut, aber Ihr dürft nicht lachen. Ich wollte prüfen», ein unsicherer Blick flatterte zu Augusta, «ja, prüfen, ob ich mich erinnere.»

«Ob du dich erinnerst!? Heißt das, deine Eltern hatten vor langer Zeit so schwere Jahre, dass sie dich ins Waisenhaus geben mussten? Weil sie dich nicht ernähren konnten?»

«Das geht?» Molly sah mit neuem Interesse auf.

«Sicher. Obwohl in solchen Situationen, wenn wirklich gar nichts anderes geht, oft das Werk- und Zuchthaus die Endstation ist. Das ist hier nun mal das Arbeits- und Armenhaus. Für die ganze Familie. Häufiger nur für die Mütter und Kinder, die Väter sind dann oft längst durchs Tor hinaus und über alle Berge.»

«Nein, so kann es nicht gewesen sein. Ich bin erst in den letzten Monaten darauf gekommen. Seit», sie schluckte, und ihr rundes Mädchengesicht wurde blass, «seit …» Das Messer in ihrer Rechten zerhackte im zornigen Stakkato die nächste Aprikose.

«Wenn es um den zweiten Mann deiner Mutter geht, um deinen Stiefvater …»

«Ich wäre dankbar, wenn Ihr ihn nicht so nennen würdet», fiel Molly ihr mit ungehöriger Schärfe ins Wort, «er ist mir kein – Vater.»

«Genau das wollte ich sagen, mein Kind. Wenn es dir schwerfällt, darüber zu reden, musst du nicht erklären, warum du dich zu Hause unwohl gefühlt hast. Elsbeth hat es mir erzählt, nur mir», beruhigte sie Molly schnell, «niemand sonst weiß davon und wird es auch zukünftig nicht erfahren. Elsbeth kennt und schätzt dich sehr, Molly. Als sie dich als Vertretung in ihrer Küche empfahl, fand sie es besser, wenn ich um diese Geschichte wüsste. Nur falls während ihrer Abwesenheit ein Problem mit deiner Familie entstünde.» Überflüssig, zu erwähnen, dass Elsbeth sich eher gesorgt hatte, der Hausherr könne Molly ob ihrer geringen Fähigkeiten in Sachen Braten, Suppen und Soßen nach Hause schicken. «Sie hat mich gebeten, nicht zuzulassen, dass du zurückkehrst, es sei denn, du selbst willst es unbedingt. Dabei wollen wir es belassen. Nun kannst du mir Kaffee nachschenken, und nimm dir endlich selbst eine Tasse, bevor du die nächste Aprikose massakrierst.»

Was Elsbeth Madam Augusta anvertraut hatte, war eine dieser alltäglichen, doch tief schmerzenden und verstörenden Familiengeschichten. Mollys Mutter hatte ein Jahr nach dem Tod ihres Mannes, des Feinbäcker- und Konditormeisters Runge, wieder geheiratet. Das war das Übliche, eine Werkstatt brauchte nun mal einen Meister. Molly hatte längst alles gelernt, was ihr Vater ihr beizubringen vermocht hatte, und ein besonderes Talent für die Herstellung und Erfindung neuer Sorten von Konfekt bewiesen. Natürlich hatte sie als Mädchen keine ordentliche Lehr- und schon gar keine Gesellenzeit absolviert, trotzdem wusste jeder, das beste Konfekt machten nicht Steffen Runge oder seine Gesellen, sondern seine Tochter. Aber Molly konnte nicht Meisterin werden und die Bäckerei weiterführen. Schließlich war sie kein Mann. Nicht nur Augusta Kjellerup war gespannt, wie es jetzt, da Molly das Haus verlassen hatte, dort weitergehen werde.

Nach Runges frühem Tod hatten alle angenommen, Mollys Mutter werde den langjährigen ältesten Gesellen ihres verstorbenen Mannes heiraten, so wie es alter Brauch gewesen wäre. Als der ihr, sobald es die Schicklichkeit zuließ, mit aller Ehrerbietung einen Antrag machte, lehnte sie ab. Nicht weil sie die übergroße Trauer über Runges Tod noch nicht überwunden hatte, wie die Gutwilligen flüsterten, sondern weil sie heimlich schon einem anderen Kandidaten den Vorzug gegeben hatte. Zumindest in ihren Träumen und Phantasien schon im Jahr *vor* Runges Tod, wie die Missgünstigen flüsterten. Bruno Hofmann war Konditorgeselle aus Bergedorf, der hamburgisch-lübeckischen Enklave hinter den Vier- und Marschlanden. Er war gute zehn Jahre jünger als seine einträgliche Braut, und dass diese Ehe wohl für ihn, keineswegs aber für sie zuvörderst mit Vernunft zu tun hatte, konnte bald jeder sehen, der ein Auge für Angelegenheiten des Herzens hatte.

Schon wenige Wochen nach der Hochzeit fühlte Molly sich gezwungen, dem Mann ihrer Mutter möglichst auszuweichen, was nahezu unmöglich war, da sie nach wie vor in der Backstube und am Verkaufstisch stand, ihr Konfekt zauberte und die Kundschaft bediente. Immer in der Nähe des neuen Meisters, der nicht die Finger von der rosenfrischen, wohlgerundeten Stieftochter lassen konnte. Und, was noch schlimmer war, auch nicht wollte.

«Ich hätte es meiner Mutter gerne gesagt, aber wie sollte ich das? Sie machte mir schon Vorwürfe, dass ich wohl eifersüchtig, jedenfalls nicht freundlich genug sei. Als sie endlich sah, wie ‹freundlich› er zu mir war, gab sie mir die Schuld. Es nütze gar nichts, wenn ich ihn jetzt anschwärze, schrie sie, er sei ein guter Mann, treu und fleißig, und ich vergäße wohl, dass ich dankbar sein müsse. ‹Hätte ich dich doch den Leuten vom Rödingsmarkt überlassen, aus reiner Gutheit haben wir damals …›, dann verstummte sie plötzlich, sah mich erschreckt an und rannte aus der Stube. Ich sehe das alles vor mir, ihre erschreckten Augen, als wäre es vor fünf Minuten passiert.»

Molly schwieg, es war so still im Haus, dass man das Ticken der großen Standuhr in der Diele hörte. Aus dem Kontor hingegen drang kein Ton, Claes war in der Börse oder schon zum anschließenden üblichen Treffen der Kaufleute in *Jensens Kaffeehaus*, die Schreiber arbeiteten still im Kontor, Niklas steckte in irgendeiner Bibliothek, nur irgendwo in den oberen Etagen liefen Valerie und die anderen beiden Mädchen eifrig hin und her.

«Verzeih, Molly, aber das war doch sicher nur so ein unbedachter Satz, in der Erregung hingesprochen. Außerdem ist der Rödingsmarkt eine recht lange Straße, da wohnen auch viele Leute. Nur daraus hast du geschlossen, du seiest im Waisenhaus gewesen?»

«Nein. Auch nicht gleich. Aber es ging mir nicht aus dem Kopf, plötzlich war es, als setzte sich etwas zu einem passenden Ganzen zusammen, was vorher nur in Bruchstücken und ohne Zusammenhang da gewesen war. Zum Beispiel sehe ich anders aus als alle in der Familie, und früher hatte ich schon manchmal so ein Gefühl, als gehörte ich nicht dazu. Ich weiß, das haben viele Kinder, besonders wenn es öfter mal Ärger gibt oder wenn ihre Familie nicht so ist, wie sie es sich wünschen, trotzdem – und dann ist da dieses verschwundene Kinderhemd.»

Molly griff wieder nach dem Messer und einer Aprikose und begann langsam, als bemerke sie es gar nicht, die Frucht zu zerkleinern. Augusta wollte wieder ihre Hand auf Mollys legen, um ihr zu bedeuten, die Arbeit sei nun unwichtig, als sie jedoch sah, dass es Molly nicht um die Erfüllung ihrer Pflicht ging, sondern einzig darum, ihre Unruhe zu bannen, ließ sie es.

«Was für ein Kinderhemd?», fragte sie behutsam.

«Ohne die Sache mit dem Hemd hätte ich meine Vermutung vielleicht vergessen.» Sie schob die Aprikosenstückchen zusammen, legte das Messer auf den Tisch und sah Augusta an. Ihre Augen waren wieder ruhig. «Zumindest hätte ich mich unvernünftig gescholten, zusammengerissen und versucht, nicht mehr daran zu denken. Aber dieses winzige Hemdchen.» Aufseufzend stützte sie ihr Kinn in die Faust. «Ich hatte ein Kinderhemd, Madam Augusta, schon immer. Als eine Erinnerung, so wie meine Freundin Magda ihren ersten ausgefallenen Milchzahn in einem Schächtelchen aufbewahrt. Es lag in einem Leinensäckchen in meiner Truhe, ich hatte es beinahe vergessen. Nun fiel mir plötzlich wieder ein, dass es ein Monogramm hatte, zwei Buchstaben. Mir fiel auch ein, dass einer der Buchstaben nicht mit meinen Anfangsbuchstaben übereinstimmte und ich keine rechte Antwort bekommen hatte, als ich meine Mutter danach gefragt hatte. Es ist ein hübsches Hemd, aus ganz einfachem Stoff, aber zierlich genäht und bestickt. Als kleines Mädchen hatte ich das Hemdchen gerne angesehen und mir dabei vorgestellt, wie es gewesen war, als ich noch hineinpasste.» Zum ersten Mal lächelte sie. «Es war so winzig, Madam Augusta, und ich hatte sehr romantische Ideen. All diese Geschichten mit Prinzessinnen und Engeln und einem Topf voll Gold am Ende des Regenbogens, nur dass dort ich lag, ein winziges Wesen mit goldblonden Locken, in ebendiesem Hemdchen.»

Sosehr sie nun danach suchte, es war verschwunden, nur noch das Leinensäckchen lag in der Truhe. Die Ordnung darin schien unangetastet, sie fragte die beiden Hausmägde, auch ihre Mutter. Niemand wusste etwas. Es sei ihre, Mollys Truhe, hatte ihre Mutter gesagt, warum sollte sie oder sonst jemand darin herumwühlen? Und ja, natürlich erinnere sie sich an das Hemd, wenn Molly es verlegt oder gar verloren habe, könne sie es nicht ändern. Erinnerungsstücke ließen sich nicht wieder herbeischaffen, sie habe ihr von jeher gesagt, sie solle besser auf ihre Sachen achtgeben.

«Wir sprachen ja in diesen Tagen sonst kaum miteinander», fuhr Molly fort, «ich habe trotzdem gefragt, ob sie sich an das Monogramm erinnert. Kann sein, hat sie gesagt, ja, da seien

Buchstaben gewesen, ein M und ein R. Da wusste ich, dass sie lügt.»

«Hm.» Augusta runzelte die Stirn. «Das ist ein hartes Wort. Kann es nicht sein, dass deine Erinnerung dich trügt? Meine trügt mich ständig, und nicht erst seit ich eine alte Frau bin.»

«Nicht in dieser Sache. Es waren ein M und noch ein M. Das kann doch nicht für Molly Runge stehen, oder? Ich weiß es genau, denn sobald ich lesen konnte, habe ich mir auch zu diesen Buchstaben Geschichten ausgedacht. Eigentlich habt Ihr natürlich recht, ich wäre auch gleich bereit gewesen zu zweifeln – wenn das Hemdchen nicht plötzlich verschwunden wäre. Es kann doch nur meine Mutter gewesen sein, die es aus der Truhe genommen und verschwinden lassen hat. Unsere Mägde gehören schon lange zum Haus, und keine der beiden hat je etwas gestohlen. Außerdem lag der Beutel mit dem Hemd ganz unten.»

«Gut, gehen wir davon aus, es war so. Dann schließt du aus alledem, dass du nicht ihre Tochter bist? Nicht ihr leibliches Kind?»

«Doch, schon, aber – ich weiß es nicht. Es ist so verwirrend.»

«Das lässt sich doch ganz einfach klären, Molly. Hast du je deinen Taufschein gesehen?»

«Ich habe ihn mir geben lassen, als ich hierherkam. Zuerst hat sie sich geweigert, schließlich hat sie ihn mir gegeben.»

«Warum hat sie sich geweigert?»

«Ich weiß nicht. Sie hat keinen Grund genannt, und mir ist keiner eingefallen. Vielleicht hat sie gedacht, mit diesem Papier mache ich mich auf und davon. Dabei könnte ihr das doch nur recht sein.»

Augusta überging die letzte bittere Bemerkung. «Vielleicht hat sie das gefürchtet, obwohl ein Taufschein noch kein Passpapier ist. Und nun? Was sagt der Taufschein?»

«Danach ist alles nur Spintisiererei. Ich bin als Tochter von Steffen Runge, Feinbäckergeselle, und seinem angetrauten Eheweib in der Kirche St. Pauli auf dem Hamburger Berg getauft, auf den Namen Magdalena Maria Antonia Runge.»

Dennoch klang es nicht erleichtert, als Molly aus tiefster Seele seufzte.

Nachdem Augusta all das bedacht hatte, als sie die wohlige Wärme des indischen Tuches und die Entspannung selbst ihrer Füße spürte, glitt sie in einen leichten, doch erholsamen Schlaf. Er dauerte nur eine Viertelstunde, Augustas Geist war einfach zu wach. Wozu hatte sie sich trübe Gedanken um Langeweile und Einsamkeit gemacht, wenn das Leben mit all seinen Facetten, mit seine Freuden, Rätseln, auch seinen Gefahren und Ängsten, kurz und gut mit all seiner Überfülle immer direkt vor der Tür wartete. Oft sogar nur ein oder zwei Treppen weit im eigenen Souterrain.

Für Molly konnte sie jetzt leider nichts tun. Sollte sie wirklich einen anderen Namen gehabt haben, musste man den erst wissen, bevor man sich in alten Akten auf die Suche machen konnte. Aber wenn Augusta das Ganze auch für eine interessante Geschichte hielt, glaubte sie nicht an einen ernsten Kern. Molly war zutiefst verletzt. Ausgerechnet ihre Mutter, der Mensch, auf den man immer und unerschütterlich vertrauen können sollte, hatte sich gegen sie gestellt und sie aus dem Haus gegrault. Der Konflikt war abgrundtief, eine Lösung nicht in Sicht. Kein Wunder, wenn Molly an ihrer Familie zweifelte. Gleichwohl war ein Taufschein mit dem Namen der Eltern, die immer noch ihre Eltern waren, kaum anzuzweifeln. Wenn es um Fürstentümer und Königreiche, um große Macht und Reichtum ging, mochte es jede Menge Mauscheleien mit solchen Dokumenten geben, aber ein einfacher Konditor, er war damals noch nicht einmal Meister gewesen, auf dem Hamburger Berg, diesem erst wenig bewohnten Landstrich zwischen dem Millerntor und Altona? War da nicht schon einmal etwas mit dem Hamburger Berg gewesen? Ihr fiel nichts ein, sie wurde wirklich vergesslich. So oder so, mit Molly konnte keine Erinnerung zu tun haben, die sich irgendwo in ihrem Kopf verkrochen hatte.

Sie schenkte sich noch ein winziges Schlückchen Rosmarienbranntwein ein und ließ den Blick träge durch das Fenster wandern. Die Welt dort draußen war so wunderbar wie trügerisch. Obwohl es letztlich angenehm war, dass sie nun hier in ihrem Lieblingssessel liegen und die Abenteuer in Gedanken miterleben konnte, wäre es trotzdem ein gutes Mittel gegen zu viel Trägheit, endlich wieder eine vernünftige, zugleich unkonventionelle Gesprächspartnerin zu haben. Genau richtig! Es war höchste Zeit, Rosina wieder einmal einzuladen. Gerade jetzt, da Magnus sie alleine zurückgelassen hatte und auch Anne als ihre vertrauteste Freundin schon so lange verreist war, sollte sie sich unbedingt mehr um die junge Madam Vinstedt kümmern.

Und weil Augusta bei allen für ihr Alter höchst unpassenden Sperenzien, zu denen sie hin und wieder neigte, eine praktische Person war, kam ihr eine fabelhafte Idee. Sie wollte Rosina einladen, sie nach Wandsbek zu begleiten. In der großen Kutsche waren kalte Winde nicht zu fürchten, die pelzgefütterten Decken taten ein Übriges. Für Rosina war es eine Abwechselung, eine Fahrt hinaus aus der Stadt machte ihr immer Freude, und bei dieser schönen Gelegenheit konnte sie, Augusta, endlich Amanda in Wandsbek besuchen, egal, ob der ihr Besuch genehm war oder nicht. Allmählich, so gestand Augusta sich ein, machte sie sich Sorgen um die alte Freundin.

Ein anderes Versäumnis fiel ihr etliche Stunden später ein, nämlich als sie mitten in der Nacht von den Schreien der Wildgänse geweckt wurde. Sie hatte vergessen, Molly zu fragen, was sie mit dem jungen Präzeptor verband, dem Lehrer der Waisenjungen. Mit dem Vorsatz, das morgen nachzuholen, sank sie zurück in den Schlaf. Dieser große Freund der Menschen ist leider auch ein Hort vergessener, gar endgültig verlorener Gedanken, Vorsätze und allerbester Ideen.

Rosina liebte Musik, umso mehr, als die Natur sie mit einer guten Singstimme und einem feinen Gehör bedacht und das eine wie das andere eine Ausbildung erfahren hatten, als ihre Mutter noch lebte. Inzwischen war sie auch an schräge Töne und unfähige Musiker gewöhnt, die Wandertheater mussten zur musikalischen Untermalung und Begleitung ihrer Stücke, ihres Gesanges und Tanzes mit dem vorliebnehmen, was sie aus ihrer stets klammen Kasse bezahlen konnten. Dennoch hatte sie vergessen, wie grauenvoll Töne sein konnten, die ein mit Musikinstrumenten aller Art ungeübter Knabe mit einer unschuldigen Blockflöte hervorzubringen vermochte.

Nach einer wahrhaft quälenden halben Stunde fiel ihr ein, dass man Tobias im Waisenhaus vom Singen befreit hatte, was womöglich doch nicht nur eine Laune des neu eingestellten Singemeisters gewesen war. Das hatte sie zunächst gewundert, in allen Schulen gehörte das Chorsingen zu den wichtigen Fächern, und die Chöre hatten auch die Gottesdienste zu begleiten, nun ahnte sie, warum. Tobias war in dem Maße eifrig, wie ihm andererseits Gehör und Gefühl für die Töne fehlten.

Weil die Flötentöne bis in die Küche reichten und Pauline überraschenden Kunstverstand bewies, indem sie sich die Ohren verstopfte, hätte sie fast das Klopfen an der Wohnungstür überhört. Endlich eilte sie doch in die Diele und klopfte ihrerseits gleich darauf an die Salontür, die umgehend von

Rosina geöffnet wurde, den Seufzer der Erleichterung noch auf den Lippen.

«Verzeihung, Madam, wenn ich den Unterricht störe. Da ist Besuch an der Tür. Ein Monsieur Sachse, na gut, ein *feiner* Monsieur ist er vielleicht nicht, er hat auch keine Visitenkarte, sieht aber ganz manierlich aus. Er sagt, Ihr kennt ihn, und weil er ein bisschen spricht wie Madam, also, darf ich ihn reinbringen?»

So wurde Rosina unverhofft von Tobis erster Flötenstunde erlöst. Pauline nahm ihn mit, allerdings ohne das Instrument, darauf bestand sie, natürlich nur, weil der Junge seine anderen Pflichten zu erfüllen habe, zum Beispiel das Feuerholz und einen Eimer Steinkohle aus dem Schuppen im Hof heranzuschaffen.

Luis Sachse, Flößer und für diesen langen Winter bei Bedarf auch Tagelöhner auf dem Borgesch, hatte seinen Rock besonders gründlich gebürstet, bevor er sich diesmal auf den Weg in die Stadt gemacht hatte, auch sein dichtes dunkles Haar, bis aller Staub daraus verschwunden war, seine Hände geschrubbt, bis sie so reinlich waren, wie wenn er sonst in einer ordentlichen Familie oder in einem bedeutenden Kontor Besuch machte. Die Leute auf dem Borgesch, auch Elske, die ihn am besten kannte (oder zu kennen glaubte), wussten es nicht, doch da, wo er herkam, gehörte das schon bald zu seinem Alltag.

«Ach, Ihr seid es.» In Rosinas Blick lag eine Mischung aus höflicher Freundlichkeit, Neugier und – sie wusste selbst nicht recht, warum – Misstrauen.

Er verneigte sich gerade so tief, wie es zwischen Gleichgestellten, insbesondere vor einer Dame passend war. «Danke, dass Ihr Zeit für mich habt, Madam Vinstedt. Ich hoffe, ich habe Euer Zusammensein mit Eurem Sohn nicht gestört?»

«Nein», sie zögerte, «... Monsieur Sachse, nein, das habt

Ihr nicht. Umso weniger, als Tobias nicht mein Sohn ist, sondern ein, nun, ein ständiger Hausgast.»

Luis neigte mit einem entschuldigenden Lächeln für seinen Irrtum den Kopf. Oder um charmant eine als Lüge empfundene Auskunft zu akzeptieren.

«Ich habe schon versucht, Euch zu finden, um mich richtig für Eure Hilfe zu bedanken», sagte Rosina. «Ich hoffe, Mamsell Elske vom *Eschenkrug* hat es ausgerichtet.»

«Natürlich.» Luis schlug sich mit der flachen Hand gegen die Stirn. «Das hat sie, und ich weiß jetzt, was ich vergessen habe. Ich hatte schon den ganzen Tag, ich meine, auf dem ganzen Weg vom Borgesch in die Stadt so ein Gefühl. Ich habe Eure Pastetenschüssel im *Eschenkrug* vergessen. Meine Empfehlung an Eure Köchin, Madam, die Pastete war ausgezeichnet. Ich habe lange nicht mehr so Gutes gegessen. Ihr wart sicher nicht selbst die Meisterin?»

Rosina lachte über seine dezente Schmeichelei. Ihr machte er nichts vor, wenn er sich als einfacher Flößer gebärdete. Seine Sprache, seine Sitten standen dagegen – andererseits konnte er sich die auch irgendwo angeeignet haben. «Nein, meine Talente liegen anderswo. Wenn Ihr nicht gekommen seid, die Schüssel zurückzubringen, was kann ich dann für Euch tun?»

«Indem Ihr mir eben diese anderen Talente zur Verfügung stellt, Madam, ein wenig nur.»

Rosinas Miene wurde kühl, um nicht zu sagen eisig. «Ich kann mir nicht vorstellen, welche Talente Ihr meint.»

«O nein, Madam Vinstedt, verzeiht. Ich habe mich ganz dumm ausgedrückt, es war nur ein eitles Spiel mit Worten, ein misslungenes. Eindeutig misslungen. Bitte, lasst mich noch einmal anfangen. Jakobsen, der Wirt des *Bremer Schlüssel* in der Neustädter Fuhlentwiete, hat mir empfohlen, mich an Euch zu wenden. Ich sehe, Eure Miene wird wieder wärmer.

Dabei hatte ich Sorge, denn ich war nicht sicher, ob der Wirt einer recht einfachen Schänke wirklich ein guter alter Freund ist, wie er behauptet.»

«Sogar ein *sehr* guter alter Freund, seit vielen Jahren. Und nun setzt Euch und tut, was Ihr gesagt habt: Fangt am Anfang an. Ich bin gespannt, warum Jakobsen Euch geschickt hat. Was haltet Ihr im Übrigen von einer Tasse Kaffee?»

Die Geschichte, die Luis Sachse nun erzählte, war von der Art, wie sie Rosina im vergangenen Jahrzehnt mehrfach begegnet war. Die durch die Länder ziehenden Gesellschaften von Wanderkomödianten, Akrobaten, Musikanten, Zauberern oder Quacksalbern kannten einander nicht alle, das war natürlich unmöglich, aber trotz der weiten Wege, der zumeist etliche Tagesreisen voneinander entfernt liegenden Spielstätten, begegneten viele einander immer wieder. Dann tauschten sie Nachrichten aus, gute wie schlechte, auch gelogene oder nur phantasierte, darüber, wo es sich für eine Weile gut leben und ertragreich arbeiten ließ, wo Stadtväter oder adelige Herren gleich die Hunde gegen Fahrende hetzten, auch Neuigkeiten über Ehen und Liebschaften, Geburten und Todesfälle wurden weitergegeben, über neu am Theaterhimmel aufgehende Sterne, über den Niedergang eines verlöschenden, sei es wegen der Schwindsucht, des Branntweins oder der Gebrechen des Alters.

Auch über neue, erst recht über besonders erfolgreiche Stücke wurde gesprochen, wobei jede Gesellschaft eifersüchtig darauf achtete, dass ihre Textbücher nicht in die Hände und besonders die Köpfe der Konkurrenz gelangten. Aber darum ging es in Luis Sachses Geschichte nicht. Die ähnelte denen, die in manchem Melodram auf den Bühnenbrettern dargeboten wird und das Publikum zu Tränen rührt. Bei den Dramen, die sich im richtigen Leben abspielen, sind die Menschen mit Tränen und Mitgefühl für gewöhnlich geiziger.

Er stamme aus einer Holzhändlerfamilie aus der Gegend hinter Pirna am Oberlauf der Elbe, begann Luis. Mit den Flößern fahre er, leider, in diesem Winter zum letzten Mal, weil er diese Arbeit kennenlernen sollte und weil er Lust zu dem rauen freien Leben auf den Flüssen hatte, weil es eine Möglichkeit war, ein Stück von der Welt kennenzulernen. Wenn es auch nur ein kleines Stück sei, wie ihm die großen Schiffe im Hafen zeigten, die tatsächlich weit in die Welt fuhren, über Ozeane zu fremden Landschaften und Völkern. Er halte sich gern am Hafen auf, auch wenn in diesen Wochen nur wenige Seeleute dort seien, aber in den nahen Schänken finde sich immer jemand, der einer Landratte wie ihm davon erzähle. Überhaupt sei dort die reinste Nachrichtenbörse.

«Verzeiht», sagte er, «ich schweife ab. Ich suche ja keinen Seemann oder eine Heuer, ich suche ein Mädchen. Oder eine junge Frau. Zuerst bin ich zum Theater beim Gänsemarkt gegangen, dort war nur dieser Prinzipal mit seinem Zauber- und Pantomimentheater, ein langes Gastspiel zwar, aber er und seine Leute kennen sich hier nicht aus, jedenfalls nicht, wenn es um frühere Jahre geht, auch nicht bei den wandernden Komödianten. Außerdem war ich lange krank, mein Bein war verletzt und heilte schwer, so bin ich erst vor kurzen zum Theater gegangen, tatsächlich kurz bevor der feine Herr bei Nacht und Nebel verschwunden ist. Jedenfalls wusste dort niemand etwas. Einer, der sich im Hof herumdrückte, wohl ein Kulissenarbeiter, hat mich zu Jakobsen geschickt, weil bei dem von jeher die Wanderkomödianten einkehren. Der konnte sich auch nicht an eine solche Geschichte erinnern und hat mich zu Euch geschickt. Als ich begriff, dass Ihr, also die Frau, zu der Jakobsen mich schickte, die Schlittschuhläuferin seid, dachte ich, das muss ein Zeichen sein. So bin ich also hier.»

«Wenn ich Euch richtig verstehe», fragte Rosina behutsam,

«seid Ihr auf der Suche nach einer Frau, die hier in der Stadt mit dem Theater verbunden ist?»

«Ja. Und nein.» Er seufzte, was bei diesem eher abenteuerlich als empfindsam wirkenden jungen Mann merkwürdig theatralisch wirkte. «Ich hatte ja versprochen, am Anfang anzufangen.»

Am Tag bevor er sich mit einem der Flöße auf den Weg nach Hamburg machen sollte, hatte ihn seine Großmutter zu sich gerufen. Es sei ungewiss, ob sie noch lebe, wenn er zurückkehre, hatte sie erklärt und seine erschreckten Beteuerungen des Gegenteils kühl weggewischt. Das wisse man in ihrem Alter nun mal nie, es sei nicht zu erörtern, es unterstreiche lediglich die Dringlichkeit ihres Anliegens. Er solle einfach zuhören.

Wahrscheinlich, so fuhr sie fort, wisse er nichts von ihr, der Name bleibe in diesem Haus seit fast einem Vierteljahrhundert ungenannt, die meisten hätten ihn wohl auch vergessen, die Jüngeren nie gehört. Doch er, Luis, habe eine Tante gehabt, die einzige Schwester seines Vaters, sie sei etwa ein halbes Jahr vor seiner, Luis', Geburt verschwunden. Um es genau zu sagen: davongelaufen.

Antonie Sachse, so war ihr Name, war von jeher eine kleine Schwärmerin gewesen, sie stellte Fragen nach fremden Ländern und Sitten, niemand wusste, wie sie auf solche Ideen kam, aber zumeist war sie still, immer freundlich und fleißig, und alle waren es zufrieden. Sie war längst als Ehefrau für einen Notar vorgesehen, eine gute, sichere Partie, natürlich, sie sollte ja ein gutes, sicheres Leben haben. Sie hatte dem nie widersprochen, alle glaubten, sie sei ihrem zukünftigen Ehemann von Herzen zugetan.

«Vielleicht nicht gerade von Herzen», hatte da die alte Madam Sachse nachdenklich gemurmelt, «doch bestimmt so viel, wie nötig war.»

Und dann kam eine Gesellschaft von Komödianten in die Stadt, eine der größeren, die halbwegs manierliche Kleidung und Sitten zeigten, sie bauten ihr Brettertheater auf und blieben ganze drei Wochen, vielleicht waren es sogar vier. Als sie weiterzogen, verschwand auch die brave stille Antonie. Sie folge ihrem Herzen und ihrer Bestimmung, schrieb sie in dem Briefchen, das einige Tage später im Haus ihres Vaters eintraf und den größten Aufruhr verursachte, den diese Familie je erlebt hatte. Umso mehr, als man die Tochter des Hauses vermeintlich in der sicheren Obhut ihrer Patin in Dresden wusste. Niemand hatte dem Mädchen zugetraut, so listig zu agieren, und alle waren sicher, das konnte nur das Werk dieses verderbten Komödianten sein, der zudem noch – hier unterbrach die alte Madam sich mit einem so tiefen Seufzer, dass es beinahe sehnsüchtig klang, was natürlich ganz unmöglich war –, der zudem leider ein wirklich schöner Mann und ein wahrer Virtuose auf seiner Violine war.

Antonies über die Maßen zorniger Bruder, also Luis' Vater, schwang sich sofort auf sein Pferd und machte sich auf die Suche. Er kehrte bald unverrichteter Dinge zurück. Es war einfach gewesen, die Komödianten aufzuspüren, eine solche Gesellschaft machte stets Spektakel, weil sie sonst ohne Publikum blieb. Der Violinist hatte sie verlassen, von einem Mädchen in seiner Begleitung wussten sie nichts. Oder gaben vor, nichts zu wissen.

Die eine oder andere Woche ging ins Land und wurde zu Monaten. Der freundliche Notar war von seinem Heiratsversprechen zurückgetreten, was ihm wirklich niemand verübeln konnte, und im Haus der Familie Sachse wurde nicht mehr von Antonie gesprochen. Antonie, so hatte der Hausherr bestimmt, existierte für die Familie nicht mehr.

«Und ich habe mich gefügt», erklärte die alte Madam Sachse ihrem Enkel Luis, «ich habe zugelassen, dass es meine

Tochter für unsere Familie nicht mehr gab. Als sei sie gestorben, schlimmer noch, als habe ich sie nie geboren.»

Luis hatte gedacht, sie müsse nun doch weinen, das tat sie nicht, ihr Blick war grimmig in die Ferne gerichtet. «Als ihr Vater gestorben war», sprach sie weiter, «mein Ehemann, dem ich stets zugetan war, da habe ich in seinem Nachlass einen Brief gefunden. Einen nur, daraus ging aber hervor, dass es zumindest zwei weitere gegeben haben muss. Er hatte Nachricht von unserer Tochter gehabt und es mir nicht gesagt. Er hat sein Wissen sogar mit ins Grab genommen, obwohl genug Zeit gewesen wäre, es mit mir zu teilen, ich habe viele Stunden an seinem Bett gesessen, und wir haben noch über einiges gesprochen. Nur nicht über Antonie. Das kann ich ihm nie verzeihen. Niemals. Selbst wenn ich ihm im Jenseits begegne, und sei es direkt vor Gottes Richterstuhl. Ich werde grußlos an ihm vorübergehen.»

In dem Brief bat Antonie um Hilfe. Sie war schwanger und krank, ihr Mann, so schrieb sie, war gestorben, sie hatte niemanden mehr und sicher auch das Recht auf Unterstützung ihrer Familie verwirkt, nur um ihres ungeborenen Kindes willen bitte sie.

Luis schwieg. «Es ist eine schauerliche Geschichte», sagte er dann. «Wohl auch eine lächerliche, ich weiß, sicher habt Ihr Hunderte ähnliche gehört, aber ...»

«... aber für den, den sie trifft, ist es die Hölle. Wolltet Ihr das sagen?»

Er lächelte matt. «So ungefähr. Ja. Für diese mir unbekannte Antonie wie auch für meine Frau Großmutter. Sie hat meinen Vater gefragt, nachdem sie diesen Brief gefunden hatte, er hat davon gewusst. Und jetzt kommt vielleicht das Schlimmste. Er wusste auch, dass Antonie inzwischen gestorben war, nämlich einige Monate nach der Geburt ihres Kindes, eines Mädchens, und er hat es für sich behalten. Er hatte vor Jahren beschlossen, seine Schwester sei für ihn und die Familie – immer alles für die Familie! – gestorben, da fand er es nicht nötig, es ihrer und seiner Mutter zu sagen. Angeblich um ihr den Schmerz zu ersparen. Ich finde das grausam.»

Rosina nickte. Dazu gab es nichts zu sagen. «Dann ist dieses Kind Eure Base?»

«Ist oder wäre. Denn hier hört die Spur schon auf. Ich weiß, das heißt, meine Großmutter und auch mein Vater wissen, dass Antonie in Hamburg oder im Umland gestorben ist. Es gab nämlich Nachbarn, die nach ihrem Tod eine Nachricht von hier geschickt haben. Die hat mein Großvater wie frühere Briefe verschwinden lassen, nur mein Vater wusste davon. Sie waren oft uneins, aber sich in dieser Angelegenheit offenbar absolut einig. Die Nachbarn hatten unseren Namen und die Adresse wohl in Antonies Sachen gefunden. Wer die sind oder waren, das weiß niemand. Außer – vielleicht – mein Vater. Ihn konnte ich nicht fragen, ich musste meiner Großmutter schwören, ihm nichts von dem zu erzählen, was sie mir anvertraut und worum sie gebeten hat. Jedenfalls nicht, bis ich Antonies Tochter gefunden habe. Versteht Ihr jetzt, was ich von Euch will, ich meine: erhoffe? Und welche Talente ich vorhin gemeint habe? Ihr seht nachdenklich aus, Madam Vinstedt. Darf ich daraus schließen, dass Ihr schon über die Angelegenheit nachdenkt?»

«Die Angelegenheit, ja.» Rosina neigte abwägend den Kopf. Während des letzten Teils der Geschichte war eine andere, kaum weniger dramatische aus der Erinnerung aufgetaucht. Eine, an die sie höchst ungern dachte, weil die einmal fast ihr eigenes Leben gekostet hatte. Hörte sie da ein Warnglöckchen? Damals war auch ein aus der Vergangenheit aufgetauchter Cousin im Spiel gewesen, Verwandtschaft, letzte Wünsche eines alten und dem Tode nahen Menschen. Liebe auch. Und Vergebung.

Das letzte Wort gab den Ausschlag, dieser tröstliche Gedanke. Ohne diese Vergebung hätte sie kaum den Frieden gefunden, den dieses letzte Wiedersehen ihr gegeben hatte. Liebe und Vergebung. Sie hatte sich niemals gefragt, ob die mörderischen Gefahren und Schrecken auf dem Weg dorthin ein zu hoher Preis gewesen waren. Es war der Preis gewesen, und sie hatte unendlich viel dafür bekommen.

«Hatten diese Nachbarn damals auch von dem Kind geschrieben? Ich nehme an, sie haben angefragt, wann die Familie der Mutter es holen kann.»

«So ähnlich, ja, sie haben wohl gefragt, ob jemand von der Familie kommen könne, um das Mädchen zu holen.»

«Und?»

«Nichts. Ihr Schreiben blieb unbeantwortet.»

«Kam danach denn kein zweiter Brief? Man muss doch immer annehmen, dass einer verloren gegangen ist, wenn man vergeblich auf Antwort wartet.»

«Danach hat meine Großmutter auch gefragt. Da war nur dieser eine Brief, diese eine Anfrage, was mit dem Kind werden solle. Ich glaube nicht, dass mein Vater hier gelogen hat.»

Womöglich, dachte Rosina, kam kein weiterer Brief, weil das Mädchen inzwischen gestorben war. Wie seine Mutter. «Ihr wollt also, dass ich dieses Kind für Euch finde», sagte sie. «Oder für Eure Großmutter, Madam Sachse?»

«Für uns beide.»

«Wieso glaubt Ihr, mir könnte das gelingen? Nach all den Jahren. Wie alt wird sie jetzt sein?»

Luis zuckte mit den Achseln. «Dieser Brief, den meine Großmutter gefunden hat, hat kein Datum. Die spätere Nachricht der Nachbarn existiert nicht mehr. Davon hat mein Vater ihr nur berichtet.»

«Und Euer Vater, also Antonies Bruder, hat sich ebenso unversöhnlich gezeigt? Zumindest nach dem Tod Eures alten

Patriarchen hätte er doch nach ihr suchen lassen können. Wenn ich Euch richtig einschätze, ist Familie Sachse nicht ganz arm, er hätte sich erlauben können, jemanden mit Nachforschungen zu beauftragen. Es gibt solche Leute, sogar sehr verlässliche.»

«Mein Vater», erklärte Luis trocken, «ist der nächste alte Patriarch, wie Ihr es so hübsch treffend ausdrückt.»

«Dann passt gut auf, dass Ihr es wenigstens ein bisschen milder handhabt, wenn es an Euch sein wird, die Rolle zu übernehmen. Ihr habt meine Frage nicht beantwortet: Warum glaubt Ihr, sollte gerade ich sie finden?»

«Eben wegen Eurer Talente», erklärte er grinsend und betonte das Wort Talente besonders, «und – zugegeben – weil Ihr in dieser Sache meine einzige Hoffnung seid. Wenn man sich in der Stadt ein wenig umtut, hört man die Spatzen von den Dächern pfeifen, dass Ihr – wie soll ich es sagen, ohne Euch zu nahe zu treten? Ja, dass Ihr gern dem Weddemeister ins Handwerk pfuscht. Oder soll ich sagen: zur Hand geht? Nein», nun grinste er besonders breit, «das gefällt Euch nicht. Ihr geht nicht zur Hand, Ihr handelt selbst. Davon habe ich am Alsterufer eine gute Probe bekommen. Und natürlich weil Ihr selbst etliche Jahre Wanderkomödiantin wart, Ihr kennt viele dieser Leute, sicher habt Ihr auch viel gehört, Ihr wisst, wen man fragen muss oder kann. Ich nehme an, es ist wie bei den Flößern, die kennen sich von ihren Fahrten auch. Zugleich kennt Ihr Euch in dieser Stadt gut aus und seid mit vielen Leuten bekannt. Euch wird man eher etwas anvertrauen als mir, einem Fremden, der zudem gar nichts mit dem Theater zu tun hat. Da machen Fragen nur misstrauisch, oder? Die Fahrenden sollen immer argwöhnisch werden, wenn einer zu viel nach ihren Verhältnissen und Angelegenheiten fragt.»

«Nicht anders als die braven Bürger, glaubt mir. Ihr seid in der Tat gut informiert. Und Ihr sprecht sehr offen. Erlaubt mir dasselbe. Warum wollt Ihr Eure Base finden? Immerhin nach etwa zwei Jahrzehnten. Ihr kennt sie nicht, sie ist – wahrscheinlich – einige Jahre nach Euch geboren, sicher etliche Tagereisen von Eurer Heimat entfernt, in unglücklichen, um nicht zu sagen aus bürgerlicher Sicht fragwürdigen Verhältnissen.»

«Zum einen vergesst Ihr, dass ich erst vor wenigen Monaten von ihrer Existenz erfahren habe, ich konnte sie also nicht früher suchen, zum anderen den wichtigsten Grund: Für meinen Vater mag das Mädchen ein Bankert sein, von dem keine Notiz zu nehmen ist, für meine Großmutter ist diese unbekannte Enkelin die einzige Verbindung zu ihrer verlorenen Tochter. So ist sie auch die einzige Möglichkeit, ein Versäumnis, nein, lasst es mich sagen, wie es ist, die einzige Möglichkeit, eine große Schuld wenigstens um ein Quäntchen zu begleichen. Denn das empfindet sie – eine große Schuld.»

«Sie hat doch nicht vom Elend ihrer Tochter gewusst oder wo sie sich aufhielt, also konnte sie nicht helfen.»

«Just das habe ich auch eingewandt. Sie empfindet es anders. Sie ist sicher, wenn sie von Anfang an verweigert hätte, Antonie totzuschweigen, hätte sie davon erfahren und helfen können. Vielleicht würde Antonie sogar noch leben. Ich glaube das nicht, aber ihr lässt das keine Ruhe.»

«Eine wichtige Frage noch: Geht es bei dieser Suche um Geld? Ich meine viel Geld. Konkret gesagt: Geht es um ein Erbe?»

Luis' Gesicht wurde streng, plötzlich konnte Rosina sich seinen Vater und Großvater vorstellen, kantige Männer, unbarmherzig gegenüber Schwächen und darin gutbürgerlich in ihren Moralbegriffen. «Ist das nicht unwichtig?», fragte er knapp. «Muss es immer um Geld gehen?»

«*Wenn* es darum geht, ist es *immer* wichtig. Also: Geht es oder nicht?»

«Ihr seid wirklich verdammt hartnäckig. Ja. Es geht *auch* um Geld. *Auch!* Vor allem aber …»

«Um viel Geld?»

«Himmelherrgott! Ich weiß es nicht. Meine Großmutter verfügt über eigenes Geld, auch einige ertragreiche Wälder. Über wie viel, weiß ich nicht, nur bevor Ihr fragt. Es wird nicht wenig sein. Es hat mich nie interessiert, und ja, sie hat sicher vor, zumindest einen Teil davon dieser Enkelin zukommen zu lassen.»

Seltsamerweise war es diese Heftigkeit, die Rosina ihr Misstrauen beiseiteschieben ließ. Aus einem ihr nicht ersichtlichen Grund war sie überzeugt, er wäre kühl und beherrscht geblieben, wenn er das Mädchen finden wollte, um es – ja, was? – beiseitezuschaffen? Aus dem Weg zum Erbe der alten Madam Sachse zu räumen? So in etwa.

Sie griff nach der Kaffeekanne, die Pauline inzwischen und nun schon vor geraumer Zeit gebracht hatte, sie war längst leer. «Wie alt seid Ihr, Luis?»

«In der Woche vor Pfingsten dreiundzwanzig Jahre. Warum?»

«Wenn Eure Tante, diese Antonie, ein halbes Jahr vor Eurer Geburt verschwunden ist, wird ihre Tochter heute mindestens ein Jahr jünger sein als Ihr. Es ist nicht bekannt, wann und woran der betörende Violinist gestorben ist?»

Luis schüttelte den Kopf, wieder wurde sein Ausdruck starr. «Sie hat geschrieben, er sei gestorben, ja, ob das stimmt – wer weiß? Ich habe die Vorstellung, sie hat das nur geschrieben, weil es für sie zu schrecklich war, einzugestehen, dass er sie verlassen hat, sitzen gelassen, als sie krank oder schwanger war. Ich bin nicht davon überzeugt, dass der Kerl tot ist.»

«Die Möglichkeiten in dieser Geschichte nehmen kein Ende. Habt Ihr wenigstens ein Bild von Eurer Antonie? Eine Miniatur zum Beispiel. Das würde helfen, falls ihre Tochter ihr gleicht. Sie dürfte jetzt in dem Alter sein, in dem ihre Mutter ihre Familie verlassen hat?»

«Ja, Antonie war die jüngere Schwester meines Vaters, sie war gerade einundzwanzig Jahre alt, als sie verschwand. Ein Bild gibt es nicht. Mag sein, es hat früher eines gegeben, dann wurde es wie alles, was an sie erinnerte, vernichtet.»

«Bei Euch herrschen gnadenlose Sitten. Man könnte glauben, sie habe jemand ermordet und sich nicht nur in den falschen Mann verliebt. Ja, ich weiß, sie hat Schande über die Familie gebracht. Nur – mit der Schande ist das so eine Sache, es gibt davon sehr unterschiedliche Vorstellungen. Hat sie etwas mitgenommen? Ich meine, etwas von Wert, das sie ihrer Tochter hinterlassen haben könnte. Schmuck, Familienbilder, vielleicht eine Dose von Silber oder Elfenbein, mit bestimmten Intarsien – etwas in der Art.»

Luis hob hilflos die Schultern. «Soviel ich weiß, nichts davon. Sie war noch unverheiratet, noch nicht einmal die Verlobung war offiziell, also besaß sie keinen wertvollen Schmuck, nichts, was über ein Silberkettchen, kleine Ohrringe oder einige Silberknöpfe oder eine Gürtelschnalle hinausgeht. Das ist bei uns nicht üblich.»

«Ihr seid keine große Hilfe, Luis», stellte Rosina fest. «Wie soll man ein solches Kind finden und wie soll man dann sicher sein, dass man das richtige gefunden hat? Ich hoffe nur, Ihr habt nicht in der Stadt herumerzählt, auf dieses Mädchen warte eine wohlhabende Familie, nun gut, keine ganze Familie, aber eine Großmutter mit eigenem Besitz. Wenn sich das herumspricht, habt Ihr innerhalb eines Tages ganze Wagenladungen von Basen vor Eurer Tür.»

«Daran habe ich nicht gedacht, herumerzählt habe ich es trotzdem nicht. Auch das zeigt, meine Entscheidung, Euch um Hilfe zu bitten, war richtig. Bei allem, was ich in Erfahrung gebracht habe, hieß es auch, Ihr wäret ungemein diskret.»

«Meistens, nicht immer. Ich muss darüber nachdenken, Luis, auch, ob ich Eurer Bitte überhaupt entsprechen will. Leider habt Ihr mir Eure Tante und ihr Kind so nahe gebracht, dass sie mir schon zu vertraut erscheinen, um sie einfach wieder zu vergessen. Besonders wenn ich mir vorstelle, hier lebt eine junge Frau in bitteren Verhältnissen, die ein sehr viel besseres Leben führen könnte, wenn man sie nur fände und ihrer Familie zurückgäbe. Und da kommen wir zu dem vielleicht schwierigsten Punkt: Wenn eine solche Suche Erfolg hat, kann das Ergebnis höchst unangenehm sein.»

«Ihr meint, wenn Antonies Tochter sich als ‹höchst unangenehm› erweist?»

«Ja. Die Chance, dass sie überhaupt noch lebt, steht kaum besser als eins zu eins. Schließlich ist ihre Mutter wenige Monate nach ihrer Geburt und offenbar im Elend gestorben, diese Leute haben nicht noch einmal geschrieben. Ich muss Euch sicher nicht vorrechnen, wie viele Kinder in ihren ersten Lebensjahren sterben. Die große Frage ist, wer sich des Mädchens nach dem Tod der Mutter angenommen hat. So oder so wird sie nicht in rosigen Verhältnissen aufgewachsen sein, Armut, Hunger, Krankheiten – Ihr wisst, was ich meine. Da wachsen nicht nur seelenvolle Engelchen heran.»

«Stimmt, auch das habe ich nicht bedacht. Ich fürchte, meine Großmutter ebenso wenig. Aber egal, wenn es sich so ergibt, werden wir sehen, was zu tun ist.»

«An das Waisenhaus am Hafen habt Ihr Euch sicher schon gewandt.»

«Nein, man hat mir gesagt, so kleine Kinder werden dort nicht aufgenommen.»

«Das stimmt nur halb. Nach der Regel werden Kleinkinder nicht im Haus am Rödingsmarkt aufgenommen, aber von dort betreut. Etwa bis zu ihrem vierten, manchmal sechsten Lebensjahr werden sie zu einer Amme oder zu Kosteltern gegeben, vornehmlich auf dem Land. Da diese Familien Kostgeld bekommen, werden darüber Akten geführt. Die Betreuung der Kinder wird auch kontrolliert, jedenfalls theoretisch, tatsächlich finden die Provisoren und Vorstände des Waisenhauses nie genug Zeit, alle Kinder mit der eigentlich vorgeschriebenen Regelmäßigkeit zu besuchen. Es sind einfach zu viele.»

Sie entschied sich dagegen, ihm von den gruseligen Geschichten zu erzählen, die man erfuhr, sobald man begann, sich für so ein Kostkind zu interessieren. Da war von beliebig unter den Kosteltern ausgetauschten Kindern, von Leuten, die jahrelang das Kostgeld genommen hatten, ohne zu melden, dass das ihrer Obhut anvertraute Kind längst gestorben war. Manche Kinder, Rosina befürchtete, es waren viele, wurden wie kleine Arbeitssklaven gehalten.

«Dann kann ich ins Waisenhaus gehen», überlegte Luis, «und in den Akten nachsehen, ob sie dort geführt worden ist.»

«Ihr solltet es versuchen, unbedingt. Zumindest einen Antrag stellen. Nichts geht ohne Antrag. Allerdings werden die Akten von einem alten Zerberus bewacht, ich weiß nicht, wer sie einsehen darf und aus welchem Grund. Nach einem Versuch werdet Ihr es wissen. Sonst gebt mir Bescheid, ich denke, ich weiß, wer da helfen könnte. Für Akten braucht man allerdings einen Namen, sie ist als Antonie Sachse davongelaufen, ihr Kind wird den Namen des Vaters bekommen haben. Wie war der Ehename?»

«Den Brief hat sie mit Antonie Merg unterschrieben, aber wie schon gesagt, ob sie tatsächlich verheiratet war, weiß ich nicht. Ohne Papiere, ohne väterliche Erlaubnis? Das ist doch nicht so einfach.»

«Ach, da lässt sich manches zaubern, Luis, und noch mehr mit ein paar Münzen regeln. Antonie Merg? Hmm, Merg ...»

«Sagt Euch der Name etwas?» Luis' Augen leuchteten hoffnungsvoll auf.

«Nein, ich glaube, nicht. Es ist kein sehr seltener Name, denke ich, aber hier auch nicht so häufig wie Müller oder Hansen. Jedenfalls muss es im Waisenhaus die Listen der in jedem Jahr aufgenommenen Kinder geben. Listen in dicken Büchern, da bin ich sicher. Soviel ich weiß, hat es in den vergangenen zwei Jahrzehnten dort nicht gebrannt, also wird noch alles da sein. Und wenn sie hier getauft worden ist, helfen auch die Kirchenbücher weiter. Man kann unter beiden Namen suchen, dann ...» Sie schwieg plötzlich und starrte in den Kaffeesatz in ihrer Tasse. Luis sah sie gespannt schweigend an. «... dann muss man sie finden, falls sie dort gewesen ist, wollte ich sagen. Aber das muss nicht sein. Womöglich war sie eines von den Kindern, wie sie auch in dieser Stadt häufig sind. Kinder, die niemand haben will oder ernähren kann. Die ausgesetzt werden, mit Glück vor einer Kirchentür, dort erbarmt sich ihrer der Pfarrer und bringt sie ins Waisenhaus. Als Findelkinder. Und dort wiederum, Luis, bekommen sie einen Namen. Irgendeinen, nach den Regeln des Waisenhauses, ich glaube, für jeweils ein Jahr alle Kinder einen mit dem gleichen Anfangsbuchstaben. Wenn das mit Antonies Tochter geschehen ist, hilft die beste Liste nichts, und es gibt kaum Hoffnung, sie zu finden. Dann sucht Ihr nicht nur die Nadel im Heuhaufen, sondern einen Hering im Ozean.»

Als Luis sich bald darauf verabschiedete, hielt Rosina ihn in der Diele noch für einen Moment auf. «Ihr wohnt auf dem Borgesch im *Eschenkrug*, das stimmt doch?»

Er nickte und sah sie wachsam an. «Ja, warum?»

Rosina amüsierte sich. «Warum? Macht Ihr Scherze? Ich soll helfen, Eure seit zwei Jahrzehnten verschollene Verwandte zu finden, da sollte ich wissen, wo ich im Falle eines Erfolgs *Euch* finde. Ich bin versucht zu vermuten, es ist doch nicht so ernst mit der Suche. Nein, das war ein Scherz meinerseits», wehrte sie seine im Widerspruch erhobenen Hände ab. «Ich habe wegen des *Eschenkrugs* gefragt, weil Ihr Mamsell Elske mein Mitgefühl ausdrücken sollt. Zwei ihrer Freundinnen sind tot, wenn sie auch abstritt, sie so zu bezeichnen. Ich habe gehört, Ihr kenntet Elske recht gut. Jedenfalls wohnt Ihr unter demselben Dach.»

«Es ist ein Gasthaus, Madam.»

«Sicher, ein Gasthaus. Wie man auch hört, dank Elske ein manierliches. Aber darum geht es mir jetzt nicht. Ich nehme an, sie weiß es selbst am besten, trotzdem erinnert sie daran, achtzugeben. Du meine Güte, es macht keinen Sinn, um den heißen Brei herumzureden. Ich will sagen …»

«… dass sie nicht allein ausgehen soll, schon gar nicht in der Dunkelheit, am besten auch nicht nach Hamburg hinein. So?»

Rosina nickte erleichtert. «Genau so. Und falls sie es noch nicht getan hat oder längst weiß, wäre es von Vorteil, wenn sie darüber nachdenkt, warum zwei Frauen, die sich lange gut kannten, auf diese Weise starben. Zwei Frauen, die auch sie gut gekannt hat. Wäre ich an ihrer Stelle, würde ich besonders wachsam sein und auf mich und meine Wege achtgeben.»

«Ich werde es ausrichten, Madam Vinstedt, im richtigen Moment. Elske lässt sich ungern etwas sagen.»

«Das überrascht mich nicht. Kennt Ihr Madam Cordes?»

«Cordes? Nein. Wer ist das und warum fragt Ihr?»

«Ach, nur so.» Rosina lauschte ihm nach, wie er eilig die Treppe hinunterlief. Für ihr Empfinden hatte er zuletzt viel zu rasch geantwortet. Rasch und ohne nachzudenken? Sein Besuch hatte lange gedauert, wahrscheinlich wollte er nur eilig zum *Eschenkrug* zurück.

Weddemeister Wagner stand vor dem *Eimbeck'schen Haus* und sah dem davonrollenden Wagen mit gemischten Gefühlen nach. In früheren Jahren hätte er kaum darauf geachtet oder es gar nicht bemerkt. Das hatte sich geändert, worüber er nicht immer froh war. Zumindest, wenn es sich während seiner Arbeit ereignete, empfand er das als hinderlich. Alles sollte hübsch seine Ordnung haben und nach den Vorschriften gehen, für Zweifel oder gar Kleinmut blieb kein Platz.

Heute wäre ihm das Unbehagen erspart geblieben, wäre der für das Anatomische Theater zuständige Physikus nicht plötzlich zu einer Inspektion der Apotheke in Bergedorf aufgebrochen, ein wenig überstürzt, wie sein Knecht berichtet hatte. Es habe da eine Beschwerde gegeben, per Brief, ja, ein Eilbote sei gekommen. Die Nachricht hatte den verehrten Doktor sofort nach dem wenige Meilen entfernt gelegenen Ort gerufen. Der Physikus war ein grimmiger Mann, womöglich, ach was, ganz sicher hätte er angefangen, um den Leichnam zu streiten, dessen Innenleben er noch nicht dem staunenden Publikum, zumindest der Versammlung von lernenden Wundärzten vorgeführt hatte.

Wagner hingegen hatte nicht lange gezögert, als Wilhelmine Cordes plötzlich in seinem Amtszimmer stand und höflich darum bat, den Leichnam Janne Valentins herauszugeben.

«Pastor Liebrecht ist Prediger in Moorfleet», erklärte sie mit einer Handbewegung zu dem jungen Geistlichen, der im langen schwarzen Habit, mit fromm gefalteten Händen und neugierigem Blick neben ihr stand. «Ihr kennt ihn vielleicht? Nein? Nun, Ihr könnt nicht alle in den außerhalb der Wälle liegenden Gemeinden kennen, das ist wahr. Er hingegen hat die Verstorbene gut gekannt, ja, tatsächlich ist er ein Vetter ihres Ehemanns. Darum und aus seiner Pflicht und Liebe als Hirte wollte er sie christlich begraben, ganz ohne Kosten für die Stadt oder das Michaeliskirchspiel.»

«Wie Ihr wisst, Weddemeister, oder Euch erinnern werdet», sprach nun der Prediger, «sind Ehemann und Sohn der armen Toten noch auf See, mein lieber Vetter, ja. Wegen des Eises besteht keine Hoffnung, dass sie bald zurück sein werden.»

Da hob Wagner abwehrend beide Hände und schob seinen Stuhl zurück. «Und draußen steht eine Kutsche», blaffte er, «mit einem Sarg aus gutem poliertem Holz. Esche? Oder Buche? Wo ist heute Euer schwarzer Schleier, Madam?»

Wilhelmine Cordes und der Prediger blickten erst einander, dann den Weddemeister verwirrt an.

«Kutsche?», fragte Wilhelmine. «Wie kommt Ihr auf Kutsche? Ihr wisst doch, dass ich nicht reich bin. Es ist nur ein einfacher Wagen und der Sarg aus einfachem Holz. Und ein Schleier? Welchen Schleier meint Ihr?»

Sie war bleich, ihre Lippen begannen zu zittern, und ihre Augen füllten sich mit Tränen. «Warum seid Ihr so unfreundlich? Wir waren schon im *Eimbeck'schen Haus*, der Physikus ist auf einer Inspektionsreise, und sein Knecht hat erklärt, er dürfe nichts und niemanden mehr herausgeben. Tot oder lebendig, hat er gesagt. Janne hatte hier niemanden außer ihrem Mann und ihren Kindern, von denen ist keiner in der Stadt. Auch ihre Tochter nicht, sie ist in Stellung und zurzeit mit ihrer Herrschaft in Kopenhagen. Wen kann es stören, wenn wir sie beerdigen und ihr ihren Frieden zurückgeben? Sie hat im Leben genug erlitten und ein grausames Ende gehabt, warum wollt Ihr ihr nicht wenigstens im Tod Frieden gewähren? Hat sie nicht lange genug in diesem schrecklichen Keller gelegen?»

Da hatte Wagner sich und seine beiden Besucher nicht mehr mit langem Nachdenken und Abwägen aufgehalten und war mit den beiden schnurstracks den kurzen Weg gegangen. Wenn er die beiden genau betrachtete, konnte er sich nur schwer vorstellen, dass sie vor wenigen Tagen als schwarz gekleidete und verschleierte vornehme Dame und als eleganter Herr den armen Baldur im *Eimbeck'schen Haus* übertölpelt hatten.

Das Fuhrwerk mit seiner traurigen Fracht war nun verschwunden. Es war tatsächlich nur ein schlichter einspänniger Wagen, wie er für den Transport von Heu oder Stroh, von Torf – eben von nicht zu schweren oder umfänglichen Alltagssachen verwandt wurde. Er wurde von einem alten Zossen gezogen, der Prediger mochte ihn von einem seiner Bauern ausgeliehen haben.

Plötzlich fühlte Wagner etwas Überraschendes, nämlich Heiterkeit. Der Leichnam war fort, für seine Ermittlungen wurde er nicht mehr gebraucht, für die Vorführungen des Physikus? Vielleicht. Aber es war dem Weddemeister nur recht, wenn die Tote davor bewahrt wurde. Natürlich gab es Quacksalber, die aus den Leichenteilen hingerichteter Mörder wie auch aus denen gewaltvoll um ihr Leben gebrachter Opfer Wundermittel gegen alle nur denkbaren Gebrechen und Schicksalsschläge brauten, aber er war – warum auch immer – ganz sicher, dass Wilhelmine Cordes nicht zu denen gehörte, die einen Leichnam zu einem solchen, zudem heidnischen Zweck verkaufen.

Sie hatte mit der Toten mehr verbunden als eine zufällige, flüchtig gebliebene Bekanntschaft, obwohl sie das bei seiner Befragung im Hinterzimmer ihres Ladens abgestritten hatte, war er dessen sicher. Deshalb war ihm einerlei, ob der junge Mann mit den unfrommen Augen tatsächlich ein Prediger war – ob aus Moorfleet, Ochsenwerder oder sonst wo. Die Cordes würde dafür sorgen, dass ihre Freundin nach christlicher Sitte zur letzten Ruhe gebettet wurde. Wo auch immer.

Im Übrigen fand er es höchste Zeit, nach Hause zu gehen. Karla wartete längst auf ihn, und er war gespannt zu hören, was sie zu dieser Geschichte sagen werde.

Zumindest mit seinem Zweifel an dem Prediger von der Moorfleeter Kirche hatte Wagner recht. Der Wagen rollte nicht zum Deichtor aus der Stadt hinaus, wie es der direkte Weg nach dem Dorf auf dem Billewärder gewesen wäre. Stattdessen fuhr er über den Berg, an der St.-Petri- und der St.-Nikolai-Kirche vorbei, die Steinstraße entlang und zum Steintor hinaus, von dem jungen Mann im schwarzen Habit unter einem dicken wollenen Umhang gelenkt. Er und Wilhelmine nahmen vor dem *Eschenkrug* auf dem Borgesch einen weiteren Mitfahrer auf. Dann beeilten sie sich, das Lübsche Tor im Vorwerk zu passieren und geradewegs weiter nach Osten in die rasch nahende Dunkelheit zu fahren, während fast alle anderen, die noch unterwegs waren, sich ihrerseits beeilten, hinter die sicheren Mauern der Stadt zu gelangen, bevor die Tore für die Nacht verschlossen wurden.

Hätte Wagner das gesehen, hätte es ihn kaum überrascht, aber doch geärgert, weil er versäumt hatte, dem Wagen einen Spion nachzuschicken. Einen unauffälligen wie Grabbe, seinen Weddeknecht. Diese fabelhafte Idee kam ihm leider zu spät, nämlich erst als Karla ihn besorgt fragte, wohin der Wagen nur gefahren sein mochte, er könne Moorfleet keinesfalls mehr bei Tageslicht erreichen. Da war es zu spät. Leider nicht zum ersten Mal. Es kam immer wieder vor, dass Wagner die guten hilfreichen Maßnahmen just dann einfielen, wenn es keine Gelegenheit mehr gab, sie in die Tat umzusetzen. Er hatte sich oft vorgenommen, darüber nachzudenken, es konnte nicht wirklich schwer sein, das zu ändern. Bedauerlicherweise hatte er für solche theoretischen Gedankengänge bisher keine Zeit gefunden.

Als er zum gemütlichen Abschluss des Tages seine lange

Tonpfeife stopfte, nahm er sich vor, gleich am nächsten Tag zu Wilhelmine Cordes zu gehen und sie streng zu befragen. Tränen hin, zitternde Lippen her – diesmal wollte er wirklich sehr streng sein, dann würde er schon erfahren, was er wissen wollte.

Auch dieser Gedanke sollte nur gute Theorie bleiben. Da er das noch nicht wissen konnte und weil er sich die Herausgabe des Leichnams als gute Tat anrechnete, schlief er in dieser Nacht ganz ausgezeichnet.

Am nächsten Morgen klopfte es in aller Herrgottsfrühe, nämlich kurz nach Sonnenaufgang, an der Tür des Rektors der Gelehrtenschule Johanneum. Als das Mädchen öffnete, stand niemand davor, und fast hätte sie den Brief übersehen, nur ein gefalteter, mit einem Stein beschwerter Zettel, der auf der Schwelle abgelegt worden war.

Darauf teilte Wilhelmine Cordes mit – jedenfalls stand ihr Name unter den Zeilen –, leider müsse ihr Sohn für einige Tage, womöglich sogar zwei oder drei Wochen, dem Unterricht fernbleiben. Sie müsse mit ihm zu einem plötzlich schwer erkrankten entfernten Verwandten reisen. Der habe sich bisher nie um den Jungen gekümmert, doch nun plötzlich wünsche er ihn vor seinem Tod zu sehen.

Der Rektor war selbst ein alter, von mancherlei Zipperlein geplagter Mann und mit überraschenden Wünschen von Männern an der letzten Schwelle ihres Lebens vertraut. Er nickte so bekümmert wie nachsichtig. Obwohl der Tag noch sehr jung und der Rektor kein Freund dieser frühen Stunden, doch von heiterem Naturell war, fiel ihm dann sogleich ein, wie froh er sein konnte, dass er den jungen Cordes doch nicht mit einer Einzelrolle in der noch in diesem Monat stattfindenden jährlichen Schultheater-Aufführung besetzt hatte.

Das wäre ein Desaster geworden! Er hatte ihn mit der in diesem Stück um den Kaiser Nero wichtigen Rolle der Agrippina betrauen wollen, denn der Junge hatte ein besonders in Anbetracht seiner einfachen Herkunft erstaunliches Gefühl für Sprache und Ausdruck. Doch dann hatte sich seine just in den Stimmbruch rutschende Stimme als unpassend für des maßlosen Kaisers listenreiche Mutter erwiesen.

Es war gut gewesen, dass er diesem neuen Schüler, dem zwar etliche Jahre älteren, jedoch zierlichen und trotz der schon beeindruckenden Nasenform auch im Gesicht sanften Johannes Curio, die Rolle gegeben hatte. Der Junge war in jedem Fall auch sicher im Memorieren, sicherer als der für einen so umfänglichen Text wohl zu junge Cordes, das stand fest. Überhaupt gab Curio zu den allerbesten Hoffnungen Anlass. Wenn man bedachte, dass er als Kind einer ledigen Mutter im Helmstedter Waisenhaus aufgewachsen war - wirklich erstaunlich. Rektor Müller war ein engagierter Freund und Verfechter aufklärerischer Gedanken, er freute sich, dass es inzwischen etliche Knaben gab, die ihrer einfachen - ordentliche Bürger würden zu manchen sagen: zweifelhaften - Herkunft zum Trotz Intelligenz, Eifer und gute Sitten zeigten und zweifellos den Aufstieg in die Welt der Wissenschaften und zu einer zumindest bescheidenen bürgerlichen Existenz bewältigen würden.

Als der Rektor bei diesem erfreulichen Gedanken angekommen war, brachte das Mädchen das Frühstück, und der Tag konnte beginnen. Nur flüchtig dachte er noch, wie schön es sei, dass der junge Cordes, der nur dank einer milden Stiftung die Lateinschule besuchen konnte, einen Verwandten habe, und er hoffte, der Kerl vererbe dem Jungen was. Bisher hatte er stets angenommen, er habe niemand außer seiner Mutter, die wiederum gar keine Familie habe und sich tapfer und arbeitsam allein durch das Leben schlage.

Kapitel 10

Montag, 29. März, nach der Börsenzeit

In *Jensens Kaffeehaus* herrschte wie immer nach Börsenschluss drangvolle Enge. Aus dem hinteren Raum klangen Lachen, Ausrufe von Ärger und das Klicken der Billardkugeln, über allem lag das Summen und Murmeln des Chors der Männerstimmen aus dem größeren, dem vorderen Raum. Selbstbewusste Damen, die sich ab und zu auf eine Tasse Kaffee oder Schokolade hier einfanden, waren klug genug, diese Stunde zu meiden. Kein noch so schmales Plätzchen war an den Tischen mehr frei, dazwischen standen Trauben von Männern, Tassen und Gläser in den Händen, Pfeifen qualmten, einige ganz Entschlossene versuchten, sich in ihre Zeitungslektüre zu vertiefen oder wenigstens die wichtigsten Meldungen zu überfliegen. Das Briefeschreiben hingegen unterblieb nun ganz, hier standen zwar wie in jedem besseren Kaffeehaus stets Tinte, Federn und Papierbögen zur Verfügung, doch niemand könnte jetzt eine Zeile verfassen, ohne angestoßen zu werden.

Claes Herrmanns und sein alter Freund Bocholt hatten Plätze an der vorderen Fensterfront ergattert. Herrmanns lehnte sich zurück, streckte die langen Beine unter dem Tisch aus und faltete wohlig die Hände über dem allmählich rundlich werdenden Bauch. Der tägliche Gang zur Börse war wieder lohnend gewesen, er hatte auch ein paar gute Zuschläge auf Partien erwischt, die im Hinterland satten Gewinn versprachen. Das war besonders erfreulich, in diesen Wochen war sonst nur wenig Bewegung in den Geschäften. Gleichwohl war er froh, dass das lästige Stehen und Wachsamsein für heute vorbei war. Es wurde wirklich höchste Zeit, dass Christian aus London zurückkehrte. Im vergangenen Jahr hatte sein älterer Sohn immer häufiger den Herrmanns'schen Platz an der Börse eingenommen, es machte ihm Vergnügen, und er erwies sich als geschickter Händler mit guter Nase. Warum also sollte Claes Herrmanns sich weiter um etwas bemühen, das er schon seit Jahrzehnten tat, immer noch gern, aber nicht mehr an jedem Tag? Das wahre, stetig neu auflodernde Feuer für seine Profession, das ein guter Großkaufmann brauchte wie ein Jäger, spürte er nur noch selten. Das erlebte er nun bei seinem Sohn und war es zufrieden.

Sie verstanden sich überhaupt gut, die beiden Herrmanns. Allgemein wurde es als generös und Zeichen tiefer väterlicher Liebe verstanden, wenn der Ältere dem Jüngeren schon so viel von seinem ureigensten Feld einräumte. Sein alter Freund Werner Bocholt hatte allerdings geargwöhnt, Herrmanns müsse schwer erkrankt sein, er hoffte, es betreffe nicht den Kopf.

«Das ist der reine Neid», konterte der lachend, «du mit deinen Töchtern bist eben arm dran. Keiner da, der dir ‹lästigen Kram› abnimmt.»

Bocholt lächelte schmal. Inzwischen gab es beste Aussicht auf einen im Handel schon erfahrenen Schwiegersohn, der ihm zukünftig einiges abnehmen konnte, aber ihm würden seine Geschäfte nie «lästiger Kram» werden. Auch war er kein Meister darin, in die Fähigkeiten anderer zu vertrauen, am wenigsten, wenn es um seinen Gewinn oder Verlust ging. Wie Herrmanns war Bocholt Großkaufmann, seine Geschäfte gingen weit, die ertragreichsten nach Frankreich und nach Osten und Norden, zudem fuhren nun vier Großsegler unter dem Namen seines Hauses. Risiko und Gewinn waren durch Parten reduziert, Besitzanteile von anderen Kaufleuten und

Reedern, zu denen auch Claes Herrmanns gehörte. Bocholt zeigte es nicht gern, er war überzeugt, das bringe Unglück, aber er gehörte inzwischen zu den drei wohlhabendsten Kaufleuten der Stadt.

«Danke, Jensen», sagte Herrmanns, als der vor lauter Hast rotgesichtig schnaufende Wirt ihre Tassen auf den Tisch stellte, und schnupperte genüsslich am aufsteigenden Aroma von frisch gebrühtem Kaffee und Kardamom.

Bocholt hatte wie üblich Kaffee mit zerstoßenen Nelken und Mandelmilch vorgezogen, er rührte eine Prise Zucker hinein – Völlerei und Verschwendung waren ihm zum Kummer seiner seit fünfundzwanzig Jahren vom Wohlleben träumenden Gattin ein Graus – und beobachtete dabei mit hochgezogenen Brauen, wie sein zu einem gewissen Luxus neigender Freund gleich zwei gehäufte Löffelchen der süßen Kristalle verrührte.

«Ich möchte nochmal mit dir über die Pläne für das neue Waisenhaus reden», begann er endlich, «ich denke, da läuft einiges aus dem Ruder.»

«Kann schon sein.» Herrmanns war lieber mit der Überlegung beschäftigt, ob ein Gläschen Port jetzt genau das Richtige wäre.

«Was heißt ‹Kann schon sein›? Da müssen Entscheidungen getroffen werden.»

«Kann auch sein, alter Freund, aber nicht von mir.» Herrmanns nahm einen Schluck Kaffee, gab noch ein bisschen mehr Zucker dazu und rührte behutsam um. «Ich bin in dieser Sache nur ab und zu für eine Spende zuständig, die größeren gibt allerdings Augusta. Wie immer. Du weißt genau», schloss er mit Nachdruck, «dass ich nicht zum Provisor gewählt worden bin.»

«Nicht gewählt? Das ist zum Lachen! Du hast dich erfolgreich gedrückt, so war das. Ich frage lieber nicht, wie du das wieder gedeichselt hast und wie du diesen gerade zugezogenen Hegolt auf den Posten gehievt hast. Du kannst gerne grinsen, Claes, ich weiß, was ich weiß.»

«Du bist wie immer gut unterrichtet. Aber Hegolt ist doch eine tadellose Wahl, ehrgeizig, tüchtig, wach. Ein honoriger Mann und auch Familienvater. Gebildet, macht sich Gedanken – was wollen wir mehr?»

«Ehrgeizig, tüchtig, das stimmt wohl. Nehme ich an. Wie man hört, sogar sehr ehrgeizig. Trotzdem, Claes, er ist nicht von hier. Ich halte es für besser, wenn solche Ämter …»

«Ach was, Werner.» Claes schnitt ihm in plötzlicher Ungeduld die Rede ab. Manchmal fühlte er sich von Bocholts Engstirnigkeit enerviert. «Immer werden die Ämter unter den gleichen fünfzig oder von mir aus auch hundert Männern verteilt. Das ist ungesund. Und dieses ist nicht mal eines, das was einbringt, aus gutem Grund kann man diese Wahl nicht ablehnen. Es kostet nur Zeit und Mühe, also sollten wir froh sein. Und was heißt überhaupt neu zugezogen? Hegolt ist seit drei Jahren hier – oder sogar vier? – und von bester Reputation. Er hat hier auch als junger Mann einen Teil seiner Kaufmannslehre absolviert und später einiges von der Welt gesehen. Er ist kenntnisreich und lebt in tadellosen Verhältnissen.»

«Und seine Frau? Wie man hört, ist die krank, und die ältere Tochter …»

«Was hat das mit seiner Aufgabe als Provisor zu tun? Seine Frau wird auch wieder gesund. Ich habe sie mal bei Pauli bei einem Frühstück getroffen, sie ist eine sehr angenehme Person, zurückhaltend und bescheiden – sie würde dir gefallen –, freundlich und von guten Manieren. Ansehnlich ist sie auch, was soll sie denn noch?»

«Das freut mich zu hören», erklärte Bocholt steif, «freut mich wirklich. Ich weiß gar nicht, warum du dich so echauffierst. Es ist noch keine Woche her, da hast du höchstpersönlich gesagt, es sei bedauerlich, dass der neue Prediger von St. Katharinen ein dummes polteriges Weib geheiratet hat, mit der werde er nie Hauptpastor.»

«Stimmt. Die ist wirklich ein böser Fehlgriff, weiß der Teufel, wie die Ehe zustande gekommen ist, na, vom Teufel sollte man bei einem Gottesmann wohl nicht reden. Aber Madam Hegolt ist eine feine Frau. Und ehe du weiter nörgelst, dein Vater, Gott hab ihn selig, hat hier auch so angefangen. Wo kam er doch her? Aus Wolfenbüttel? Ach, Osnabrück, na gut. Wenn du dich erinnerst: Noch als wir die Schulbank gedrückt haben, war euer Handel erheblich bescheidener als Hegolts heute. Lass den Mann sich mit tätigem Bürgersinn in der Stadt verdient machen. Davon reden wir doch immer. Ich kenne ein paar seiner auswärtigen Handelspartner, alle reden nur das Beste von ihm. Und sein Ehrgeiz – ja, der ist stark. Er möchte eben dazugehören. Wie wir alle. Das kann doch nicht schaden. Keinem fällt was in den Schoß, und die Stürme wehen heute stärker und kommen mehr von vorne als zu unserer Anfangszeit.»

Bocholt schluckte. Er sollte etwas vorsichtiger mit seinem Urteil sein. Der junge Hegolt, nun, so ganz jung war er nicht mehr, er kam ihm nur immer so vor, Hegolt also war ein Protegé von Herrmanns, und tatsächlich irrte Claes sich in solchen Angelegenheiten selten. Eigentlich nie.

«Ja, du hast recht. Er ist wohl tüchtig. Aber eine Meinung zu meiner Frage wirst du doch haben», kam er einlenkend zu seinem Thema zurück, «*musst* du haben, weil es letzten Endes uns alle Geld kosten wird. Auch dich. Jetzt haben sie für die Jungen auch noch einen Zeichenmeister eingestellt und für die Mädchen einen neuen Singmeister! Ich jedenfalls finde, wir sollten das alte Waisenhaus einfach schließen und kein neues bauen. Erst recht nicht am Gänsemarkt, in der guten Lage! Da ist es auch viel zu laut. Wie sollen die Kinder dabei was lernen? Nein, nein, Meckpeters Vorschlag ist richtig. Alle sollten bei Kosteltern untergebracht werden, das kommt trotz Kostgeld letztlich billiger und ist besser als im Haus am Rödingsmarkt. Gerade für die Kinder, da gibt's keinen Zweifel. Man hört doch immer wieder, dass da richtige Schläger und Diebesbanden heranwachsen, richtige Rohlinge, die malträtieren sich gegenseitig bis aufs Blut. Sprich mal mit dem Wundarzt, der für die zuständig ist. Man muss diese Kinder trennen, die haben ja oft kein gutes Blut, und dann so viele von denen zusammen – das kann nicht gehen.»

«Wie stellst du dir das vor? Die Kinder sollen was lernen, ich meine Lesen, Schreiben, Rechnen, na, und die ganze Religion. Tüchtige Christenmenschen sollen sie werden, arbeitsam und so weiter, du weißt schon, was da alles in den Statuten steht. Und wer sich eignet, soll auf die Lateinschule gehen und auf die Universität. Solche sind immer wieder mal darunter, und es wäre dumm, helle Köpfe zu verschwenden. Erzähl mir jetzt nicht, dass die Kosteltern die Kinder zur Schule schicken. Draußen auf dem Land gibt's oft gar keine, oder die Wege sind viel zu weit. Die meisten Bauern können selbst nicht lesen und schreiben, die können den Kindern auch nichts beibringen, die brauchen sie nur für die Arbeit. Vor allem aber: Wie stellt Meckpeter sich das also vor? Schon jetzt gibt's nie genug Koststellen.»

Bocholt blinzelte irritiert. Woher hatte Claes plötzlich solche Reden? Das klang fast nach diesen neuen demokratischen Ideen, wieder ausgegraben aus den Schriften der alten Griechen. Dabei hatten die, schlau, wie sie waren, damit selbst bloß rumtheoretisiert.

«Wo kommen wir hin», fragte er beharrlich, «wenn die so viele Stunden lernen sollen? Lernen die dabei überhaupt was?

Was Nützliches? Die Menschen sind eben nicht gleich und haben auch nicht den gleichen Platz in der Welt. Jahrelang im Waisenhaus die Schulbank drücken, was soll das? Alle noch auf Kosten unserer Stiftungen zur Lateinschule und Pastor oder Syndikus werden, was? Überhaupt werden die Kinder im Waisenhaus viel zu spät an Arbeit gewöhnt, zu wenig sowieso. Da hat Meckpeter auch was Sinnvolles angeregt: Die Kinder sollen ja was lernen, aber nur abends. Dann können sie tagsüber arbeiten, richtig was schaffen, womit man die Kosten bezahlen kann. Kostet dann natürlich mehr Kerzen, aber im Sommer, da ist es lange hell.»

Claes Herrmanns blickte sich nach Jensen um, winkte, und der Wirt kam gleich heran. Er wusste, wer zu den in der Stadt bedeutenden Männern und großzügig konsumierenden Gästen gehörte. Eine Kombination, die ihm am liebsten war. Claes bestellte zweimal Portwein, winkte ab, als Bocholt abwehrend den Finger hob. «Auf meine Kasse», sagte er, und Bocholts Hand sank sofort herab. «Und nochmal zwei Kaffee, die gleichen wie immer», rief er Jensen nach, der sich, Entschuldigungen murmelnd, durch die Menge zum Schanktisch drängte.

«Wennschon – dennschon», sagte Claes heiter. «Ansonsten, mein Alter, finde *ich*, du solltest nicht darüber schwadronieren, wer sich um das Provisor-Amt drückt, sondern selbst eines annehmen. Jedes Jahr wird einer der acht neu gewählt. Oder sogar die Hälfte? Frag Augusta, die weiß es genau. Oder Hegolt», fügte er grinsend hinzu, «der weiß es sicher auch. Guck mal», er hatte nun genug von dem unerfreulichen Waisenhaus-Thema und seinen Blick hinausschweifen lassen. «Ist das nicht Pauli? Da drüben, der mit dem violetten Rock, er kauft bei der Vierländerin gerade einen Schneeglöckchenstrauß. Hübsches junges Ding, das muss man sagen. Pauli hat ein Auge für so was.»

Bocholt hatte für gewöhnlich Augen für andere Dinge, wohlgefüllte Säcke und Fässer, stabile, schnelle Schiffe, solide Wohnhäuser und Speicher, die guten Mietzins einbrachten, auch kostbare, immer gut verkäufliche Pelze und Edelsteine, Dinge in der Art. Er hatte sich dennoch neugierig vorgebeugt.

«Ja, das ist er. Ich habe ihn heute gar nicht in der Börse gesehen. Na ja, als Seidenhändler und -manufakteur hat er da ja nicht alle Tage zu tun. Mit wem steht er da? Hat er einen neuen Kutscher?»

Der Mann, der mit unbewegter Miene neben Pauli wartete, hielt eine Peitsche in der Rechten, wie sie manche Kutscher und Fuhrleute benutzten. Seine grobe Joppe hätte selbst Bocholt, der für die Kleider der Dienstboten anderer Leute *kein* Auge hatte, sagen müssen, dass der Mann mit dem strohigen, fast weißblonden Haar unter dem unförmigen alten Hut und den staubigen Hosen aus grobem Stoff keinesfalls zum Haus der Paulis gehören konnte.

Claes verkniff sich ein Lächeln. «Paulis Kutscher solltest du mal sehen, mein Lieber! Der wäre selbst für einen Fürsten gut. Der Kerl repräsentiert sein Haus, sagt Pauli. Keine dumme Idee, was? Auf dem Kutschbock ist er tatsächlich von jedermann zu sehen. Nein, das ist der Aufseher vom Holzplatz auf dem Borgesch. Kennst du den nicht? Er ist auch oft im Holzhafen, da hast du doch auch zu tun. Schroffer Geselle, aber zuverlässig. Hillmer, jetzt fällt es mir wieder ein, er heißt Pieter Hillmer. Ich hab gehört, er hat was mit der Schankmagd da draußen, im *Eschenkrug*, er will sie sogar heiraten. Schlaue Idee, die ist eine tüchtige Person, appetitlich und nicht dumm.»

«Was du alles weißt.» Bocholt ließ sich auf seinen Stuhl zurückfallen, gerade rechtzeitig, als der Wirt mit der zweiten Runde Kaffee und dem Portwein kam. Der neue Genuss ließ ihn vergessen, dass er noch hatte fragen wollen, ob Claes neuerdings das Küchenpersonal belauschte.

Ansgar Hegolt war müde, er bekam in diesen Wochen einfach zu wenig Schlaf. Es wäre gut und erholsam, hin und wieder auszureiten, wie er es früher häufig getan hatte. Er war ein leidenschaftlicher und guter Reiter, im Stall bei der Bastion Vincent stand sein Reitpferd, ein nobler Rappe aus einer irischen Züchtung mit einer Blesse auf der Stirn. Es war eine luxuriöse Anschaffung gewesen, in einem Moment der Schwäche, wie er sich eingestand, aber er hatte es nie bereut. In der letzten Zeit kam er viel zu selten dazu, es selbst zu bewegen. Seinem Sohn konnte er das starke, zur Nervosität neigende Tier nicht anvertrauen, Emanuel war noch nicht kräftig genug. So war er froh, dass sich dessen Reitlehrer aus dem Englischen Reitstall beim Gänsemarkt bereit erklärt hatte, tatsächlich mit größtem Vergnügen, da er selten ein Pferd solcher Qualität reiten konnte.

Hegolt durchschritt den vorderen Raum seines Kontors rasch, er nickte den Schreibern, dem Handelslehrling und dem Kontorboten zu, ohne – wie er es sonst zu tun pflegte – stehen zu bleiben und diesen Brief zu überprüfen, jene Bestellung zu korrigieren oder über eine geschäftliche Transaktion zu sprechen. Heute war er zu müde, und sein Kopf schmerzte, wie häufig in der letzten Zeit. Alles, was er tat, erschien ihm als anstrengend, fast alles. Sein Lebensplan hatte so klar vor ihm gelegen, nun lief doch nicht alles so, wie er es sich vorgestellt hatte. Es lag nicht an ihm, ihn traf keine Schuld, er handelte stets, wie er handeln musste. Er hatte nie daran geglaubt, es sei immer leicht.

Eigentlich wäre er nach der Börse gerne mit zu *Jensen* gegangen, doch es hatte ihn gleich zurück in sein Kontor gezogen. Er musste nachdenken, es waren Entscheidungen zu treffen, Pläne zu machen. Es konnte nur noch sehr wenige Tage dauern, bis die Elbe wieder ganz eisfrei war. Wären die Nächte nicht noch so außerordentlich kalt für den Märzmonat, hätte es mit dem Eis schon ein Ende.

Eine alte Bauernregel drängte sich in seine Gedanken: Aprilschnee bringt viel Gras und Klee. April!? Jetzt war März, und die Kälte hatte mehr als lange genug gedauert. Vielleicht war es doch falsch gewesen, hierher zurückzukehren, anstatt sich in wärmeren Gefilden niederzulassen? Nein, es war richtig gewesen, dies war eine gute Stadt, kaum eine in Europa war vielversprechender. Und gewiss keine, in der er so einfach hätte Fuß fassen können. Er hatte das Bürgerrecht, alles würde bald noch einfacher werden. Er brauchte unbedingt mehr Speicherraum, die Höhe der Mieten war eine Schande, er musste entscheiden, ob es möglich war, schon in diesem Jahr einen eigenen Speicher zu bauen. Oder zu kaufen? Entlang der Fleete war keine Handbreit mehr Platz für neue Bauten. So oder so – besser gleich einen Doppelspeicher, die Geschäfte würden weitergehen, wenn erst die amerikanischen Kolonien … Er wischte den Gedanken an die Zukunft fort und zwang sich, an das Heute zu denken.

Zuerst musste er für mehr Liegeplätze im neuen Holzhafen auf dem Großen Grasbrook sorgen. Nicht für die edlen Hölzer aus Übersee, insbesondere das Brasilholz und die Stämme von Campéche aus Yucatán und Mahagoni von den Westindischen Inseln, aber für die wachsende Menge die Elbe herabgeflößter Stämme stagnierte alles ohne mehr Liegeplätze.

Dabei durfte er sich keineswegs übernehmen oder die gerade erst geknüpften förderlichen Verbindungen gefährden. Immer wieder machten Handelshäuser auch aus Nachlässigkeit in solchen Dingen Bankrott, große wie kleine, diese Möglichkeit fürchtete er jedoch nur in Nachtmahren oder an sehr grauen Tagen. Er wurde im nächsten Herbst vierzig Jahre alt, er hatte Erfahrung und eine gute Nase für die Handelsgeschäfte, nun auch die richtigen Verbindungen, er war bisher erfolgreich gewesen, so würde es weitergehen. Auf seiner Oberlippe bildeten sich winzige Schweißtröpfchen, er wischte sie ab, schüttelte auch das leichte Frösteln zwischen den Schulterblättern weg und setzte sich an seinen Schreibtisch.

Alles würde gedeihen. Wirklich gut gedeihen. Er betrachtete wohlgefällig seinen großen Aktenschrank mit den offenen Fächern voller Abschriften der Korrespondenzen, Warenlisten und Verträge, daneben die Tresortruhe mit den Münzen verschiedener Währungen und den Wechseln, die darauf warteten, eingelöst oder als verlässliches Zahlungsmittel weitergereicht zu werden.

«Monsieur Hegolt?» Korf, sein Erster Schreiber, stand in der Tür, einen Brief in der Hand. «Der ist gekommen, während Ihr bei der Börse wart. Er sei eilig und solle nur von Euch geöffnet werden.»

Hegolt nahm den Brief und registrierte gutes Papier, darauf nur sein Name. Das Siegel war etwas verrutscht, er glaubte es dennoch zu erkennen. «Wer hat ihn gebracht?»

«Ein Bote, wie ich schon sagte. Ich kannte ihn nicht», Korf neigte dazu, ganz grundlos beleidigt zu sein, «niemand von uns.» Seine linke Augenbraue hob sich, was ihn unangemessen streng aussehen ließ. «Es gibt so viele, wir können unmöglich alle kennen.»

Hegolt hört ihm nicht wirklich zu. «Das erwartet auch niemand, lieber Korf», sagte er nachlässig, «danke.»

Er brach das Siegel, faltete den steifen Bogen auseinander, und schon nach dem ersten Überfliegen des kurzen Schreibens glättete ein triumphierendes Lächeln sein Gesicht. Der Himmel war eben doch auf seiner Seite. Gerade hatte er darüber nachgedacht, dass Entscheidungen getroffen werden mussten, schon wurde ihm die erste abgenommen. Ein gutes Zeichen!

Er lehnte sich zurück und las das Schreiben gründlich, Zeile für Zeile. Die Formulierungen waren ein wenig umständlich, die Schrift war ein wenig unsauber, Monsieur Bahlmann hatte sich selbst bemüht, anstatt es einem seiner Schreiber zu überlassen, was als weiteres gutes Zeichen gelten konnte. Mein lieber Hegolt, stand in der Anrede. Mein lieber Hegolt! Er hatte tatsächlich viel erreicht und allen Anlass zur Zuversicht. Bisher hatte Bahlmann nur abgewinkt, wenn er über dessen ungenutzte Holzliegeplätze verhandeln wollte. Nun hatte er es sich anders überlegt.

Herrmanns, dachte Ansgar Hegolt freudig, ganz sicher hatte der Großkaufmann vom Neuen Wandrahm für ihn gesprochen. Der kannte alle wichtigen und auch die weniger wichtigen Männer in der Stadt wie die ihn, er wusste die Fäden zu ziehen und konnte als starke graue Eminenz gelten. Dass er diesen Mann für sich gewonnen hatte – das war mehr wert als ein dreifacher Haupttreffer in der Lotterie.

Warum sonst sollte Bahlmann sich plötzlich umentschieden haben? Es kam Hegolt gar nicht in den Sinn, dass der reiche Kaufmann nun einfach fand, es sei lukrativer, die überzähligen Liegeplätze gegen einen deftigen Obolus weiterzuvermieten.

Einen Wermutstropfen enthielt die Nachricht doch. Bahlmann schrieb, es gebe auch andere Interessenten für die Holzhafenplätze, Eile tue deshalb not. Einem versierten Kaufmann wie ihm müsse das nicht erläutert werden. Er halte sich zurzeit in seinem Landhaus in Wohldorf auf, wie Hegolt sicher wisse, sei das eines der nördlich gelegenen, aber zum Besitz der Stadt gehörenden Walddörfer, genauere Auskunft finde sich auf der Rückseite des Bogens. Wenn er interessiert sei, erwarte man ihn umgehend, nämlich noch heute. Der Weg sei erheblich weiter als bis zu seinem Kontor in der Deichstraße, doch auf seinem, Hegolts, fabelhaften irischen Rappen leicht zu bewältigen, auch seien die Wege hier draußen noch fest und ein Ausritt in Gottes freier Natur gerade im Frühling angenehm und der Gesundheit förderlich, jedenfalls an sturm- und schneefreien Tagen.

Hegolt fand den Brief ein wenig zu plauderig für ihre geringe Bekanntschaft, doch er hatte häufig beobachtet, wie wohlhabende Männer, insbesondere wenn sie das wie Bahlmann in der dritten Generation waren, zu einer gewissen Formlosigkeit neigten, einfach weil sie sie sich erlauben konnten. Im Übrigen war es sehr freundlich von Bahlmann, dass er sich an die Bemerkung über den Rappen erinnerte, die doch nur in einem Nebensatz gefallen war, als er mit einigen Herren bei Herrmanns geladen war. Zum ersten Mal, es war – ja, es war ein besonderer, für seine Zukunft überaus bedeutsamer Abend gewesen.

Gerade in diesen Tagen kam ihm eine noch so kurze Reise äußerst ungelegen. Der Landsitz war mit der Kutsche je nach Wegbeschaffenheit nahezu eine halbe Tagesreise entfernt, mit seinem schnellen Pferd brauchte er nur einen Bruchteil der Zeit, dennoch bedeutete der Besuch eine Übernachtung. Das war jetzt unangenehm, andererseits konnte ein Nachtessen in Bahlmanns Haus nur die Verbindung festigen. Diese Gelegenheit verstreichen zu lassen war töricht.

Natürlich wollte er Ina nicht so lange allein lassen, das durfte er nicht. Er erhob sich und trat ans Fenster, der Blick ging am Drillhaus vorbei weit zu den Häusern und Gärten am gegenüberliegenden Alsterufer, er wandte sich ab und blickte durch die Scheibe in den vorderen Raum zu den über ihre Tische gebeugten Köpfen seiner Leute. Sie waren fleißig, hätte Korf die Tür offen gelassen, als er an seinen Platz zurückkehrte, würde man das Kratzen der Federn hören, sonst nichts.

Er gab sich einen Ruck, klopfte an die Scheibe und bedeutete dem sofort aufblickenden Korf hereinzukommen.

Er *musste* reiten. Genau wie Bahlmann es wünschte – noch heute. Sofort, wenn er das Landhaus vor Einbruch der Dunkelheit erreichen wollte. Er würde die Liegeplätze ergattern, und alles konnte weiter vorangehen. Und Ina? Für diese eine Nacht konnte er sie ganz Mlle. Meyberg überlassen, sie befolgte seine Anweisungen stets getreulich. Sie war überhaupt eine ungemein tüchtige Person, diese Kassandra Meyberg, recht ernsthaft für ihre jungen Jahre, bescheiden, alles in allem eine Frau, wie sie sein sollte.

Der Gedanke an diesen unerwarteten Ausritt gab ihm ein fast vergessenes Gefühl von Übermut, das er sich allerdings kaum selbst eingestand.

Als Johannes Pauli das Kaffeehaus betrat, richteten sich viele Augen auf den Neuankömmling, Köpfe wandten sich gleich wieder ab oder neigten sich zum Gruß, flüchtig oder freundlich zugewandt, kalt oder gar herablassend, niemals gleichgültig. Pauli gehörte zu den Menschen mit dieser Präsenz, die man mochte oder nicht, dazwischen war wenig Raum. Für einen Kaufmann war das keine vorteilhafte Eigenschaft, wer gute Geschäfte machen will, sollte wohl ein Charakter sein, doch zumindest nach außen von solcher Indifferenz, dass jeder sich das Bild von ihm machen konnte, das ihm beliebte oder nützlich war.

Claes Herrmanns gehörte zu denen, die Pauli schätzten. Nicht dass er ihn bewunderte, wie manche der jüngeren Männer, die sich darin versuchten, dem Seidenhändler in dieser Mischung aus Eleganz, tadellosen Manieren und Nonchalance nachzueifern, die bei den Damen beliebt machte und einem selbst das höchst angenehme Gefühl einer gewissen Weltläufigkeit gab. Über solcher Art jugendliche Torheiten war Herrmanns nun wirklich hinaus und auch zu selbstbewusst. Er empfand Pauli einfach als anregenden Unterhalter, dem jede Griesgrämigkeit fremd war und der einen guten Tropfen zu schätzen wusste. Seine Scherze balancierten manchmal, wenn die Herren unter sich waren, am Rand, fielen aber nicht auf die derbe Seite, und beim Billard legte er es niemals darauf an, ein Spiel mit Verbissenheit zu gewinnen. Überhaupt schien das Leben für ihn ein Spiel zu sein, das nicht allzu ernst genommen werden wollte, was eine fabelhafte Abwechslung zwischen den überwiegend zur Altväterlichkeit neigenden Männern in Claes Herrmanns' Welt (er nahm sich da nicht aus) darstellte. Was konnte man mehr von einem Mann erwarten, den man in Gesellschaft traf, ohne je Geschäfte mit ihm machen zu müssen? Im letzten Fall wären einige andere Eigenschaften bedeutsamer gewesen.

Sobald Anne wieder zurück war, dachte er mit froher Zuversicht, würden sie wieder zu ihren allseits beliebten Dinners einladen, dann mussten Pauli und seine Gattin, die schöne, wenn auch strenge Melitta, unbedingt gleich beim ersten dabei sein.

Werner Bocholt machte ein missmutiges Gesicht, als Pauli herantrat. Er werde längst in seinem Kontor erwartet, erklärte er, nur sich regen bringe Segen, dann räumte er bereitwillig seinen Platz. Wenn der Seidenhändler sich zu ihnen gesellte, war ohnedies kein ernsthaftes Gespräch mehr zu führen. Gleichwohl war er ein wenig beleidigt, als Claes nicht versuchte, ihn zurückzuhalten. Wäre Bocholt nicht ein so vernünftiger Mensch gewesen, hätte man an einen Anflug von Eifersucht denken können, was natürlich eine absolut kindische Vorstellung war.

Pauli setzte sich, und Bocholt verschwand durch die Menge und zur Tür hinaus.

«Wie man hört, habt Ihr einen Todesfall zu beklagen, Pauli», sagte Claes. Weil er, der sonst auf dem Parkett ganz sicher war, nicht recht wusste, ob man zum Tod einer Dienstbotin kondolierte, erst recht nach einem Mord, rettete er sich auf sicheres Terrain. «Eine unangenehme Geschichte. Aber unser Weddemeister ist ein tüchtiger Mann, auch wenn er auf den ersten Blick kaum so aussieht. Wagner wird die Geschichte bestimmt aufklären. Der Gedanke, dass hier einer rumschleicht, der Frauen ermordet, ist beunruhigend. Es gibt jetzt noch eine zweite Tote, Ihr habt wohl davon gehört?»

Pauli nickte, doch trotz seines immer noch verbindlichen Lächelns war selbst für Claes Herrmanns zu sehen, dass ihm ein anderes Thema mehr behagen würde.

«Zum Glück kann man Euch nicht verdächtigen», versuchte der einen leider wenig gelungenen Scherz, «da sie seit dem letzten Maskenball vermisst wurde, wird sie in der Nacht auch zu Tode gekommen sein. Das war der Abend, als Ihr bei mir zu Gast wart und wir Vinstedt überredet haben, damit er sich eilig auf die Reise nach Venedig macht. Bocholt, der uns gerade so plötzlich verlassen hat, war auch da, van Witten, Bauer und Hegolt. Richtig, der zum ersten Mal. Da Ihr Euch zusammen verabschiedet und den gleichen Heimweg habt, könnt Ihre Eure Unschuld sogar gegenseitig und bis vor die Tür bezeugen.»

Er lachte vergnügt, Pauli lächelte zustimmend und nickte mit verstohlener Erleichterung. Überflüssig, ausgerechnet Claes Herrmanns zu erzählen, dass es tatsächlich nicht ganz so gewesen war. Jeder Mann hat nun mal seine Geheimnisse.

Just in diesem Moment versuchte ein schmaler junger Mann mit kurzem Hals, kräftiger Nase und großen hellen Augen, sich zu ihrem Tisch vorzuschieben, beide Arme winkend über die mit eigenem oder falschem, gepudertem oder ungepudertem Haar bedeckten Köpfe erhoben. Da ihn hier niemand kannte, machte ihm niemand Platz. Auch sah sein Rock, soweit man es im Gedränge überhaupt erkennen konnte, billig aus, was bei *Jensen* selten vorkam.

Claes brauchte einen Moment, sich zu erinnern. Dann erkannte er den Redakteur, der einige Zeit erfolglos für die *Addreß-Comtoir-Nachrichten* gearbeitet hatte und nun in Wandsbek eine Provinzzeitschrift redigierte, für die, wie man hörte, jedermann schrieb, der in der Literatur Rang und Namen hatte, selbst die in dieser Stadt gut bekannten und geschätzten Messieurs Lessing und Klopstock. Allerdings anonym, wobei in Kaffeehausgesprächen strittig geblieben war, ob wegen einer demokratisch-brüderlichen Attitüde oder weil sich niemand damit blamieren wollte, für diesen *Wandsbecker Bothen* zu kritzeln.

Claudius, fiel es Claes nun wieder ein, richtig, er hieß Claudius. Und der Vorname? Johannes? Nein, Matthias? Ja, oder Matthes? Augusta kannte und schätzte den jungen Schreiberling, sie hatte sie bei einem Gartenfest an der Alster miteinander bekannt gemacht und erzählte hin und wieder von ihm und seiner blutjungen Ehefrau. Augusta hatte seltsame Bekanntschaften.

«Monsieur Herrmanns, verzeiht, wenn ich Euch hier belästige. Ich will nicht stören.»

«Ach was, Claudius, dies ist ein Kaffeehaus, hier kann jeder eintreten und Platz nehmen, das ist die Regel. Setzt Euch zu uns. Wie steht's bei Euch da draußen in Wandsbek? Ist Eure Gattin wieder wohlauf?»

Da weit und breit und schon gar nicht an diesem Tisch ein freier Stuhl oder Hocker zu sehen war, missverstand Claudius die Aufforderung als leere Floskel. «Danke, sehr verbunden, es geht ihr wieder recht gut. Und ich muss leider bedauern, ich bin sehr in Eile, man erwartet mich dringend bei *Dresser*.»

Seine schnuppernde Nase folgte dennoch kurz dem mit

einem Tablett voller Tassen vorbeidrängenden Serviermädchen. Der Kaffeeduft ließ seinen Blick sehnsüchtig werden, doch dies war kein Ort, an dem er sich auch nur ein Tröpfchen davon leisten konnte. Jensens Preise waren verglichen mit denen im *Dresser'schen Kaffeehaus*, dem Treffpunkt der Literaten, Gelehrten, sonstigen eingebildeten und tatsächlichen Denkern und ihrer Trabanten, außerordentlich. Leider entsprach die Qualität von Kaffee, Tabak und Branntwein dort dem geringeren Preis.

«Als ich Euch durch das Fenster sah, dachte ich, Ihr könntet womöglich Eurer Tante, unserer verehrten Madam Kjellerup, einen Gruß von mir ausrichten, und von meiner Rebekka, das natürlich auch. Wir machen uns nämlich Sorgen um unsere Nachbarin. Ihr wisst vielleicht, sie ist nicht unsere direkte Nachbarin, aber da sie eine Freundin Eurer Tante ist, sehen wir gern ab und zu nach ihr. Zumeist natürlich Madam Claudius, ich selbst habe leider sehr viel zu arbeiten, und meine Rebekka ist eine so fürsorgliche Seele. Natürlich ist unsere Nachbarin eine feine Dame, wenn auch ein wenig», Claudius' Schultern hoben sich, er rieb die Hände gegeneinander und errötete leicht, «ja, ich will es ein wenig seltsam nennen. Das ist Madam Söder nun mal. Ich muss es so sagen. Und das Herrenhaus, tja, es liegt zwar recht abgelegen, aber ...»

Pauli hatte hell aufgelacht, Claudius sah ihn mit einem für ihn sehr seltenen Gefühl, nämlich mit einem Anflug von Misstrauen an.

Pauli lachte noch einmal, es klang weniger fröhlich als süffisant. «Ihr sagtet, Ihr kommt von Wandsbek? Bei einem etwas abgelegenen Herrenhaus fällt mir nur das Etablissement von Madam Franziska ein. Falls Ihr das gemeint habt, solltet Ihr Eure junge Madam Rebekka besser nicht zu genau hinsehen lassen, zumindest die schönen Gewänder könnten Begehrlichkeiten in ihr wecken, die sie zuvor nicht gekannt hat.»

«Ich weiß nicht, wovon Ihr sprecht, Monsieur.» Diesmal war Claudius tief errötet, seine sonst stets freundliche Stimme klang kalt. Er hatte sehr wohl verstanden, von was für einer Art Haus Pauli gesprochen hatte, aber er hatte bisher offenbar nicht gewusst, zu welchem Zweck und Vergnügen die überwiegend männlichen Gäste in dem anderen, übrigens tadellos gepflegten Haus in seiner weiteren Nachbarschaft ein und aus gingen. Über ein solches Haus *wollte* er nichts wissen, was weniger von seiner Armut zeugte als von seiner Moral und tiefen ehelichen Liebe und Treue.

«Ich verstehe wirklich nicht, Monsieur», wiederholte er stolz. «Ich spreche von Madam Söder, einer betagten Dame, die der Hilfe bedarf. Aber wie ich schon sagte, ich bin in Eile.» Er wandte sich wieder Claes Herrmanns zu. «Wenn Ihr so gütig seid, Madam Kjellerup auszurichten, Madam Söder lässt uns nicht mehr auf ihren Besitz, dabei will Rebekka nur helfen, der alten Dame und ihrer Magd, die mit ihren gichtigen Händen nichts mehr schafft. Madam Söder», er beugte sich ein wenig näher und senkte seine Stimme, «sie hat mit einem Gewehr gedroht. Da muss man sich doch Sorgen machen, offenbar fühlt sie sich selbst bedroht. Madam Augusta kennt sie schon seit Jahrzehnten, ihr wird sie den Zugang gewiss nicht verweigern. Alte Leute», schloss er mit einem Seufzer und richtete sich wieder auf, «sind oft misstrauisch, leider auch oft zu Recht, in unserem Fall allerdings entschieden zu Unrecht. Messieurs.» Er verbeugte sich knapp vor Herrmanns, ignorierte Pauli und drängte sich schnurstracks zurück zur Tür und war verschwunden. Claes hoffte, Claudius habe ihn noch rufen hören, er bedanke sich und werde Augusta alles ausrichten.

«Komischer Vogel», sagte Pauli, «da habe ich wohl etwas danebengegriffen, was? Ich müsste mich entschuldigen, aber er war so schnell verschwunden. Ist er Pastor oder theologischer Kandidat?»

«Nein.» Claes lächelte. «Schlimmer. Er ist Dichter. Oder dabei, einer zu werden.»

Der kürzlich noch vom Frost bretthartе Grund war morastig geworden. Was auf der vielbefahrenen Straße, die durch das Steintor hinaus und immer weiter nach Nordost nach Lübeck führte, schon *sehr* morastig bedeutete, sodass die beiden Damen in ihrer leichten Kutsche trotz des kräftigen Zugpferds nur langsam vorankamen. Madam Augustas Einladung, sie nach Wandsbek zu begleiten, hatte Rosina gefreut. Sie hatte vorgeschlagen, die Fahrt mit Annes Einspänner zu machen. Dann könne sie selbst kutschieren.

«Ein guter Vorschlag, meine Liebe», hatte Augusta heiter zugestimmt, genau das habe sie auch gedacht.

Da war der inzwischen vom Pferdejungen zum zweiten Stallmeister aufgestiegene Benni auch schon mit dem flinken zweisitzigen Gefährt vorgefahren, das leicht mit der strahlenden Neuerwerbung des Seidenhändlers Pauli konkurrieren konnte.

Bedauerlicherweise saß Claes Herrmanns zu dieser Zeit noch in *Jensens Kaffeehaus,* die besorgte Nachricht Matthias Claudius' hatte die Adressatin noch nicht erreichen können. Sie wusste also nicht, dass die Fahrt nach dem idyllischen Dorf Wandsbek womöglich ein Wagnis war. Wer beide kannte, mochte annehmen, dieser Umstand hätte sie kaum von ihrem Ausflug abgehalten, sondern nur zur Eile angetrieben. Ob aus Abenteuerlust oder Sorge um Madam Söder, sei dahingestellt.

Als sie am Borgesch vorbeigerollt waren, hatte Rosina versucht, einen Blick auf den *Eschenkrug* zu werfen, und überlegt, bei der Rückfahrt dort Rast zu machen. Madam Augusta war für so etwas immer zu haben, umso mehr, wenn Rosina ihr die

Wahrheit sagte, nämlich dass sie tatsächlich nur sehen wolle, ob Elske dort sei, eine Freundin der Toten aus der Alster, und inzwischen etwas Klärendes zu berichten habe.

Sie hatte nur einen raschen Blick in Richtung Schänke am Holzplatz werfen und bis auf das tiefgezogene Dach und den munter rauchenden Schornstein nichts entdecken können, den ungeduldigen Falben im Zaum zu halten, forderte ihre ganze Aufmerksamkeit. Gleichwohl genoss sie das Gefühl, wieder Zügel in ihren Händen zu halten, es war viel zu lange her, seit sie das letzte Mal auf dem Kutschbock gesessen hatte.

Bald nachdem sie auch den Lübschen Baum passiert und endgültig freies Feld erreicht hatten, ließ Augusta Rosina die Kutsche auf einen kaum befahrenen Nebenweg lenken, hier war der Boden fester, und die Räder rollten ruhiger.

«Wie kalt der Wind noch ist. Gut, dass Benni so fürsorglich war, die Decken mitzubringen», erklärte Augusta und lehnte sich in die Polster zurück. «Trotzdem wird es nun endlich Frühling. Habt Ihr gehört, dass morgen oder übermorgen die erste Bark den Hafen verlässt?»

«Wirklich? Ich dachte, die Schiffe laufen erst aus, wenn das Eis sich stärker aufgelöst hat. Es sieht noch nicht so aus.»

Augusta nickte. «Es dauert lange in diesem Jahr. Ich habe am Ende vieler harter Winter erlebt, wie messerscharf das Eis werden kann. Dann sind seine Wirkungen an Schiffswänden und Brücken verheerend, auch an den Vorsetzen. In den nächsten Wochen wird wieder viel repariert werden müssen. Der Bug der *Meredith* ist mit Kupferplatten verstärkt, das ist die englische Bark, die auslaufen will. Sie liegt dazu auch günstig an den äußeren Duckdalben schon vor dem Hornwerk, da ist ihr wohl kein anderes Schiff im Weg. Der Kapitän hat es eilig, er wollte sicher nicht den halben Winter hier verbringen. Ich hoffe nur, er geht kein echtes Risiko ein. Sein

Schiff hat wochenlang im Eis gelegen, ob es da seetüchtig ist, ohne gründlich überholt zu werden, neu kalfatert und ...»

Sie brach mitten im Satz ab. «Das geht mich überhaupt nichts an», sagte sie dann, «er wird schon alles veranlasst haben, was nötig war», und Rosina erinnerte sich, dass Augusta ihren Mann und ihren Sohn, ihr einziges noch lebendes Kind, auf See verloren hatte. Die Sorge um eine gute Heimkehr selbst gänzlich fremder Schiffe hatte sie nie verlassen.

«Erzählt Ihr mir mehr von Eurer Freundin?», bat Rosina, als das Schweigen drückend wurde. «Ich weiß nur, dass Ihr sie schon viele Jahre kennt und sie – wie habt Ihr gesagt? Exzentrisch sei?»

«So muss man es nennen, wenn man nicht ‹ein bisschen verrückt› sagen will, und das lehne ich ab. Es wäre auch falsch. Ihr werdet ja sehen, Rosina. Bildet Euch selbst ein Urteil. Schaut mal, dort drüben bei der Weide, sind das schon blühende Haselsträucher?» Sie beugte sich über den Rand der Kutsche und sah hinunter auf den Wegrand. «Ja, ich dachte es vorhin schon. Und neben diesem Rinnsal, das einmal ein Bach werden will, blüht der Huflattich. Wie immer einer der Allerersten.»

Die Kutsche hielt. «Hier teilt sich der Weg, Madam Augusta, wie geht es weiter? Links oder rechts?»

Augusta blickte sich suchend um und entschied sich für den linken Weg. «Links. Der weniger befahrene ist der richtige, immer an der Kopfweidenreihe vorbei. Es ist nicht mehr weit. Wenn es ein bisschen wärmer wird», folgte sie ihren Gedanken weiter, «wird Amanda wieder Hoffnung schöpfen. Sie würde es niemals zugeben, aber bestimmt hat sie während der letzten Wochen ihre Dickköpfigkeit verflucht und sich nach ihrer warmen westindischen Insel zurückgesehnt.»

«Ihr kennt sie schon sehr lange.»

«Wir waren Nachbarskinder. Man kann es sich kaum mehr

vorstellen, wir beiden alten Matronen waren einmal kichernde kleine Mädchen.»

Als die junge Augusta nach Kopenhagen verheiratet wurde, verloren sie einander zunächst aus den Augen, das private Briefeschreiben wurde damals noch wenig gepflegt. Amanda heiratete Oswald Söder, der schließlich als zweiter Sohn einer erfolgreichen Kaufmannsfamilie nach Kopenhagen ging, um sich wie sehr viele Deutsche in der dänischen Hauptstadt niederzulassen.

«Dort haben wir uns natürlich wieder getroffen», erklärte Augusta, «man kennt dort einander wie hier. Sie war damals schon recht eigenwillig, aber das mochte ich gerade an ihr. Ich habe es sehr bedauert, als sie mit ihrem Mann und ihren Kindern nach St. Croix übersiedelte. Das ist eine der dänischen Inseln in den westindischen Kolonien.»

«Um Zucker anzubauen?»

«Auch das, ja. Das glaube ich jedenfalls. Hauptsächlich aber wohl, um eine Handelsniederlassung zu betreiben. Ich bin mir nicht sicher, denn kaum war Amanda fort, hörte ich nur noch selten von ihr. Zumeist durch Reisende, die von dort zurückkamen. Sie ist eben keine Briefeschreiberin, und über den Ozean ist das ohnedies mühsam. Man weiß nie, ob die Post nach einem halben oder nach zwei Jahren oder überhaupt ankommt. Kurz und gut, plötzlich kam wieder Post von ihr, nach vielen Jahren in diesem Winter, ausgerechnet aus Wandsbek.»

Augusta hatte sich gleich auf den Weg gemacht, was sie dort vorfand und hörte, war wenig erfreulich und erregte ihre Sorge. Amanda Söder, seit einigen Jahren Witwe, hatte sich mit ihrem Sohn, dem Nachfolger und Erben seines Vaters, zerstritten und endlich völlig überworfen. Wenn Augusta es richtig verstanden hatte, hauptsächlich, weil er die Geschäfte anders führte als Oswald Söder, der ein steinharter Knochen gewesen war (so drückte es nicht Madam Söder aus, sondern Augusta). Zum Beispiel behandelte der jüngere Söder die Sklaven im Haushalt wie auf der Plantage in Amandas Augen viel zu gut, das mache sie nur faul und aufsässig, er werde es noch erleben. Es sei reine Frömmelei, wenn man darüber grübele, ob die Sklaverei unchristlich sei.

Was Amanda, schließlich nur die Witwe des verstorbenen alten Hausherrn mit einer üppigen Apanage, aber nicht die Erbin des Handelshauses, eigentlich wenig zu kümmern hatte, aber sie war nun mal keine, die sich fügte, dafür wusste sie alles besser als andere. Als Amanda überraschend von einem kinderlos gestorbenen Verwandten das alte Herrenhaus in der Nähe von Wandsbek erbte, verließ sie die karibische Insel, um ihr norddeutsches Erbe in Besitz zu nehmen und fürderhin dort zu leben.

«Ich denke, sie hat gehofft, ihr Sohn werde dann einlenken. Das hat er natürlich nicht, das wird – wenn überhaupt – an ihr sein. Leider hat sie anstelle des erwarteten großbürgerlichen Landhauses mit zumindest dem nötigsten Personal ein verlottertes, baufälliges Anwesen vorgefunden. Wenn es überhaupt noch mehr Personal gegeben hatte, war es bis auf einen steinalten, nur das Haus bewachenden Knecht verschwunden, nach dem Tod ihres Herrn bezahlte sie ja keiner mehr. Wobei der Zustand des Hauses vermuten lässt, dass es kaum noch Bedienstete gegeben hatte.»

Amanda Söder lebte nun seit einigen Monaten mit einer alten Magd in ihrem ererbten Haus, ob es den Knecht noch gab, war fraglich, bei ihrem zweiten Besuch hatte Augusta ihn nicht mehr gesehen. Bei ihr hatte Amanda Söder sich erst gemeldet, als ihr das Holz ausging, was im Winter, erst recht in einem so kalten wie diesem, leicht tödlich enden konnte. Die Wandsbeker mieden das Anwesen, denn es stand in keinem guten Ruf. Manche behaupteten gar, es spuke dort, auf alle Fälle gehe etwas Ungesundes um, seien es auch nur pestilenzartige Dämpfe, die dann aber ganz gewiss.

Augusta hatte sie zweimal besucht und ihre Hilfe angeboten, Amanda schließlich eingeladen, ins Haus der Herrmanns zu kommen, wenigstens für die restlichen kalten Wochen, was sie entschieden abgelehnt hatte. Sie komme zurecht, und wenn das Haus erst hergerichtet sei, auch der Garten, ja, der auch, ohne Garten könne sie gar nicht leben, dann werde sie ein großes Fest geben und es allen zeigen.

«Was zeigen?», hatte Augusta gefragt, über so viel Sturheit ärgerlich. Amanda hatte nur trotzig gelächelt und dabei ausgesehen wie damals, als sie elf Jahre alt gewesen war. Sie hatte auch Hilfe durch die Herrmanns'schen Dienstboten abgelehnt und darauf bestanden, ihr Leben selbst einzurichten. Trotzdem hatte Augusta ihr einige große, aus der Herrmanns'schen Vorratskammer gefüllte Körbe geschickt. Amanda hatte sich nicht bedankt.

«Am Ende der Schlehenhecke beginnt die Zufahrt», unterbrach Augusta sich. «Sie ist ziemlich zugewachsen, eine kleine Kutsche wie diese kann gerade passieren. Als ich das erste Mal hier war, hat Brooks mich mit der großen gefahren, es war nämlich ein furchtbar kalter Tag. Die musste hier stehen bleiben und ich den Rest des Weges zu Fuß gehen. Zum Glück hatte ich ausnahmsweise schweres Schuhwerk dabei. Heute übrigens auch, ich fürchte», sie blickte besorgt prüfend zu Rosinas Füßen hinunter, «uns erwartet jede Menge Matsch. Von gekiester Auffahrt ist dort keine Rede mehr. Aber ich sehe, Euer Schuhwerk ist für lange Fußmärsche gemacht. Manchmal seid Ihr schrecklich vernünftig, Rosina.»

«Manchmal.» In Rosinas Wange zeigte sich das tiefe Grübchen. «Leider nur manchmal, Madam Augusta. Bevor wir ankommen: Ist es ihr gelungen? Ich meine, ihr Leben allein mit ihrer Magd einzurichten?»

«Ich habe keine Ahnung. Eigentlich sollte ich sie in der letzten Woche besuchen, sie hat sich aufgerafft zu schreiben, nämlich um abzusagen. Nachdem sie vor einigen Wochen so beharrlich meine Hilfe abgelehnt hatte, hatte ich mich zurückgezogen. Ich fürchte, ich war beleidigt. Eine ganz dumme Regung.»

«Tatsächlich? Ich habe Euch noch nie beleidigt erlebt.»

«Amanda macht vieles möglich.» Sie wich einem stacheligen Heckenzweig aus und lauschte besorgt auf die unangenehmen Kratzgeräusche. «Glaubt Ihr, unsere liebe Anne ist sehr böse, wenn sie nach ihrer Rückkehr ihr elegantes Gefährt voller schnöder Schrammen vorfindet?»

Rosina antwortete nicht, sie war verblüfft. Nicht wegen der Kratzer, sondern weil hinter einem Hain ein stattliches Anwesen in Sicht kam, das alles andere als ungepflegt oder gar verfallen wirkte. Augusta war ihrem Blick gefolgt und lächelte.

«O nein», sagte sie, «das ist es nicht. Dorthin führt auch eine schmale Zufahrt, allerdings von der anderen Straße. Nein, das ist ein Etablissement, von dem unsere Herren glauben, dass ihre braven Damen noch nie davon gehört haben, selbst wenn sie dort häufig zu Gast sind und viel Geld lassen. Man kann selbst dort auch an den Spieltischen gewinnen, in der Regel verliert aber der Gast. Wie überall, wo gespielt wird. Gewöhnlich brennt dort ein Licht hinter rotem Glas, es ist von hier nicht zu sehen. Das Etablissement gehört übrigens einer Frau, natürlich nicht offiziell, es soll zu diesem Zweck einen als Ehemann fungierenden Herrn geben. Jetzt könnt Ihr Amandas Schloss sehen, Rosina, dort auf der anderen Seite des Hains.»

Was in Sicht kam, war kleiner, vor geraumer Zeit dennoch mit dem ersten Anwesen vergleichbar gewesen. Nun bedurften Ziegel und Fachwerk ebenso dringend der Ausbesserung wie das einst hübsche Spitzdach, von den Fenstern gar nicht erst zu reden, die meisten im Parterre waren mit Brettern vernagelt. Die ansehnliche Anlage war noch zu erahnen, auch wo einst die Auffahrt gewesen war, Reste einst gepflegter mannshoher immergrüner Hecken säumten sie noch.

Mit dem Matsch war es nicht so schlimm, wie Augusta befürchtet hatte.

«Alle Achtung», murmelte sie, als sie mit Rosinas Unterstützung aus der Kutsche kletterte. «Wie hat sie das geschafft? Der Bohlenweg zum Haus», erklärte sie auf Rosinas fragenden Blick, «und dort oben, in der zweiten Etage, erkenne ich saubere Fenster.»

Unter einer Linde, die aussah, als habe sie schon Störtebekers Zeiten erlebt, stand eine Rundbank, die kaum das nächste Gewitter überstehen würde, aber ausreichte, das friedliche Pferd festzumachen. Rosina klopfte ihm gerade den Hals, als Augusta zu den oberen Fenstern hinaufsehend erschreckt nach Luft schnappte und Rosina mit einem Ruck hinter die Kutsche zog. Es gab einen mächtigen Knall, etwas zischte über ihre geduckten Köpfe, und zum ersten Mal in all den Jahren ihrer Bekanntschaft hörte sie Madam Augusta einen grandiosen Wutschrei ausstoßen.

«Verdammte Idiotin!», schrie sie mit für eine vornehme alte Dame erstaunlicher Kraft und Vehemenz. «Du verdammte Irre! Wage nicht noch einmal, deinen Schießprügel auf uns zu richten, Amanda, sonst gnade dir Gott. Bist du blind? Ich bin's doch, Augusta.»

Stille.

Rosina hatte alle Hände voll zu tun, das erschreckte Pferd zu beruhigen, trotzdem amüsierte sie sich.

«Ihr seht großartig aus, Madam Augusta», rief sie. «Ich dachte immer schon, dass überzeugte Sklavenhalterinnen Euch zornig machen.»

«Nun stell dich nicht so an, Augusta.» Amanda Söder

schnitt scharf und abfällig mit dem Zeigefinger durch die Luft. «Wie soll ich auch nur ahnen, dass du es bist? Ich will noch keinen Besuch haben. Hast du den Brief nicht bekommen? Wundert mich nicht. Hier herrscht nur Unzuverlässigkeit. Und was man für geringste Kleinigkeiten verlangt! Für einen banalen Botendienst, selbst für die schlechteste Zuckersorte. Es ist ungeheuerlich.»

«Hör auf, Amanda.» Augustas Stimme war ganz sanft. «Du wirst dich daran gewöhnen, und wenn du Hilfe brauchst, weißt du, wo ich bin. Jederzeit.»

Amanda machte ein griesgrämiges Gesicht, und Rosina blickte Madam Augusta voller Bewunderung an. Wie gelang es ihr nur, zu dieser alten Hexe freundlich zu sein?

«Ich möchte jetzt nur eines von dir hören», fuhr Augusta fort, nun doch wieder einen Anflug von Strenge in der Stimme. «Warum, um Himmels willen, schießt du auf Besucher? Ohne auch nur zu prüfen, wer es ist?»

«Warum? Man ist hier nie sicher, hier schleichen Leute rum, dunkle Gestalten, du hast ja keine Ahnung. Einen Wolf habe ich auch gesehen. Nachts im Garten. Ich habe dich nicht erkannt, weil ich dich nicht gesehen habe. Da war nur deine Zofe.»

«Du meinst Madam Vinstedt, Amanda. Ich habe sie dir gerade vorgestellt. Sie ist *keine* Zofe, sondern eine Dame wie du und ich. Wobei ich sagen muss, dass du von uns am wenigsten nach einer Dame aussiehst. Allerdings schon sehr viel mehr als bei meinem letzten Besuch.»

Amanda Söders Kleid war von erlesenem Stoff, was man nur noch erkannte, wenn man sehr genau hinsah, ihr Gewand brauchte dringend Nadel und Faden für aufgeplatzte Nähte und Säume, es war abgewetzt und schmuddelig – um es freundlich auszudrücken. Ihr strähniges graues Haar, das seit geraumer Zeit keine Bürste mehr gefühlt hatte, wurde nur unzureichend von einem zarten Häubchen bedeckt. Das wiederum war aus sauberem Batist, offenbar gab es noch einen Vorrat an tadelloser Kleidung.

Rosinas Blick glitt durch die Diele, in die Amanda Söder sie geführt hatte, nachdem sie – ihre silberbeschlagene langläufige Pistole noch in der Hand – aus der Tür getreten und ob ihrer Schießerei kein bisschen peinlich berührt war. Die Vorhänge der beiden hohen Fenster waren alt, verblichen und staubig, die Bilder an den Wänden fast schwarz, die Wände von undefinierbarer Farbe und rissig. Eines der Fenster war von den Brettern befreit worden, das Glas bis auf einen Sprung heil.

Die altväterlichen, gedrechselten dunklen Möbel wirkten stumpf und düster, aber sie waren sauber, ebenso der auf friesische Art gekachelte Boden. Es musste harte Arbeit gewesen sein, die Schmutzschicht herunterzukratzen und zu wischen, in den Ecken waren noch Reste zu sehen. Nirgends Staub, in dem vierarmigen Leuchter brannten gute Wachskerzen, die der düsteren Diele mit dem kleinen Feuer im Kamin etwas Anheimelndes gaben.

Madam Söder selbst, genau konnte das allerdings nur Augusta beurteilen, wirkte nicht annähernd so ungewaschen, wie Rosina vermutet hatte, auch roch sie nur noch wenig unangenehm. Trotzdem, sobald das Wasser wieder im Überfluss zu haben war, wäre ein ausgiebiges Bad das Erste, was sie ihr verordnen würde.

«Wir tun, was wir können.» Madam Söder zuckte die Achseln und musterte mit zusammengekniffenen Augen Rosina, ihr fremdes Gegenüber. «Madam Vinstedt? Dann eben so. Ich kenne sie doch nicht. Und man muss aufpassen, das Haus liegt einsam. Man muss immer mit allem rechnen. Du brauchst dir natürlich keine Gedanken zu machen, Augusta, im Haus von deinem feinen Neffen. Du hattest ja schon immer ein Händchen, für deinen Vorteil zu sorgen.»

Augusta ignorierte den Angriff, sie verstand ihn einfach nicht, und Amanda tat ihr leid. So ekelhaft sie war oder sein konnte, sie lebte nun allein in einer ihr fremd gewordenen Welt.

«Wenn du dich bedroht fühlst, solltest du endlich zu uns in die Stadt kommen. Zumindest gibt es da keine Wölfe, wobei auch hier draußen seit Jahren keiner mehr gesehen worden ist. Meine Einladung gilt, auch zukünftig.» Rosina stellte sich Amanda Söder an dem stets erlesen gedeckten Tisch im Herrmanns'schen Speisezimmer vor und verbiss sich ein Grinsen. «Wenn du das nicht möchtest», schlug Madam Augusta vor, «können wir eine Wohnung für dich finden. Ich sorge mich weniger um deine Sicherheit, Amanda, wer sollte denken, unter diesem Dach seien noch Kostbarkeiten zu holen? Wenn es nach dem Tod deines Vetters noch etwas gab, ist es längst verschwunden, bevor du eingezogen bist. Aber du könntest ernstlich krank werden. Wen kannst du dann zu mir schicken? Findet deine – soll ich sie nun Zofe nennen oder Magd? Findet dieses alte Mädchen für alles unser Haus am Neuen Wandrahm? Schafft sie es überhaupt bis in die Stadt? Es ist ein Fußweg von etwa zwei Stunden.»

Wie auf das Stichwort klopfte es, und eine der beiden Türen, die zu den hinteren Räumen des Hauses führten, öffnete sich. Eine alte Frau trat ein, hager, runzelig, ihr Rock und die weite Jacke überraschend sauber, die Haube in ungewöhnlichem, dafür praktischem Dunkelblau.

«Der Kaffee, Madam», sagte sie und blieb, das Tablett in beiden Händen, abwartend stehen.

«Kaffee? Wieso Kaffee?» Amanda Söder blickte sie unwillig an.

«Der Kaffee, den Ihr bestellt habt, bevor die Damen ankamen», sagte die Dienstbotin. «Sie hat mehr zubereitet und gesagt, ich soll drei Tassen bringen. Und Zucker.»

«Danke», sagte Augusta rasch, bevor Amanda womöglich begann, von Verschwendung und überteuerten Kaffeebohnen zu nörgeln. «Das ist eine großartige Entscheidung, ich vergehe nach einem Schluck Kaffee.»

Was völlig der Wahrheit entsprach.

Der Kaffee konnte nicht von schlechten Bohnen stammen, und wer sie geröstet hatte, verstand sich auf die Finessen, auf diese Gratwanderung zwischen zu wenig und zu viel, zwischen belanglos und zu bitter, zu verbrannt. Der Zucker war nicht von der allerbesten Sorte, doch von einer besseren, als Rosina sie sich leistete. Sie hatte in einem solchen Haushalt gar keinen Zucker erwartet. Wer von einer Insel voller Zuckerrohrplantagen kam, war wohl daran gewöhnt, immer welchen vorrätig zu haben.

«Du hast jemanden für die Küche?», fragte Augusta.

Amanda rührte in ihrem Kaffee und brummelte etwas, das nach «nur aushilfsweise» und «aus dem Dorf» klang, nach «recht tüchtige junge Person, die Cordes».

«Aber nicht *zu* jung», erklärte sie dann laut und klar, «die jungen Dinger heutzutage, die schaffen ja nichts.»

Was unbeabsichtigt, jedoch die beste Methode war, das Thema abzuschließen.

Als Rosina sich nach der alten Dienstbotin umsah, hatte sich die Tür schon hinter ihr geschlossen. Es blieb ein Gefühl von etwas Unerledigtem, etwas, das sie noch hatte fragen oder sehen wollen. Wie oft, wenn ihr zu vieles im Kopf herumging, fiel es ihr auch jetzt nicht ein.

Augusta trank ihren Kaffee, dann verabschiedete sie sich. Rosina verblüffte der abrupte Aufbruch, Amanda war er offensichtlich recht. Sie balancierten über den mit Brettern belegten Weg zurück zu ihrer Kutsche, der Falbe schnaubte leise zur Begrüßung und schüttelte seine glänzende schwarze Mähne. Vor ihm standen ein fast geleerter Eimer Wasser und eine Schüssel, in der noch ein paar Haferkörner übrig geblieben waren. Rosina fand, das Tier sehe sehr zufrieden aus, aber vielleicht bildete sie sich das auch nur ein. Da war also jemand, der das Pferd versorgt hatte. Der oder die? Es gab die alte Magd, die mit Madam Söder von den karibischen Inseln gekommen, und neuerdings eine «recht tüchtige Hilfe», die unsichtbar geblieben war. Der Knecht war offenbar verschwunden.

Als Rosina die Kutsche von dem lenkte, was einmal ein gepflegter Vorplatz vor einem ansehnlichen Landsitz gewesen war, entdeckte sie, wer tatsächlich ihr Pferd versorgt hatte. Halb verborgen hinter einem zerzausten Holunder, der wie die Hecken und Zierbüsche dringend gestutzt werden musste, stand ein Junge. Er mochte etwa dreizehn Jahre alt sein und reckte den Hals, um ihnen nachzusehen. Bis er von einer schlanken weiblichen Gestalt in graublauen Kleidern hastig zurückgezogen wurde.

Da fiel es ihr ein. Madam Söder hatte den Namen ihrer Aushilfsmagd nur in ihren Kaffee gemurmelt, er hatte sehr nach Cordes geklungen. Wie hatte Wagner gesagt? Hermine oder Wilhelmine Cordes? Dann war die Frau, die den besonders guten Kaffee gekocht hatte, womöglich keine aus dem Dorf, dann war sie eine Freundin der Toten, die im Gängeviertel hinter St. Jakobi gefunden worden war. Eine Freundin *beider* toter Frauen. Wieso war ihr der Name nicht gleich eingefallen? Die junge Cordes helfe aus, hatte Madam Söder gesagt. Oder so ähnlich. Und die hatte einen zwölfjährigen Sohn. Auch das hatte Wagner berichtet.

Sicher knüpfte sie jetzt nur Zusammenhänge aus dem, was in diesen Tagen in ihrem Kopf herumgeisterte, denn was konnte eine Kleinhändlerin aus der Stadt mit Madam Augustas Freundin zu tun haben, die hier außer ihr niemanden kannte? Wenn sie es aber tatsächlich war – womöglich ging es hier nur um ähnliche Namen, auch war Cordes in dieser Region häufig –, wenn sie es also war, wie kam sie samt ihrem Sohn ausgerechnet auf dieses ramponierte Anwesen?

«*Jetzt* bin ich beleidigt, Rosina», unterbrach Madam Augusta im nachdrücklichen Ton Rosinas Überlegungen. Seit sie vom Hof gerollt waren, hatte sie still und angespannt in ihren Polstern gesessen, eine Decke um die Schultern, eine über den Knien. Sie sah klein aus, verletzlich, das bemerkte Rosina erst jetzt. Sie war wieder einmal zu sehr mit ihren eigenen Gedanken beschäftigt gewesen. «Ich bin gekränkt», sprach Augusta weiter, «wirklich gekränkt. Da zermartere ich mir den Kopf, wie man Amanda helfen könne, ohne ihren Stolz zu beleidigen, ich setze uns der verrückten Schießerei dieser störrischen Person aus und riskiere mein und Euer Leben – und sie braucht mich gar nicht. Sie hat diese tüchtige junge Frau im Haus, die ihr hilft, die für sie sorgt. Warum sagt sie mir das nicht? Warum befreit sie mich nicht von der dummen, überflüssigen Sorgerei? Wo hat sie die überhaupt her? Um Amanda», schloss sie auftrumpfend, «sorge ich mich nie wieder.»

Rosina lächelte. Beide wussten, dass dieser so gute wie sinnvolle Vorsatz höchstens einen Tag überdauern würde.

Kapitel 11

Dienstagmorgen, 30. März

Es war ein Fehler gewesen, dass er sich für das Dammtor entschieden hatte, weil die Schlange der wartenden Fuhrwerke dort gewöhnlich kürzer war als am Steintor. Auch hier stauten sich die Wagen, und weil seine Unruhe wuchs, entschloss er sich, etwas zu tun, das ihm seine Moral sonst verbot und auch ein Risiko war. Wenn es misslang, würden sie ihn lange nicht hereinlassen und zudem womöglich bis auf die Haut durchsuchen, als sei er ein Vagabund. Der lange Ritt hatte ihn trotz der frühmorgendlichen Kälte erhitzt, er fühlte sich schmutzig, seine Stiefel waren bis über die Knie voller Schlamm und Kot. Trotzdem würden die Wachsoldaten in ihm gleich den ehrbaren Kaufmann erkennen. Darauf vertraute Ansgar Hegolt.

Also winkte er den Wachhabenden heran, raunte ihm etwas von großer Eile und schwer kranker Gattin ins Ohr. Weil beides stimmte, gelang das überzeugend. Zugleich ließ er zwei Münzen in die Tasche des Uniformrocks gleiten.

Er rechnete mit Empörung – aber nein, die Münzen in einer Uniformrocktasche wirkten Wunder, genau so, wie man es sich in der Stadt erzählte. Die Finger des Soldaten glitten rasch und versiert über die Silberstücke in seiner Tasche, dann wandte er sich um und brüllte: «Platz, macht Platz. Eilsache, dringende Eilsache, Platz daaaaa!»

Hegolt konnte kaum so schnell wieder in den Sattel steigen, wie sich vor ihm eine Gasse bildete. Er musste sich immer noch vorbeidrängen, die hochbeladenen, vier oder sechsspännigen Ochsen- und Pferdefuhrwerke konnten in dem engen

Durchgangstunnel des Tores keinen Platz machen, nur die in die Stadt drängenden Fußgänger mit Kiepen, Taschen und dem Kleinvieh für die Märkte, mit den Karren und Handwagen.

Es war teuer gewesen, aber es hatte sich gelohnt, so sehr, dass es verlockend schien, es von nun an immer so zu machen. Warum denn nicht? Ganz sicher waren die Männer, zu denen er nun gehörte, bedeutsam genug, erst recht ihre Geschäfte und Pflichten, denen beständig nachzukommen war, wichtiger als dieses Fußvolk, das Käse und ein paar Eier, Äpfel, eine Gans, einen Rücken voll Reisig oder eine Kiepe Torf verkaufen wollte.

Als er das Tor passiert hatte und sich nach Osten auf den Wall wandte, drängte alles in ihm danach, seinen schweißnassen Rappen auch für das kurze letzte Stück galoppieren zu lassen. Er musste sich bezähmen, über die Lombardsbrücke ging es nur im Schritt, auch war der Weg trotz der frühen Stunde alles andere als verlassen.

Die frühe Stunde. Er hatte sich vor Morgengrauen und ohne persönlichen Abschied auf den Weg zurück in die Stadt gemacht und hoffte, Bahlmann werde ihm das nachsehen. Die Erwähnung der Krankheit seiner Frau am Vorabend würde helfen. Schließlich hatte Bahlmann als Witwer selbst einen schmerzlichen Verlust erlitten, er würde verstehen, dass sein Gast so früh wie möglich zurück sein musste.

Letztlich hatte sich der zeitraubende Besuch in Wohldorf als wenig erfolgreich erwiesen. Der Abend war angenehm gewesen – trotz der endlosen Partie Schach, die er nur mit größter Mühe verloren hatte – und zur Festigung seiner Beziehungen zu den wichtigen Häusern unbedingt vorteilhaft. Aber wegen der Holzliegeplätze am Grasbrook hatte Bahlmann sich wieder nicht endgültig entscheiden mögen. Wenn er in Hamburg zurück sei, hatte er gesagt, als die große Dielenuhr schon Mitternacht schlug und vom Kamin nur noch ein Rest von Glut wärmte, und ihm jovial die Schulter geklopft, werde man sich noch einmal zusammensetzen und einigen. Ja, das werde man. Nun wüssten sie, was sie voneinander wollten, das sei der erste Schritt, der zweite werde folgen, spätestens wenn der März zu Ende gehe. Er wünsche eine gesegnete Nachtruhe. Ein ungehörig gähnender Diener hatte ihn mit einem Licht die Treppe hinauf in das für den Gast vorbereitete Zimmer begleitet.

Vielleicht lag es an dem unheimlichen Rufen des Uhus von einer der riesigen alten Eichen hinter dem Landhaus. Jedenfalls hatte Hegolt kaum geschlafen, er war immer nur kurz eingenickt, Unruhe hatte ihn ergriffen, und das Gefühl, er wäre sehr viel besser zu Hause, war zur Gewissheit geworden.

Die Bohlen der Lombardsbrücke klangen hohl unter den Hufen. Links und rechts auf der Alster bewegte sich immer noch kein Boot, aber die Eisschollen trieben nun voran, träge, schmutzig gelb. Für das letzte Stück, es waren nur hundert Schritte, fiel er in leichten Trab. Obwohl das schweißnasse Tier dringend trocken gerieben werden sollte, brachte er seinen Rappen nicht wie sonst zum Stall, das konnte Henning tun, er band ihn an den Eisenring, der neben dem Portal seines Wohnhauses in das Mauerwerk eingelassen war, und betrat das Haus. Der für die Nacht innen vorgelegte Balken war entfernt, also hatte schon jemand das Haus verlassen. Er stand in der Diele und lauschte. Alles war still. Kein Klappern und Scheppern aus der Küche, keine schnellen Füße auf der Treppe, nichts aus dem Kontor. Letzteres war nur natürlich, die Schreiber würden erst in einer halben Stunde eintreffen.

Niemand hatte ihn so früh zurückerwartet. Kaum war er also aus dem Haus, schon begann der Schlendrian? Irgendetwas stimmte nicht. Ganz und gar nicht. Er fühlte sein Herz bis in den Hals klopfen, löste sich aus dem Moment der Erstarrung und sprang, plötzlich wie getrieben, die Stufen hinauf in den ersten Stock und stieß die Tür zur Krankenkammer seiner Frau auf. Im Bett nur zerwühlte Laken und Kissen, auf dem Laken ein großer bräunlicher Fleck – Ina Hegolt war nicht da. Nicht in ihrem Bett, nicht in dem weich gepolsterten Lehnstuhl, in dem sie an guten Tagen am Fenster gesessen hatte, in ihrem ganzen Zimmer nicht.

«Kassandra!» Hegolts Stimme hallte durch das Treppenhaus, sie wurde mit jedem Ruf schriller. «Mademoiselle Kassandra! Alberte! Henning.»

Schlagartig kam Leben in das Haus. Türen klappten, Schritte eilten aus dem Souterrain herauf, aus den oberen Etagen herunter.

«Monsieur? Ihr seid schon zurück?» Alberte rannte, die Röcke mit beiden Händen gerafft und immer zwei Stufen auf einmal nehmend, zu ihm herauf. «Was ist geschehen? Und wo – wo ist Madam?» Sie trat ganz in das Zimmer und blickte ihn verständnislos an. «Wo ist Madam Hegolt? Geht es ihr besser? Ist sie aufgestanden?»

Dann drängte sich Mlle. Meyberg in das Zimmer, bleich, die Augen gerötet, das Haar wirr vom Schlaf. Sie war barfüßig und noch nicht angekleidet, was um diese Stunde noch nie vorgekommen war, ein großes, um ihren dünnen Körper gewickeltes Tuch aus geblümtem Kattun bedeckte ihr Nachtgewand nur notdürftig.

«Wo ist Madam?», fragte sie erschreckt. «Sie ist doch nicht ausgegangen?»

«Ausgegangen!? Wie hätte sie das tun sollen? Sie ist krank. Sehr schwer krank. Habt ihr das vergessen? Ihr alle?», schrie er plötzlich, sein Arm beschrieb einen weiten Bogen über seine nun vollzählig vor der Tür versammelten Dienstboten.

«Mademoiselle?», rief eine unsichere Mädchenstimme von

der oberen Etage. «Mlle. Meyberg? Was ist denn geschehen? Ist Papa schon zurück?»

«Felice», flüsterte die Köchin. Niemand musste daran erinnert werden, dass das Mädchen die Treppe ohne Hilfe nicht herabsteigen konnte. «Georgine wird bei ihr sein. Wo ist Emanuel?», wandte sie sich an die Gouvernante. Die zuckte die Achseln, beschämt ob ihrer Unwissenheit, vielleicht bemerkte sie auch erst jetzt, wie unschicklich sie gekleidet war. Sie hatte zu lange geschlafen, es war eine Schande.

«Der Junge ist schon weg», meldete sich Henning, der Diener, «er sieht morgens vor der Schule gern noch im Reitstall vorbei.»

«Gut. Das ist gut. Kassandra, Mlle. Meyberg, Ihr geht zu den Mädchen hinauf und beruhigt sie. Alles wird sich klären. Dann könnt Ihr Euch – ankleiden und wieder herunterkommen. Lasst die Mädchen oben in ihrem Zimmer.» Ansgar Hegolt wirkte plötzlich ruhig und kühl, als habe er sich auf seine Aufgabe als Herr des Hauses besonnen. Seine Frau war verschwunden, schlimmer noch, seine schwer kranke Frau war verschwunden. «Und zuerst: alle in die Diele. Ich will hören, was heute Nacht hier vorgegangen ist.»

Das Ergebnis der Besprechung mit den Dienstboten, das richtige Wort wäre Verhör, ergab wenig. Niemand wusste etwas. Alle hatten fest geschlafen und nichts Ungewöhnliches gehört. Wie gewöhnlich hatte Alberte als Letzte die Lichter gelöscht, in der Küche die Glut mit Asche bedeckt, geprüft, ob der Balken ordentlich vor der Tür lag, da habe die Uhr schon halb elf geschlagen. Ja, Mlle. Meyberg sei um diese Zeit schon in ihrem Zimmer im Dachgeschoss gewesen.

Ja, bestätigte die, sie habe zuvor Madam vorgelesen und für die Nacht versorgt. Mit allem, ja. Wie Monsieur es ihr aufgetragen hatte.

Auch die anderen hatten schon geschlafen. Niemand hatte

etwas hinzuzufügen. Heute Morgen, auch darin waren alle einig, war Madam Hegolts Tür geschlossen gewesen. Da ihre Versorgung der Gouvernante anvertraut war, Kassandra Meyberg, hatte niemand geargwöhnt, etwas sei anders als sonst.

«Es ist gut», sagte Hegolt schließlich, «geht nun an eure Pflichten. Noch etwas», hielt er sie zurück, «Madam Hegolt ist nicht hier, das stimmt und ist», er rieb sich tief einatmend die Stirn und fuhr fort: «ja, es ist beunruhigend. Aber es geht niemand etwas an. Es ist einzig meine Angelegenheit, ich werde mich darum kümmern, und sie wird bald zurück sein.» Das jüngere der beiden Dienstmädchen schluchzte leise auf, verstummte umgehend unter einem scharfen Blick ihres Herrn. «Ich will sagen: zu niemand ein Wort, zumindest vorerst. Auch nicht zu den Nachbarn, hört ihr?»

Dann ließ er sich von Henning aus den schmutzigen Stiefeln helfen und reine Kleidung bereitlegen, wies ihn an, das Pferd zum Stall zu bringen, trug Alberte auf, ihm ein Frühstück zu bereiten, nichts Besonderes, das Übliche, dazu allerdings eine Kanne chinesischen Tee. Als er sich gewaschen und umgekleidet hatte, ging er in die Schlafkammer seiner Frau. Die war vom oberen Stockwerk in den lichteren Damensalon im ersten Stock verlegt worden, als ihre Krankheit schlimmer und die Pflege aufwändiger wurde. Alberte sah von der Diele aus zu, wie er das Zimmer betrat und die Tür hinter sich schloss. Behutsam, als liege Madam Hegolt in ihrem Bett und bedürfe der Rücksicht.

Stille senkte sich über das Haus, nur von oben hörte man ganz leise ein Kind schluchzen. Gleich würden die Kontorschreiber kommen, es war nun ihre Zeit. Alberte ging in die Küche im Souterrain, um das Frühstück für die Mädchen und ihre Gouvernante zu bereiten, und dann für den Hausherrn.

Er hatte schon so früh am Tag einen weiten Ritt hinter sich, unwahrscheinlich, dass man ihm dort in Wohldorf vor

Sonnenaufgang ein Frühstück gemacht hatte. Natürlich war er sehr hungrig. Trotz der Beunruhigung.

Oder trotz der Angst. Niemand hatte es erwähnt, auch Alberte nicht, obwohl es ihr auf der Zunge gelegen hatte. Aber alle wussten es. Madam Hegolt war in dieser Nacht oder sehr früh an diesem Morgen verschwunden. Niemand wusste, wo sie war, und in der Stadt lief jemand herum, der zwei Frauen getötet hatte.

Alberte hatte gedacht, wenn niemand der Dienstboten über Madam Hegolts Verschwinden reden durfte, somit auch nicht nach ihr suchen oder Erkundigungen einziehen, wo sie sein könnte, würde er sich selbst auf den Weg machen. Als er nach einer Stunde immer noch in Madam Hegolts Zimmer war – Alberte hatte ihm das Frühstück hinaufbringen lassen –, seufzte sie einmal tief und handelte, wie sie es für richtig hielt.

Später war sie bereit, auf die Bibel zu schwören, dass sie und die Dienstmädchen das Haus an diesem Vormittag keine Sekunde verlassen hatte. Henning hatte das Reitpferd zum Stall gebracht – angeblich hatte es schon geniest –, aber der gehorchte seinem Herrn wie ein Hündchen, genau wie Mlle. Meyberg. Gleichwohl verbreitete sich die Nachricht von Ina Hegolts Verschwinden in der Stadt rasant, und bald wurde an die Haustür geklopft.

Als Henning öffnete, stand Madam Pauli davor, zum Ausgehen gekleidet, ihre perfekte Frisur war nach der neuesten Mode hoch aufgetürmt und von einem winzigen, nestartigen Gebilde gekrönt, in dem ein gelbgrünes Seidenvögelchen hockte. Das fabelhafte neue Kabriolett wartete wenige Schritte hinter ihr auf dem Platz vor dem Drillhaus. Es sei nicht nötig, Monsieur Hegolt zu bemühen, versicherte sie, er habe gewiss schwere Stunden, da wolle sie nicht stören. Wenn aber sie und auch Monsieur Pauli, überhaupt ihr ganzes Haus, in irgendeiner Weise hilfreich sein können – jederzeit. Man möge

Nachricht schicken, und sie stehe gleich zur Verfügung. Wenn man eigentlich auch wenig miteinander bekannt gewesen sei, habe sie Madam Hegolt immer sehr geschätzt. Jetzt müsse sie einen Garten besichtigen, der ab dem Frühsommer zu mieten sei, in drei, höchstens vier Stunden werde sie jedoch zurück sein.

Eine halbe Stunde später klopfte es wieder, diesmal kräftig. Vor der Tür stand Weddemeister Wagner, an seiner Seite ein junger Infanterist, der ihn um anderthalb Köpfe überragte. Wenn man seinen Dreispitz dazuzählte, waren es ganze zwei. Der Soldat stand mit respektvoll ernsthaftem Gesicht hinter dem kleinen, rundlichen Mann. Er wollte es sich auf keinen Fall mit ihm verscherzen, es gefiel ihm, den Weddemeister zu begleiten. Bisher hatte er dabei kaum anderes getan, als wichtig und möglichst furchteinflößend herumzustehen, aber das konnte sich bald ändern. Darauf hoffte er.

Seine Kameraden hatten spöttisch gefeixt, als er zu diesem Hilfsdienst bei einem Zivilisten befohlen worden war, er hatte sich gefreut. Mit dem Weddemeister kam er immerhin in die Nähe von Mord und Totschlag. Eine geflüchtete Ehefrau empfand er dagegen als eine enttäuschende Angelegenheit, privat und belanglos. Der Weddemeister schien anderer Ansicht zu sein.

Schon als das Gerücht frühmorgens durch das Rathaus geisterte, war der Weddemeister unruhig geworden, aber noch mit zwei bezeugten Hundedieben beschäftigt gewesen. Die wollten leider nicht gestehen, noch weniger verraten, an wen sie die Vierbeiner weiterverkauft hatten. Der Bestohlene war einer der Oberalten, also einer der einflussreichsten Männer der Stadt, und die Hunde von seltener, somit teurer Rasse, deshalb musste dieser Untat, die die Wedde sonst nicht im Geringsten interessiert hätte, gewissenhaft nachgegangen werden.

Kaum war jedoch der Knirps mit der Nachricht gekommen, die aus dem Gerücht eine Tatsache mit Namen und Adresse machte, hatte Wagner die vermeintlichen Hundediebe kurzerhand einschließen lassen, seinen Hut aufgesetzt, Bleistiftstummel und Zettel in die Rocktasche gesteckt und war losmarschiert. Der eifrige junge Infanterist, daran gewöhnt, in gleichmäßigen, dem Vorder- und dem Nebenmann angepassten Schritten zu marschieren, war mehrfach gestolpert, bis er genug Abstand hielt, um sich von den kurzen, raschen Schritten des Weddemeisters, die so gar nichts mit Soldatenschritten zu tun hatten, nicht mehr durcheinanderbringen zu lassen.

«Monsieur Hegolt ist sehr beschäftigt», versicherte Henning so herablassend wie möglich, «ich richte gerne etwas aus, wenn es genehm ist.»

«Es ist *nicht* genehm», knurrte Wagner. Er hätte es gerne gebrüllt, das erschien ihm jedoch übertrieben. Er wusste selbst nicht, warum er so wütend war. Andererseits: Zwei ermordete Frauen, nun auch eine verschwundene, und nicht die Ahnung einer Spur – das war zum Wütendwerden. Allemal. Er hoffte, wenigstens diese sei nur einem unangenehmen Ehemann entflohen. Ob mit oder ohne Liebhaber, war ihm einerlei. Nur nicht noch eine Tote.

Dabei irritierte ihn die Adresse der Hegolts. Sie wohnten in Sichtweite des Fundorts der ersten toten Frau, Wanda Bernau, die wiederum Dienstmädchen bei einer der Nachbarfamilien der nun Verschwundenen gewesen war. Auch der Fundort, wohl gleichzeitig der Ort des Mordes der zweiten Toten, Janne Valentin, lag nicht weit entfernt, wenn man sich in den Gängen auskannte, nur ein paar Minuten.

Wagner schob den stocksteifen Diener in seinem samtenen Rock einfach beiseite, da der solches Benehmen nicht gewöhnt war, war er viel zu verblüfft, um Widerstand zu leisten.

In der Diele duftete es köstlich, Wagner vermutete, nach Ochsenschwanzsuppe. Das Wasser lief ihm im Mund zusammen, sein Magen knurrte erwartungsfreudig, er rief sich zur Ordnung und verlangte alle im Hause Anwesenden sofort in der Diele zu sehen. Insbesondere die Dame des Hauses.

«Das ist leider unmöglich», sagte eine Stimme von der die Diele in halber Höhe umlaufenden Empore. Ansgar Hegolt war aus dem Zimmer seiner Frau gekommen, er zog einen nachtblauen Hausrock über und kam die Treppe herunter. «Ich bin sicher, dass Ihr das auch wisst. Warum sonst wäret Ihr hier? Ihr seid doch der Weddemeister? Ich hatte bisher nicht das Vergnügen.»

Ansgar Hegolt sah übernächtigt aus, seine Halsbinde hing offen herab, aber sein weißes Hemd war makellos sauber und gebügelt, sein dunkles lockiges Haar war einfach straff im Nacken gebunden, eine Strähne hing ihm ins Gesicht, er strich sie mit einer knappen Bewegung hinter das Ohr. Er wirkte wie ein Mann, der auf eine gepflegte Erscheinung Wert legte, nur heute ein wenig derangiert war – also genau so, wie es war. Dennoch: Falls ihm seine Frau entlaufen war, kaum wegen Unansehnlichkeit. Dass er gerade an einem solchen Morgen und gewöhnlichen Wochentag ein frisches Hemd angezogen hatte, fand Wagner erstaunlich, in seinem Beruf erlebte man auch im Alltäglichen seltsame Dinge.

Das Personal hatte sich versammelt, die Köchin oder Wirtschafterin, zwei Dienstmädchen, ein Diener, die Gouvernante. Einmal in der Woche, zumeist freitags, komme noch eine Zugehfrau für die groben Arbeiten.

«Woher wisst Ihr von unserem Unglück?», fragte Ansgar Hegolt den Weddemeister. «Und wieso interessiert es Euch? Es ist eine Familienangelegenheit.»

«Es kommt darauf an.»

«Wahrscheinlich.» Hegolt ließ sich auf einen der beiden

Stühle neben dem Ungetüm von Dielenschrank fallen und blickte ergeben zu Wagner auf. Dem wäre lieber gewesen, er hätte ihm den zweiten Stuhl angeboten, was aber unterblieb. Dafür gab er bereitwillig Auskunft.

Er erzählte von dem eiligen Ritt nach Wohldorf, ja, dort habe er übernachtet, natürlich, im Haus Monsieur Bahlmanns. Erzählte von seiner Unruhe und dem sehr frühen Aufbruch, von der Entdeckung bei seiner Rückkehr.

«Warum seid Ihr gerade gestern nach Wohldorf geritten, und – wenn ich richtig verstanden habe – erst recht spät am Tag?»

«Wegen eines für mich sehr wichtigen Geschäfts, und weil Monsieur Bahlmann mir ein Billet geschickt hat mit der Einladung, so schnell wie möglich zu ihm in sein Landhaus zu kommen, nämlich noch am gleichen Tag, das war gestern. So gehen die Geschäfte, Weddemeister, hin und wieder muss man schnell sein.»

«Und? War es so wichtig? Und erfolgreich?»

(Wagner hatte sich bei der Frage nichts gedacht, na gut, ein bisschen gemein war sie gewesen.)

«Ja», sagte Hegolt. Und dann plötzlich nachdenklich: «Mehr oder weniger. Nicht ganz so, wie ich erhofft hatte, aber auch nicht vergeblich. Es geht um Lagerplätze im neuen Holzhafen, es hat nichts mit meiner Frau zu tun.»

«Wohl kaum. Habt Ihr den Brief noch? Das Schreiben», erklärte er auf Hegolts Stirnrunzeln. «Der Brief, der Euch nach Wohldorf beordert hat.»

«Nicht beordert, Weddemeister, gebeten. Das ist ein Unterschied. Nein, ich habe ihn nicht mehr. Ich hatte ihn mitgenommen, er ist mir unterwegs abhandengekommen, vielleicht liegt er auch dort im Gästezimmer. Warum?»

Wagner zuckte die Achseln. «Was könnt Ihr mir noch sagen? Was denkt Ihr, wohin Madam Hegolt gegangen ist?»

«Pardon, Monsieur», meldete sich da die Köchin, «wenn Ihr erlaubt?» Sie sah Hegolt bittend an. «Die Suppe muss dringend umgerührt werden, sicher auch der Kessel einige Zähne höher gehängt. Dürfte ich …»

«Geht nur.» Wagner kam Hegolt zuvor, eine gute Gelegenheit, klarzustellen, wer hier die Anweisungen gab. «Rührt um und kommt zurück.»

Hegolts Blick folgte der davoneilenden Alberte und kehrte zu Wagner zurück. «Um Eure Frage zu beantworten: Ich weiß nicht, wo meine Frau ist. Auch nicht, wo sie sein könnte. Wenn ich es wüsste, wäre ich längst dort und holte sie zurück. Wir haben Bekannte in der Stadt, ich habe gute Verbindungen knüpfen können, aber Madam Hegolt lebt sehr zurückgezogen, sie ist – ein wenig menschenscheu. Da ist niemand, zu dem sie gehen könnte. Wirklich niemand. Zudem ist sie seit einigen Wochen krank, an manchen Tagen *sehr* krank, die Ärzte sind ratlos. Deshalb war es mir unangenehm, sie gestern allein lassen zu müssen, sogar für die Nacht, das kam sonst nie vor. Aber ich kann mich auf Mademoiselle Kassandra verlassen, ich meine Mlle. Meyberg, die Gouvernante meiner Töchter und ein guter Geist in diesem Haus.» Eine kleine Wolke delikaten Suppenduftes und leises Schnauben ob dieses Lobs verrieten Albertes Rückkehr aus dem Souterrain, was aber nur Wagner gehört hatte. «Sosehr ich grübele, ich kann mir nicht vorstellen, wie sie fortgehen konnte.»

«Empfindsame Damen», sagte Wagner nun doch behutsam, «gehen manchmal fort. Selten, aber es kommt vor. Sie gehen – nun ja – zu ihrer Schwester, zu einer Freundin oder zurück zu ihren Eltern. Hat Madam Hegolt solche Möglichkeiten?»

Hegolt schüttelte den Kopf. «Wie gesagt, sie lebt sehr zurückgezogen. Sie hat hier keine Freundinnen, auch keine Familie mehr. Wie konnte sie das Haus verlassen? Sie war doch so schwach.» Hegolt erhob sich und begann in der Diele auf und ab zu gehen. «Und warum hätte sie das tun sollen?»

«Niemals wäre sie ohne die Kinder gegangen», erklärte die Köchin, «und dann die Treppe. Madams Kammer», wandte sie sich an den Weddemeister, «wurde vor einiger Zeit von oben, von der zweiten in die erste Etage verlegt, so ist es nur eine Treppe bis in die Diele hinunter. Aber sie ist doch so krank, das konnte sie nicht schaffen.» Sie fuhr sich mit dem Zipfel ihrer Schürze über die Augen. «Nicht ohne Hilfe.»

«Ja, Madam ist krank», meldete sich nun die bisher schweigsame, inzwischen tadellos gekleidete Gouvernante zu Wort, «aber nicht so sehr, wie es oft scheint. An guten Tagen war, ich meine, ist Madam sehr wohl in der Lage, einige Schritte zu gehen, mal mehr, mal weniger, ich kann mir gut vorstellen: auch bis hinunter in die Diele. Und wenn dort ein Wagen auf sie gewartet hat … ich meine nur, es *könnte* doch so gewesen sein.»

Alle starrten sie an. Hegolt blieb, die Hände hinter dem Rücken verschränkt, vor ihr stehen. «Ah ja? Wieso? Wer sollte da auf sie gewartet haben? Wer denn?» Sein Gesicht verzog sich zu einem stummen Aufschrei, rasch wandte er sich ab und vergrub aufstöhnend das Gesicht in den Händen.

«War sie gestern so», fragte er plötzlich heftig, griff nach dem Arm der jungen Frau und hielt ihn fest. «War sie so? Gestern? Hat sie mit Euch gesprochen? Worüber? Ist sie herumspaziert? Redet doch!»

«Nein.» Sie entwand ihm ihren Arm und trat einen Schritt zurück. «Es ging ihr gestern ein bisschen besser, so schien es mir jedenfalls. Vielleicht war ihr Geist auch wieder klarer, aber so war es doch oft. Ich hätte gerne mit ihr geredet, es ist nicht gut, wenn sie immer nur so daliegt. Aber ich weiß ja, Ihr redet mit Madam, abends. Gestern wollte sie nicht reden, dabei ging ihr Atem ruhiger. Ja, das tat er. Auch sonst war sie ruhiger, aber sie hat nur gelächelt, mehr nicht. Tatsächlich», ihre Stimme und ihr Blick wurden nachdenklich, «sie hat wieder gelächelt.»

«Madam hat schon immer gern gelächelt», beteuerte Alberte, die Köchin, aber niemand hörte zu. Außer Wagner.

«So oder so», entschied er, nachdem weder dieser stocksteife Kerl von Diener noch die beiden Dienstmädchen etwas von Belang hinzuzufügen hatten, «Madam Hegolt hat das Haus verlassen. Ja, verlassen. Ist das Haus durchsucht worden?»

Als Hegolt den Kopf schüttelte, widersprach Alberte. «Doch, ich habe mir erlaubt, ohne Eure Anweisung in alle Zimmer der oberen Etagen zu sehen, Mareike hat mir geholfen. Wir haben bis unters Dach jede Tür geöffnet. Ich dachte, vielleicht hat Madam begonnen zu schlafwandeln, davon hört man immer wieder, und sich irgendwo im Haus verloren. So krank, wie sie ist. Ich bin sicher, sie ist nicht hier. Nicht unter diesem Dach.»

Auf Wagners Frage, ob denn niemand etwas gehört habe, in der Nacht oder in den frühen Morgenstunden, zum Beispiel die Treppe knarren, Schritte, die Tür klappern. Gar Stimmen? Oder vor dem Haus einen Wagen?

Er blickte genauso gespannt in die Gesichter der Dienstboten wie Hegolt. Alle schwiegen.

«Nein», antwortete Alberte, als Älteste und in der Hierarchie der dienstbaren Geister ziemlich weit oben, endlich für alle. Sie habe auch die Töchter gefragt, Felice und Georgine, die beiden hatten wie alle anderen die ganze Nacht fest geschlafen. Der Sohn des Hauses habe schon in aller Frühe, als die meisten anderen noch schliefen, das Haus verlassen, um vor der Schule in den Reitstall zu gehen. Er habe dem jungen Herrn die Tür geöffnet, ergänzte der Diener, hätte Emanuel etwas gehört, hätte er es ihm ganz sicher gesagt.

«Alle Schlafkammern sind oben», erklärte Alberte weiter, «die der Kinder in der dritten Etage, unsere noch eine Treppe weiter unter dem Dach. Da hört man kaum, was weiter unten vor sich geht.»

«Erstaunlich», murmelte Wagner. Wenn das stimmte, war dieses Haus wie eine Festung gebaut. «Niemand schläft hier unten?»

Nein, es gebe zwar die Abseite bei der Küche für ein Aschenmädchen, ein Kind aus dem Waisenhaus. Es lebe aber keines hier.

Er bedauere das, erklärte nun wieder Hegolt. Es verstoße zwar nicht gegen die Regeln, doch das sei für ihn als Provisor nicht üblich. Es wirke leicht fragwürdig wegen des Kostgeldes, das ja aus der Kasse des Waisenhauses gezahlt werde.

Wagner verließ das Haus missmutig. Hegolt hatte ihn um Diskretion gebeten, «beschworen» träfe eher zu. Was dachte dieser Mensch sich nur? Natürlich schadete eine, gleichgültig aus welchem Grund abhandengekommene Gattin seinem guten Ruf, das war nun nicht mehr zu ändern. Aber wenn das zur Nachricht gewordene Gerücht die Weddemeisterei im Rathaus erreicht hatte, wusste es jeder Straßenhändler, jede Marktfrau, jeder Kaffeehausbesucher, jeder zur morgendlichen Rasur und Frisur von Haus zu Haus eilende Barbier – eben alle, die Neuigkeiten schnell wie der Wind herumtrugen.

Dass Hegolts Gattin verschwunden war, ging also längst durch die Stadt. Was ihn nun im Rathaus erwartete, wusste Wagner auch. Neugier von allen Seiten, mal mit hämischem, mal mit mitfühlendem Unterton – und seine Hoch- und Wohlweisheit van Witten. Zwei tote Frauen aus den Gängevierteln hatten den für die Wedde zuständigen Ratsherren nicht beunruhigt. So etwas kam vor, da hauste viel übles Volk. Eine verschwundene Ehefrau aus ordentlichem Haus war etwas ganz anderes, besonders wenn der Senator ihren Gatten bei mindestens einem Herrenabend im Herrmanns'schen Haus am Neuen Wandrahm getroffen hatte.

Wagner lief durch die Stadt, ohne nach links und rechts zu sehen. Er lief alleine, was er recht angenehm fand, immer einen Soldaten an der Seite zu haben war doch ein wenig ungemütlich. Womöglich dachten die Leute, man führe ihn ab. Ihn, den Weddemeister. Die Sache mit Madam Hegolt war allerdings noch viel ungemütlicher. Irgendetwas stimmte da nicht, natürlich, das war das Gewöhnliche bei einem neuen Fall. Aber hier? Er hatte den Ehemann bei aller Sorge und Verwirrung, die er durchaus ehrlich gezeigt hatte, als arrogant empfunden. Umso leichter fiel es, ihn als Hauptverdächtigen zu sehen. Trotz seiner angstvollen Unruhe. Oder gerade deswegen.

Aber warum? Wagner hatte noch ein bisschen in der Nachbarschaft herumgefragt, zuerst bei dem Sattler im Nebenhaus, dann bei den Paulis. Als er wegen Wanda Bernau dort gewesen war, hatte Monsieur Pauli bedauernd von der Krankheit der Nachbarin gesprochen, man kannte einander also. Madam und Monsieur Pauli waren nicht im Hause, aber das Dienstmädchen an der Tür war dasselbe, das ihn vor einer Woche zum *Eimbeck'schen Haus* begleitet hatte, um Wanda Bernau zu identifizieren. Sie war gerne bereit, ihm zu erzählen, was sie von den Nachbarn wusste. Es war wenig und nur Gutes.

Der Sattler blies in das gleiche Horn. Zudem behauptete er aber, er sei in der Nacht erwacht, weil ihn wieder die Galle so gedrückt habe, er brauche dringend einen Aderlass, ja, die üble Galle. Wie? Ach ja, er sei dann ans Fenster getreten, weil er das Rollen und Quietschen von Rädern gehört habe. Sehr leise, ja, gut geschmiertes Räderwerk, das müsse man sagen, er kenne sich aus, als Sattler müsse man auch immer … Ja, natürlich, zur Sache. Also: Da draußen habe tatsächlich eine

Mietkutsche gehalten. Nein, leider, so ganz genau habe er nicht hingesehen, aber dass es eine Mietkutsche war, habe er erkannt, und er glaube doch, dass sie vor dem Portal der Hegolts gehalten habe. Es heiße ja, die Madam sei verschwunden – nette Dame, wer hätte das gedacht? Haut einfach ab, dabei gab's keinen Grund, gar keinen. Vielleicht habe die Droschke auch ein Haus weiter gehalten? Klar, war möglich. Es war längst nach Mitternacht gewesen und er sehr schläfrig, trotz der drückenden Galle, da zähle er die Glockenschläge nicht so pingelig. Ob jemand eingestiegen oder ausgestiegen sei, wusste er nicht, er hatte nur die Kutsche halten sehen. Ein eher armseliges Gefährt im Übrigen, selbst für eine Droschke.

Nach allem, was Wagner auch sonst hörte, gab es weder für Madam Hegolt einen Grund, ihrem Ehemann davonzulaufen, noch Anlass für ihn, seine Gattin verschwinden zu lassen – auch daran musste man unbedingt denken. Sie wurde stets als sehr zurückhaltend, aber immer freundlich beschrieben, als hübsch, gut zu den Kindern, sittsam. Wahrhaftig ein seltenes Exemplar von Mustergattin.

Auch über ihn wurde nichts Nachteiliges gesagt, außer dass er sich gern ein wenig herablassend gebärde, was Wagner völlig normal fand. So waren die Leute aus diesen Häusern eben. Einer wie Hegolt, der noch dabei war, die Leiter zu Wohlstand und Reputation, überhaupt zu den «besseren Kreisen» hinaufzuklettern, ganz besonders.

Irgendetwas musste geschehen sein, Wagner gestand sich ein, dass er ziemlich ratlos war. Er würde es trotzdem herausfinden. Und vielleicht hörte der kleine Infanterist etwas, dachte er, sehr zufrieden über diesen geschickten Schachzug. Er musste sich unbedingt den Namen des Jungen merken, das heißt, ihn neu erfragen. Der war trotz seiner Uniform und des rosig-bäuerlichen Kindergesichts gar nicht dumm. Natürlich war es eigentlich seine, Wagners Idee gewesen, aber so oder so ging der Junge nun vom Souterrain bis zur letzten Ecke unter dem Dachfirst durch das Hegolt'sche Haus, einen richtigen Keller gab es dort so nah am Wasser nicht.

Monsieur Hegolt hatte nicht widersprochen oder auch nur Einwände gehabt. Diese junge Person, hatte Wagner streng erklärt und auf Mareike gezeigt, werde ihn begleiten und alle Türen für ihn öffnen. Worauf die errötend kicherte, was als freudige Zustimmung gewertet werden konnte. Sie würde schon etwas ausplappern, das junge Ding, kaum dass ihr Herr und die wachsame Köchin außer Hörweite waren. Irgendetwas kam dabei immer heraus. Irgendetwas.

Er bezweifelte immer noch, dass niemand im ganzen Haus etwas gehört oder bemerkt hatte. Zwar war der Herr aus dem Haus gewesen, wie es hieß, tanzten dann die Mäuse auf dem Tisch. Aber diese Dienstboten sahen nicht nach einer eingeschworenen Gemeinschaft aus, die eilends die Gelegenheit genutzt hatte, um die Weinvorräte zu plündern und dann in weinselig besinnungslosen Schlaf zu fallen.

Dienstagnachmittag

Rosina fühlte sich federleicht, wie bei einem schnellen Tanz zur passenden Musik. Oder beim Lauf auf spiegelglattem, festem Eis mit neugeschliffenen Schlittschuhen. Die Kutsche war nicht so schnell, es war eben nur eine Kutsche, kein im Galopp dahinfliegendes Vollblut, aber die Räder rollten hurtig, wo es an Geschwindigkeit mangelte, entschädigte das köstliche Gefühl von Freiheit. Schon wieder hielt sie die Zügel in den Händen, war diesmal allein, könnte – eigentlich – fahren, wohin es sie gerade trieb, die Vögel sangen, die Luft war klar, es roch nach Frühling. Nach Aufbruch. Vielleicht, wenn diese Sache geklärt war, wenn sie sich auch nach Luis' verschollener Base erkundigt hatte, wenn Magnus noch nicht zurückgekehrt war, dann …

Sie erreichte die Stelle, an der sich der Weg teilte, und hielt. Am besten wäre es, die Kutsche hierzulassen, doch dies war kein sicherer Platz. Sie hatte versprochen, gut darauf achtzugeben. Es war nur eine Floskel gewesen. Brooks, der ihr lange vertraute Herrmanns'sche Kutscher und Stallmeister, wusste, dass sie sich auf den Umgang mit Pferd und Wagen verstand. Hätte er daran gezweifelt, hätte er ihr Anne Herrmanns' Gefährt keinesfalls anvertraut, noch weniger den schnellen Fuchs.

Es war ein Zufall gewesen – es gab sie also doch, diese hilfreichen Zufälle? –, dass Brooks gerade die Kutsche fortbringen wollte, als sie auftauchte, um Madam Augusta zu besuchen. Die war ausgegangen, was ärgerlich war, denn Rosina hatte sie überreden wollen, mit ihr noch einmal zu Amanda Söder hinauszufahren, und zwar gleich. So bat sie Brooks, ihr die Kutsche zu überlassen, für eine Ausfahrt rein zum Vergnügen, sie werde den Wagen anschließend zur Remise beim Gartenhaus an der Außenalster bringen. Anders als Brooks habe sie sowieso nichts Besseres zu tun.

Gestern, nach der Rückkehr aus Wandsbek, hatte sie anderes bewegt. Zuerst brauchte Tobi ihre ganze Aufmerksamkeit, er war für sein Alter in seinen schulischen Fähigkeiten weit zurück. Er war nicht dumm, wenn aber im Waisenhaus drei oder vier Lehrer für alle dreihundert Waisen zur Verfügung standen und ältere Kinder die jüngeren unter ihre Fittiche nehmen mussten, war das kein Wunder. Tobi brauchte Hilfe und Übung im Lesen und Schreiben, im Rechnen sowieso. Damit war der Tag zu Ende gegangen. Und dann war das Wunderbarste geschehen – Post. Endlich wieder Post von Magnus. Leider wie gewöhnlich nur wenige Zeilen, keine seitenlangen Schilderungen seiner venezianischen Tage und

Erlebnisse, keine innigen Versicherungen seiner Liebe. Ach, Magnus. Würde sie ihn nur durch seine Briefe kennen, müsste sie ihn für einen gefühllosen Langweiler halten. Weil sie ihn so viel besser kannte, bedeutete auch dieser Brief großes Glück. Und wollte gleich eine Antwort haben.

In der Nacht war sie erwacht. Nachdem sie ausführlich an ihren fernen Magnus gedacht hatte und mit dem nach Lavendel duftenden Kissen im Arm in den Schlaf hinübergeglitten war, wurde sie plötzlich wieder hellwach. Aus einer vagen Idee war eine runde geworden. Sie glaubte nun sicher zu wissen, wer neuerdings in Amanda Söders Haus lebte und für ein Minimum an Ordnung sorgte, soweit das eben in so kurzer Zeit möglich gewesen war.

Am Morgen war sie zu Wilhelmine Cordes' Laden gegangen und hatte vorgefunden, was sie erwartet hatte. Die Tür war verschlossen. Die Cordes sei weg, erklärte eine Nachbarin, die im offenen Fenster lag und das vorüberziehende Leben bewachte. Mit ihrem Jungen, erklärte sie eifrig, schon am Freitag, ein Onkel sei krank, von dem habe man früher nie was gehört, der müsse von der Familie ihres Mannes sein. Der Cordes, der war ein guter Mann, und so früh gestorben, ein Jammer, wirklich ein Jammer. Es habe immer geheißen, es gebe keine Verwandtschaft, auch nicht von seiner Seite, sie habe auch nie jemand gesehen. Und nun dieser Onkel, ja, der liege auf den Tod, da müsse sie hin. Die Wilhelmine sei eben pflichtbewusst, aber womöglich war der alte Kerl auch kinderlos und gut betucht.

«Aber einfach weg, von eben auf jetzt, wo der Junge einen Freiplatz an der Gelehrtenschule hat, von 'ner mildtätigen Stiftung bezahlt, also einfach schwänzen! Das geht doch nicht.»

Mit einem Wagen sei sie weggefahren, wo sie den wohl hergehabt hatte, war eher nur 'n kleines Fuhrwerk. Ein Pastor habe kutschiert, nein, den habe sie nie vorher gesehen, aber dann sei wohl alles nach der Ordnung.

Die Sache mit dem jungen Mann im Habit hatte Rosina schon von Wagner gehört. Er hatte sich nach dem vermeintlichen Pastor in Moorfleet erkundigt, es gab dort nur einen, und der war steinalt. Wagner hatte es hingenommen, und als Rosina amüsiert feststellte, dass er nicht nach den Vorschriften gehandelt habe, hatte er mit den Achseln gezuckt. Immerhin hatte er sich mit seinem großen blauen Tuch ausgiebig Stirn und Nacken gerieben. Wilhelmine Cordes sei nicht verdächtig, hatte er geknurrt, und wenn sie einer so schändlich ums Leben gekommenen Freundin ein anständiges Begräbnis geben wolle, sei er damit einverstanden. Es sei in der Tat nicht ganz korrekt, schade aber niemandem. Und manche, fügte er in geradezu revolutionärer Gesinnung hinzu, manche der Vorschriften seien ein wenig eng und überholt, ja, überholt.

Die Nachbarin hatte noch eine Neuigkeit. Was sie denn zu der verschwundenen Frau von dem Kaufmann sage, Madam Hegolt heiße die. Was? Sie habe noch nicht davon gehört? Die Madam sei in der vergangenen Nacht aus ihrem Haus verschwunden, einfach so, während ihr Gatte auf Reisen war. Davongelaufen, heiße es, das müsse eine leichtfertige Person sein, wenn sie Mann und Kinder einfach so zurücklasse. Und töricht dazu, wenn man das schöne Haus an der Alster bedenke, leider nur gemietet, kann sein, das war ihr nicht genug. Aber man wisse ja nie – es heiße, der Weddemeister sei verständigt. Schrecklich, es werde einfach zu oft gemordet in der Stadt.

Da hatte Rosina einen guten Morgen gewünscht und war davongelaufen.

Wenn Wilhelmine Cordes die Stadt verlassen hatte, mit ihrem Sohn, wenn sie dessen Freiplatz am Johanneum, damit eine vielversprechende Zukunft gefährdete, musste sie einen gewichtigen Grund haben. Zwei ihrer Freundinnen waren tot, wenn sie flüchtete, genauso sah es aus, hatte sie Angst. Wenn sie Angst hatte, wusste sie – oder ahnte sie? –, warum Wanda Bernau und Janne Valentin hatten sterben müssen? Womöglich auch von wessen Hand? Blieb die Frage, warum sie das für sich behielt. Sicher wusste sie auch um die anderen Seltsamkeiten, zum Beispiel wer den Leichnam der ersten Toten mit einer eleganten Kutsche abgeholt hatte. Und warum.

Wenn Rosinas Verdacht stimmte – sie zweifelte nun nicht mehr daran –, war Wilhelmine Cordes mitsamt ihrem Sohn bei Amanda Söder zu Gast. Oder als Dienstbotin, was genauso rätselhaft war, wenn man an ihren Laden dachte. Was verband eine Kleinhändlerin mit der alten, erst kürzlich vom anderen Ende der Welt hierher übergesiedelten Kaufmannswitwe? Womöglich war der Onkel, von dem die Nachbarin gesprochen hatte, kein Onkel, sondern tatsächlich eine Tante? Madam Söder eine Tante von Wilhelmine Cordes oder dessen verstorbenem Mann? Irgendwie passte das gar nicht. Außerdem konnte niemand behaupten, Amanda Söder «liege auf den Tod». Dazu war sie zu schießwütig.

Sie hätte gerne mit Wagner gesprochen, aber wenn sie einfach ins Rathaus spazierte, machte sie ihn lächerlich. Sie hörte es schon: Da kommt diese Komödiantin, die ständig in Wagners Handwerk pfuscht, jetzt macht sie sich schon in seiner Amtsstube breit. Sie musste warten, bis er zu ihr kam, oder ihn anderswo auftreiben. Und dann hatte sie anstatt Madam Augusta Brooks mit der Kutsche getroffen und diese fabelhafte Idee gehabt.

Etliche ihrer fabelhaften Ideen hatten sie in Schwierigkeiten gebracht, in kleine, aber auch in große, sogar in lebensgefährliche. Kein Grund, keine Ideen mehr zu haben. Das Leben war nun mal lebensgefährlich. Selbst wenn man es in einer kommoden Wohnung in der geruhsamen Mattentwiete zubrachte. Immerhin war sie so fürsorglich gewesen, einen Jungen, der vor dem Bauhof mit seiner Flitsche auf die gerade aus dem Süden zurückkehrenden Vögel schoss, dorthin zu schicken. Pauline möge sich nicht sorgen, sie bleibe länger aus und sei erst am späteren Nachmittag zurück. Rosina hatte ihn schwören lassen, seinen Auftrag zu erfüllen, hoffentlich steckte der Lausejunge nicht trotzdem nur den Sechsling in die Tasche und verlustierte sich weiter beim Vogelmord.

An der Wegteilung herumzustehen brachte sie dem Ziel nicht näher, sie lenkte das Pferd in den Weg mit den Kopfweiden und bog am Ende der Schlehenhecke in die Zufahrt ein. Gleich am Beginn des Grundstücks, so erinnerte sie sich, war eine kleine Nische hinter einem Stallgebäude, die vom Haus nicht zu sehen war. Dort konnte sie Pferd und Wagen lassen, und wenn der Fuchs so freundlich war, ausnahmsweise nicht hinter ihr herzuwiehern, konnte sie unbemerkt ums Haus schleichen. Sie konnte sich umsehen und auf Stimmen lauschen, immer nah an der Wand, dann waren selbst Madam Söders Pistolen keine Gefahr, bevor sie wie eine ordentliche Besucherin an die Vordertür klopfte.

Das war ein wirklich guter Plan, sogar der Fuchs verhielt sich ruhig. Das Einzige, was sie beunruhigte, war die Stille. Zwar schmetterte ein ganzer Chor von Vogelstimmen, leider flog auch ein ganzer Schwarm erschreckt auf, als sie um die Hausecke in den hinteren Garten schlich oder das, was einmal ein Garten gewesen war. Wenn ihre Rechnung stimmte, mussten in dem Haus drei Frauen und ein Knabe leben, warum hörte man nichts?

Just als Rosina um eine Laube schlich und überlegte, ob alle verschwunden waren, wie zuvor Wilhelmine Cordes aus ihrer Wohnung hinter dem Laden, oder vielleicht nur ausgefahren, nach Wandsbek oder zu einem der nahen Bauernhöfe, um Essbares einzukaufen, just da spürte sie etwas Hartes zwischen ihren Schulterblättern. Es gab keinen Zweifel, es war die Mündung einer Pistole.

«Nein, Madam Söder», rief Rosina, «bitte, ich bin's doch nur, Rosina Vinstedt, erkennt Ihr mich nicht? Ich war gestern mit Madam Kjellerup hier, Eurer alten Freundin Augusta. Sie sorgt sich, und deswegen bin ich noch einmal gekommen.»

«Ihr irrt», sagte eine aalglatte Stimme, «ich heiße nicht Söder, sondern Junius. Franziska Junius. Ihr kennt mich nicht, aber ich kenne Euch. Ihr hättet nicht herkommen sollen, Madam Schnüfflerin. Wirklich nicht.»

Rosina wurde übel, in ihrem Kopf rauschte eine wilde Brandung auf. Zwei ermordete Frauen, eine verschwundene – sie war dem Tod oft begegnet, er hatte sie stets verschont. Und nun – ausgerechnet in diesem verwilderten Garten?

Kapitel 12

Rosina fühlte sich – nein, ausnahmsweise nicht wie im Theater. Sie fühlte sich wie ein einem Traum, und zwar in einem schlechten. Sie saß in Amanda Söders Diele, nur von Amanda Söder war nichts zu sehen, auch nichts zu hören, was sie eigentlich als angenehm, in diesem Fall jedoch als beunruhigend empfand. Wäre dies ein Traum, ein Albtraum nämlich, wäre sie tot. Immerhin – sie lebte. Dabei musste es hier draußen ziemlich einfach sein, eine lästige Leiche verschwinden zu lassen. Allein die Sumpflöcher, von denen sich in dieser Gegend etliche fanden, boten gute Gelegenheiten.

Was würde Pauline tun, wenn sie nicht zurückkam? Zu Wagner gehen? Zu Madam Augusta? Hoffentlich, die würde vielleicht auf die richtige Idee kommen. Die Frage war nur: noch zur rechten Zeit?

«Verdammt, Franziska, warum hast du sie nicht einfach wieder weggeschickt? Wenn schon nicht du, dann sollten doch Madams Pistolen genug Überzeugungskraft besitzen.»

Rosina war nicht wirklich überrascht. Die harschen Töne kamen aus Elske Probsts Mund. Die Schankmagd vom Borgesch stand mit kampfeslustig vorgerecktem Kinn und in die Hüften gestemmten Fäusten in der Tür zur Diele. Eine zweite Frau schob sich an ihr vorbei, sie war schlank, mittelgroß, unauffällig und doch unübersehbar, sie trug ein schlichtes Kleid: Rock, Mieder und Jacke blaugrau, die Bluse unter dem Mieder und das züchtige Brusttuch weiß. Nur der Saum des Kleides wies Spuren von ausgebürstetem Schlamm auf, so dunkel wie die Erde dieser Region.

«Elske hat recht», stimmte sie zu, ruhig, als gehe es um den

Kauf von zwei Äpfeln oder einem Hering. «Ich wüsste sehr gerne, was du sonst vorhast.»

«Ich auch», sagte Rosina. «Ich komme hierher, um einen Besuch bei Madam Söder zu machen und Grüße von Madam Kjellerup auszurichten, ich werde mit einer Pistole im Rücken empfangen und in diese Diele gezwungen, und dann ist die Dame des Hauses nicht einmal da. Wer immer Ihr seid und was Ihr hier tut, es geht mich nichts an, deshalb werde ich jetzt wieder gehen.» Sie fand sich ungeheuer mutig, als sie einfach aufstand, sich umwandte und einen Schritt zur Tür machte.

«Ich hingegen rate Euch», hörte sie die Stimme der Frau, die sich als Franziska Junius vorgestellt hatte, und blieb vorsichtshalber stehen, «ich rate Euch zu bleiben, Madam Vinstedt. Oder Rosina, die Komödiantin? So oder so, Ihr stört meine Kreise, Madam.» Sie lachte leise und überhaupt nicht freundlich. «Das ist spaßig, es heißt in der Stadt, Ihr pfuschtet gelegentlich dem Weddemeister in sein Handwerk.»

Rosina hatte sich ihr wieder zugewandt. Sie blickte in ein schmales Gesicht, das Rouge auf den Wangen ließ es noch blasser erscheinen, als es war, auch älter. Sie trug ein delikat gearbeitetes Gewand aus zart gestreiftem blassrotem Kattun, um den Hals eine doppelte Reihe Perlen und Granaten, an der Hand, die in ihrem Schoß immer noch die Pistole bereithielt, steckte ein Ring, einer nur, dafür war dessen blutroter Stein groß genug für drei und sicher nicht aus Glas. Der Blick in dem harten Gesicht wurde nachdenklich.

«Überleg dir, was du sagst», warnte Elske, und Wilhelmine ließ sich ergeben auf einen der alten Stühle sinken. «Gib's auf, Elske. Franziska macht, was sie will, das wissen wir nun seit bald drei Jahrzehnten, und meistens», sie lächelte müde, «weiß sie, was sie tut.»

Franziska blickte Rosina unverwandt an, als wolle sie ihr

bis auf die Knochen sehen. «Danke, Wilhelmine», sagte sie, ohne den Blick zu wenden, «ich wusste es immer, du bist die Klügste von uns. Ich mag die Schlauste sein, die Klügste warst immer du. Madam Vinstedt, setzt Euch wieder. Bitte. Wir wollen Euch eine Geschichte erzählen, und unsere Zeit ist heute begrenzt. Ihr mögt es glauben oder nicht, Ihr passt in meinen Plan.»

«Ach, du hast einen Plan?»

«Ja, Elske.» Franziska lächelte wieder dieses ungemütliche Lächeln. «Seit zwei Minuten. Ich staune selbst. Er könnte funktionieren. Wenn uns nichts Besseres einfällt», sie zuckte mit den Achseln, klopfte auf den Stuhl, der ihr gegenüberstand, und lehnte sich zurück, «dann ist es ein Anfang. Setzt Euch, Madam Vinstedt.»

«Franzi?» Eine leise, matte Stimme kam aus dem Flur hinter den beiden Türen. «Wo seid ihr denn alle?»

Elske stieß einen gezischten Fluch aus, Wilhelmine und Franziska sprangen auf, in der geöffneten Tür stand eine Frau im Nachtgewand, hager, leichenblass, mit strähnigem Haar und furchtsamen Augen, eine Decke notdürftig um die Schultern gerafft. Die drei Frauen umringten und stützten sie, Wilhelmine und Elske wollten sie eilig zurückbringen, doch sie sträubte sich.

«Wer ist das?», fragte sie atemlos und zeigte auf Rosina. «Ich kenne Euch. Oder nicht? Doch. Ja, vom Theater? Ich glaube, vom Theater. Aber es ist lange her.»

«Das ist Madam Vinstedt, Liebe», Franziskas Stimme klang sanft wie Pfirsichhaut, «und du hast recht, sie war Komödiantin. Ich finde, Ina sollte hierbleiben», wandte sie sich an die anderen beiden. «Sie hat Angst alleine, und es geht um sie.»

Doch wie im Theater, dachte Rosina und fragte: «Ihr seid nicht zufällig Madam Hegolt?» Und als Ina, nun auf einen der Stühle gesetzt, in Franziskas pelzgefütterten Mantelumhang gehüllt und immer noch atemlos, nur nickte, fuhr sie fort: «Das ist unglaublich, Ihr seid das Stadtgespräch. Aber Gott sei gedankt, wenigstens seid Ihr nicht tot.»

«Eine geschmackvolle Bemerkung. Wirklich. Ob Gott damit zu tun hat, wissen wir nicht», knurrte Elske.

«Ihr könnt es aber gerne annehmen», ergänzte Franziska, «es gibt ein tröstliches Gefühl.»

«Und Ihr solltet es ruhig ab und zu mit einem Gebet versuchen», versetzte Rosina, «es kann nie schaden.»

«Danke für den Rat, ich habe in den ersten zwölf Jahren meines Lebens so viel gebetet und Psalmen gesungen, das sollte für mein ganzes Leben reichen. Wir alle haben das.»

«Ihr seid zusammen aufgewachsen? Warum wundert mich das nicht?»

«Zusammen mit dreihundert anderen Jungen und Mädchen in der großen Backsteinburg an Rödingsmarkt. Ich sehe, Ihr versteht. Ja, wir kennen uns aus dem Waisenhaus. Wir haben besonders zusammengehalten. Wie Schwestern. Wir …»

«Moment. Dann gehörten auch die beiden toten Frauen dazu», unterbrach Rosina. «Wanda Bernau und Janne Valentin. Als selbstgewählte Schwestern? Wenn Ihr nun mit einer Pistole hinter harmlosen Besucherinnen her seid, müsst Ihr Euch heftig bedroht fühlen. Deshalb seid zumindest Ihr, Madam Cordes, mit Eurem Sohn aus der Stadt verschwunden. Warum? Hat es mit dem Waisenhaus zu tun? Und wieso gerade hierher?»

«Ganz einfach.» Franziska ignorierte die Frage nach dem Warum. «Ich habe dieses verlotterte Anwesen schon lange im Blick, eine Schande, es leer stehen zu lassen. Nun ist Madam Söder hier und meine Nachbarin, sie ist allein und hat zurzeit ein kleines Problem mit ihren Finanzen. Weil sie zu stolz ist, Eure vornehme Madam Kjellerup um Hilfe zu bitten, habe ich mich ein wenig, nun, sagen wir: ein wenig um sie gekümmert.

Wir bezahlen sie für die Unterkunft, die sie meinen Schwestern gewährt. So einfach.»

«Dann gehört Euch das große Anwesen auf der anderen Seite des Hains?»

«Ja, ein geräumiges Haus, trotzdem nicht der richtige Ort, einen zwölfjährigen Knaben unterzubringen. Auch nicht für die übrigen drei, allesamt sittsame Frauen. Sicher wisst Ihr, was für ein Haus es ist. Euren Gatten habe ich übrigens noch nicht an meinen Spieltischen begrüßen dürfen. Auch nicht in den übrigen, den diskreteren Zimmern.»

«Danke für die Auskunft, sehr verbunden. Ihr seid erstaunlich gut informiert. Ihr kennt Leute, die Euch nicht kennen, Ihr wisst, wer wo …»

«Hört auf», flüsterte Ina Hegolt plötzlich. «Dafür ist jetzt keine Zeit.»

«Doch, Ina, es ist noch Zeit. Wir wollen warten, bis er zu seiner Sitzung geht. Alberte hat gesagt, nicht vor fünf Uhr am Nachmittag.»

Ina nickte und schloss erschöpft die Augen. Obwohl ihr Kopf wieder klarer war, hatte sie daran nicht mehr gedacht, sie war zu ungeduldig und voller Angst.

«Pardon, Madam Hegolt», entschuldigte sich Rosina, «ich kann es immer schwer aushalten, wenn ich nicht weiß, was um mich herum vorgeht. Ihr seid sehr krank, wieso seid Ihr hier?»

«Weil sie nicht zu Hause bleiben konnte und wir uns vor langer Zeit geschworen haben, füreinander da zu sein», erklärte nun wieder Franziska. «Rührselig, nicht wahr? Junge Mädchen tun so etwas. Damals waren wir eine verschworene Gemeinschaft. Erst recht, als wir Kostkinder in der Stadt wurden. Ich muss Euch nicht erklären, dass man dabei mehr oder weniger Glück haben kann. Wir hatten weniger Glück, wie die meisten. Immerhin waren wir nicht mehr eingesperrt, und unsere flinken Finger konnten zeigen, was sie außer tagaus, tagein Strümpfe stricken geübt hatten.»

«Franziska!» Wilhelmines Stimme klang scharf.

«Das ist jetzt einerlei, Mine. Jede von uns ist später ihren Weg gegangen. Sehr unterschiedliche Wege, wie Ihr seht. Jede nach ihren Fähigkeiten. Nun gut, wir hatten ein kleines Kapital für den Anfang, unsere Finger haben fleißig Kleinigkeiten aus den Taschen wohlhabender Leute gezogen und sind nie erwischt worden. Wir waren flink, und solche Herren lassen sich erstaunlich leicht vom hilflosen Blick sehr junger Mädchen ablenken und merken dabei nicht, wenn eine andere sich indes aus ihren Taschen bedient.»

Franziska sprach jetzt schneller. Sie hatten nicht für einen Aniskringel oder ein paar Glasperlen gestohlen, den größeren Teil ihres Diebesguts hatten sie in einen gemeinsamen Topf getan, um es später zu teilen. Das war die Übereinkunft, der gemeinsame Plan, sie wollten eine Zukunft haben. Und dann erwischten sie einen großen, einen besonders großen Fisch.

«Fisch? Was für einen Fisch?»

«Den Inhalt einer Rocktasche – ich erinnere mich noch an den tannengrünen Samt –, der sich besonders lohnte. Es war nur ein schäbiges Lederbeutelchen, aber was darin glitzerte, war kein Glas. Wir waren Pfennige gewöhnt, mal ein Silberstück, einmal ein kleines Goldstück oder Silberknöpfe, Seidentücher, eine Schuhschnalle. Ihr glaubt nicht, wie locker manche dieser silbernen Schnallen saßen. Wir hatten nun diese Kostbarkeit und große Angst. Seltsamerweise wurde in der Stadt nie danach gesucht. Ich nehme an, der Goldschmied, dem es gehörte, hatte selbst damit betrogen, einen Hehler, den Zoll – was weiß ich. Womöglich war es gestohlen. Ein halbes Jahr darauf war seine Werkstatt geschlossen, unser Glücksgriff hatte ihn offenbar ruiniert, und er hatte die Stadt verlassen. Als sich dann eine günstige Gelegenheit ergab, haben wir das Beutelchen aus seinem Versteck geholt, den Inhalt verkauft und den Ertrag geteilt. Dann ging jede ihrer Wege, ich war damals ohnedies schon seit geraumer Zeit auf eigenem Weg. Wie viele Mädchen, solang sie nicht erwischt und aus der Stadt gejagt werden. Kein gutes Geschäft, aber ein einträgliches, wenn man es versteht, auf sich achtet und unabhängig bleibt. Wir hatten beschlossen, uns nur wieder zu treffen, wenn eine von uns in Not ist.»

Sie hatten sich lange daran gehalten, aber nach einigen Jahren doch wieder ab und zu getroffen, nachdem Franziska das Haus bei Wandsbek gekauft hatte, auch dort.

«Ich bin erst vor drei Jahren nach Hamburg zurückgekehrt.» Inas Stimme glich immer noch einem Flüstern, aber sie war nun klar und sicher. «Ich war zur Bürgerin geworden, ich wollte jede Verbindung mit meinem alten Leben vermeiden, ich musste es. Schon um meiner Kinder willen. Aber es ging nicht.» Sie sah ihre Schwestern an. «Als ich weg war, weit weg im Ausland, kam es mir einfach vor, aber so nah zu sein und euch nur von fern zu sehen – das ging nicht.»

«Dann haben sich alle wieder getroffen, alle Schwestern?», fragte Rosina.

«Nein», sagte Wilhelmine. «Eine von uns war da schon tot. Elfchen war an der Auszehrung gestorben, einem Fieber, einfach an Schwäche. Wer weiß schon, woran. Sie war immer zu zart, deshalb haben wie sie auch so genannt, und sie musste viel zu hart arbeiten. Wir hätten sie da rausholen müssen, das haben wir versäumt, wir haben es nicht mal als Möglichkeit erkannt. Das sollte uns nie wieder passieren, bei keiner von uns. Elfchen hatte ihren Anteil an unserem Gewinn schnell an eine falsche Liebe verloren, ganz ähnlich wie Wanda. Aber die war stark und ehrgeizig und schaffte es in eine gute Stellung. Janne warf ihren Anteil bald zum Fenster hinaus, sie gab jedem, der was brauchte, kaufte sich selbst, was sie nicht brauchte. Es zerrann ihr zwischen den Fingern …»

«Wie beim mir», warf Elske ein, «ich war genauso blöde.»

«… und der Rest landete in der Lotterie. Ich habe meinen Laden gekauft, alle denken, er ist von meinem Mann. Und Franziska – ist eben eine erstklassige Unternehmerin.»

«Alles war gut», mischte sich wieder Elske ein. «Bis wir ihn gesehen haben, er ist wieder in der Stadt.»

«Das *glaubst* du», sagte Wilhelmine, «du glaubst, du hast ihn gesehen. Nach all den Jahren erkennst du ihn so einfach?»

«Janne hat ihn auch gesehen. Wir beide.»

«Wen?», fragte Rosina. «Nach all den Jahren? Heißt das, der bestohlene Goldschmied ist zurückgekommen?»

«Genau der. Wir haben ihn am Hafen gesehen. Mit einer jungen Frau, Janne meinte, es war die Gouvernante von Inas Töchtern, aber da bin ich nicht sicher, ich habe sie dort nur von hinten gesehen, und diese Mademoiselle kenne ich gerade vom Vorbeigehen. Aber jetzt», die ruppige Elske verschwand, da war nur noch eine schmerzvoll trauernde Schwester, «jetzt sind zwei von uns tot, das Schwein hat sie ermordet, ich bin ganz sicher. Ich fühle es. Er denkt, wir sind nur dumme Weiber und können uns nicht wehren, weil wir uns dann selbst verraten. Da irrt er sich gründlich. Er soll nicht so einfach davonkommen.»

«Das muss nun ein paar Tage warten, Elske, zuerst müssen wir Inas Problem lösen. Dann habe ich auch Nachricht, ob du richtig gesehen hast. Falls es stimmt, bin ich auf deiner Seite.»

Rosina verzichtete auf die Frage, was sie dann vorhabe, Franziskas Blick reichte völlig.

«Und Ina?», fragte sie rasch. «Ich meine, Madam Hegolt? Sie wurde eine gute Ehefrau? Mit einer ordentlichen Mitgift?»

«Ina hat geschafft, was keine von uns für möglich gehalten hat», erklärte Franziska kühl, «mit kluger Strategie und der nötigen Portion Glück. Leider ist ihre Wahl dann auf einen schlechten Ehemann gefallen, davon müssen wir jedenfalls ausgehen. Deshalb werden wir heute auch ihre Töchter holen. Sie sind dort nicht mehr sicher, denn irgendjemand im Hause Hegolt hat seit Wochen versucht, Ina zu vergiften. Nach und nach, immer ein bisschen mehr. Seit gestern ist sie gewiss, dass es Ansgar Hegolt selbst ist, und fürchtet um ihre Töchter. Richtig, der liebende Ehemann. Warum seht Ihr mich so fassungslos an? Schauergeschichten gibt es nicht nur auf dem Theater, das alltägliche Leben bietet genug, um ganze Bibliotheken zu füllen.»

«Warum erzählt Ihr mir das alles? Vorhin habt Ihr mir noch eine Pistole in den Rücken gebohrt, ich nehme an, sie war geladen und schussbereit, nun erfahre ich von Euren Geheimnissen. Ich glaube nicht, dass ihr mich nur erbaulich unterhalten wollt.»

«Keineswegs. Ihr sollt mich begleiten, genauer gesagt, meine Stelle einnehmen.»

«Bist du verrückt, Franziska?», zischte Elske. «Sie springt von der Kutsche und rennt zum Weddemeister oder schreit es durch die ganze Stadt.»

«Das glaube *ich* nicht. Sie hätte längst gehen können, zumindest als Ina kam und wir uns alle darum kümmerten, dass sie einen guten warmen Platz bekam, hätten wir es nicht einmal bemerkt. Die neugierige Madam ist geblieben. Ich wusste schon vorher, dass sie immer für ein kleines Abenteuer zu haben ist und auch nicht immer handelt, wie es der Weddemeister gern hätte. Dies ist eine Gelegenheit, zu beweisen, dass Ihr Euch Euren unabhängigen Geist bewahrt habt, Madam.»

«Ich muss niemandem etwas beweisen, was ich tue, tue

ich, weil ich es für richtig halte. Selbst wenn es alles andere als vernünftig ist.»

«Ihr werdet uns helfen, nicht wahr?» Ina Hegolt richtete sich auf und griff nach Rosinas Hand. «Ihr werdet nicht zulassen, dass meinen Töchtern etwas geschieht. *Ich* bin schuldig. *Ich* habe betrogen, als ich vorgab, aus guter Familie zu sein, ich habe falsche Papiere gekauft, sogar einen Taufschein, und am Ende fast selbst geglaubt, was darin steht. Aber meine Töchter sind unschuldig.» Sie sank erschöpft zurück, Rosinas Hand immer noch fest in ihrer, als lege sie alle Kraft, die sie aufbringen konnte, in diese beschwörende Geste.

Rosina zögerte nur kurz. «Nun bin ich schon so tief in Eure Geschichte geraten, Madam Hegolt, ich kann schwerlich einfach nach Hause fahren und alles vergessen. Ich möchte erleben, wie es weitergeht. Vorausgesetzt», wandte sie sich an Franziska, «mir gefällt die Rolle, die Ihr mir zugedacht habt.»

«Sie ist ganz einfach. Ihr klopft an die Tür, nehmt die Mädchen an die Hand und steigt wieder zu mir in die wartende Kutsche.»

«Fabelhaft. Wird man für die Entführung von Kindern eigentlich gehenkt?»

«Wer weiß? Wir holen ja nur die Mädchen, Emanuel ist Hegolts Sohn aus seiner ersten Ehe, ihm wird dort nichts geschehen. Die Trennung von dem Jungen ist schmerzlich, auch für ihn. Aber wir wollen kein Aufsehen und hoffen, Hegolt lässt Ina und die Mädchen ziehen. Emanuel würde er niemals gehen lassen.»

«Wenn es so einfach ist, warum macht Ihr es nicht selbst? Ich meine, an die Tür klopfen und all das.»

«Das hatte ich vor. Falls der Hausherr und die Gouvernante aber doch nicht ausgegangen sind, ist es besser, Ihr steht vor der Tür. Wenn ich es bin, ist er gewarnt. Ich glaube nämlich, er kennt mich. Ihr als brave Bürgerin richtet dann

Grüße aus, sagen wir: von Madam Kjellerup», improvisierte Franziska, «ja, das geht, und dann – ach was, das überlegen wir uns unterwegs, jetzt wird es wirklich Zeit. Leg dich wieder ins Bett, Ina, deine Kräfte werden bald zurückkehren. Wir bringen dir deine Töchter, und dann sorgen wir auch für einen guten Fortgang. Verlass dich auf deine Schwestern.»

Wo ist eigentlich Madam Söder?», fragte Rosina, als sie mit Franziska in Annes Kutsche stieg. «Und Wilhelmine Cordes' Sohn? Heute hat er mein Pferd nicht getränkt.»

«Armes Tier. Die alte Amanda, ihre Magd und Moritz werden von meinem Kutscher spazieren gefahren. Mit der großen Equipage, mein Kabriolett wartet hier in der Remise. Amanda findet das fabelhaft, Moritz auch, er darf beim Kutscher sitzen und fühlt sich als Herr der Welt. Der Junge ist leider sehr klug, deshalb muss er sich durch diese stupide Lateinschule quälen und auch noch dafür dankbar sein, dabei interessiert er sich für nichts als Pferde. Und jetzt macht diesem hübschen Rösslein Beine, Madam, es wird Zeit. Ich erzähle derweil den Rest der Geschichte. Jedenfalls den, der Euch interessieren darf.»

Ina habe die Vermutung gehabt, irgendjemand im Haus vergifte sie. Sie misstraute der Gouvernante ihrer Töchter und einem der Dienstmädchen. Aber warum? Als sie ihren Mann um Hilfe bat, an einem der besseren Tage, lächelte er nachsichtig und überzeugte sie davon, das seien nur Albträume, solche Beschuldigungen dürfe sie nicht einmal denken. Am wenigsten gegen Mlle. Meyberg, ohne die er gar nicht wisse, wie der Haushalt in guter Ordnung gehalten werden könne. Ina fühlte sich schuldig, wie so häufig und wie an so vielem, das gar nicht in ihrer Verantwortung lag. Aber diesmal wollten Zweifel und Misstrauen nicht weichen.

«Als sie krank wurde, hat er irgendwann begonnen, ihr an

jedem Abend eine Tasse Schokolade zu bringen, ein Luxus, den er sonst ablehnt. In solchen Kleinigkeiten ist er ärger als die Pietisten. Meistens brachte er die Tasse mit, wenn er in ihre Kammer kam, oft hat die Meyberg die Schokolade gebracht, wenn er schon an ihrem Bett saß. Sie hat also genug Gelegenheit gehabt, etwas hineinzurühren. Bald ging es Ina immer schlechter, trotz einiger guter Tage dazwischen. Er befahl allen im Haus, sie zu schonen, aber als die getöteten Frauen gefunden wurden, erst Wanda, dann Janne, hatte er ihr davon erzählt. In allen schrecklichen Details. So etwas, hatte er geflüstert, so etwas geschehe nur schlechten Frauen, betrügerischen, leichtfertigen Weibern. Solchen, die gerne Konfekt essen und Schokolade schlürfen. Die für jeden zu haben sind und ehrbare Männer verderben. Da hatte Ina zum ersten Mal den Verdacht.

Als sie später allen Mut zusammennahm und ihn fragte, warum er so etwas sage, lächelte er wieder nur und fragte, was sie meine, er wisse gar nicht, wovon sie spreche. Endlich, als sie spürte, sie werde nicht mehr lange durchhalten, bat sie ihre Köchin um Hilfe, eine Entscheidung nach dem Gefühl, sie vertraute ihr einfach. Ihr blieb auch nichts anderes, die Töchter sind viel zu jung. Alberte, diese listenreiche Person, man muss sie bewundern.»

«Alberte, aha. Die Köchin? Die wandte sich an Euch?»

«Wie verständig Ihr seid. Ich werde Euch von nun an Rosina nennen. Aber wie wir Ina aus dem Haus, aus der Stadt und hierhergeschafft haben, bleibt mein Geheimnis. Vorerst. Vielleicht erzähle ich es Euch später einmal, wer weiß?»

«Und wenn wir die Töchter nicht aus dem Haus bekommen? Wenn ihr Vater da ist?»

Franziska kniff die Augen zusammen, schob die Unterlippe vor und schwieg, Rosina brauchte ihre ganze Aufmerksamkeit, die Kutsche um eine breite morastige Stelle zu lenken.

«Wenn er da ist», sagte Franziska, als die Kutsche wieder ruhiger rollte und die erste Befestigung nah war, «richten wir uns nach der Ersatzstrategie.»

Wieder schwieg sie, Rosina wurde ungeduldig. «Und? Ich bin dabei, ich sollte alle Strategien, die zum Einsatz kommen könnten, wenigstes annähernd kennen.»

«Bis es so weit ist, wird mir schon eine eingefallen sein.»

«Fabelhaft», fand Rosina, «ganz fabelhaft.»

«Nein.» Franziskas bis dahin gelassen und überlegen klingende Stimme vibrierte vor unterdrückter Wut. «Gar nicht fabelhaft, nur große Eile und große Angst.»

Wie stets gegen Abend war die Straße zum Steintor über die Maßen frequentiert. Wagen um Wagen, dazwischen auch eine Postkutsche, die ihr Recht in Anspruch nahm, mit Vorrang durchs Tor zu rollen und unter dem leider nur schräg quäkenden Schall des Posthorns alles zur Seite drängte, was möglich war. Es war zu spät, zum weiter südlich gelegenen Deichtor auszuweichen, aber wieder war es an Rosina, zu staunen. Der wachhabende Soldat salutierte besonders galant, und schon rollte ihr Wagen direkt hinter der Postkutsche in die Stadt.

Rosina bemühte sich, weder nach links noch rechts zu sehen, und hoffte, niemand von den Herrmanns oder gar Tobi werde sie entdecken. Bald begann es zu dunkeln, Pauline machte sich wohl schon Sorgen. Trotzdem, nun war wirklich weder die Zeit noch die Situation für Erklärungen. Das Verdeck war hochgeklappt, sodass der Wagen nur noch halb offen war, Franziska hatte sich in den Schatten zurückgelehnt, wie es ihre und der meisten erfahrenen Frauen ihrer Art und Profession Gewohnheit war. Hier sah sie, ließ sich aber selbst möglichst nicht sehen.

Rosina hatte immer noch Fragen. «Habt Ihr nicht gesagt, sie sei erst seit gestern sicher, ausgerechnet ihr Ehemann schütte Unbekömmliches in die Schokolade?»

«Sagt ruhig Gift. Sie wusste, dass wir sie gestern Nacht holen würden, die teure Schokolade hat sie an den letzten beiden Abenden nicht mehr getrunken, es ist ihr gelungen, sie unbemerkt in ihr Bett zu schütten. Sehr unangenehm, so ein feuchtes, klebriges Bett, Alberte hat in einem unbeobachteten Moment einmal für reine Laken gesorgt. Ohne die vermaledeite Schokolade ging es Ina tatsächlich besser, heute noch ein wenig mehr – die Sache mit dem Gift stimmt.»

«Was war nun gestern? Wir sind übrigens gleich da. Aber erst: gestern!

«Ihr seid hartnäckig. Ihr habt gesehen, wie geschwächt sie noch ist. Trotzdem hat sie es gestern geschafft, die Mappe mit ihren Papieren an sich zu nehmen. Ohne die würde sie nirgends hingehen. Sie hat hineingesehen und einen Brief vermisst. Keinen, den sie bekommen, sondern einen, den sie vor einigen Jahren, bevor sie mit Hegolt und den Kindern nach Hamburg zog, geschrieben und nicht abgeschickt hat. Vor drei Monaten, als sie sich noch gesund fühlte, war er noch da gewesen. Die Zeilen waren an mich gerichtet, es war dumm gewesen, den Bogen aufzuheben. Er enthielt nur Andeutungen, aber die reichten offenbar, ihn misstrauisch herumstöbern zu lassen.»

Obwohl Ina die beste, die treueste, gewiss die bravste Ehefrau sei, die man sich vorstellen könne, dächten sie alle, Hegolt fühle sich von ihr betrogen, schändlich betrogen sogar, und sei eitel genug, sich auf diese Weise zu rächen. Das Gift, welches auch immer, schwäche sie immer mehr, wenn es sie nicht töte, das müsse man gar nicht unterstellen, bringe es stetes Siechtum. Sie schlang die Arme um ihren Körper. Rosina spürte ihre Anspannung wie eine Berührung.

«Genau und kühl betrachtet», fuhr Franziska fort, «verstecken sich doch eine ganz Reihe Spekulationen in der Geschichte.»

«Das scheint mir auch so. Irgendwann müsst Ihr es genau wissen, am besten von Hegolt selbst. Von wem sonst?»

Franziska nickte missmutig. «Kommt Zeit, kommt Rat», sagte sie knapp.

Noch etwas beschäftigte Rosina. «Ihr habt vorhin gesagt, die Sache mit dem Goldschmied und den Morden an Euren Schwestern müsse noch einige Tage warten. Seid Ihr nicht auf die Idee gekommen, das alles könnte zusammenhängen?»

«Doch. Bisher hatte ich nur keine Zeit, darüber nachzudenken, und ohne das kann ich den Zusammenhang nicht sehen. Und nun steigt aus und klopft an die Tür, wenn alles nach unserem Plan läuft, stehen die Mädchen bereit. Dann ist Hegolt seit einer halben Stunde bei seiner wichtigen Zusammenkunft mit den Provisoren, und Mademoiselle, die eifrige Graumaus, trägt Emanuel sein Lateinbuch in die Privatstunde nach. Der bedauernswerte Junge», sagte sie leise. Womöglich hatte ihr Herz doch eine weiche Stelle.

Wenn Rosina später an das dachte, was nun geschah, fiel es ihr manchmal schwer, zu glauben, was sie am Ende dieses ereignisreichen Tages gesehen hatte. Sie traute ihren Augen, aber sie wusste, wie trügerisch die Bilder waren und dass die Natur oder die Phantasie, die Angst wie die Hoffnung gerne vorgaukeln, was nicht wirklich geschieht. So blieb sie lange unsicher, ob sie wirklich gesehen hatte, was sie zu sehen geglaubt hatte.

Aber sie vergaß es nicht, niemals. Es wanderte in die große dunkle Wolke, die sie gerne vergessen hätte, aber nicht aus ihrer Erinnerung vertreiben konnte. Es gehörte zu all den schrecklichen Minuten oder Stunden, die sie je erlebt hatte. Zu Erinnerungen an Elend, Verzweiflung, Tod, Schmerz und Entsetzen. Und Bosheit.

Noch bevor sie an die Tür der Hegolts klopfen konnte, wurde die aufgerissen. Ein Frau etwa im Alter der Schwestern, durch ihre Tracht als Köchin zu erkennen, starrte sie an, blickte unruhig an ihr vorbei auf die Kutsche, die direkt vor der Tür stand. Der Platz zwischen der Häuserreihe und dem Drillhaus lag ruhig, keiner der nur noch wenigen Wagen und Reiter, die vom Dammtor her über die Lombardsbrücke in die östliche Stadt unterwegs waren, verließ die Wallstraße, um sich durch die engen Straßen in der inneren Stadt zu zwängen.

«Wer seid Ihr?», fragte Alberte. «Und was wollt Ihr? Wir haben jetzt keine Zeit, die Herrschaften sind nicht da.»

«Alles hat seine Richtigkeit. Ihr seid Alberte, nicht wahr? Und in der Kutsche sitzt Madam Franziska und wartet auf die Mädchen. Sind sie bereit?»

Sie versuchte über Albertes Schultern in das Hintere der Diele zu spähen, eine Laterne an der Wand bei der nach oben führenden Treppe gab diffuses Licht, zwei helle Schemen hockten eng beieinander auf der unteren Stufe, daneben stand ein praller Reisekorb und etwas, das wie ein breiter Stuhl auf Rädern aussah.

«Sie soll selbst kommen. Madam Franziska», rief Alberte hinaus, presste gleich die Hand auf den Mund, sah angstvoll über den Platz und zu den Nachbarn und winkte dann zu der Kutsche hinüber. «Er ist weg!», raunte sie Rosina zu. «Was mache ich nur, die armen Mädchen. Und wenn Emanuel heimkommt?»

«Ich verstehe Euch nicht. Monsieur Hegolt *sollte* weg sein, so war es doch verabredet.»

«Nein, *ganz* weg. Vor wenigen Minuten erst. Er hat alles mitgenommen. Henning ist auch weg, ich weiß nicht, wohin.»

«Ganz ruhig, Alberte, eins nach dem anderen.» Franziska trat in die Diele und schloss die Tür hinter sich. «Erzähl, aber rasch.»

Alberte war zutiefst beunruhigt, als Hegolt nicht wie geplant ausging. Er hatte einen Mantelsack in die Diele gestellt und war im Kontor verschwunden, zuvor hatte er Mlle. Meyberg einen Brief gegeben, den sie Emanuel in seine Privatstunde bringen solle, die Sache mit dem vergessenen Lateinbuch, mit dem Alberte die Gouvernante aus dem Haus scheuchen wollte, war nicht mehr nötig. Alberte hat gehört, wie er der Meyberg auftrug, nach der Stunde mit Emanuel zum *Englischen Haus* zu gehen, dort solle sie auch den Brief beim *court master* abgeben und warten, was man ihr auftrage. Die Mädchen hatte er keines Blickes gewürdigt.

«Gleich, als er aus der Tür war, hab ich Korf gefragt, den Ersten Schreiber. Er ist sehr beunruhigt, er hat nämlich gesehen, wie Monsieur alles Wertvolle aus der Truhe genommen hat, die Wechsel, die Beutel und Rollen mit den Münzen, in all den Währungen, die meisten, sagt er, sind englisches Geld. Auch die Goldstücke. Das ist noch nie vorgekommen, und er weiß nicht, was das bedeuten soll.»

«Wohin?», fragte Franziska heftig. «Weißt du, wohin er unterwegs ist? Und wie?»

«Geritten, denke ich. Er ist jedenfalls zum Stall hinübergegangen, er kann noch nicht sehr weit sein, es dauert immer ein paar Minuten, bis ordentlich gesattelt ist.»

«Geht es *maman* gut?», fragte ein dünnes Stimmchen in die heftigen der Frauen hinein. «Wir glauben, Mademoiselle macht sich große Sorgen, und wir wüssten so gerne, wo *maman* ist. Wir machen uns auch Sorgen. Sie ist doch so krank.»

«Meine Güte, die Kinder. Ja», Franziska trat rasch zu ihnen und strich über die beiden blonden Köpfe, «seid unbesorgt, es geht ihr gut, sogar jeden Tag besser. Sie ist ganz in der Nähe, und wir sind gekommen, euch zu ihr zu bringen. Jetzt müsst ihr noch ein Stündchen warten, könnt ihr das? Gut, dann kommen wir, ich und diese nette Dame, und holen euch. Eure *maman* hat große Sehnsucht nach euch.»

«Und Emanuel?», fragte Felice, die Ältere. «Emanuel soll auch mitkommen, er hat auch Sehnsucht nach *maman*. Und sie sicher auch nach ihm. Er ist doch unser Bruder.»

Franziska seufzte, was überhaupt nicht zu ihr passte. «Emanuel, ja, sicher. Das sehen wird dann. Jetzt seid brav und bleibt bei Alberte, sie kocht euch Schokolade oder sonst was Klebriges. Nun los, Rosina, ich habe eine Idee, wir müssen uns beeilen.»

«Lasst ihn doch verschwinden», raunte Alberte, damit die Mädchen es nicht hörten, «dann ist er endlich weg.»

Franziskas Blick wurde dunkel und sehr kalt. «Ich denke nicht daran! So einfach nicht. Zuvor will ich eine Antwort haben. Was er gerade tut, bestätigt doch, was wir bisher nur vermuten konnten.»

«England», sagten beide wie aus einem Mund, als Alberte die Tür hinter ihnen schloss.

Franziskas Auflachen klang nach böser Genugtuung. «Er macht es uns leicht: der Brief an das *Englische Haus*, die Münzen. Beides mag Zufall sein, aber wohin flieht einer, der vor Verfolgung sicher sein will? Auf der Insel wird keiner verfolgt, der seine Verbrechen anderswo verübt hat, es sei denn, er hat einen König ermordet, das wäre denn doch zu dick. Zum Hafen», diktierte sie, «warum fahrt Ihr nicht endlich los?»

«So geht es nicht», Rosina schüttelte den Kopf, sorgte trotzdem dafür, dass sich das Pferd in Bewegung setzte. «Ich habe aus gleichen Gründen an England gedacht, es liegt auf der Hand, wenn ich auch immer noch nicht ganz begreife, warum er plötzlich fliehen sollte.»

«Das ist doch ganz klar. Ina ist ihm entkommen; er weiß, wenn die Wirkung des Giftes nachlässt, redet sie. Er hat Angst, dass sie verstanden hat. Das ist Grund genug.»

Rosina blieb skeptisch. Selbst wenn er der Giftmischer war, musste es leicht sein, eine so schwer Erkrankte als Phantastin hinzustellen, die im Fieber Wahnideen fabrizierte. Das war nicht ungewöhnlich. Jeder würde ihm glauben, immerhin war Hegolt inzwischen ein angesehener Mann. Wenn allerdings bekannt wurde, dass er mit einer Frau ohne Familie, schlimmer noch, sehr wahrscheinlich ohne ehrliche Herkunft verheiratet war, zudem eine Betrügerin, sah es auch für seine Reputation trübe aus. Selbst wenn Ina verschwand, sobald bekannt wurde, dass er «auf so eine hereingefallen war», hatte er ganz schlechte Aussichten, weiter zum oberen Zirkel der Stadt aufzusteigen.

«Egal. Wir fahren über die Brücke und am Wall entlang», erklärte Rosina, «das geht am schnellsten. Er ist nicht einfach zum Hafen geritten, dort fänden wir ihn sowieso nie, also gehen wir nicht mal ein Risiko ein.»

«Natürlich», rief Franziska in den Lärm der nun schnell rollenden Kutsche, «Ihr wollt zur *Meredith.*»

«Und Ihr seid wirklich *unglaublich* gut informiert», rief Rosina zurück, ein kribbelndes Gefühl machte sie übermütig, ein kleines Stoßgebet, nichts und niemand möge ihr vor die Kutsche, dem Pferd vor die Hufe laufen, wurde offenbar erhört. Zwar stoben hier Hühner und Hunde, dort zwei Schweine aus dem Weg, schimpfte ein Wasserträger ihnen zornig Obszönes nach, pfiffen zwei Soldaten schrille Töne auf ihren Alarmpfeifen, stieg das Pferd eines vornehmen Reiters und galoppierte hektisch davon – aber es ging rasch, sehr rasch, was auch nötig war, die Dämmerung war weit fortgeschritten, wenn sie noch durch das Tor wollten …

«Wohin denn jetzt?», rief Franziska.

«Durchs Millerntor und um das Hornwerk zum Ufer. Dort liegt die *Meredith*, am vordersten Duckdalben, so gut wie außerhalb des Hafens. Wenn sie nicht schon weg ist. Sonst läuft sie morgen in aller Frühe aus, mit ablaufendem Wasser. Da ist ein Steg, und – ach, seht gleich selbst. O nein! Verdammt, sie schließen das Tor.»

«Weiter», rief Franziska, «ganz nah ran.» Sie stellte sich auf, umklammerte schwankend das Verdeck und schrie: «Halt, wir müssen noch durch, eilige Ratspost. Los, Sergeant Kemper! Mensch, mach das Tor wieder auf!!»

Ein Wunder! Allerdings nur für Rosina. Das schon halb heruntergelassene Gitter im Tor ratterte wieder hoch, sie hörte das Rasseln und Quietschen der Zugbrücke, die nun nicht weiter hinauf-, sondern wieder heruntergelassen wurde. Schon waren sie durch das erste Torgewölbe und auf der ersten Zugbrücke über den Graben auf den Ravelin, durch das zweite Gewölbe, über die zweite Brücke und endlich durch den Schlagbaum hinaus auf das Vorfeld gefahren. Soldaten standen auf ihren Posten und sahen ihnen nach, ließen dann die ächzenden Gitter herab, zogen mit den Zugwinden die Brücken herauf.

Die Dämmerung fiel rasch, flüchtig dachte Rosina an Pauline und Tobi, die nun bald nach ihr suchten, an den armen Brooks, der ihr Pferd und Kutsche anvertraut hatte – sie würde viel Abbitte leisten müssen. Für solche Gedanken war nun keine Zeit. Sie hielt die Kutsche am Hornwerk, am Geesthang – etwa siebzig Fuß über dem Elbufer – an. Der Blick über die Elbe war gespenstisch, das Eis war längst aufgebrochen, noch trieben Eisschollen im Wasser und gaben dem Fluss etwas Schmutziges, Bedrohliches.

Sie waren nur wenige Schritte von der großen volkreichen Stadt entfernt, von dieser gedrängten Ansammlung von Häusern und Menschen, Tieren auch, die die Tage mit allen Arten von Lärm füllten. Die Abende waren natürlich ruhiger, mit der Dunkelheit ruhten die meisten Gewerbe, blieben die meisten Menschen in ihren vier Wänden, falls sie welche hatten. Hier vor dem Festungswall hörte man kaum etwas. Als sei die Stadt meilenweit entfernt.

Franziska legte ihren Finger auf die Lippen und zeigte zum Hornwerk hinauf, der doppelt großen Bastion über der Elbe. Irgendwo dort oben patrouillierten Soldaten oder Männer von der Bürgerwehr oder standen neben den Kanonen Wache, es roch nach Tabak, sie waren nah. Warum nicht ihnen alles überlassen?, dachte Rosina. Von dieser Stelle hatte sie sich schon einmal in ein Abenteuer gestürzt, war sie mitten in der Nacht in ein Boot gestiegen, das würde sie heute gewiss nicht tun, keinesfalls. Da unten lag die *Meredith*, jedenfalls waren Masten zu sehen, einige Schritte weiter unten wohl die ganze Bark. Auch von dort waren nur wenige Stimmen zu hören, Gemurmel, sie hatte gedacht, die Männer an Bord eines doch recht großen Schiffes seien in der Nacht vor dem Auslaufen emsiger. Aber es war nun fast ganz dunkel, vom Mond, der heute ohnedies nur eine schmale Sichel zeigte, noch nichts zu sehen, da gab es auf Deck nur noch wenig zu tun. Sie hockten unter Deck, spielten Karten und Würfel oder träumten von zu Hause, von der Rückkehr nach all den Monaten.

«Wo bleibt Ihr denn?» Franziska hatte ihre Röcke geknotet und begann schon, so leise wie möglich über den schmalen Pfad den Hang hinunterzuklettern. Erde rutschte herab, kleine Steine, sie blieben stehen und hielten lauschend die Luft an. Da war etwas, ein Ächzen?

Weiter, die letzten Schritte, und da lag die *Meredith.* Wie ein Gespensterschiff, keine Laterne, natürlich nicht, das war im Hafen verboten, ein Feuer sprang leicht auf andere Schiffe über und wurde zur Katastrophe. Aber da musste doch einer Wache haben – niemand war zu sehen, nur unten am Ufer –, da war ein Mann. Im viel zu feinen Rock, sein Mantelumhang lag im nassen Sand, daneben die pralle Tasche, er wirkte wie eine Schattenfigur, während er versuchte, ein aufs Ufer gezogenes Ruderboot zu bewegen. Die Männer der *Meredith* waren für den letzten Abend an Land gegangen, zumindest einige, nur hundert Schritte weiter auf dem Hamburger Berg gab es eine einsame kleine Schänke. Anstatt den Steg zu nutzen, hatten sie sich die Mühe mit dem Beiboot gemacht?

Der Mann am Boot war tatsächlich Hegolt. Ansgar Hegolt, der ehrbare Kaufmann, versuchte mit verbissener, unmöglich ausreichender Kraft, ein schweres Ruderboot ins Wasser zu schieben, um zur *Meredith* hinüberzurudern. Wozu sonst? Aber da war doch der Steg, warum ging er nicht über den Steg? Sicher konnte man von der Bark eine Planke herüberlegen. Oder warum wartete er nicht einfach, bis die Seeleute aus der Schänke kamen und ihn mitnahmen? Er besaß Parten an dem Schiff und kannte den Schiffer, es mochte seltsam erscheinen, war aber sein Recht. Und warum rief er nicht um Hilfe zur Bark hinüber? Natürlich, die Soldaten auf dem Hornwerk, die würden ihn auch hören. Ansgar Hegolt, das war klar, hatte Angst. Er handelte höchst unvernünftig.

«Bonsoir, Monsieur. Was macht Ihr da?» Franziskas Stimme war leise, katzenhaft und doch glasklar. «Ihr Armer, das Boot ist viel zu schwer für Euch. Sollen wir helfen?»

Hegolt fuhr herum wie nach einem Schlag. Franziska wirkte in der Dunkelheit größer, die Luft war dunstig hier unten, sie mochte ihm wie ein Geist erscheinen. Er zuckte zurück, nur für den ersten Moment. Und dann erkannte er die Frau, von der niemand gewusst hatte, dass er sie überhaupt kannte.

«Verschwindet!» Er versuchte seiner Stimme Autorität zu geben, aber sie zitterte. «Verschwindet, das geht Euch nichts an, also mischt Euch nicht schon wieder ein.»

«Es ist seltsam, wenn ein Mann wie Ihr in der Dunkelheit hier an einem alten Beiboot zerrt. Ein ehrbarer Kaufmann, einer, der just so erfolgreich ist, sich in die wichtigen Zirkel und

Kontore einzuschmeicheln, der endlich dort angekommen ist, wohin er immer strebte, mit aller Kraft und ohne Rücksicht, nämlich nach oben. Oder was Ihr für oben haltet.»

Sie griff in die Tasche ihres Umhangs und zog etwas hervor, Rosina bemerkte es erschreckt. Franziska hatte eine Pistole in der Hand, eine besonders langläufige. Rosina hatte nicht bemerkt, wie und wann sie sie feuerbereit gemacht, nicht einmal, dass sie sie mitgenommen hatte.

«Warum wollt Ihr unsere schöne Stadt so hastig verlassen?» Das war immer noch Franziskas leise Stimme. «Nach England, nehme ich an. Ihr werdet einsam sein. Ohne Eure geliebte Ehefrau», zischte sie, nun ganz nah vor seinem Gesicht, «sehr einsam.»

Hegolt hob die Hand und stieß sie zurück.

«Vorsicht, Hegolt.» Sie hielt ihm die Pistole entgegen. «Vorsicht. Ich bin geübt mit diesem Ding. Zweifelt besser nicht daran. Welches Gift habt Ihr Ina gegeben?»

«Alles hätte wieder seine Ordnung gehabt, wenn Ihr Euch nicht eingemischt hättet. Nur noch eine Woche oder zwei.»

«Welches Gift? Sagt es mir, dann überlegen wir, ob Ihr auf die Bark dürft. Was sollte ich auch sonst mit Euch anfangen? Für Kerle wie Euch habe ich keine Verwendung. Also: welches Gift?»

In seinem Gesicht, ein heller Fleck in der Dunkelheit, schien so etwas wie Hoffnung auf, neue Kraft, sein Blick glitt rasch zum Schiff hinüber, als rechne er seine Chancen aus. Wenn Inas Geist wieder klar wurde, wenn sie sich weiter erinnerte, wenn sie redete, hatte er verloren. England konnte für ihn Freiheit bedeuten, und von England konnte er weiter in die Welt. An Orte, wo es lukrative Geschäfte und wenig Fragen gab.

«Meine Ehefrau?» Seine Stimme klang gehässig und rechthaberisch. «Das ist sie nicht. Sie hat mir nur eine vorgespielt.

Ich habe ein Phantom geheiratet.» Mit jedem Wort kehrte mehr seiner selbstsicheren Arroganz zurück, seiner wütenden Gekränktheit. «Die brave Gesellschafterin im Hause Söder, sittsam in dem Garten voller betörender Düfte auf der karibischen Insel, demütiger Blick, wie es sich gehört. Die richtige Frau für einen ehrbaren Kaufmann, keine besonders gute Partie, aber eine anständige. Dabei hat sie mich gemein umgarnt, weiß der Teufel, welches Zaubermittel sie in ihre Augen getan hat. Das hatte sie bei dir gelernt, bei dir und den – Schwestern. Vom Roten Haus. So nennt ihr euch doch. Ich weiß genau, dass an deinem Haus die rote Laterne hängt, ich weiß, was da vorgeht, und ich weiß, was sie war, bevor sie die demütige Mademoiselle spielte, um die Sinne anständiger Männer zu verderben. Wie ihr alle. Gott hat sie gestraft, da hätte ich es schon wissen müssen. Er hat sie mit einem Krüppelkind gestraft.»

«Krank bist nur du, Hegolt. Ina war nie eine Hure, niemals. Das war nur ich, keine sonst von uns, und das Rote Haus», sie lachte heiser, «das Rote Haus steht am Rödingsmarkt. Du bist dort Provisor, verdammt ehrenhaft für einen Giftmörder. Wenn die Sonne im Sommer tief über der Elbe steht, glüht der Backstein im Abendrot – das Waisenhaus war unser ‹Rotes Haus›, du Idiot.»

Er starrte sie an, als habe sie in einer fremden Sprache gesprochen. «Du lügst, ihr alle lügt. Und zerstört das Leben ehrbarer Leute.»

«Ehrbar kann ich nun nicht mehr hören», versetzte Franziska, aber er achtete nicht darauf.

«Ihr verderbten Weiber zerstört alles. Findelkinder seid ihr, was ist daran besser als an einer Hure? Eure Mütter waren Huren, warum sonst haben sie euch ausgesetzt? Schlechtes Blut. Kein anständiger Mensch lässt euch in sein Haus, und keinen, der mit euch ist. Ina wollte meine Reputation zerstören. Mich. Mein ganzes Leben. Und ihr falschen Schwestern – ihr habt euch verschworen. Ich höre euch schon lachen. Ihr zerstört mich, wenn ihr Inas Betrug herumerzählt – ich *musste* mich wehren. Das war meine Pflicht, ich habe einen Sohn. Von einer reinen Frau, das gute Blut muss über das schlechte siegen, das ist unsere Pflicht. Ich musste zum Schweigen bringen, wer mich vernichten wollte. Die Erste lief mir einfach über den Weg, mitten in der Nacht. Keine anständige Frau kommt so spät allein nach Hause, man weiß doch, was diese Dinger bei den Maskenbällen treiben. Dieses dreiste Hürchen aus dem Nachbarhaus. Machte allen Männern schöne Augen, zeigte ihren Busen, wiegte ihre Hüften und sang. Sie sang! Man hörte es durch die Fenster. Und in der Nacht, da reichte ein kleines Pfeifen und ihren Namen flüstern, sofort war sie da, kam einfach ins Dunkel, so eine war das. So seid ihr alle. Ina. Ihr alle. Eine Pest.» Er lachte atemlos. «Wer mich vernichten will, wird vernichtet. Das Eis ist wie Feuer. Das Feuer frisst, das Eis deckt zu. Macht alles sauber, wieder ganz sauber. Ihr Hals war dünn, und dann war sie still, es war leicht, und das Eis hat sie verschluckt. Die Zweite», er beugte sich heftig vor, sein Gesicht glühte, «die Zweite kostete mehr Mühe, ich musste ihre Wege finden, in diesem Schmutz herumwaten, sie war selber schmutzig, es war widerlich. Widerlich!»

Aus Franziskas Kehle löste sich ein erschreckender Ton, ein Knurren, Zischen, fassungsloser Zorn.

«Du dreckiges Schwein, du Schlächter.» Sie hob die Pistole, und Hegolt, als begreife er erst jetzt, was er gesagt hatte, als erwache er aus seiner selbstgerechten Tirade, sprang einen halben Schritt zurück. Seine Füße spürten den Beginn des Stegs.

«Was hast du vor, dummes Weib, willst du mich erschießen? Die Soldaten sind gleich da, du landest am Galgen.»

«Da landest nur du, verlass dich drauf.»

Als er lachte, klang es hilflos, plötzlich war alles Trotzige, Selbstgerechte verschwunden. Er wich weiter zurück, Franziska folgte ihm und hob die Pistole.

«Nein», flüsterte er, von aufwallender Angst halb erstickt, «bitte, ich gebe dir alles, was ich habe, meine Taschen sind voll, es sind …» Er hielt den Atem an, lauschte, wankte, und unter ihm knickte der Steg ein. Langsam, eine Strebe nach der anderen, so wie das treibende Eis sie zermürbt hatte. Eine nach der anderen. Er rutschte, schlug mit den Armen, und dann – Rosina stand erstarrt, die Sekunden schienen endlos –, dann fiel er und griff nach der Pistole, die Franziska ihm entgegenhielt, ein Fuß fand wieder sicheren Halt.

«Zieh ihn zurück», schrie Rosina, «er fällt, so zieh ihn doch vom Steg!»

Franziska verharrte – und dann ließ sie los. Ließ einfach den Griff der Pistole fahren, hob beide Hände hoch über den Kopf wie im Triumph oder einer heidnischen Beschwörung, und der Mann, der zwei ihrer Schwestern erwürgt und eine fast vergiftet hatte, fiel zurück, tauchte ein zwischen die treibenden Schollen. Ein gurgelnd erstickter Schrei, und er ging unter, noch einmal tauchte sein Kopf aus der Flut auf, seine Arme.

Dann trieb der nächtlich schwarze Fluss seine Wasser wieder ungestört zum Meer, stoisch, wie immer.

Es sprach sich schnell herum. Einige Tage später standen Nachrufe im *Hamburgischen Correspondent* und in den *Address-Comtoir-Nachrichten.*

Ansgar Hegolt, stand da zu lesen, eine aufstrebender, allgemein beliebter und um das Gemeinwohl im edelsten Bürgersinn verdienter Kaufmann und Bürger dieser Stadt, sei am vergangenen Dienstag in seinem 39. Jahr in der Elbe ertrunken. Auf Hilferufe umgehend herbeigeeilte Soldaten hatten versucht, das schreckliche Unglück zu verhindern, sie seien jedoch trotz ihrer großen Eile zu spät gekommen. Ebenso zwei namentlich unbekannte Damen, die sich zufällig in der Nähe aufgehalten hatten, von denen eine, bei ihrem selbstlosen Versuch zu helfen, beinahe selbst ein Opfer der Fluten geworden wäre. Das Mitgefühl aller empfindsamen Seelen gelte der trauernden Witwe und den hinterbliebenen Kindern, einem Sohn von zwölf Jahren und zwei Töchtern von sieben und sechs Jahren. Da die Witwe ob des Schicksalsschlages unwohl sei, bitte man von Beileidsbekundungen im Hause abzusehen.

Auch Rosina hatte die Anzeigen gelesen. Immer noch holten sie die Bilder dessen ein, was wirklich geschehen war. Auf ihren Schrei, Franziska möge Hegolt zurückziehen, zurück vom Steg, waren die Soldaten oben auf der Bastion aufmerksam geworden und hatten sich gleich auf den Weg gemacht, um das Hornwerk herum und hinunter zum Ufer. Natürlich war es längst zu spät. Von Ansgar Hegolt war nichts mehr zu sehen gewesen, nur sein Mantelumhang und sein Reisesack lagen im Sand.

Es war Rosinas Schrei gewesen, der alle ganz selbstverständlich annehmen ließ, Franziska sei auf dem gefährlichen Steg gewesen, um den verunglückenden Mann zu retten. Und tatsächlich wäre sie fast selbst in den Fluss gestürzt, hätte nicht Rosina sie von dem weiter einbrechenden Steg zurückgerissen. Plötzlich waren überall Männer gewesen, die Soldaten von der Bastion, eine Handvoll Seeleute aus der Schänke vom Hamburger Berg, andere, die von der *Meredith* herüberschauten und -riefen.

Als sie später endlich in die Mattentwiete heimkehrte, erschöpft und verwirrt, erwartete sie die vor Sorgen schon verzweifelnde Pauline, ein angstvoll bleicher Tobias. Da werden Frauen in der Stadt ermordet, schrie Pauline – ganz und gar nicht angemessen für eine Dienstbotin –, und sie bleibe so lange aus, alle suchten schon nach ihr, Brooks, Weddemeister Wagner, überhaupt alle.

In Rosinas Kopf zählte es sich anders. Zwei Frauen waren ermordet worden, eine fast vergiftet. Und ein Mann war – getötet worden? Seinem Schicksal überlassen? Franziskas Hand, die die rettende Pistole hielt, hatte einfach losgelassen. Triumphierend. Hegolt zu töten musste von Anfang an ihr Plan gewesen sein, deshalb hatte sie den Wachsoldaten, deren Offiziere sie offensichtlich nur zu gut kannte, nicht die Jagd nach ihm überlassen. Und sie, Rosina, hatte mitgemacht. Sie hatte nicht nachgedacht, nicht überlegt, sie war einfach losgerannt. Wie ein eifriges Hündchen. Ein neugieriges Hündchen. Es war eitel gewesen.

«Ich weiß nicht, was Ihr wollt», hatte Franziska gesagt, als sie sie später bei einem diskreten Treffen danach fragte, «so wie es nun ist, ist es gut. Ina ist eine ehrbare Witwe – was sie im Übrigen tatsächlich ist, mit ihrer ganzen reinen Seele, egal, was die Leute sagen würden, wüssten sie die Wahrheit. Ihre Töchter und sein Sohn – den Jungen solltet Ihr bei alledem nicht vergessen! – können um ihren guten Vater trauern. Sie müssen sich nicht ihr Leben lang damit herumschlagen, dass sie einen gemeinen und selbstgerechten Mörder zum Vater haben. Wie hat er da auf dem schwankenden Steg gesagt? Schlechtes Blut. Wenn man selbst und die Gesellschaft, in der man lebt, so etwas von einem glaubt, hat man keine Chance. Glaubt mir, ich weiß das gut. Ich bin auf meine Weise entkommen, mehr oder weniger, aber nicht jede kann meinen Weg gehen.»

«Was Ihr getan habt, war also eine selbstlose Tat.»

«Kommt mir jetzt nicht mit Moral, Madam Neunmalklug. Ihr wisst genauso gut wie ich, wie gnadenlos sie sein können, die braven Bürger. Passt gut auf, wenn nur *ein* Verdacht auf Euch fällt, wenn Ihr nur *einmal* von dem Pfad der gebotenen Tugend abweicht, auch nur in den Ruch kommt – dann werdet Ihr es wieder erleben. So wie vor Eurer Heirat. Nein, schlimmer. Da wart Ihr einfach eine Wanderkomödiantin, von der nichts anderes erwartet wurde, nun würden sie Euch als eine Hexe brandmarken, die sich in die brave Gesellschaft eingeschlichen und alle betrogen und lächerlich gemacht hat. Das verzeihen sie nie.»

«Ihr habt es also für Ina getan, für Eure Schwester.»

«Haltet mich nur nicht für selbstlos oder gar edelmütig. Nichts liegt mir ferner. In meiner Welt gibt es weder das eine noch das andere. Alles, was ich tue, tue ich einzig für mich.»

Da lächelte Rosina, zum ersten Mal in diesem Gespräch. «Ihr habt schon besser gelogen», sagte sie, «aber das ist mir einerlei. Ihr habt mir noch gar nicht gedroht. Ich weiß nun um Inas Geheimnis, jedenfalls um einen Teil davon, ich wüsste gerne noch, wie sie es so weit geschafft hat. Aber wenn ich rede …»

«… werdet Ihr es bitter bereuen! Ihr müsst inzwischen bemerkt haben, dass mein Arm weit reicht. Ein Institut, wie ich es betreibe, bietet erstaunliche Möglichkeiten. Wenn man geschickt ist, erfährt man alles, was man will, hat überall Spione, freiwillige und unfreiwillige, viele Männer sind gegen entsprechende Diskretion gerne zu Diensten – es sind ehrliche Tauschgeschäfte –, auch Frauen, sogar Damen. Wirklich bedauernswerte Geschöpfe. Die Spieltische sind gar zu verführerisch. Ich würde mich nie an einen setzen. Aber ich glaube nicht, dass Ihr Inas und unsere Geschichte ausplaudern werdet. Ich kenne *Eure* Geschichte, Madam Vinstedt, und Ihr seid alles Mögliche, aber nicht bigott. Deshalb bin ich sicher, Drohungen sind überflüssig. Ihr versteht uns, anstatt zu verurteilen.»

Und dann war Madam Junius doch bereit gewesen, Rosinas Neugier zu befriedigen und die Lücke in Inas Geschichte zu füllen.

Ina hieß tatsächlich Marie, den Familiennamen behielt Franziska hier für sich. Als sie die gestohlenen Diamanten verkauft und den ob der Umstände natürlich viel zu geringen Ertrag aufgeteilt hatten, hatte jede ihren ganz eigenen Traum von einem zukünftigen Leben gehabt. Nur Marie wollte einfach ein neues. Sie waren da schon keine Kostkinder mehr, sondern in ihren ersten Stellungen. Als das Kontraktjahr um war, ging Marie fort, in der Tasche ihr neues Leben, nämlich einen Geburtsschein auf Ina Meesters, ehelich geboren, die Namen ihrer Eltern, auch der Paten, allesamt honorige Menschen aus einer Stadt im Brandenburgischen.

Von da an handelte sie klug und hatte dazu das nötige Glück. Sie nahm eine Stellung in Schleswig an, ging mit der Familie nach Kopenhagen, und von dort – hier schließt sich der Kreis – wurde sie an Madam Söder weiterempfohlen, die unbedingt eine deutsch-dänische Gesellschafterin suchte, die bereit war, bei ihr auf St. Croix zu leben, am Ende der zivilisierten Welt. Da sie keine fand, suchte sie wenigstens ein solches Dienstmädchen. Für Marie, nun längst Ina, war das die Erlösung der stets lauernden Angst, doch noch als Betrügerin entlarvt zu werden, am Pranger und dann lebenslang im Zuchthaus zu enden, wieder hinter hohen, diesmal noch fester verschlossenen Mauern. Oder am Galgen.

Madam Söder hatte auf St. Croix viel Zeit und kaum Unterhaltung, sie mochte das Mädchen und machte eine Gesellschafterin aus ihr, eine Mademoiselle. So einfach. Sie polierte ihre Sprache, verhalf ihr zu den paar nötigen Krümeln Bildung (damit war sie selbst nicht gerade reich gesegnet), zu bürgerlichen Manieren. Eines Tages kam ein Gast, ein Kaufmann aus Emden, für einen Mann noch recht jung, schon Witwer, ein wenig streng vielleicht, doch bei nicht zu großen Ansprüchen eine angenehme Partie. Kurz und gut, er tat etwas, was seinem Wesen eigentlich fremd war, er verliebte sich in die bescheidene, auf ihre stille Art auch schöne Gesellschafterin der Hausherrin, und seine Gefühle wurden erwidert.

«So begann Inas Glück», schloss Franziska Junius, «und zugleich ihr Unglück.»

Da hatte sie an die vordere Wand der Kutsche geklopft, mit der sie und Rosina während ihrer ganzen Unterhaltung auf dem Wall hin und her gefahren waren. «Ihr steigt nun besser aus. Und denkt immer daran, Rosina Vinstedt, es ist besser für Euch, wenn Ihr mich nicht kennt. Fühlt Euch in dieser Stadt nicht zu sicher. Wer Euch mit mir sieht und mich kennt, entdeckt gleich in Euch die Hure, denn eigentlich haben sie es ja immer gewusst. Bei mir habt Ihr aber einen Punkt gut. Wenn Ihr mich eines Tages brauchen solltet, zum Beispiel», im Halbdunkel der Kutsche wirkte ihr Lächeln sardonisch, «wenn Euer Ehemann nicht mehr nach Eurem Geschmack ist, wenn ihr mich also brauchen solltet, wendet Euch an Wilhelmine oder Elske, ich werde es erfahren.»

In den Kaffeehäusern, insbesondere in *Jensens*, in dem auch Monsieur Bahlmann verkehrte, sprach sich herum, der brave Hegolt habe dem Schiffer der *Meredith* noch einige Briefe nach London mitgeben wollen, womöglich wegen diskreter Geschäfte, die man gerne am Zoll vorbeibetreibe. Was allgemein als üble Nachrede verurteilt wurde, man rede nicht schlecht über einen Toten, der allgemein geachtet gewesen war, schon um die bedauernswerte Witwe nicht in Verruf zu bringen. Da er sich mit dem Fluss und den Gefahren des treibenden Eises noch nicht auskannte, habe er leider den maroden Steg betreten, im März nach einem Eiswinter immer lebensgefährlich, war mit dem brechenden Holz ins Wasser gefallen und ertrunken.

Das komme davon, wenn man sein Kontorpersonal schone und solche Wege selbst auf sich nehme, bemerkte Werner Bocholt zu seinem alten Freund Claes Herrmanns. Der Kaufmannsstand, er habe es immer schon gesagt, sei nicht nur einer der schwersten und risikoreichsten, sondern auch einer der für Leib und Leben gefährlichsten.

Woraufhin Claes Herrmanns bedächtig nickte und zwei weitere Tassen Kaffee bestellte, eine mit Kardamom und eine mit Mandelmilch und zerdrückten Nelken.

Epilog

An einem jener samtenen Maiabende, die die Seele gleichermaßen Heiterkeit und Melancholie fühlen lassen, war in einem Wandsbeker Garten eine bunte Gesellschaft versammelt. Man traf sich unter den alten Eichen zur Maibowle und um dem lieblichen Gesang der Nachtigallen zu lauschen. Diese Gegend war für die Konzerte der so zierlichen wie stimmstarken Vögelchen legendär. Schon lange zog es die Hamburger wegen der Spazierwege durch die idyllischen Gehölze nach Wandsbek, wegen der guten Luft und des reinen Wassers, hin und wieder im Morgengrauen auch zu einem Duell. Neuerdings kamen viele, um die Fortschritte beim Neubau des Schlosses zu begutachten, das der jetzige Besitzer des Dorfes, der ungemein reiche Baron Schimmelmann, an der Stelle des abgerissenen alten errichten ließ. Große Teile des Schlossparks waren schon hergerichtet oder neu angelegt und durften von jedermann erwandert werden.

Die Gesellschaft im kleinen Garten von Matthias Claudius, dem Redakteur des *Wandsbecker Bothen,* und seiner sehr jungen Frau Rebekka hatte darauf verzichtet. Was es im Dorf und um das Schloss zu besehen gab, war allen längst bekannt.

Amanda Söder residierte am Kopf des Tisches. Während sich die Übrigen, wie es in aufgeklärten Kreisen und nach englischer Mode bei Besuchen auf dem Land üblich wurde, ein wenig bequemer und schlichter gekleidet hatten als bei Soireen in der Stadt, war sie prächtig herausgeputzt. In ihrer Seidenrobe und mit der aufgetürmten, mit echten Blüten und Vogelfedern geschmückten blitzweiß gepuderten Frisur wirkte sie so königlich wie altmodisch, was bei Besuchern aus den Kolonien häufig vorkam.

Nur ihre alte Freundin Augusta Kjellerup hatte leise zu Anne Herrmanns bemerkt, der Anblick erinnere sie an eine französische oder italienische Komödie, es fehle nur die weiße Schminke.

Der Platz am Kopf des Tisches kam Madam Amanda zu (die überaus bescheidene Rebekka Claudius hätte ihn in Gegenwart vornehmer alter Damen sowieso nie für sich beansprucht), denn sie war die eigentliche Gastgeberin. Die Wiederherstellung ihres Anwesens mache allzu langsame Fortschritte, hatte sie bekannt gegeben, deshalb bitte sie in den Garten der Claudius, was ohnedies praktisch sei, da Madam Rebekka den Auftrag habe, das Ganze vorzubereiten. Zudem sängen die Nachtigallen dort zahlreicher und, wie es im Dorf heiße, auch lieblicher als in diesem düsteren, an bedrohlichen Sumpflöchern reichen Hain nahe ihrem Haus. Worüber sie allerdings froh sei, das nächtliche Geschrei der Vögel würde nur ihren empfindlichen Schlaf stören.

Alle Eingeladenen hatten sich über den an überflüssigen Erklärungen reichen Text amüsiert und waren gerne gekommen. Augusta wusste, warum die Renovierung so viel Zeit in Anspruch nahm. Amandas Sohn hatte ihr unerwartet großzügige Mittel zukommen lassen, damit sie ihr marodes Erbe elegant und bequem herrichten konnte, auch den Garten neu anlegen. Amanda hatte gnädig angenommen, und Augusta bewunderte den klugen Schachzug Söders, seine zänkische Mutter gut versorgt zu wissen und sie zugleich auf Distanz zu halten.

Nur Franziska Junius war nach einem ihrer häufigen Besuche auf dem zu ihrem Anwesen gehörenden kleinen Friedhof mit den beiden frischen Gräbern zu ihrer Nachbarin hinüberspaziert, hatte zwei Flaschen Schaumwein aus

Frankreich mitgebracht und sich entschuldigt. Was allgemein bedauert wurde, jedenfalls von denen, die um das Fehlen der Dame mit dem zweifelhaften, also eindeutigen Ruf wussten. Nicht ganz – Claudius war froh darüber. Er bemühte sich darum, ein aufgeklärter Mensch zu sein, aber Toleranz hatte ihre Grenzen, und eine Madam Junius unter seinem Dach, in seinem Garten, auf der gleichen Bank wie seine reine Seele Rebekka – besser nicht. Wenn sie angeblich auch hundertmal versucht hatte, einem ehrbaren Bürger und Kaufmann das Leben zu retten.

Anne Herrmanns war erst vor wenigen Tagen von Jersey zurückgekehrt, ihr Bruder war wieder halbwegs genesen, und wenn sie ihre Heimatinsel auch liebte und immer noch Anwandlungen von Heimweh kannte, war sie rundum glücklich, wieder hier zu sein. Ihr Gatte wich keine Minute von ihrer Seite, was allgemein als rührend empfunden wurde, wo gab es schon ein so reifes Paar, dessen Liebe bei aller Diskretion unübersehbar blieb. Nur Werner Bocholt, der mit seiner Gattin und zweien seiner Töchter mit von der Partie war, obwohl er hier mit keinerlei Heiratskandidaten rechnete, schüttelte den Kopf, was wiederum niemand wunderte.

Ina Hegolt saß im schwarzen Witwengewand neben der Gastgeberin, was nicht der Rangordnung entsprach, aber niemanden störte. Die arme Madam Hegolt wurde allgemein bedauert, weil ihr liebender Gatte auf so tragische Weise ums Leben gekommen war. Leider hatte er ihr nur ein Erbe hinterlassen, das ihr und ihren Kindern auf Dauer nicht einmal ein bescheidenes Leben ermöglichen würde, aber wenigstens hatte sie diese seltsame Krankheit überstanden, die sie schon vor dem Tod ihres Gatten gequält hatte. Ihre beiden Töchter, die keinen Tag bereit waren, von ihrer Seite zu weichen, schliefen schon im Haus, die frische Luft hatte sie ermüdet.

Tatsächlich wirkte Ina Hegolt noch ein wenig mager und

blass, sie sprach wenig und wenn, nur unsicher, aus ihren Augen sprachen gleichwohl wieder Zuversicht und Kraft. Es hieß, einige gelangweilte Matronen in der Stadt berieten schon, welche Bande zu knüpfen seien, um die arme Witwe Hegolt wieder gut zu verheiraten. Sie sei noch jung genug und recht ansehnlich. Drei Kinder seien dem natürlich hinderlich, womöglich finde sich ein halbwegs betuchter Witwer, der selbst mit einer Kinderschar gesegnet sei. Dass Ina beteuert hatte, sie werde niemals wieder heiraten, wussten sie nicht. Sie hätten es auch nur dem Schmerz über den Verlust zugeschrieben und gelächelt, weil solche Anwandlungen stets rasch vorübergingen. Sie kannten schließlich die Welt und das Leben.

Auch Elske Probst war da, an ihrer Seite Pieter Hillmer, der sich in dieser Gesellschaft sichtlich unwohl fühlte. Es hieß, sie habe endlich eingewilligt, ihn zu heiraten, so hatte er sich ihrem Wunsch gefügt, hatte angespannt und war mit ihr und den beiden Cordes nach Wandsbek hinausgefahren. Dass sie gleich neben Wagner und seiner Frau Karla platziert waren, hatte nur wenige Minuten Unbehagen ausgelöst. Karla hatte die seltene Gabe, allein durch ihre Anwesenheit Freundlichkeit herzustellen. Wagner war einzig Karla zuliebe hergekommen. Er zeigte sich schweigsam und steif.

Luis, der Flößer aus der Gegend hinter Pirna, hatte Hamburg schon in den letzten Märztagen verlassen, er wollte Ostern wieder zu Hause sein. Weder er noch Rosina hatten seine verschollene Base gefunden. Dass er ihr sehr nah gewesen war, wusste er nicht, vielleicht würden sie einander eines Tages doch noch finden. Die Waisenhausakten hatten keinen Hinweis ergeben, in den Jahren, die infrage kamen, hatte sich kein Eintrag über ein Mädchen mit dem Namen Sachse oder Mey gefunden. Blieb nur noch die Möglichkeit des Findelkindes, dann war jede weitere Suche vergeblich. Rosina hatte noch eine Idee. Sie versprach wenig Erfolg, doch fand sie es besser, eine Frage zu viel als eine zu wenig zu stellen. Matti, die alte Hebamme vom Hamburger Berg, erinnerte sich an die erstaunlichsten Dinge und hatte immer eine Schwäche für wandernde Komödiantinnen gehabt. Sie hatte Matti und die alte Lies, die seit einigen Jahren bei ihr lebte, schon viel zu lange nicht mehr besucht. Gerade jetzt im Mai war es in Mattis Garten besonders schön. Sonntag, wenn Tobias keine Schule hatte und Pauline ihren freien Tag bei ihrer Tochter verbrachte, war ein guter Tag, um mit dem Jungen durch die frische Luft und hinaus auf den Hamburger Berg zu wandern.

Wilhelmine Cordes hatte ihren Sohn mitgebracht, der allerdings nicht zu sehen war. Moritz war mit Emanuel Hegolt bei den Pferden der Gäste, bei jedem seiner Schritte Tobi an seinen Fersen, der den Älteren zu seinem Vorbild auserkoren hatte. Was wiederum Rosina beruhigte, weil es wirklich Schlimmeres und kaum einen netteren Jungen gab. Seit Dr. Pullmann, der Wundarzt der Garnison, erzählt hatte, es gebe in Frankreich Schulen für Veterinäre, Ärzte nur für Tiere, insbesondere Pferde, und er sei sicher, bald gebe es auch welche in den deutschen Ländern, war Moritz ein froher Junge. Seine Mutter träumte für ihren Sohn lieber weiter von einer Zukunft als Pastor oder als Professor an einer Handelsakademie, so ehrliche wie ungefährliche Berufe, aber wenn es so weit war, würde er seinen eigenen Weg gehen. So war die Welt, und so war sie gut. Hauptsache, er wurde kein Vagabund und Tagedieb.

Wer saß noch um den langen Tisch? Auch Molly war da, sie lebte noch im Haus der Herrmanns, bis sie ihre eigenen Pläne verwirklichen konnte, was nicht mehr lange dauern würde. Neben ihr saß Sylvester Steding, der Lehrer im Waisenhaus war.

Und Mlle. Meyberg? Sie war zu einem kurzen Besuch zu

ihren Eltern und fünf Geschwistern nach Hannover gefahren und wurde bald zurückerwartet. Es hieß allerdings, sie werde ihre Stellung wechseln. Amanda Söder brauchte unbedingt eine tüchtige Person, die ihren Haushalt regierte, die übrigen Dienstboten beaufsichtigte, ihr vorlas und dafür sorgte, dass sie regelmäßig badete. Eigentlich habe ihr die Arbeit als Gouvernante nie wirklich Freude gemacht, hatte Mlle. Meyberg Ina gestanden, obwohl sie die Hegolt'schen Kinder ungemein reizend finde. Nun ja. Offenbar fand sie Amanda Söder noch reizender.

Die junge Madam Vinstedt gehörte zu den wenigen, die an diesem Abend auf der melancholischen Seite waren. Wagner hatte ihr noch nicht verziehen. Sie hatte ihm zwar anvertraut, wer die beiden Frauen getötet hatte, doch zugleich versichert, sie werde das vehement abstreiten, falls er das bekannt gebe. Er hatte ihr Bestreben, so Ina Hegolt und die Kinder zu schützen, verstanden, doch nun stand er als einer da, dem es nicht gelang, einen Doppelmörder zu fassen. Außerdem hatte sie gedacht, in dieser schönen Nacht nicht nur mit Tobias bei Amanda und den Claudius zu Gast zu sein. Nach seiner letzten Post hatte sie schon vor zwei oder drei Tagen mit Magnus' Rückkehr gerechnet. Aber ihr Ehemann, mal sehnsüchtig, mal wütend, immer ungeduldig erwartet, war noch nicht zurück. Immer noch nicht. Seine Weiterreise nach Rom hatte wenigstens einen halben Erfolg gezeitigt. Magnus hatte Blanck gefunden und ihm die restlichen Wechsel abnehmen können, etwa die Hälfte, hatte Pauli versichert, der Eilpost von Magnus bekommen hatte. Irgendetwas hatte ihn wieder aufgehalten, vielleicht nur ein Hochwasser führender, zum reißenden Strom gewordener Bach. Hoffentlich kein neuer Anfall von Sehnsucht nach anderen Städten und Ländern.

Auch von der Becker'schen Komödiantengesellschaft, die doch so etwas wie ihre Familie war, hatte sie keine Nachricht.

Immerhin war Anne wieder zurück, das war ihr ein großer Trost und eine große Freude. Irgendwann würde sie ihr vielleicht anvertrauen, was in der Märznacht am Eis treibenden Fluss tatsächlich geschehen war. Sie war nie schwatzhaft gewesen, aber diese Geschichte für sich zu behalten fiel ihr schwer.

Die reichgefüllten Teller und Schüsseln waren geleert, es wurde gesungen, geplaudert, gelacht und getrunken, die Herren und Madam Söder hatten lange weiße Tonpfeifen angezündet, und die Sterne leuchteten um die Wette. Eilige, kaum schmetterlingsgroße Fledermäuse schwirrten über den Köpfen, und eine ganze Korona von Glühwürmchen tanzte über dem Teich. Und da war endlich auch der Mond, voll und groß. Als sei er zum Greifen nah, hing er über den schwarzen Wipfeln und machte ein freundliches Gesicht. Nur die Nachtigallen ließen heute auf sich warten.

Rosina war in den Garten spaziert, der zum größeren Teil aus Gemüsebeeten bestand, doch es duftete nach Reseeden und Heu, ein bisschen auch noch nach den gebratenen Gänsekeulen und Wachteln, nach Waldmeister und – Lavendel? Sie sah sich um, eine schlanke Gestalt schlenderte heran – es war nur Claudius.

«Ach», sagte er mit einem glücklich klingenden Seufzer, «was für eine wunderbare Nacht. Und dieser Mond! Liebt Ihr ihn auch so sehr? Ich muss meinen verehrten Freund Klopstock daran erinnern, eine Hymne auf den Mond zu schreiben, diesen freundlichen, stets trostreichen Gesellen. Wer könnte es besser als er?»

«Womöglich Ihr, Monsieur Claudius.»

«Glaubt Ihr?»

«Unbedingt.»

Just in diesem Moment begann die erste Nachtigall zu schlagen, dann eine zweite, noch eine, viele. Süß und sehnsuchtsvoll. Nur Amanda Söder hörte es natürlich anders, sie behielt es ausnahmsweise für sich.

Da standen Rosina und Claudius nun und sahen zum Mond hinauf. Während Rosina überlegte, ob womöglich – höchstens eine Tagesreise weit – auch Magnus gerade zu diesem freundlichen kugelrunden Gesicht am Himmel hinaufsah und sich sehnte wie sie, dachte Claudius an den kranken Nachbarn und wünschte ihm einen ruhigen Schlaf.

Nur eine fünftel Meile weiter standen drei hochbepackte Wagen im Schutz einer dichten dornigen Hecke. Ein halbes Dutzend Menschen, vielleicht zwei oder drei mehr, hockten und lagen in Decken gerollt im Dunkel und sahen zu dem über die Bäume aufsteigenden Mond hinauf, lauschten dem von ferne zu hörenden Lachen und Singen, den anstoßenden Gläsern, diesen Geräuschen von freundschaftlich beieinandersitzenden Menschen, die ein sanfter Nachtwind von einem kleinen Haus am Dorfrand herübertrug. Und auch dem Nachtigallenschlag.

«Ach, Jean.» Helena Becker flüsterte, um Rudolf und Gesine nicht zu wecken, die müde von dem langen Tag auf der Straße schon schliefen. «Wir hätten ihr doch schreiben sollen. Was tun wir, wenn sie sich nicht freut? Rosina hat Überraschungen nie besonders gemocht.»

Jean Becker, Prinzipal der Becker'schen Komödiantengesellschaft, antwortete nicht. Er hielt seine Frau fest umarmt, und er schlief. Irgendetwas ließ ihn dennoch sorglos lächeln.

Glossar

Abendlied Das A. von Matthias (→) Claudius mit der Titel gebenden Anfangszeile «Der Mond ist aufgegangen» wurde 1778 veröffentlicht und im Laufe der Zeit von über zwanzig Komponisten vertont, u.a. von Franz Schubert und Michael Haydn. Mit der Melodie von Johann Abraham Peter Schulz (1747–1800, u.a. der Komponist von «Ihr Kinderlein kommet») wurde es zu einem der schönsten und immer noch meistgesungenen deutschen Volkslieder.

Admiralität hieß das 1623 gegründete Kollegium, das so eine Art frühe Schifffahrtsbehörde war. Die A. bestand aus Mitgliedern des Rats, der Kaufmannschaft und der Schiffer und organisierte, verwaltete, förderte und beaufsichtigte in Hamburg nahezu alles, was mit der Fluss- und der Seefahrt zu tun hatte, dazu gehörte auch die Rechtsprechung in allen Schifffahrt und Seehandel betreffenden Streitfällen.

Akademisches Gymnasium Die etwa dreijährige Ausbildung am A.G. galt vor allem als Vorbereitung auf das Universitätsstudium. Der Besuch folgte in der Regel auf den Abschluss am (→) Johanneum, es gab jedoch auch öffentliche Vorlesungen. An dem über die Stadtgrenzen hinaus renommierten Institut unterrichteten sechs Professoren, u.a. in den Fächern Logik und Metaphysik, Beredsamkeit und Moral oder verschiedenen Naturwissenschaften. Die zum A. G. und (→) Johanneum gehörende bedeutende Bibliothek gilt als «Urzelle» der heutigen Staats- und Universitätsbibliothek Hamb. Carl von Ossietzky.

Anatomisches Theater (→) Eimbeck'sches Haus.

Bach, Carl Philipp Emanuel (1714–1788) Der zweite Sohn und Schüler Johann Sebastian Bachs studierte Jurisprudenz in Leipzig und Frankfurt/Oder, ab 1737 gehörte er zur Kapelle des preuß. Kronprinzen und späteren Königs Friedrichs II. Sein Spiel auf dem «Clavier», dem Cembalo und dem Clavichord galt als unübertroffen. Im März 1768 folgte er seinem Patenonkel Georg Philipp Telemann im Amt des Städtischen Musikdirektors, als Kantor der fünf Hamburger Hauptkirchen und der Lateinschule Johanneum. B. wurde zu seinen Lebzeiten weitaus höher geschätzt als sein genialer und heute berühmterer Vater. Zu seinem Hamburger Freundeskreis gehörten bedeutende Vertreter der norddeutschen Aufklärung wie J. G. Büsch, J. A. H. Reimarus, G. E. Lessing, M. (→) Claudius, F. G. (→) Klopstock und J. H. Voß.

Baumhaus Das legendäre Gesellschaftshaus war nach seinem Standort am Eingang zum damaligen Binnenhafen benannt, der nachts durch «Bäume», aneinandergekettete schwimmende Stämme, bzw. Flöße versperrt war. Das 1662 erbaute, weithin sichtbare, elegante Gebäude gehörte bis zum Abriss 1857 zu den Lieblingstreffpunkten des feinen Hamburg. Es bot Gaststätten, Spielzimmer und einen Saal für Bankette, Konzerte, Familienfeiern oder Bälle für bis zu 200 Personen, von der Dachterrasse den schönsten Blick über die Stadt und die Flusslandschaft. In zwei kleineren, eingeschossigen Seitenflügeln logierten Zollaufsicht und Schifferwacht, am Anleger machten die Fähren aus dem Umland fest.

Bohrwurm (auch Schiffsbohrmuschel, Schiffsbohrwurm) wurmförmige, bis zu einem Meter lange Muschel in 150 Arten, die sich tief in unter Wasser befindliche Hölzer wie Schiffswände oder Befestigungen, aber auch in Kabel bohrt und zu verheerenden Schäden führt.

Campécheholz Das auch Blau- oder Blutholz genannte, sehr harte rote, später violette Holz stammt von den hauptsächlich auf Yucatán, einigen Westindischen Inseln und dem nördlichen Südamerika wachsenden C.bäumen. Aus dem qualitativ unterschiedlichen Holz wurde das farblose Hämatoxylin gewonnen, aus dem nach Oxidation der damals sehr begehrte rote Farbstoff Hämatein entsteht. In Verbindung mit anderen Farbstoffen und Chemikalien wurde damit vor allem Wolle, Baumwolle, Seide und Leder gefärbt, auch in Blau-, Violett- und Schwarztönen.

Claudius, Matthias (1740–1815) Der im Holsteinischen, damals also zum dänischen Gesamtstaat gehörenden Reinfeld geborene Dichter war nach dem abgebrochenen Studium in Jena und kurzer Zeit als gräflicher Sekretär in Kopenhagen Redakteur bei den (→) *Hamburgischen Addreß-Comtoir-Nachrichten*, von 1771 bis 1775 redigierte er den (→) *Wandsbecker Bothen.* Nach einem knapp einjährigen Zwischenspiel in Darmstadt als Redakteur kehrte er nach Wandsbek zurück, wo er mit seiner innig geliebten, vierzehn Jahre jüngeren Ehefrau Rebekka, einer Wandsbeker Zimmermannstochter, und der wachsenden Kinderschar fast sein ganzes Leben verbrachte. Stets in wirtschaftlich kargen Verhältnissen lebend, machte C. aus der Not eine Tugend, lobte das einfache Leben, die einfachen menschlichen Tugenden. Als geselliger Mensch pflegte er viele Freundschaften, auch mit Literaten und Denkern seiner Zeit, und führte bei aller Bescheidenheit der Mittel ein gastfreies Haus. Sein und das Grab seiner 1832 gestorbenen Frau Rebekka finden sich noch hinter der Christuskirche in Hamburg-Wandsbek.

Commerzdeputation Die Vorläuferin der Handelskammer wurde 1665 von Großkaufleuten als selbständige Vertretung des See- und Fernhandels gegenüber Rat und Bürgerschaft gegründet. Sie hatte sieben Mitglieder (sechs Kaufleute und einen Schiffer) und gewann bald großen Einfluss auf Handel und Politik. Ihre 1735 gegründete Bibliothek besaß schon nach 15 Jahren etwa 50000 Bücher und gehörte zu den größten und bedeutendsten in Europa. Ab 1767 unterstand ihr auch die 1619 nach Vorbildern in Venedig und Amsterdam gegr. Hamburger Bank für den Giro- und Wechselverkehr. Die schuf mit der «Mark Banco» eine stabile (durch die Kundeneinlage von Silberbarren gedeckte) Währung für den lokalen und internationalen Geldverkehr. In jenen Zeiten verwirrender Vielfalt der Währungen von ständig schwankendem Wert wurde die zuverlässige Bancomark schnell eine der gefragtesten Währungen im europäischen Handel. Das Gebäude der C., das *Commerzium*, stand passenderweise neben Rathaus und Börse.

Curio, Johann Carl Daniel (1754–1815) wuchs als uneheliches Kind im Helmstedter Waisenhaus auf. Ab 1773 besuchte er die Hamburger Lateinschule (→) Johanneum, ab 1775 das (→) Akademische Gymnasium. Nach dem Studium der Theologie und Philologie und verschiedenen beruflichen Stationen eröffnete er 1804 in Hamburg ein Erziehungsinstitut für Jungen und bald darauf eine Vereinigung, die als erste Lehrergewerkschaft gilt. Er idealisierte die vermeintliche Gleichheit aller Bürger in der Hansestadt.

Dragonerstall (→) Der Stall, Anfang des 18. Jh. beim westlichen Wall zwischen den Bastionen Ulricus und Joachimus für die Pferde der Hamburger Dragoner gebaut, wurde schon 1740 von den Brüdern Mingotti zum Theater umgebaut. Beide waren als Opernprinzipale Topstars, tourten durch ganz Europa und gastierten bis 1754 häufig in Hamburg, 1748 mit einem Kapellmeister namens Christoph Willibald Gluck. Später traten in dem «kleinen Komödienhaus beim Dragonerstall» reisende Theatertruppen aller Art auf, von denen besonders französische Vaudeville-Truppen dem Hamburger Nationaltheater am Gänsemarkt bittere Konkurrenz machten. Im Laufe der Zeit wäre aus dem Stall beinahe eine reformierte Kapelle und später ein Weinlager geworden. Auch die Idee eines besonders wagemutigen Unternehmers, hier nach spanischem Vorbild Stierkämpfe vorzuführen, blieb Idee. 1811 wurde das Gebäude von den französischen Besatzern requiriert und wieder als Stall genutzt, nach deren Abzug 1814 von den hamb. Ulanen.

Drillhaus Das 1671 nahe dem östl. Ufer der Binnenalster erbaute massive Gebäude diente der Ausbildung junger Bürger und anderer das Bürgerrecht wünschender Männer am Gewehr und zum Exerzieren, aber auch als öffentlicher Konzertsaal. Der Boden war mit holländischen Klinkern belegt, die Gewehrschränke verglast. Unter dem runden hölzernen Gewölbe war Platz für «etliche hundert Bürger». In dem repräsentativen Saal fanden auch Feiern statt, z.B. alljährlich Ende August das prunkvolle Festessen der Bürgerkapitäne. Dazu wurden extra Musiken komponiert, von 1722 bis 1768 z.B. vom städtischen Musikdirektor und Kantor G.Ph. Telemann. Die Akustik soll fabelhaft gewesen sein.

Duckdalben In der Mitte des 18. Jh. waren die Liegeplätze am Elbufer schon knapp und für die größer werdenden Schiffe nicht mehr tief genug. Durch die D., sehr tief in den Elbgrund gerammte dicke Pfähle oder Pfahlbündel, vervielfachte sich die Zahl der Anlegemöglichkeiten. Ob der aus dem Niederländischen stammende Begriff vom Namen des Herzogs von Alba (Duc d'Alba) abzuleiten ist oder sich aus düken (ducken) und Dollen (Pfähle) zusammengesetzt hat, ist nicht geklärt.

Eimbeck'sches Haus Das Gebäude aus dem 13. Jh. stand an der Straße Dornbusch. Es beherbergte zunächst Rat, Gericht und eine Schenke und wurde nach dem Bier aus Eimbeck (heute: Einbeck) benannt, das nur hier ausgeschenkt werden durfte. Als Gesellschaftshaus blieb es durch die Jahrhunderte ein beliebter Treffpunkt der Bürger. Warmes Essen wurde dort nicht serviert, konnte aber von den nahen Gasthäusern etc. geordert werden. Im 18. Jh. befanden sich hier u.a. auch eine Hebammenschule, im Anatomischen Theater (oder *Theatrum Anatomicum*) wurden «Selbstmörder und von unbekannter Hand gewaltsam Getötete entkleidet zur Schau gestellt und mitunter seziert», ebenso im Waisenhaus verstorbene Findelkinder «zur Anatomischen Demonstration». 1769 wurde das Haus abgerissen und bis 1771 prachtvoll neu erbaut, 1842 fiel es dem «großen Brand» zum Opfer, nur die Bacchusstatue vom Eingang des Hauses wurde gerettet. Sie bewacht nun den Ratskeller im «neuen» Rathaus.

Englisches Haus Volkstümliche Bezeichnung des Hauses der englischen Kaufmannsgilde *(Right Worshipful Company of Merchant Adventurers)*. Das spätgotische Doppelhaus aus massivem Backstein mit prächtiger Fassade und hohem Staffelgiebel (erb. 1478) beherbergte Lager- und Kontorräume sowie die Wohnungen des Vorsitzenden, des *Deputy Governors* oder *Court Masters*, des Schreibers und des Aufsehers. Die Gilde hatte sich 1605 endgültig in Hamburg niedergelassen und beinahe die gleichen Rechte wie Hamburger Kaufleute erhalten. Anders als die meisten Niederländer, die sich auch persönlich dauernd in der Hansestadt ansiedelten, blieben die Mitglieder der englischen Gilde stets nur für einige Jahre. Mitte des 18. Jh. hatte die Vereinigung fast nur noch gesellschaftliche Bedeutung. Das E.H. wurde 1819 abgerissen.

Fleete werden die Gräben und Kanäle genannt, die seit dem 9. Jh. zugleich als Entwässerungsgräben, Müllschlucker, Kloaken, Nutz- und Trinkwasserleitungen und als Transportwege dienten. Manche waren (und sind es noch) breit und tief genug für Elbkähne. Viele F. fallen bei Ebbe flach oder trocken, so wurden die Lastkähne mit auflaufendem Wasser in die Fleete zu den Speichern u.a. Häusern in der Stadt gestakt, entladen und mit ablaufendem Wasser zurückgestakt.

Fleischschrangen Ein offenes Gebäude auf dem (→) Hopfenmarkt beherbergte die amtlich genehmigten Schlacht- und Verkaufsstellen für Fleisch. Dafür zahlten die Schlachter eine Jahresmiete an die Stadt.

Fronerei Die F. im Zentrum der Stadt am «Berg» genannten

Platz südwestlich der Hauptkirche St. Petri war der Kerker für die abgeurteilten Schwerverbrecher, die in jenen Zeiten zumeist noch mit dem Tod bestraft wurden. Der Scharfrichter wurde auch als Fron bezeichnet. Im Keller befand sich eine «Marterkammer» für «peinliche Befragungen», die zu dieser Zeit nur noch mit Genehmigung des Rats durchgeführt werden durften. Die letzte offizielle Folterung fand in Hamburg 1790 statt. Für Gefangene der bürgerlichen Klassen (überwiegend säumige Schuldner und Betrüger) wurde 1768 in dem aus dem 14. Jh. stammenden Turm des alten Winser Tores am Meßberg eine allerdings erheblich gemütlichere Arrestantenstube eingerichtet.

Fuß Die Maße und Gewichte waren im 18. Jh. wie die Währungen ein einziges Kuddelmuddel. Handelsstädte wie Hamburg veröffentlichten ausführliche, zu Büchern wachsende Listen und Umrechnungstabellen, um den internationalen Handel in dieser Hinsicht halbwegs reibungslos zu gestalten. Ein «Fuß hamburgisch» hatte 12 Zoll und entsprach 0,2866 m.

Gängeviertel Die seit dem beginnenden 17. Jh. durch rapides Anwachsen der Bevölkerung immer enger werdende Stadt führte innerhalb der Befestigung zu wilder Bautätigkeit. Besonders in der nördlichen Neustadt und im südöstlichen Umfeld der Hauptkirche St. Jakobi entstanden Labyrinthe aus teilweise extrem schmalen Gassen (Gängen) und verwinkelten Höfen zwischen immer maroder werdenden, aufgestockten und angebauten Fachwerkhäusern – Elendsquartiere mit dramatischen hygienischen und sanitären Verhältnissen. Den Bürgern galten die G. als Brutstätte allen sittlichen und kriminellen Übels. Durch die Nähe zum Hafen und die billigen Unterkünfte entstand hier spätestens im 19. Jh. eine Arbeitersubkultur. Seit Mitte jenes Jh. wurde der Abriss diskutiert, doch erst nach der Choleraepidemie 1892 und dem Hafenarbeiterstreik

1896/97 begann die Flächensanierung. Als Letztes wurde zw. 1933 und 1938 das als Hochburg der KPD geltende G. um den Großneumarkt im Schatten der Michaeliskirche abgerissen, offiziell, aber sicher nicht nur aus hygienischen Gründen.

Geh aus, mein Herz, und suche Freud ... Das Kirchenlied mit dieser Anfangszeile ist eines der bekanntesten, sicher das populärste des lutherischen Pfarrers und großen Liederdichters Paul Gerhardt (1607–1676). Er gehörte auch zu den fleißigsten, 139 Lieder sind von ihm überliefert, die Liste der heute noch vertrauten ist lang. Die uns bekannte, so ungemein eingängige auf diesen Text gesungene Melodie von August Harder wurde erst 1813 komponiert, also vierzig Jahre später, als er in diesem Roman gesungen wird. Sie hatte jedoch verschiedene Vorgänger, die nicht mit Harders großem Wurf mithalten konnten und im Lauf der Zeit vergessen wurden.

Guardi, Francesco (1712–1793) gilt zumindest in der Vedutenmalerei (topographisch genaue Darstellung von Städten und Landschaften) als Nachfolger des berühmten Antonio Canal, gen. Canaletto, jedoch als stimmungsvoller und weniger «dokumentarisch». Den zahlreichen Auftragsarbeiten verdanken wir auch Darstellungen von Alltag, Festlichkeiten und bes. Ereignissen in der Lagunenstadt.

Grünhöker Kleinhändler von Obst und Gemüse

Hamburgische Addreß-Comtoir-Nachrichten Die zuerst im Januar 1767 mit acht Seiten erschienene Zeitung für Handel, Schifffahrt und Börse, einige lokale Nachrichten und auch die Geschichte Hamburgs gilt als eine der ersten dt. Handelszeitungen. 1768–1770 war Matthias (→) Claudius ihr Redakteur. Ab 1771 war er Redakteur des (→) *Wandsbecker Bothen.* Die H. A.-C-N. ging 1826 in der zuerst nahezu gleichzeitig erschienenen *Hamburgischen Neuen Zeitung* auf, die 1846 eingestellt wurde.

Hamburgischer Correspondent (Staats- und Gelehrte Zeitung des hamburgischen unpartheyischen Correspondenten) Die anspruchsvolle Zeitung erschien seit dem 1. Januar 1731 viermal wöchentlich mit einer Auflage von bis zu 30 000 Exemplaren (fast das Fünffache der schon berühmten Londoner *Times*). Sie blieb bis 1851 führend und war viele Jahre die meistgelesene Zeitung Europas. Neben politischen Berichten von Korrespondenten aus aller Welt, Handels- und Schifffahrtsnachrichten wurden auch geistesgeschichtlich wichtige Diskussionen gedruckt, z. B. zw. Lessing, Hauptpastor Goeze, Bodmer, Gottsched und Lichtenberg. Aber auch Kleinanzeigen und – zuerst eine Sensation – Heiratsanzeigen.

Hopfenmarkt Im 14. Jh. kauften die damals besonders zahlreichen Hamburger Brauer auf dem Markt bei der Hauptkirche St. Nikolai ihren Hopfen. Bis zum Ende des 19. Jh. war der H. einer der bedeutendsten Märkte für Obst und Gemüse, aber auch für Fleisch, der Markttrubel hier zählte lange zu den Sehenswürdigkeiten der Stadt.

Johanneum Die im Zuge der Reformation 1529 eröffnete Lateinschule (oder Gelehrtensch.) wurde nach ihrem Standort im alten St.-Johannis-Kloster benannt. Die erste Schulordnung des in Hamburg und Norddeutschland als Reformator wirkenden Johannes Bugenhagen schrieb fünf Klassen vor, zwei mehr, als im Mittelalter üblich gewesen war, das Schulgeld wurde gestaffelt, für begabte arme Kinder wurden Stipendien eingerichtet. Im Laufe der Jahrhunderte wurde die Schulordnung, die Organisation und Lehrinhalte der Schule festschrieb, immer wieder verändert und der Zeit bis heute angepasst. In der Mitte des 18. Jh. hatte die Schule acht Klassen, von Oktava bis Prima, die in zwölf bis dreizehn Jahren absolviert wurden. In jeder Klasse unterrichtete ein Lehrer, nur die Prima wurde von Rektor und Konrektor unterrichtet. Außerdem gab es neben dem Kantor einen Zeichnen- und Rechenmeister. Nur wer schon (halbwegs) deutsch lesen und schreiben konnte, wurde aufgenommen. Fächerkanon und Stundenaufteilung der einzelnen Wochentage waren genau festgelegt. Latein war zwar auch im 18. Jh. noch zentraler Unterrichtsstoff, dennoch wurde nun überwiegend in Deutsch unterrichtet und zunehmend Wert auf die perfekte Beherrschung in Wort und Schrift gelegt. Für zukünftige Handwerker galten die unteren vier Klassen des J. als ausreichend. Zukünftige Studenten besuchten nach dem J. zur Vorbereitung auf die Univ. in der Regel noch das (→) Akademische Gymnasium.

Kabriolett Eine Entwicklung des Rokoko, eine leichte, gut gefederte, bei Damen besonders beliebte zwei- bis dreisitzige Equipage, einspännig und nach vorne offen mit herunterklappbarem Verdeck (wegen der Leichtigkeit nach dem frz. *cabrioler* = Luftsprünge machen).

Kaffeehaus Das K., lange eine reine Männerdomäne, war Anlaufpunkt für Reisende aus aller Welt und Treffpunkt der Bürger und Diplomaten, Gelehrten und Publizisten, der wohlhabenden Reisenden; es gab Spielzimmer, internationale Zeitungen und jede Menge wirtschaftlichen, politischen und privaten Klatsch. Im Lauf der Zeit hatte jede «Szene» ihr K., Hamburger Literaten und Gelehrte z.B. trafen sich im Dresser'schen bei der Zollenbrücke, in dessen Vorderzimmer sich die Redaktion der (→) Hamb. *Addreß-Comtoir-Nachrichten* befand. Hamburgs erstes K. wurde nahe Börse und Rathaus wahrscheinlich 1677 von einem engl. Kaufmann oder 1680 von dem Holländer Cornelius Bontekoe eröffnet, einem späteren Leibarzt am preußischen Hof. Hamburg war zentraler Kaffee-Umschlagplatz für Nordeuropa. Ab 1763 passierten jährlich ca. 25 Mio. Pfund den Hafen, 1777 gab es in Hamburg 276 Kaffee- und Teehändler. Die wichtige Rolle der K.er zeigt, dass *Lloyd's*, eine der bedeutendsten Versicherungsgesellschaften, bis heute den Namen des Londoner K.besitzers trägt, an dessen Tischen sie Ende des 17. Jh. mit Seeversicherungen entstand.

Klopstock, Friedrich Gottlieb (1724–1803) Nach dem Studium der Theologie in Jena und Leipzig wurde K. Hauslehrer in Langensalza. Wegen seiner schon berühmten ersten drei Gesänge seines Hauptwerks, des *Messias*, gewährte ihm der dänische König eine jährliche Pension, damit er die Dichtung über die Leidensgeschichte Christi bis zur Himmelfahrt vollenden könne. So lebte und arbeitete er von 1751 bis zu seiner Übersiedelung nach Hamburg 1770 in Kopenhagen. Das vom gebildeten Publikum heiß ersehnte Werk vollendete er nach 25 Jahren 1773. An der Elbe führte er ein sehr geselliges Leben und gehörte zu den verehrten, zentralen Trägern der Aufklärung. 1792 wurde er von der französischen Nation zum Ehrenbürger ernannt. 1754 hatte er die ungewöhnlich gebildete Hamburger Bürgertochter Meta Moller geheiratet, eine Verbindung von ungemein inniger, schwärmerischer Liebe. Meta starb 1758 (nach zwei vorausgegangenen Fehlgeburten) bei der Totgeburt ihres Sohnes. Erst 1791 ging Klopstock mit Johanna Elisabeth von Winthem, einer Nichte Meta K.s, eine späte zweite Ehe ein. K. wurde verehrt wie kaum ein zweiter Dichter, nach seinem Tod 1803 folgten 25 000 Menschen seinem Sarg zum Friedhof in Altona. Sein Grab (neben dem seiner geliebten Meta) wurde für viele Jahre zum Wallfahrtsort.

Landwehr Seit dem 14. Jh. gab es wie auch in vielen anderen Städten auf Hamburger Gebiet L.en, vorwiegend aus natürlichen Hindernissen wie Wällen und (aufgestauten) Gräben oder Bächen. Eine solche, möglichen feindlichen Truppen längst nicht mehr hinderliche L. befand sich auch östlich der Stadt außerhalb des (→) Vorwerks.

Lombardhaus Das 1651 auf der Bastion Didericus westlich der den Alsterdurchfluss überspannenden Lombardsbrücke erbaute städtische Leihhaus; der Name geht auf die Lombarden zurück, die als besonders erfahren und trickreich in Geldgeschäften galten.

Longhi, Pietro (1702–1785) gehört wie (→) F. Guardi und bes. (→) G.B. Tiepolo zu den herausragenden venezianischen Malern des 18. Jh., neben den zahlreichen Adelsporträts bedeuten seine (oft ironisierenden und/oder den Augenblick festhaltenden) Darstellungen venez. Feste und alltäglichen Lebens zugleich wertvolle Quellen für die Kultur- und Sozialgeschichte.

Lustschüte Kleine, teilweise überdachte Vergnügungsboote auf der Alster, die samt Musik und Bewirtung gemietet werden konnten.

Meile Europäische Längeneinheit von sehr unterschiedlichem Maß zwischen ca. 1,0 (Niederlande) und 10,688 (Schweden) km. In Kurhessen z.B. 9,2, in Westfalen (als «Große M.») 10, in Sachsen (als «Postmeile») 2,5 Kilometer. Eine Hamburger Meile entspr. 7532,2 m.

Milchbruder/-schwester Männer bzw. Frauen, die als Säugling von derselben Amme genährt wurden.

Müller, Johann Samuel (1701–1773) war von 1732 bis zu seinem Tod Rektor der Hamburger Gelehrtenschule (→) Johanneum. Er gehörte zum Kreis der Aufklärer, und als großer Verehrer des Theaters und gelegentlicher Opernlibrettist förderte er das Theaterspiel am Johanneum entschieden. Die Texte schrieb er in der Regel selbst, zumeist als dramatisierte Dialoge, und übte sie auch ein. Die öffentlichen Vorführungen (zweimal jährl. an vier aufeinanderfolgenden Tagen) waren so beliebt, dass es durch den Andrang der Kutschen jedes Mal zum Verkehrschaos kam und die Damen ersucht wurden, ohne Reifröcke zu erscheinen.

Negligé Im 18. u. 19. Jh. Bezeichnung für ein bequemes Hauskleid, tagsüber korrekt genug zum Empfang von Besuchern.

Neuer Wandrahm Der Name benennt seit dem 17. Jh. die Verlängerung des Alten W. Beide Straßen liegen auf der Wandrahminsel, im Areal der heutigen, ab 1885 erbauten Speicherstadt. Bis zur Verlegung auf den noch südlicheren Grasbrook vor den Wällen im Jahre 1609 standen hier die Wandrahmen, große Gestelle, in die die Tuchmacher das gefärbte Tuch (Wand, Lein-Wand) zum Trocknen und Glätten einspannten. Der Begriff Wand für Tuch geht auf das 8. Jh. zurück. Er bedeutete in gotischer Zeit Rute und übertrug sich über die aus Ruten geflochtene (mit Lehm verputzte) «Hauswand» auf das wie Flechtwerk strukturierte Gewebe.

Nikolini, Filippo (gest. 1775) Der (wahrscheinlich) geborene Italiener war mindestens 35 Jahre lang Theaterunternehmer in versch. europäischen Ländern, über viele Jahre mit seiner Kinderpantomimengruppe, die der gestrenge Lessing als dressierte Affen bezeichnete, von anderen Theaterleuten aber auch gelobt wurde. Es hieß, er habe Kinder auf den Straßen aufgesammelt. 1749 wurde er am Braunschweig-Wolfenbütteler Hof zum *Directeur des spectacles* ernannt, um 1770 hatte der Hof kein Geld mehr fürs Vergnügen und entzog dem schon verschuldeten N. Stellung und Huld. So folgte er mit einer Kindertruppe und viel «Höllenspektakel» im Programm dem Ruf ans Ackermann'sche Theater am Hamburger Gänsemarkt, wo sein großer Anfangserfolg rasch verblasste. Im März 1773 verschwand er und überließ der Prinzipalin Madam Ackermann große Schulden, dann verliert sich seine Spur. Dass er 1775 in Goslar gestorben ist, ist nicht belegt.

Oberalte Das bedeutende bürgerliche Kollegium bestand aus je drei Mitgliedern der fünf Hamburger Hauptkirchspiele und hatte weitgehende Kontrollbefugnisse in Regierung und Verwaltung der Stadt.

Ratsherr Senator, früher wurde der Senat in Hamburg als Rat(h) bezeichnet.

Ravelin Dem Befestigungswall vorgelagerte (außerhalb des Wallgrabens) dreieckige Anlage vor dem Wall zwischen zwei Bastionen; die nach außen zeigende Spitze war durch eine eigene Brustwehr gesichert.

Schiffer Die noch bis ins 19. Jh. übliche Bezeichnung für die Kapitäne der nichtmilitärischen Schiffe. Als eigentlicher Kapitän galt der Schiffseigner, sofern er an Bord war. Sonst übte der Schiffer, der Schiffsführer, die Funktionen und Rechte des Kapitäns aus.

Schinderhof (→) Abdeckerei.

Schlittschuhe Archäologische Funde belegen, dass sich die Menschen vor mindestens 6000 Jahren auf Sch. aus Tierknochen über Eisflächen bewegt haben. In den nordischen Sagas werden Sch. mehrfach erwähnt, selbst Göttervater Wotan empfiehlt sie. Später wurden Holz, dann darunter befestigte und gefettete Eisenschienen und endlich massiv eiserne Kufen verwendet und unter die Schuhe gebunden. Sch. aus den so gut wie kostenlosen Tierknochen wurden bis ins 19. Jh. verwendet. Was zunächst der Erleichterung der winterlichen Nahrungsbeschaffung steinzeitlicher Jäger diente, später dem schnellen Transport von auf dem Rücken zu tragenden Kiepen etc., wurde auch reines Vergnügen für Spiele, Wettrennen und überhaupt das Gefühl der Geschwindigkeit. Auf glattem Eis konnten 50 km/h erreicht werden, somit war das Eislaufen lange die schnellste menschliche Fortbewegungsart. Unter anderem sind aus dem 12. Jh. Wettspiele auf der zugefrorenen Themse belegt, aus dem 13. Jh. Eisstockschießen aus Skandinavien, aus dem 17. Jh. ein in Holland Kolf genanntes, dem Eishockey ähnliches Spiel, das heute als Vorläufer des Golfspiels gilt. In Holland, wasserreich und -nah wie kein anderes europäisches Land, war das Eislaufen im Winter alltäglich, wie auch zahllose Gemälde aus dem 16. u. 17. Jh. zeigen. Zumeist lange eine rein männliche Fortbewegungsart, sind von dort schon aus dem 14. Jh. Eiswettläufe speziell für Frauen überliefert. Im 18. Jh. war das Sch.laufen zum Wintervergnügen (auch) der Großbürger und des Adels geworden. Die Dichter nicht zu vergessen, sie erhoben den Sport zur «edlen Kunst». Goethe, auf seine Art ja auch ein Fürst, war ein ebenso begeisterter Eisläufer wie z.B. Herder oder Claudius, Klopstock wurde noch als 73-Jähriger auf Sch. gesehen. Die ältere Bezeichnung «Schrittschuhe» weist auf die ursprüngliche Funktion hin, nämlich nicht das schnelle Gleiten, sondern das sichere Gehen auf dem glatten Eis; sie war im späten 18. Jh. noch gebräuchlich.

Schott'sche Karre Zu Beginn des 17. Jh. wurden Sträflinge vor hohe zweirädrige Wagen gespannt, um den (Straßen-)Unrat einzusammeln und zum «Gassenkummerplatz» in die Vorstadt St. Georg zu bringen. Einer der ersten «Karrengefangenen», Michael Schott, diente oder dienerte sich rasch zum Aufseher über seine Mitgefangenen hoch. Obwohl diese Strafe schon nach elf Jahren wieder abgeschafft wurde – womöglich hatte sie zu gute Gelegenheiten zur Flucht geboten –, wurden solche Karren bis ins 20 Jh. hinein nach diesem Aufseher bezeichnet.

Schout oder Wasserschout Zunehmend Ärger mit unzuverlässigen und unfähigen Seeleuten führte 1691 nach holländischem Vorbild zur Anstellung eines Wassersch. Bald durften nur noch vom Sch. überprüfte und registrierte Jungen und Männer als Seeleute geheuert werden, ab 1766 mussten er oder einer seiner Gehilfen nur noch bei der Musterung durch den Schiffer anwesend sein. Er schrieb die Musterrolle (eine Art Arbeitsbuch bzw. Namensliste der angeheuerten Besatzung eines Schiffes) jedes in Hamburg geheuerten Seemannes und eine Kopie für den jeweiligen Steuermann. Bei Verbrechen von Seeleuten auf dem Wasser wie an Land hatte der Sch. Polizeibefugnisse, er sollte Streit schlichten, Straftäter arretieren und dem Richter vorführen. Jeglicher Ärger, jeder Vertragsbruch an Bord, auch die im 18. Jh. zunehmenden Frachtdiebstähle sollten ihm gemeldet werden.

Schreiber Die Bezeichnung meinte so eine Art Geschäftsführer, wenn hier auch vom Ersten Schreiber die Rede ist, dient das der Verdeutlichung und Abgrenzung gegen die anderen Männer im Kontor, die nachgeordneten Schreiber und Handels- oder Kaufmannslehrlinge

Schute In der Mitte des 18. Jh. ein flaches, meist offenes Fluss- oder Hafenboot ohne Segel, das gezogen oder geschoben wurde. In den Häfen wurde die Sch. zum Transport der Waren zwischen Schiffen auf Reede und Lagerhäusern oder Märkten an Land eingesetzt. In den Hamburger Fleeten und anderen flachen Gewässern wurden Sch. auch gestakt.

Soffitte (lat. s*uffigere* = anheften) Bemaltes, vom Schnürboden herabhängendes, die Kulissenbühne oben abschließendes Dekorationsstück.

Sonnin, Ernst George (1713–1794). Nach dem Studium der Theologie, Philosophie und Mathematik in Halle arbeitete S. in Hamburg als Privatlehrer und entwickelte mechanische und optische Geräte. Erst mit 40 J. begann er als Baumeister zu arbeiten. Seine aus fundiertem Wissen entwickelten bautechnischen Methoden galten teilweise als verwegen. Die Michaeliskirche, inzwischen das Hamburger Wahrzeichen, war sein berühmtestes Werk (mit Baumeister und Steinmetzmeister J.L. Prey, Innendekorationen von S.s Mitarbeiter und Freund seit seiner Jugend C.M. Möller).

Spinnhaus Das Gefängnis und Arbeitshaus zunächst nur für «junge Diebe und liederliche Frauenzimmer», d.h. gewerbsmäßige Prostituierte, wurde 1666 an der östlichen Binnenalster erbaut. Anders als das Werk- und Zuchthaus diente es ausschließlich dem Strafvollzug und bedeutete meistens lebenslängliche Haft bei harter Arbeit und körperlichen Strafen wie Stäupung, die Auspeitschung am Pranger.

Teufelsort Wohl bis zur Umgestaltung des östlichen Ufers der Binnenalster nach dem «großen Brand» von 1842 zur repräsentativen Straße, wurde dort ein kurzer Straßenabschnitt

T. genannt. Der Name soll auf einen Turm der mittelalterlichen Befestigung zurückgehen, von dessen Höhe der Teufel Selbstmörder zum Sprung ins nasse Alstergrab veranlasste. Der Turm, rund und mit spitzem Dach, wurde 1570 abgebrochen.

Tiepolo, Giambattista (1696–1770). Als einer der Superstars der ital. Barock- und Rokokomalerei ist T. bes. durch seine diffizilen, so lichten wie kraftvollen Wand- und Deckenfresken in oberitalienischen Kirchen, Palästen und Villen, in der Würzburger Residenz und dem Königsschloss in Madrid beühmt.

Twiete meint im Niederdeutschen eine kleine Gasse oder einen schmalen Gang, ursprünglich als Durchgang zwischen zwei (twee) größeren bzw. breiteren Straßen.

Veterinär V.e wurden zuerst vom Militär benötigt und ausgebildet, die Bezeichnung für den Tierarzt kommt aus dem Lateinischen für altes Pferd. Die ersten Tierarznei-Schulen wurden in Lyon (1762) und in der Nähe von Paris (1766) eröffnet, es folgten die Wiener Pferdekur- und Operationsschule (1767), in Deutschland die Schulen in Hannover (1778), Dresden (1780) und Berlin (1790).

Vorsetzen Verstärkung des Ufers durch wandartige Gebilde zumeist aus Eichenbohlen, um ein Ausspülen und weiteres Abbrechen der Ufer zu verhindern. Schiffe mit geringem Tiefgang konnten direkt an den mit V. verstärkten Ufern festmachen.

Vorwerk oder *Neues Werk* (in Hamburgs Osten) Da die starke Hamburger Befestigung aus der ersten Hälfte des 17. Jh. zwar ein Erstürmen der Stadt verhinderte, nicht aber den Beschuss, wurde ab Herbst 1679 bis 1682 östlich und zum Schutz der Vorstadt St. Georg mit dem Bau eines weiter vorgeschobenen und zum Teil sehr hohen weiteren Festungswalls begonnen, dem Neuen Werk. Die Bastionen trugen hier keine Namen, sondern Nummern (1–6), zu den vier Toren gehörten auch das Berliner T. und das Lübecker T., Letzteres wurde wegen des Schlagbaums auch Lübscher Baum genannt.

Waisengrün Das Volksfest unterstützte die Finanzierung des Waisenhauses, die W.kinder zogen geschlossen mit Musik und Sammeldosen durch die Stadt, das abschließende große Fest wurde vor dem Steintor gefeiert. Das W. fand seit 1633 jährlich am 1. Donnerstag im Juli statt, zuletzt 1876.

Wandsbecker Bothe Die ambitionierte Zeitung, viermal wöchentlich je vier Seiten auf billigem Papier, drei für Nachrichten, eine für Literatur, wurde von Matthias (→) Claudius redigiert. Sie sollte mit launiger Literatur, Rezensionen und Kommentaren mit klarer Meinung gefüllt werden, ihr Prinzip folgte Weisheit, Vernunft und Toleranz. So wurde auch entschieden gegen die Sklaverei Stellung bezogen, mit der der Besitzer des Dorfes, der deutsch-dänische Staatsmann und Großkapitalist Schimmelmann, u. a. zu seinem immensen Reichtum gekommen war. Der W.B. gehörte zu den renommiertesten Blättern des späten 18. Jh., die anonym erscheinenden Beiträge stammten von allen in der aufklärerischen Literatur und Publizistik bedeutenden Autoren, die Zeitung fand nie genug Leser und wurde 1775 eingestellt.

Wedde Die Organisation der Hamburger Behörden und Verwaltungen im 18. Jh. unterschied sich stark von der heutigen. Die W. ist nicht mit der heutigen Polizei gleichzusetzen, zu ihren Aufgaben gehörte u. a. die Registrierung von Eheschließungen und Begräbnissen, die Aufsicht über «die allgemeine Ordnung» und z. T. Jagd auf Spitzbuben aller Art. Kein Prediger durfte ohne Erlaubnisschein der W. für das Brautpaar eine Trauung vornehmen. Die der W. vorgesetzte Instanz wurde Praetur genannt. Dass der gleich vier Senatoren vorstanden, zeigt Bedeutung und Vielzahl der Aufgaben. Als Praetoren waren sie in «Criminalsachen» entfernt der heutigen Staatsanwaltschaft mit einer guten Prise Kriminalpolizei ähnlich.

Die Position eines Weddemeisters gab es meines Wissens in der hier dargestellten Form nicht, sie wurde eigens für die Romane um die Komödiantin Rosina kreiert.

Werk- und Zuchthaus an der östlichen Seite der Binnenalster wurde 1622 eröffnet und später erweitert. Es war Armen- und Arbeitshaus für Arme und hilflose Alte und «etliche, die ihre Kost wohl verdienen könnten, aber wegen ihres faulen Fleisches und der guten Tage willen solches nicht thun, sondern gehen lieber betteln», und für «starke, faule, freche, geile, gottlose, mutwillige und ungehorsame, versoffene Trunkenbolde und Bierbalge sowohl Frauen als Mannspersonen, die in Untugend, Hurerei, Büberei und allerlei Sünde und Schande erwachsen …». 1666 wurde es um das (→) Spinnhaus, die Extra-Abteilung für «junge Diebe und liederliche Frauenzimmer» erweitert. Danach war das W. fast ausschließlich Arbeits- und Armenhaus. Nach der Theorie, nur Arbeitsscheue seien arm, sollten die Insassen mit Gebeten und Disziplin ans Arbeiten gewöhnt werden. Kinder sollten auch lesen und schreiben lernen. Mit der Veränderung der Strafpraxis, d.h. weniger Todesurteile, wurden ab den 1770er Jahren trotz Protestes der Verwalter auch strafrechtlich Verurteilte eingewiesen. Die Diskussion um die Trennung in Armenhaus und Zuchthaus, in Arbeitshaus und Gefängnis, führte erst 1823, nach der franz. Besetzung und deren Vorbild, zum Erfolg. Da das Waisenhaus stets überfüllt war, wurde ein Teil der bedürftigen Kinder hier untergebracht und sicher mehr zur Arbeit erzogen als unterrichtet, insbesondere zu versorgende Kinder armer Witwen.

Zitzkattun Die aufwändigere Form des Kattun (Baumwollstoff) geht zurück auf die zumeist vielfarbigen, mit reichen Vogel- und Blumenmotiven und häufig mit Gold- und Silberfäden durchwirkten Stoffe, die für Kleidung reicher Inder verwandt wurden (*chint* von Sanskrit *chitra* = vielfarbig). Sie waren den bisher in Europa üblichen, mit in Pflanzenölen verriebenen

Farben bedruckten Stoffen an Reinheit, Leuchtkraft und Haltbarkeit weit überlegen. Schon im frühen 17. Jh. wurden auch in Hamburg über Holland, Spanien, Frankreich und England bes. die farbigen Kattune eingeführt. 1678 wurde in den Niederlanden die erste «Sitsedruckerei op de Oostinidische manier» eröffnet, fast gleichzeitig in Frankreich und England. Nach Hamburg kam der Zitzdruck über Holland um 1690. Nach Augsburg, bald ein weiteres Zentrum der Kattundruckerei auf ostindische Manier, nach erfolgreicher Werkspionage in Amsterdam etwa zur gleichen Zeit.

Zollenspieker Die östl. von Hamburg gelegene und oft umkämpfte lukrative Zollstelle an der hier die Elbe kreuzenden Hansischen Handelsstraße Nr. 1 ist seit dem frühen 13. Jh. belegt, ab 1420 gehörte sie wie das umliegende Land Hamburg und Lübeck gemeinsam. Vom «Spieker», einer Art Aussichtsturm (spieken), an der Elbbiegung gegenüber der Ilmenau-Mündung waren Schiffe und Flöße mit zollpflichtiger Fracht leicht zu sehen. Im 18. Jh. waren es jährlich ca. 900 bis 1000. Das Zollhaus, ein großes Doppelgebäude, stand oberhalb des Fähranlegers für die wichtigste Querung der Niederelbe, die Überfahrt von einem knappen Kilometer dauerte je nach Wetter und Strömung eine halbe bis eine Stunde, bei Sturm wurde der Preis nach Belieben der Fährleute (in der Anfangszeit mit einem Zöllner, einem Zollschreiber und drei Knechten besetzt, 1811 arbeiteten hier 38 Männer) erhöht. Die Fähre setzte nicht nur Kutschen, Fuhrwerke, Reiter und andere Reisende über, seit dem 15. Jh. auch alljährlich bis zu 19 000 Ochsen auf der Trift entlang dem «Ochsenweg» von Jütland und Schleswig und durch den an Hamburgs nördlicher Grenze gelegenen «Ochsenzoll» weiter nach Süden und Westen. Die Fähre ist heute noch in Betrieb, das einstige Zollhaus Gaststätte und Hotel.